# 1.069
## r e c e t a s

# *Karlos Arguiñano*

**ASEGARCE
DEBATE**

Primera edición: octubre 1996
Segunda edición: noviembre 1996
Tercera edición: noviembre 1996
Cuarta edición: diciembre 1996
Quinta edición: diciembre 1996
Sexta edición: marzo 1997
Séptima edición: abril 1997
Octava edición: mayo 1997
Novena edición: noviembre 1997
Décima edición: febrero 1998
Decimoprimera edición: julio 1998
Decimosegunda edición: marzo 1999
Decimotercera edición: mayo 1999
Decimocuarta edición: diciembre 1999
Decimoquinta edición: marzo 2000

I.S.B.N.: 84-8306-037-X
Depósito legal: B. 34.765-1996
Compuesto en Roland Composición, S. L.
Impreso y encuadernado en Printer Industria Gráfica
Impreso en España *(Printed in Spain)*

# Sumario

# Introducción

Después de 30 años metido en la cocina, me encuentro con que tengo hechas más de 2.000 recetas distintas. Toda una colección. Así que cuando escucho a alguien decir «No sé qué poner hoy para comer», siempre pienso que tengo que hacer algo para solucionar esta duda que asalta a tantas personas.

Así es como surgió este libro. He recopilado las recetas, todas ellas sencillas, baratas y divertidas, que os puedan ayudar a la hora de preparar la comida. Creo que hay suficiente variedad como para que no tengáis problema de repetiros. Para localizarlas podéis acudir al índice alfabético o bien consultar por apartados.

Cuando hayáis decidido hacer una receta y no tengáis a mano un ingrediente, no importa, podéis sustituirlo por otro que sí tengáis. La cocina no es matemáticas; por tanto, las recetas no son fórmulas cerradas. Son ideas a las que cada uno puede dar su toque personal.

Por último, os recuerdo que el ingrediente indispensable en la cocina es el cariño. Sin él, difícilmente se consigue una comida rica, rica y con fundamento.

*Karlos Arguiñano*

# Recetas básicas

## Saladas

### 1 – ASAR PIMIENTOS

*Ingredientes:*
- pimientos rojos
- aceite de oliva
- agua y sal

*Elaboración:*

En una placa de horno coloca los pimientos untados con aceite y espolvoréalos con sal. Añade un chorrito de agua. Hornea a 180º durante 20 minutos aproximadamente por cada lado. Pela los pimientos en templado, retirando también las pepitas.

### 2 – CALDO DE CARNE

*Ingredientes* (para 1,5 litros de caldo):
- ½ kg de carne o de gallina
- 1 hueso de rodilla
- 1 hueso de cañada
- 1 puerro
- 3 litros de agua
- 1 rama de perejil

- 1 cebolla
- 1 zanahoria
- 1 trozo de chorizo
- sal

*Elaboración:*

Pon todos los ingredientes en una cazuela con agua y deja que cueza a fuego lento hasta que reduzca a la mitad (aproximadamente 2 horas). Después, pasa por el colador, prueba de sal y habrás obtenido un caldo de carne concentrado y con fundamento.

## 3 – DESALAR BACALAO

*Ingredientes:*
- una bacalada (en salazón)
- agua

*Elaboración:*

Si el trozo de bacalao tiene una costra de sal muy gruesa, pásalo primero por el chorro de agua fría.

Como término medio, debes poner el bacalao en remojo en abundante agua fría durante 48 horas, cambiándolo 6 veces de agua (cada 8 horas).

Este tiempo será mayor o menor dependiendo del grosor del bacalao. Es conveniente que lo dejes desalando dentro del frigorífico para mantener así una temperatura constante.

No debes desalar en el mismo recipiente trozos de bacalao de diferente grosor, ya que unos tardarán más en desalarse que otros y el plato a elaborar no te quedará bien.

## 4 – ESCALFAR HUEVOS

*Ingredientes:*
- huevos
- un chorro de vinagre

- agua                              • sal

*Elaboración:*

Pon en un recipiente agua con sal y un chorrito de vinagre.

Cuando comience a hervir, casca y echa los huevos, que deberán ser muy frescos. Como máximo, escalfa tres a la vez, dependiendo del recipiente. El agua no debe hervir a fuego fuerte.

Transcurridos de 2 a 3 minutos, saca y escurre los huevos con una espumadera. Recorta los bordes y sirve.

## 5 – FUMET DE PESCADO

*Ingredientes:*
- 1 kg de espinas y cabezas de pescado
- ½ cebolla
- 1 puerro
- 1 tomate
- granos de pimienta negra
- 2 litros de agua
- 1 rama de perejil

*Elaboración:*

Coloca las espinas y las cabezas con el resto de los ingredientes en una cazuela con agua. Deja cocer a fuego lento hasta que reduzca casi a la mitad (1 hora aproximadamente). Cuela, prueba de sal y listo para su utilización.

## 6 – MACERAR Y MARINAR

*Ingredientes* de marinada para carne o caza:
- ½ litro de vino tinto
- ½ cebolla
- 1 zanahoria
- 4 cuch. de vinagre
- sal
- 1 hoja de laurel
- 1 pizca de tomillo
- 5 granos de pimienta

*Ingredientes* de marinada para pescados:
- unas gotas de limón
- vinagre
- aceite de oliva
- sal

*Elaboración:*

---

La maceración se aplica especialmente a frutas (principalmente en licor); cuando se realiza con carnes o pescados, se habla de marinar.

Existen multitud de variantes de marinadas; éstas son dos ejemplos para carnes y pescados.

Prepara la mezcla de los ingredientes en una fuente plana de tal forma que el líquido cubra el alimento. El tiempo de maceración dependerá del tipo de producto. Por ejemplo, un conejo se macera en unas 12 horas, y un lomo de bonito, durante al menos 4 horas. Es preferible que la maceración se realice en el frigorífico.

---

## 7 – PURÉ DE PATATAS

*Ingredientes:*
- 2 patatas
- un chorro de aceite de oliva
- agua
- pimienta molida (opcional)
- sal

*Elaboración:*

---

Cuece las patatas peladas en un recipiente con agua, sal y un chorro de aceite.

A continuación, pásalo por un pasapuré y por el chino si quieres que quede más fino. Añade una nuez de mantequilla y remueve para que al enfriar no forme costra. Si lo deseas, puedes añadirle una pizca de pimienta molida.

Sustituyendo parte de la patata por verduras (espinacas, acelgas...) conseguirás diferentes purés de verduras.

También puedes preparar purés de manzanas o castañas que te servirán de guarnición de carnes y caza.

# 8 – SALSA BECHAMEL Y VELOUTÉ

*Ingredientes:*
- 100 g de harina
- 100 g de mantequilla
- 1 litro de leche caliente
- sal
- pimienta (opcional)

*Elaboración:*

Pon en un recipiente al fuego suave la mantequilla en varios trozos, y cuando esté derretida, añade la harina y mezcla bien para que no queden grumos. A continuación, ve incorporando la leche caliente poco a poco sin dejar de mover. Una vez añadida la leche, deja a fuego lento unos 15 o 20 minutos para que cueza, teniendo cuidado de que no se pegue. Salpimenta. El espesor de la bechamel depende de la harina que se añada, según para lo que se quiera usar.

Nunca hagas bechamel en un recipiente de aluminio, porque coge color si se hace con varilla.

Para preparar una velouté, simplemente sustituye la leche por caldo, bien de verduras, bien de carne o pescado, dependiendo del tipo de velouté.

# 9 – SALSA CON NATA PARA CARNE

*Ingredientes:*
- nata
- caldo de carne
- sal
- foie, berros, pimienta negra, etc. (al gusto)
- perejil picado

*Elaboración:*

Esta salsa consiste en poner las cantidades iguales de nata y caldo de carne, dejando que reduzca 8-10 minutos hasta que espese. Sabrás que está hecha cuando la salsa quede espesa, pero no en exceso. En el proceso de cocción, añade a la salsa foie, berros picados, pimienta negra machacada en el mortero, vino tinto y otras cosas con las que quieras dar gusto a la salsa. Agrega perejil picado para dar color.

La salsa con nata para pescado se elabora igual pero utilizando caldo de pescado en vez de caldo de carne, y en el proceso de cocción puedes añadir pimienta verde, rosa o negra, txakolí o vino blanco, vodka o cava.

## 10 – SALSA DE TOMATE

*Ingredientes:*
- 2 kg de tomates maduros
- 3 cebollas
- 2 dientes de ajo
- sal, aceite y azúcar

*Elaboración:*

Pica las cebollas y los ajos y ponlos a pochar en una sartén con un chorro de aceite. Cuando estén ligeramente dorados, añade los tomates troceados, la sal y el azúcar. Este último, para quitarle acidez al tomate.

Deja cocer a fuego lento unos 45 minutos. Transcurrido este tiempo, pasa por el pasapuré y tendrás una rica y sabrosa salsa de tomate casera.

## 11 – SALSA ESPAÑOLA

*Ingredientes:*
- ¼ kg de piltrafas de carne sin grasas
- 1 hueso pequeño de codillo
- aceite
- 1 cuch. de harina
- 125 g de zanahorias picadas
- 1 ramillete de perejil
- 1 diente de ajo
- 1 hoja de laurel
- 1 litro de agua

- 100 g de cebolla picada
- sal

*Elaboración:*

___

En un cazo pon el aceite a calentar e incorpora la cebolla para que se dore. Añade las piltrafas de carne, rehoga bien y después añade las zanahorias. Cuando estén ya hechas las zanahorias, agrega la harina y deja cinco minutos más hasta que se dore. Entonces añade el agua, el hueso de codillo, el perejil, el ajo y el laurel. Deja cocer a fuego lento casi una hora.

Por último, pasa la salsa obtenida por un chino, rectifica de sal y deja cocer a fuego lento hasta obtener el espesor deseado.

## 12 – SALSA HOLANDESA

*Ingredientes:*
- 3 yemas de huevo
- 250 g de mantequilla
- ½ limón
- sal

*Elaboración:*

___

Funde la mantequilla en un cazo y espera que se temple. Bate las yemas de huevo. Cuando esté bien batido el huevo, ve agregando poco a poco la mantequilla fundida y templada, mezclando con cuidado. Por último, agrega un chorro de zumo de limón y pon a punto de sal.

## 13 – SALSA MAHONESA, ROSA Y TÁRTARA

*Ingredientes:*
- ½ litro de aceite de oliva
- 2 huevos
- 2 cuch. de vinagre
- 1 pizca de sal

*Elaboración:*

Echa los dos huevos en el recipiente de hacer la mahonesa. Añade el vinagre y la sal, y aceite de oliva en abundancia. Bate con la batidora, poniéndola en el fondo del recipiente, y ve subiendo poco a poco. En cuestión de un par de minutos la salsa habrá ligado completamente.

Para la salsa rosa: una vez elaborada la mahonesa, añade el zumo de ½ naranja, unas gotas de salsa picante y salsa perrins, 2 cucharaditas de brandy y tomate ketchup, mezclándolo todo bien.

Para la salsa tártara: mezcla ½ litro de mahonesa con 30 g de alcaparras, 3 pepinillos en vinagre y una cebolleta, todo muy bien picado.

Por último, y aunque la salsa alioli se prepara simplemente ligando aceite de oliva con ajo y dándole el punto de sal, mezclando mahonesa con ajo picado conseguirás un buen sustituto más cómodo de preparar.

## 14 – SALSA VERDE

*Ingredientes:*
- 1 cebolla o cebolleta
- 2 dientes de ajo
- 1 cuch. de harina
- perejil picado
- aceite de oliva
- agua y sal

*Elaboración:*

Para preparar la salsa verde, dora en una cazuela con un poco de aceite el ajo en láminas y la cebolla o cebolleta picada. Sazona y, una vez pochado, añade una cucharada de harina y rehoga. A continuación, agrega el agua poco a poco y abundante perejil picado, mezclándolo todo bien hasta que la salsa engorde (añade más o menos agua para conseguir la textura que desees).

Deja que reduzca esta salsa unos minutos.

## 15 – SALSA VINAGRETA

*Ingredientes:*

- 1 tomate maduro picado
- 1 cebolleta picada
- 1 pimiento verde picado
- 2 huevos cocidos picados
- 10 cuch. de aceite de oliva
- 5 cuch. de vinagre
- perejil picado
- sal

*Elaboración:*

Mezcla en un bol el tomate maduro, la cebolleta, el pimiento verde y los huevos, todo muy bien picadito. Añade el aceite y el vinagre. Pon a punto de sal y espolvorea con perejil picado.

Existen cientos de variantes de vinagretas; a esta receta básica puedes añadirle pepinillos, alcaparras, etc., a tu gusto.

También puedes variar los tipos de aceites y de vinagres.

# **Dulces**

## 16 – BIZCOCHO

De 4 a 6 personas

*Ingredientes:*

- 4 huevos
- 100 g de azúcar
- 100 g de harina
- un poco de mantequilla y harina para untar el molde

*Elaboración:*

Separa las claras de las yemas y móntalas por separado.

Para montar las yemas: bátelas con la mitad del azúcar ayudándote de una varilla durante unos 15 minutos. Estarán montadas cuando espumen, blanqueen y doblen el volumen.

Monta las claras a punto de nieve. Puedes echar un chorrito de zumo de limón para que se levanten mejor.

Añade al final el resto del azúcar y sigue batiendo unos 5 minutos.

A continuación, mezcla las claras y las yemas montadas.

Después, agrega la harina espolvoreándola poco a poco y mezclando con cuidado para que no se desmonte.

Unta el molde con mantequilla y espolvoréalo con harina.

Echa la mezcla en el molde untado con mantequilla y espolvoreado con harina y hornéalo a 175º durante 20 minutos.

Desmolda el bizcocho en caliente y colócalo sobre una rejilla.

## 17 – CARAMELO

*Ingredientes:*

- 200 g de azúcar
- un poco de agua
- unas gotas de zumo de limón

*Elaboración:*

En un cazo pequeño, calienta el azúcar con un poco de agua (la proporción es de ¼ litro de agua por cada kilo de azúcar) y unas gotas de zumo de limón hasta punto de caramelo. En este punto, la mezcla tomará un color y una viscosidad característicos.

# 18 – CREMA PASTELERA

*Ingredientes:*
- 1 litro de leche
- 150 g de azúcar
- 75 g de harina de trigo
- 25 g de harina de maíz
- 1 palo de vainilla o canela
- 1 huevo entero
- 7 yemas
- 1 nuez de mantequilla

*Elaboración:*

Pon en un cazo la leche con la vainilla para que hierva y luego déjala templar.

En un cuenco o recipiente similar, pon el azúcar, la harina de trigo y la de maíz y mezcla bien. Añade un chorro de leche fría y mezcla bien. Incorpora las yemas y el huevo entero. Agrégalo a la leche con la vainilla, que deberá estar templada, y remueve sin parar hasta que espese. Realiza esta operación a fuego muy lento y con cuidado de que no hierva.

Sácalo todo a un cuenco y baña la superficie con mantequilla para que no se le haga costra.

# 19 – CREMAS DE FRUTAS

*Ingredientes:*
- 100 g de frutas (frambuesas, fresas...)
- vaso de leche
- 2 cuch. de azúcar

*Elaboración:*

Tritura las frambuesas con la leche y el azúcar. A continuación, pásalo por un chino. O un colador.

Puedes sustituir parte de la leche con nata líquida y también añadirle un chorrito de licor a tu gusto.

Estas cremas sirven para dar sabor y decorar multitud de postres como flanes, bizcochos, helados y biscuits.

## 20 – CREPES

*Ingredientes:*
- 130 g de harina
- 3 huevos
- 40 g de mantequilla
- 15 g de azúcar
- una pizca de sal fina
- 250 ml de leche
- un trozo de mantequilla (para freír)

*Elaboración:*

En una jarra echa la harina, los huevos con la mantequilla, la leche, el azúcar y la sal. Mezcla todo bien con ayuda de la batidora, cuidando que no se formen grumos.

Unta un poco de mantequilla en el fondo de una sartén antiadherente pequeña. A fuego medio, vierte masa suficiente para cubrir el fondo.

Mueve el crepe para que no se pegue. Cuando esté dorado por un lado, dale la vuelta para que se dore la otra cara. Debe quedar fino (el primero se desecha). Repite esta operación hasta freír los crepes que desees o hasta terminar la masa.

Preséntalos calientes y espolvoreados de azúcar glas en el momento de servir. También puedes rellenarlos.

## 21 – FUNDIR CHOCOLATE

*Ingredientes:*
- chocolate (de cobertura)

*Elaboración:*

Pon el chocolate al baño maría en un bol, con cuidado de que no entre agua en el interior. Caliéntalo a fuego lento para que se vaya derritiendo. Cuando las ¾ partes aproximadamente estén fundidas, apártalo del fuego y remueve hasta que se derrita del todo.

Con él puedes bañar bizcochos, galletas, etc.

Si añades un trozo de mantequilla a punto de pomada, o bien un jarabe de agua y azúcar cuando el jarabe esté fundido, obtendrás un chocolate más líquido, el glaseado de chocolate, y podrás bañar tartas –por ejemplo– con una capa más fina.

## 22 – MERENGUE

*Ingredientes:*
- 4 claras de huevo
- una pizca de sal
- 250 g de azúcar

*Elaboración:*

Monta las claras con una pizca de sal en un cuenco con ayuda de la varilla. Bate insistentemente hasta que estén levantadas y duras. Acto seguido, y sin dejar de batir, añade, poco a poco, el azúcar. Una vez echado todo el azúcar, sigue montando con energía, y en unos 3-4 minutos el merengue estará listo para su uso.

## 23 – MERMELADA

*Ingredientes:*
- 1 kg de fresas maduras
- 600 g de azúcar

*Elaboración:*

En un bol, mezcla las fresas limpias y troceadas con el azúcar, alternando a capas (empieza y acaba con azúcar). Deja reposar durante 24 horas. Escurre las fresas y vierte el líquido azucarado en una cazuela. Hiérvelo unos 10-15 minutos, cogerá punto de hebra.

Aparta la cazuela del fuego e introduce las fresas. Deja reposar otras 24 horas. Retira las fresas y vuelve a hervir el almíbar otros 5 minutos. Añade nuevamente las fresas y hierve 3 minutos. Retira la espuma que se produzca a lo largo de toda la elaboración. Por último, déjala enfriar.

## 24 – NATA MONTADA

*Ingredientes:*
- 1 litro de nata líquida
- 150 g de azúcar

*Elaboración:*

Es muy importante que la nata sea fresca y esté muy fría. Es aconsejable que el recipiente donde vayas a montarla esté metido en otro cuenco con hielo.

Comienza a batir la nata con una varilla dando pequeños golpes hasta que monte y se endurezca. Cuando esté montada, duplicará su volumen.

Añade el azúcar durante el proceso de batido: ni al principio ni al final.

Puedes aromatizar la nata con azúcar avainillado, corteza de limón o naranja.

Es recomendable que la nata se monte en el momento de servir o poco antes y siempre se mantenga refrigerada.

## 25 – PASTA QUEBRADA

*Ingredientes:*
- ¼ kg de mantequilla
- ¼ kg de azúcar glas
- 1 huevo
- 350 g de harina

*Elaboración:*

Derrite la mantequilla y trabájala hasta dejarla a punto de pomada. A continuación, agrega el azúcar y mezcla. Después, añade el huevo y vuelve a mezclar nuevamente hasta conseguir una masa uniforme. Por último, echa la harina y trabaja la masa hasta que ésta sea totalmente absorbida.

Amasa una especie de rollo y envuélvelo en una hoja de plástico. Déjalo reposar en el frigorífico durante 24 horas antes de su utilización.

Es una pasta que se conserva perfectamente en el congelador.

# Ensaladas

## 26 – AGUACATES RELLENOS DE SALMÓN

*Ingredientes:*
- 4 aguacates
- 8 lonchas de salmón ahumado
- 4 cuch. de mahonesa
- media escarola

*Elaboración:*

Corta los aguacates por la mitad. Vacíalos con una cuchara y pica su carne. Pica también el salmón y mézclalo todo en un bol. Añade la mahonesa, hasta conseguir una ensaladilla ligada. Rellena con esta masa los aguacates.

Adorna el fondo de una fuente con la escarola. Coloca encima los aguacates, adorna por encima con unas lonchitas de salmón, y a la mesa.

## 27 – ARROZ FRÍO EN ENSALADA

*Ingredientes:*
- 300 g de arroz
- unas hojas de lechuga

- ½ kg de judías verdes (vainas)
- 150 g de guisantes pelados
- 2 tomates
- 3 huevos cocidos

vinagreta:
- aceite
- sal
- perejil picado muy fino
- 1 huevo cocido picado muy fino

*Elaboración:*

Cuece por separado el arroz en agua hirviendo con sal (20 minutos), las vainas troceadas (15 minutos) y los guisantes (20 minutos). Cuando esté cocido el arroz, lava con agua fría y escurre bien. Después, mezcla en un molde el arroz, las vainas, los guisantes y el tomate en daditos. Vuelca todo en un plato y adorna con la lechuga cortada en juliana rodeando el arroz, y con huevo picado por encima. Finalmente, riega todo con una vinagreta.

## 28 – COGOLLOS CON ATÚN Y QUESO

*Ingredientes:*
- 200 g de atún o bonito en aceite
- 200 g de queso tipo castellano
- 4 cogollos de lechuga
- 16 anchoas en conserva
- 2 pimientos morrones asados
- 1 cebolleta
- aceite de oliva
- vinagre y sal gorda

*Elaboración:*

Corta los cogollos en cuartos y disponlos alrededor de una fuente. Coloca en el centro el atún o bonito. Encima de cada cogollo pon una anchoa y una tira de pimiento pelado. Añade la cebolleta en juliana y aliña con el vinagre, el aceite y la sal.

Por último, agrega el queso cortado en bastoncitos y sirve.

# 29 – COGOLLOS DE LECHUGA CON TOMATES

*Ingredientes:*
- 4 cogollos
- 4 tomates
- 2 huevos cocidos
- 12 aceitunas rellenas
- 100 g de atún
- 1 cebolleta
- sal

aliño:
- 4 cuch. de mahonesa
- 1 cucharadita de mostaza

*Elaboración:*

Lava los tomates, quítales el corazón y córtalos en rodajas. Colócalos en el centro de una fuente.

Parte los cogollos en 4 trozos y colócalos en el borde de la fuente. Después, los huevos cocidos y partidos encima de los tomates, y a continuación, el atún. Encima de todo agrega las aceitunas y la cebolleta en aros.

Sala al gusto y aliña con la mezcla de la mahonesa y la mostaza.

# 30 – ENSALADA A LA MENTA

*Ingredientes:*
- 4 patatas cocidas
- ½ bote de maíz cocido (200 g aprox.)
- 2 tomates
- 2 lonchas de jamón cocido

vinagreta:
- 6 hojas de menta
- aceite virgen
- zumo de ½ limón o vinagre
- sal

*Elaboración:*

Corta las patatas en lonchas y el tomate en dados o rodajas y colócalos en un plato: el tomate en el borde y la patata en el centro. Esparce por encima el maíz y dispón unas tiras de jamón cocido adornando.

Haz la vinagreta con la menta picada, el zumo de ½ limón, que puedes sustituir por vinagre, 6 cucharadas de aceite y sal. Por último, rocía la ensalada con la vinagreta.

---

## 31 – ENSALADA A LA VINAGRETA DE AZAFRÁN

*Ingredientes:*

- 50 g de jamón de pato
- ½ pepino
- 1 tomate
- 1 lechuga rizada
- 100 g de berros
- maíz cocido
- 4 champiñones

para la vinagreta:
- 6 cuch. de aceite de oliva
- 2 cuch. de vinagre de vino
- 6 hebras de azafrán
- 1 diente de ajo picado
- sal

*Elaboración:*

Comienza limpiando bien todos los ingredientes. Coloca las hojas de lechuga en círculo sobre el plato. Corta un tomate en gajos y coloca encima la lechuga. En el centro coloca un puñado de berros.

Aparte, filetea unos champiñones y corta en rodajas el pepino. Coloca todo sobre el tomate. Cubre todo con los granos de maíz.

Entonces, haz la vinagreta y rocía con ella la ensalada.

Por último, coloca el jamón de pato haciendo rollitos con las lonchas y sirve.

# 32 – ENSALADA ARAGONESA

*Ingredientes:*
- 1 lechuga
- 1 pimiento verde en juliana
- 12 aceitunas negras
- 1 tomate
- 2 huevos cocidos
- 4 lonchas de jamón serrano
- sal
- aceite
- vinagre de vino

*Elaboración:*

Limpia la verdura. En el fondo de una fuente coloca las hojas de lechuga un poco troceadas. Parte el tomate en gajos y coloca éstos encima. Después, los huevos pelados y en cuartos y el pimiento verde en juliana. Añade las lonchas de jamón troceadas y agrega las aceitunas. Por último, aliña con sal, aceite y vinagre al gusto.

# 33 – ENSALADA CALIENTE DE PESCADO

*Ingredientes:*
- 100 g de salmón
- 100 g de gallo
- 16 gambas
- 2 chipirones
- ½ lechuga
- 2 endibias
- 1 tomate
- 8 rabanitos
- pimienta negra en grano
- 1 zanahoria
- ½ cebolla
- vinagreta

*Elaboración:*

Limpia de piel y de espinas el pescado y trocéalo en láminas de un centímetro de grosor aproximadamente. No hace falta que cuezas los chipirones con antelación, pero tienes que cortarlos muy finos para que se hagan.

En una cazuela pon la zanahoria y la cebolla cortadas en juliana, y la pimienta, y cubre con dos dedos de agua.

Cuando rompa a hervir, ve escaldando el pescado sin que se pase.

En una fuente coloca las endibias, la lechuga y el tomate, al gusto de cada cual. Sobre esto pon el pescado jugando un poco con los colores, añade los rabanitos y aliña con vinagreta, o, si lo prefieres, con aceite y vinagre solamente.

También puedes acompañar con mahonesa.

## 34 – ENSALADA CARIÑOSA

*Ingredientes:*
- 4 endibias
- 4 rodajas de piña
- 8 tronquitos de marisco
- aceitunas negras
- 100 g de atún en aceite
- mahonesa ligera
- sal

*Elaboración:*

Coloca alrededor de una fuente o plato las hojas de endibia y la piña troceada en el centro. Añade también los trozos de atún y las aceitunas. Sazona las hojas de endibia y aliña con una mahonesa ligera. Por último, añade los tronquitos de marisco troceados y sirve.

## 35 – ENSALADA CON NUECES

*Ingredientes:*
- 2 endibias
- 1 manzana
- 8 champiñones o setas
- 100 g de queso
- 2 cuch. de nueces picadas
- un poco de mostaza
- perejil picado
- aceite de oliva
- vinagre
- sal

*Elaboración:*

Coloca unas hojas de endibia cubriendo la vuelta de una fuente o plato, y el resto pícalas y ponlas en el centro.

A continuación, añade las setas o champiñones limpios y la manzana pelada, todo bien troceado. Coloca también el queso cortado en láminas finas y las nueces picadas.

Para preparar el aliño, bate aceite de oliva con vinagre, sal y un poco de mostaza y perejil picado.

Adereza con esta mezcla la ensalada y sirve.

## 36 – ENSALADA CON QUESO

*Ingredientes:*

- 2 aguacates
- 200 g de queso tipo castellano
- 1 lechuga pequeña
- 1 cebolleta
- 1 tomate
- aceite
- vinagre de sidra
- sal gorda

*Elaboración:*

Limpia el tomate y pártelo en rodajas finas. Coloca éstas en el borde de una fuente o plato. En el centro pon las hojas de lechuga también limpias. Saca la carne de los aguacates, trocéala y ponla sobre el tomate. Parte el queso en triángulos finos y colócalos en el centro sobre la lechuga. Añade la cebolleta cortada en juliana fina por encima.

Por último, sazona y aliña con aceite y vinagre.

## 37 – ENSALADA CON REFRITO DE BACON

*Ingredientes:*

- unas hojas de lechuga
- 1 cebolleta

- 1 remolacha cocida
- 1 tomate
- 1 diente de ajo
- 100 g de bacon
- 100 g de queso
- 4 champiñones
- sal
- aceite

para la salsa:
- 2 cuch. de mahonesa
- 1 cuch. de salsa de mostaza
- caldo de cocer la remolacha
- vinagre
- un chorrito de agua
- perejil picado

*Elaboración:*

En un plato o fuente prepara una cama con la lechuga y unas rodajas de tomate y remolacha cocida.

Corta el bacon en trocitos y el champiñón, ya limpio, en láminas. Fríe el bacon junto con los champiñones y el diente de ajo.

Sazona la ensalada y añádele el salteado por encima, pero sin echar todo el aceite, y decora con la cebolleta cortada en juliana.

Para hacer la salsa mezcla la mahonesa, aligerada con un poco del caldo de cocer la remolacha, perejil picado, vinagre, mostaza y un chorrito de agua.

Por último, decora la ensalada con unos trozos de queso y rocía con la salsa por encima.

## 38 – ENSALADA CON SALSA DE YOGUR

*Ingredientes:*
- 1 escarola
- 1 lechuga
- 2 ramas de apio
- 1 pepino
- 2 tomates
- 1 cebolla roja

- 4 ajetes tiernos
- unas hojas de albahaca
- 150 g de yogur natural
- aceite de oliva
- sal

*Elaboración:*

Limpia bien toda la verdura.

En una fuente o plato coloca en el centro la escarola troceada y, alrededor, la lechuga bien picada. Dispón el pepino pelado y en rodajas por toda la vuelta, y encima el apio, sin hilos,
cortado en bastoncitos. Después, añade el tomate cortado en
gajos. A continuación, agrega la cebolla picada sobre la escarola y los ajetes en rodajitas. Sazona.

Para preparar la salsa, mezcla en un bol el yogur natural con
un chorro de aceite, unas hojas de albahaca picadas y una pizca de sal. Bátelo todo bien con un tenedor, aliña la ensalada y
sirve.

---

## 39 – ENSALADA CON VINAGRETA DE AGUACATE

*Ingredientes:*

- 300 g de salmón
- 300 g de rape
- 8 langostinos
- 1 escarola o lechuga
- 200 g de judías verdes cocidas
- 1 tomate
- sal
- agua

para la vinagreta:
- 1 aguacate
- ½ taza de vinagre o zumo de limón
- 1 taza de aceite de oliva
- 1 cuch. de perejil picado
- sal

*Elaboración:*

---

Trocea la pulpa del aguacate pelado y sin hueso. Colócala en
un bol y añade el perejil picado, el vinagre o zumo de limón,
una pizca de sal y el aceite de oliva.

Corta el pescado (rape y salmón) en tiras finas. Sazona y coloca las tiras en una vaporera con agua y sal junto con unas
colas de langostinos peladas durante 3 o 4 minutos.

Corta el tomate en lonchas finas y cubre el centro de una

fuente o plato. Alrededor coloca la escarola o lechuga limpia y troceada, y por encima las judías verdes cocidas. Por último, añade el pescado y el marisco cocidos al vapor.

Aliña con la vinagreta de aguacate y sirve.

## 40 – ENSALADA DE AGUACATE Y PLÁTANO

*Ingredientes:*
- 1 lechuga
- 2 plátanos
- 2 aguacates
- 4 cuch. de maíz cocido
- vinagre de sidra
- aceite de oliva
- sal gorda

*Elaboración:*

Lava bien la lechuga y colócala troceada en juliana en el fondo de una fuente.

Pela los aguacates y los plátanos, trocéalos y colócalos sobre la lechuga.

Aliña la ensalada con aceite, vinagre y sal gorda.

Por último, esparce los granos de maíz cocidos y sirve.

## 41 – ENSALADA DE AGUACATES

*Ingredientes:*
- 4 aguacates
- 4 huevos cocidos
- 4 champiñones
- 1 cebolleta
- 1 tomate

para la vinagreta:
- 2 cuch. de mostaza
- ½ vaso de vinagre de jerez
- 1 vaso de aceite de oliva
- sal
- perejil picado

Parte el tomate en rodajas finas y cubre con éstas el fondo de los platos. Pela los aguacates, quítales el hueso y córtalos en láminas finas para formar un abanico en los platos. Corta los champiñones limpios y la cebolleta en láminas muy finas y colócalo todo sobre los aguacates.

Por último, pon encima los huevos troceados y alíñalo con la vinagreta que habrás preparado mezclando bien todos sus ingredientes en un bol.

## 42 – ENSALADA DE BERENJENAS Y BACALAO

*Ingredientes:*
- 2 berenjenas
- 300 g de bacalao desalado
- 2 tomates
- 3 dientes de ajo
- ½ kg de habas sin piel y escaldadas
- sal
- aceite de oliva
- vinagre

*Elaboración:*

Corta las berenjenas por la mitad, añádeles sal y aceite y ásalas en el horno a 200º durante 10 minutos.

Pica la carne y resérvala. La piel puedes guardarla para utilizarla como base de relleno en otra ocasión.

Pica el tomate y el ajo, sazona y ponlo a pochar en una sartén con aceite durante 8 o 10 minutos. A continuación, agrega el bacalao desmigado y la carne de las berenjenas, mezclando bien. Déjalo hacer a fuego suave hasta que se quede seco y pruébalo de sal.

Monta con esta mezcla 4 platos o una fuente.

Adorna con las habas escaldadas y peladas y alíñalo con sal (si hace falta), aceite y vinagre.

Puedes tomar esta ensalada templada o fría.

# 43 – ENSALADA DE BERROS

*Ingredientes:*
- 100 g de berros
- 100 g de jamón cocido en trozos
- 100 g de queso suave
- 8 rabanitos
- unas hojas de treviso
- 1 cebolleta
- 2 cuch. de vinagre de vino
- 6 cuch. de aceite virgen
- sal

*Elaboración:*

Bajo el chorro de agua fría lava las hojas de treviso, los rabanitos y los berros. Dispón las hojas de treviso alrededor del plato, y en el centro los berros y el jamón cocido. Después, el queso, los rabanitos abiertos en forma de flor y la cebolleta en juliana decorando el plato. Por último, aliña con la vinagreta del vinagre, el aceite y la sal.


# 44 – ENSALADA DE CARDO AL AROMA DE MANDARINA

*Ingredientes:*
- 1 kg de cardo limpio
- ¼ de brécol
- 1 remolacha
- agua
- sal

para el aliño:
- la piel de ½ mandarina
- 2 dientes de ajo
- una cucharadita de pimentón dulce
- sal gorda
- aceite
- vinagre

*Elaboración:*

Cuece el cardo ya limpio en agua con sal. Una vez cocido, escúrrelo y sírvelo en una fuente. Aparte, cuece también el brécol y la remolacha en agua con sal. Escurre y reserva.

En un bol mezcla la sal, la piel picada muy fina de la mandarina, el ajo, también muy picado, el pimentón y el vinagre. Ve añadiendo aceite, sin parar de remover.

Coloca el brécol y la remolacha, cortada en rodajas, en la fuente con el cardo.

Por último, aliña con la vinagreta de mandarina.

## 45 – ENSALADA DE CHAMPIÑONES

*Ingredientes:*
- 500 g de champiñones
- el zumo de 2 limones
- 3 cuch. de queso de untar
- 3 cuch. de aceite
- 20 colas de gambas cocidas
- 1 loncha picada de jamón cocido
- sal
- unas hojas de lechuga para decorar

*Elaboración:*

Limpia los champiñones y córtalos en finas rodajas, rocíalos con el zumo de limón, añade sal y deja que reposen durante 15 minutos.

En un bol mezcla el resto de los ingredientes, excepto el queso, y sazona. Incorpora los champiñones y mézclalo todo bien. Sírvelo en copas o en platos colocando el queso en el centro (puedes aligerarlo con ½ vaso de nata). Por último, adórnalo con lechuga cortada en juliana.

## 46 – ENSALADA DE CÍTRICOS

*Ingredientes:*
- 2 naranjas
- 1 pomelo
- 4 endibias
- 2 zanahorias
- zumo de limón
- aceite de oliva

*Elaboración:*

Pela las naranjas y el pomelo y córtalo todo en gajos.

Haz una juliana muy fina con la zanahoria.

Coloca las hojas de endibia en toda la vuelta de una fuente o plato, pon los gajos de naranja y pomelo en el centro y exprime la pulpa sobrante encima. Aliña con zumo de limón y un chorro de aceite. Por último, añade la juliana de zanahoria y sirve.

## 47 – ENSALADA DE COLORES

*Ingredientes:*

- 500 g de patata
- 1 pepino
- 2 remolachas cocidas
- 2 huevos cocidos
- 50 g de salmón ahumado
- aceite de oliva
- sal
- vinagre
- agua

*Elaboración:*

Lava y cuece la patata en agua durante 20 minutos. Enfríala y pela. Córtala en lonchas y reserva.

Pela el pepino, córtalo en tiras y cubre el fondo de una fuente. Pela la remolacha, córtala en lonchas y escúrrela bien. Colócala encima del pepino, y sobre éste la patata.

Por último, adorna con el salmón en rollitos y el huevo picado. Aliña con aceite, vinagre y sal y sirve.

## 48 – ENSALADA DE ENDIBIAS

*Ingredientes:*

- 2 endibias
- 8 hojas de espinacas

- 12 gambas o langostinos cocidos
- 1 loncha de jamón cocido un poco gordita
- sal gorda

vinagreta:
- aceite
- vinagre
- sal
- 2 hojas de albahaca
- perejil picado

*Elaboración:*

Lava las espinacas y córtalas en juliana. Coloca las hojas de endibia alrededor del plato, en el centro las espinacas y encima las gambas cocidas y peladas. Haz unas tiras con el jamón y colócalas encima de las endibias.

Por último, prepara la vinagreta picando la albahaca y batiendo todos sus ingredientes.

Aliña la ensalada con un poco de sal gorda y la vinagreta.

## 49 – ENSALADA DE ENDIBIAS Y POLLO

*Ingredientes:*
- 2 endibias
- 2 pechugas de pollo
- 4 hojas de lechuga
- 2 hojas de treviso
- 1 cucharada de alcaparras

vinagreta:
- 1 tomate en dados
- 1 cucharada de mostaza
- sal y pimienta
- 8 cucharadas de aceite virgen
- 2 cucharadas de vinagre de jerez

*Elaboración:*

Salpimenta el pollo, fríelo en aceite bien caliente y reserva. Corta la lechuga en juliana y colócala en el centro del plato, alrededor las endibias y encima el pollo en lonchas. Coloca las hojas de treviso en juliana adornando. Haz una vinagreta mezclando bien el aceite, el vinagre, la mostaza, sal y pimienta y el tomate en dados. Por último, rocía la ensalada con la vinagreta y adórnala con las alcaparras.

# 50 – ENSALADA DE ESCAROLA

*Ingredientes:*

- 2 escarolas
- 50 g de cacahuetes pelados
- 100 g de almendras crudas y tostadas
- 1 diente de ajo

para la vinagreta:
- 1 tomate pelado
- 1 huevo cocido
- aceite de oliva
- vinagre
- sal

*Elaboración:*

Unta el plato o fuente con el ajo. Limpia bien la escarola y colócala en el centro. Después, añade los cacahuetes y las almendras por encima.

Para la vinagreta: pica el tomate y colócalo en un bol, añade el huevo pelado y picado. Después, aliña con sal, aceite y vinagre y mézclalo todo bien batiendo, para que ligue.

Por último, añade la vinagreta a la ensalada y sirve.

# 51 – ENSALADA DE ESCAROLA CON VIEIRAS

*Ingredientes:*

- 1 escarola
- 1 lechuga
- 6 vieiras
- vino blanco

vinagreta:
- un chorro de vinagre
- ½ vaso de aceite de oliva
- sal gorda
- 1 cuch. de cebollino picado
- perejil picado
- 1 cucharadita de pimentón dulce

*Elaboración:*

Limpia y cuece las vieiras, troceadas y sazonadas, con un chorro de vino blanco durante unos minutos y reserva.

Limpia la escarola y la lechuga, trocéalas y coloca en el fondo de una fuente. Sazona y dispón por encima las vieiras templadas. Prepara una vinagreta con el cebollino, el pimentón, sal gorda, vinagre, aceite y perejil picado. Aliña la ensalada y sirve.

---

## 52 – ENSALADA DE ESPÁRRAGOS TRIGUEROS

*Ingredientes:*

- 600 g de espárragos trigueros
- 400 g de colas peladas de langostinos
- 2 zanahorias
- 1 limón
- aceite
- sal

*Elaboración:*

Ante todo, pela los espárragos y átalos en ramitos.

En una cazuela con bastante agua echa a cocer los espárragos cuando rompa a hervir el agua. Cuece a fuego medio durante 20 minutos. Resérvalos al calor. Aparte, cuece en agua hirviendo con bastante sal las colas de los langostinos. En tres o cuatro minutos enfría con agua fría, escúrrelas y reserva.

Pon los espárragos en el plato, coloca los langostinos encima y la zanahoria rallada por el borde del plato. Aliña todo con aceite, limón y sal. También puedes aliñar con vinagreta o con mahonesa.

---

## 53 – ENSALADA DE ESPÁRRAGOS Y HUEVOS

*Ingredientes:*

- 12 espárragos en conserva
- 12 aceitunas negras

- 4 huevos cocidos
- ½ lechuga
- 4 pepinillos
- 4 hojas de treviso
- 3 cuch. de mahonesa

- caldo de espárragos o agua
- sal
- perejil picado

*Elaboración:*

---

Limpia la lechuga y las hojas de treviso y colócalas cortadas en juliana en el fondo de un plato o fuente. Pon encima los espárragos, los huevos en cuartos, las aceitunas y los pepinillos cortados en abanico. Aligera la mahonesa con un poco de caldo de los espárragos o agua y espolvoréala con un poco de perejil picado. Por último, sazona la ensalada y alíñala con la mahonesa.

---

## 54 – ENSALADA DE ESPINACAS Y ZANAHORIAS

*Ingredientes:*
- ½ kg de espinacas frescas
- 4 zanahorias
- 200 g de nueces peladas
- 100 g de pasas de corinto

para la vinagreta:
- aceite
- vinagre
- mostaza
- sal gorda

*Elaboración:*

---

Limpia y trocea las espinacas (si la hoja es pequeña no hace falta trocearlas). Pela y corta en juliana fina las zanahorias y pon en remojo las pasas en un poco de agua tibia.

Coloca las hojas de espinacas en los bordes de una fuente o plato y la zanahoria en el centro.

Espolvorea con las nueces troceadas y las pasas de corinto escurridas. Sazona con sal gorda.

Haz la vinagreta con la mostaza, el aceite, el vinagre y la sal.

Aliña la ensalada y sirve.

# 55 – ENSALADA DE FRITURAS

*Ingredientes:*

- 200 g de mollejas de cordero
- 2 cebolletas
- 1 calabacín
- 1 puerro
- 2 zanahorias
- 2 pimientos verdes
- 1 pimiento rojo
- aceite de oliva
- harina
- sal

salsa vinagreta:
- 1 cebolleta
- 1 cucharadita de perejil picado
- sal
- aceite de oliva
- vinagre
- 1 diente de ajo picado
- 1 huevo cocido

*Elaboración:*

Limpia las mollejas y trocéalas. A continuación, sazona y enharina.

Corta el calabacín en lonchas, pásalas por harina y fríelas en abundante aceite caliente. Coloca estas lonchas en el fondo de una fuente o plato.

Corta en juliana muy fina el puerro y fríelo. Escurre bien de aceite y añádeselo a la fuente.

Trocea los pimientos verdes y rojos, fríelos juntos y échalos también a la fuente.

Después, fríe (siempre en la misma sartén) la zanahoria en juliana junto con las cebolletas en rodajas y agrégaselo bien escurrido a la ensalada. Sazona todas estas verduras fritas.

En otra sartén, fríe las mollejas y colócalas encima.

Prepara la vinagreta con la cebolleta y el ajo picados, el perejil y el huevo duro. Mézclalo todo en una salsera con el aceite, el vinagre y la sal.

Sirve esta ensalada acompañada de la salsa vinagreta.

## 56 – ENSALADA DE GUISANTES

*Ingredientes:*

- 500 g de guisantes cocidos
- 200 g de champiñones cocidos
- 2 tomates
- 8 filetes de anchoa en aceite
- 1 diente de ajo
- aceite de oliva
- 4 cuch. de vinagre
- 1 cucharadita de miel
- 2 hojas de albahaca
- sal

*Elaboración:*

Corta los champiñones en láminas y colócalos en una ensaladera junto con los guisantes, el ajo y la albahaca picados. Aliña con un vaso de aceite, vinagre, miel y sal.

Coloca el tomate en rodajas en el borde de una fuente, pon la mezcla de champiñones y guisantes en el centro, adorna con las anchoas y sirve.

## 57 – ENSALADA DE GUISANTES Y HABAS

*Ingredientes:*

- 250 g de guisantes cocidos
- 200 g de habas frescas cocidas
- ½ escarola
- ½ lechuga
- 2 tomates
- 8 filetes de anchoa en aceite
- aceite de oliva
- vinagre
- 2 hojas de albahaca
- sal

*Elaboración:*

Coloca el tomate cortado en gajos en el borde de una fuente o plato, en el centro la escarola y la lechuga, bien limpias y picadas, y encima las habas y los guisantes cocidos. Adorna con las anchoas y las hojas de albahaca picadas. Por último, sazona y aliña con aceite de oliva, vinagre y sal.

## 58 – ENSALADA DE JAMÓN SERRANO

*Ingredientes:*
- 400 g de jamón serrano en lonchas
- 2 aguacates
- 2 dientes de ajo
- 2 cebolletas
- aceite de oliva
- 16 lonchas de pan muy finas y tostadas

*Elaboración:*

Coloca el pan tostado y untado con el ajo en el fondo del plato.

Pela los aguacates y córtalos finos poniéndolos encima del pan.

Coloca el jamón enrollado por encima.

Por último, pica la cebolleta en juliana y añádesela a la ensalada. Alíñalo con aceite de oliva y listo.

## 59 – ENSALADA DE JUDÍAS VERDES

*Ingredientes:*
- 300 g de judías verdes
- 2 patatas nuevas cocidas
- 1 tomate
- 1 endibia
- mahonesa ligera
- sal, agua y aceite

*Elaboración:*

Cuece las judías verdes en agua caliente con sal y un chorro de aceite de oliva durante 40 minutos. Una vez que estén cocidas, escurre y reserva dejando enfriar.

Monta el plato con las patatas cortadas en lonchas. En el cen-

tro pon las judías verdes. Alrededor, sitúa el tomate cortado en
lonchas finas y las hojas de endibia. Aliña con sal y mahonesa
aligerada con un poco de caldo de la cocción de las judías.
También puedes aliñar con aceite y vinagre.

## 60 – ENSALADA DE LA RIBERA

*Ingredientes:*

- 1 cogollo de escarola
- 4 cogollos de lechuga
- 2 tomates
- 4 espárragos blancos
  y cocidos
- 12 filetes de anchoa de lata
- aceitunas verdes
- aceitunas negras

- 2 huevos cocidos
- 1 cebolleta (juliana)
- 2 dientes de ajo picado fino

aliño:
- aceite
- vinagre de vino
- sal

*Elaboración:*

Pon el tomate cortado en lonchas finas en el fondo de la
fuente, y encima la verdura limpia.

Sigue con los espárragos, las aceitunas, los huevos cortados
en lonchas y las anchoas.

Échale sal y aliña con el aceite y el vinagre.

## 61 – ENSALADA DE MANZANA

*Ingredientes:*

- 2 o 3 manzanas golden
- 300 g de zanahorias
- berros u otra hierba
- 1 aguacate

- 1 pepino
- vinagre
- sal
- aceite

*Elaboración:*

Corta las manzanas por la mitad, descorazona y pártelas en rodajas finas.

Pela el aguacate, retira el hueso y córtalo en láminas.

Pela también la zanahoria y rállala, y, por último, pela el pepino y haz rodajas.

Para montar la ensalada, coloca las rodajas de manzana en el borde de una fuente, encima las láminas de aguacate, la ralladura de zanahoria en el centro y las rodajas de pepino alrededor.

Adorna con los berros u otra hierba bien limpia y, por último, aliña con sal, aceite y vinagre.

---

## 62 – ENSALADA DE MOLLEJAS DE PATO Y CODILLO DE CERDO

*Ingredientes:*

- 2 mollejas de pato confitadas
- 1 codillo de cerdo cocido
- 2 escarolas (lechuga, etc.)
- 2 patatas cocidas
- 1 tomate
- 100 g de habas peladas

vinagreta:
- 1 tomate
- 2 dientes de ajo
- 8 cuch. de aceite virgen
- 2 cuch. de vinagre de sidra
- 1 cuch. de vinagre de jerez
- sal

*Elaboración:*

---

Cuece el codillo y las mollejas unos 20 minutos aproximadamente y córtalos en rodajas.

Limpia la escarola o lechuga que vayas a utilizar y escalda las habas en agua hirviendo.

Haz una vinagreta con el tomate picado (sin piel ni pepitas), el ajo picado, la sal, el aceite y el vinagre. Puedes hacer la vinagreta al principio. Incluso 1 hora antes para que macere.

Dispón en el centro del plato la patata cocida y pelada, cortada en rodajas. Alrededor, las habas, y rodeando a éstas la escarola y las rodajas de tomate. Añade las mollejas y el codillo cortados en rodajas.

Si quieres una ensalada templada, saltea las mollejas y el codillo dándoles unas vueltas en una sartén con unas gotas de aceite. Alíñalo con la vinagreta y sirve.

## 63 – ENSALADA DE MOLLEJAS Y JAMÓN

*Ingredientes:*

- 2 mollejas de pato confitadas
- 300 g de jamón serrano
- 1 escarola
- 2 patatas cocidas
- 1 tomate
- 100 g de habas escaldadas
- sal

vinagreta:
- 1 tomate
- 1 diente de ajo
- aceite de oliva
- vinagre de jerez
- sal gorda
- ½ huevo cocido
- perejil picado

*Elaboración:*

Prepara una vinagreta con el tomate, el ajo y el huevo picados, la sal, el perejil, el aceite y el vinagre, mezclándolo todo bien.

Dispón en el fondo del plato la patata cocida y pelada, cortada en rodajas. Sazona y coloca alrededor el tomate en gajos. Añade por encima las hojas de escarola y las habitas escaldadas. Agrega las mollejas cortadas en rodajas, pon a punto de sal, aliña con un chorro de vinagre y, por último, coloca las lonchas de jamón por encima.

## 64 – ENSALADA DE MOZZARELLA

*Ingredientes:*

- 1 escarola
- 2 tomates

- pimienta negra
- aceite de oliva

- 300 g de mozzarella
- 12 anchoas en aceite
- 16 aceitunas
- vinagre y sal

*Elaboración:*

Limpia los tomates y la escarola. Descorazona los tomates y pártelos en rodajas, colocando éstas en el borde de una fuente o plato. En el centro pon las hojas de escarola, y encima las anchoas.

Parte el queso en láminas y añade éstas a la ensalada junto con las aceitunas. Por último, espolvorea con pimienta negra molida y aliña con sal, aceite de oliva y vinagre.

## 65 – ENSALADA DE NARANJAS

*Ingredientes:*
- 4 naranjas
- 4 endibias
- 4 zanahorias
- 1 cebolleta
- pimienta negra
- zumo de 1 limón
- aceite de oliva

*Elaboración:*

Pela las naranjas y córtalas en gajos. Haz una juliana muy fina con la zanahoria y la cebolleta.

Coloca las hojas de endibia en el fondo de una fuente, pon los gajos de naranja en el centro y añade la juliana de zanahoria y cebolleta por encima. Espolvorea con pimienta molida y, por último, aliña con aceite de oliva al gusto y el zumo de un limón.

## 66 – ENSALADA DE PEPINO

*Ingredientes:*
- 2 o 3 pepinos
- aceite de oliva

- 2 tomates
- 2 pimientos verdes
- 2 cebolletas

- vinagre
- sal gorda

*Elaboración:*

---

Pela los pepinos y pártelos en lonchas finas. Cubre el fondo de una fuente o plato con ellas. Parte el tomate bien limpio en trozos y coloca éstos encima en toda la vuelta. Después, el pimiento verde, sin pepitas y muy picadito, y, por último, la cebolleta en tiras. Aliña con sal gorda, aceite de oliva y vinagre. Sirve.

## 67 – ENSALADA DE PERAS

*Ingredientes:*
- 4 peras
- 50 g de queso roquefort
- 8 nueces picadas

vinagreta:
- cebollino
- perejil
- perifollo
- vinagre de frambuesa o normal
- ½ cuch. de mostaza
- sal
- aceite

*Elaboración:*

---

Pica muy finos el perejil, el cebollino y el perifollo. Mezcla todas las hierbas picadas con la mostaza, la sal, el vinagre y, por último, con el aceite. Revuelve con firmeza hasta obtener una vinagreta con fundamento.

Pela las peras, quítales con cuidado el corazón y córtalas en gajos de aproximadamente ½ cm. Y cúbrelas totalmente con la vinagreta. Deja macerar 1 hora en la cámara.

Antes de servir, ralla el queso y las nueces por encima.

## 68 – ENSALADA DE PIMIENTO MORRÓN Y BACALAO

*Ingredientes:*

- 2 pimientos morrones asados
- 4 lomos gordos de bacalao desalado
- agua
- leche
- 3 patatas nuevas cocidas
- 1 lechuga rizada

vinagreta:
- 1 yema de huevo cocido
- 3 cuch. de vinagre de sidra
- 8 cuch. de aceite de oliva
- sal gorda
- perejil picado

*Elaboración:*

Pon a calentar el agua con un vaso de leche e introduce los lomos de bacalao durante 3 o 4 minutos sin dejar que hierva. Pasado este tiempo, sácalos y resérvalos.

Monta el plato con la patata pelada y cortada en lonchas en el fondo del plato, encima los pimientos morrones pelados y en tiras, y cubriendo a éstos, el bacalao en láminas. Coloca alrededor la lechuga bien limpia y en juliana.

Por último, aliña la ensalada con la vinagreta, que habrás preparado mezclando bien todos sus ingredientes en un mortero.

## 69 – ENSALADA DE QUESO AZUL

*Ingredientes:*

- 100 g de queso azul
- 2 endibias
- 1 tomate
- 12 espárragos trigueros
- 1 remolacha cocida
- 1 zanahoria

vinagreta:
- sal
- aceite de oliva
- vinagre
- queso azul

*Elaboración:*

Cuece los espárragos escaldándolos en agua hirviendo.

Pela el tomate, córtalo en rodajas y colócalo en el fondo de un plato o fuente. Dispón alrededor las hojas de endibia y la zanahoria cortada en bastoncitos. A continuación, añade la remolacha partida en rodajas. Agrega los espárragos trigueros (las puntas) y el queso en trozos, pero reservando parte. Sazona y aliña con una vinagreta preparada con vinagre, un chorro de aceite de oliva y queso azul.

## 70 – ENSALADA DE QUESO Y TOMATE

*Ingredientes:*
- 2 tomates de ensalada
- 150 g de queso idiazábal u otro queso suave
- 50 g de aceitunas negras y verdes
- 2 cebolletas
- 12 guindillas pequeñas en vinagre
- ¼ de escarola
- aceite de oliva
- vinagre
- sal gorda

*Elaboración:*

Limpia bien las hojas de escarola y colócalas troceadas en el borde de una fuente. Pon el tomate en el fondo cortado en lonchas finas. Distribuye el queso en taquitos y las aceitunas. Corta la cebolleta en juliana y espárcela por encima, así como las guindillas enteras o fileteadas.

Por último, aliña con sal gorda, aceite y vinagre.

## 71 – ENSALADA DE REMOLACHA

*Ingredientes:*
- 2 remolachas cocidas
- 16 judías verdes cocidas

- 2 patatas cocidas
- 12 langostinos cocidos
- 8 anchoas en aceite

- aceite de oliva
- vinagre
- sal gorda

*Elaboración:*

Corta las remolachas y las patatas ya peladas en rodajas. Dispón éstas alrededor de un plato alternando la remolacha y la patata. En el centro del plato coloca las vainas cocidas, decora la ensalada con los langostinos cocidos y pelados y las anchoas. Por último, aliña con aceite, vinagre y sal y sirve.

## 72 – ENSALADA DE SETAS

*Ingredientes:*
- 800 g de setas (hongos, sisas o setas de cultivo)
- 16 gambas peladas o langostinos
- 2 huevos cocidos

- 1 pimiento verde
- 2 dientes de ajo
- sal
- aceite
- vinagre

*Elaboración:*

Cuece las gambas en agua hirviendo con sal, escúrrelas y deja que se enfríen.

Corta los huevos cocidos en cuartos. Pica el ajo muy fino y ponlo a dorar en una sartén con un poco de aceite. Incorpora las setas cortadas en láminas, pon a punto de sal y rehoga bien.

Pica el pimiento verde en juliana muy fina.

Monta el plato poniendo en el fondo las gambas y las setas calientes encima. Coloca los huevos alrededor y el pimiento verde sobre las setas.

Aliña con aceite, vinagre y sal.

Sirve.

## 73 – ENSALADA DE SOJA

*Ingredientes:*

- 200 g de carne (solomillo)
- 1 tomate
- 1 endibia
- 1 lechuga
- 200 g de soja germinada
- 1 escarola
- 8 rabanitos
- 1 zanahoria
- 1 hoja de laurel
- 1 ramo de perejil
- 1 puerro
- sal
- aceite
- vinagre

*Elaboración:*

Limpia bien la carne y salpiméntala. En una cazuela vaporera, pon en la parte inferior agua con la zanahoria, el puerro, el ramo de perejil y la hoja de laurel. En la parte superior coloca la soja germinada y deja cocer al fuego durante 5 minutos.

En una sartén con un poco de aceite, rehoga la carne a fuego fuerte.

Saca la soja de la vaporera y échala a la sartén con la carne; saltéalo todo durante 1 minuto.

Para servir, en un plato coloca las hojas de endibia. Después, las rodajas finas de tomate, encima unas hojas de lechuga y otras de escarola, los rabanitos abiertos y por último la carne y la soja. Aliña todo con sal, aceite y vinagre.

## 74 – ENSALADA DE TEMPORADA

*Ingredientes:*

- 1 pepino pelado
- 2 tomates
- 2 cebolletas
- 2 patatas cocidas
- lombarda
- aceite de oliva
- vinagre de sidra
- sal

*Elaboración:*

Corta todo en lonchas finas y disponlo del siguiente modo: primero coloca las lonchas de tomate en el perímetro del plato, y luego haz otros círculos más cerrados con las lonchas de patata y las lonchas de pepino. En el centro del plato coloca la lombarda cortada en juliana, y sobre ésta una cebolleta también cortada en juliana. Realiza el aliño con aceite de oliva, vinagre y sal.

## 75 – ENSALADA DE TOMATE Y APIO

*Ingredientes:*

- 1 tomate pelado
- 2 patatas cocidas
- 2 ramas de apio
- 1 cebolleta
- 8 hojas de lechuga (normal y morada)
- 2 puerros (blanco)
- 2 huevos cocidos
- sal

vinagreta:
- 1 tomate pelado y sin pepitas
- 1 rama de apio
- perejil
- vinagre de jerez
- aceite de oliva virgen
- sal
- huevo cocido cortado en daditos

*Elaboración:*

Corta la lechuga en juliana, el huevo cocido en cuartos y la cebolleta también. Las ramas de apio en juliana, y el tomate en rodajas finas. Colócalo todo del siguiente modo: el tomate en rodajas finas en la vuelta, la lechuga en juliana en el fondo y sobre ella otras hojas de lechuga morada en juliana, puerro cocido en cuartos, el apio cortado en juliana más gruesa, la patata cocida en rodajas por encima y la cebolleta fina sobre la patata.

Por último, sala y aliña con los ingredientes de la vinagreta picados y mezcla con el aceite y el vinagre.

## 76 – ENSALADA DE TOMATE Y BACALAO

*Ingredientes:*

- 4 trozos de bacalao desalado
- 4 tomates maduros
- 1 patata nueva cocida
- 1 manojo de berros
- aceite de oliva virgen
- vinagre de estragón
- sal y pimienta negra
- agua o leche

*Elaboración:*

Escalda el bacalao en agua o leche y sepáralo en láminas. Pela los tomates quitándoles las pepitas y hazlos a la plancha en lonchas con sal y pimienta negra, con un chorrito de aceite.

En un plato pon las lonchas de tomate. Encima coloca la patata en láminas, y sobre éstas más lonchas de tomate. Después, cubre con láminas de bacalao.

Por último, pon alrededor unos berros bien lavados. Aliña con aceite, vinagre y sal.

Listo para servir.

## 77 – ENSALADA DE UVAS CON QUESO

*Ingredientes:*

- 1 lechuga
- 24 uvas de mesa embolsadas
- 150 g de queso
- 1 tomate
- 12 langostinos o gambas
- aceite de oliva
- vinagre
- sal

*Elaboración:*

Descorazona y pela el tomate. Córtalo en rodajas finas y colócalo en la vuelta de una fuente. Limpia y trocea la lechuga y ponla encima. Agrega los taquitos de queso junto con los granos de uva limpios.

Saltea con aceite y sal los langostinos o gambas pelados.

Por último, aliña con sal, aceite y vinagre la ensalada y dispón en el centro el salteado de gambas o langostinos.

## 78 – ENSALADA DE VAINAS CON BACALAO

*Ingredientes:*
- 400 g de vainas cocidas
- 2 tomates
- 2 cebolletas o 1 cebolla
- 200 g de bacalao desalado
- 200 g de aceitunas negras y verdes
- 2 patatas cocidas
- aceite de oliva
- sal
- vinagre
- orégano
- agua y leche

*Elaboración:*

En una fuente, pon una cama de tomate cortado en lonchas (si lo deseas, puedes pelarlo escaldándolo). Encima coloca las patatas cocidas y peladas, también cortadas en lonchas, y sazona. Alrededor pon las vainas, y encima el bacalao en láminas. Para sacar las láminas del bacalao, cuécelo en leche y agua a partes iguales, dándole un ligero hervor.

Por último, espolvorea con orégano, agrega las aceitunas, la cebolla cortada, aliña con aceite y vinagre y sirve.

## 79 – ENSALADA DE VAINAS Y AGUACATES

*Ingredientes:*
- 300 g de judías verdes cocidas
- 2 aguacates
- 3 patatas cocidas
- 2 tomates
- 16 espárragos trigueros cocidos
- aceite de oliva
- vinagre
- sal

*Elaboración:*

En el centro de una fuente coloca las judías verdes, y alrededor los tomates bien limpios y cortados en medias lunas. A continuación, pela las patatas, córtalas en rodajas y disponlas encima del tomate. Pela los aguacates, retírales el hueso y pártelos en lonchas. Ponlos sobre la patata. Por último, reparte por encima los espárragos. Aliña con aceite de oliva, vinagre y sal y sirve.

## 80 – ENSALADA DE VAINAS Y PATÉ

*Ingredientes:*

- 400 g de judías verdes
- 1 lata de paté
- 2 huevos cocidos
- 1 tomate (adorno)
- 1 limón (adorno)
- sal
- agua

vinagreta:
- 2 dl de aceite de oliva
- 2 dl de vinagre de vino
- 1 cuch. de mostaza
- 1 pizca de azúcar
- sal
- pimienta negra

*Elaboración:*

Esta sabrosa ensalada se elabora del siguiente modo: primero cubre el fondo del plato con las judías (previamente cortadas y rociadas con agua y sal), rodeándolas con unas lonchas de tomate no demasiado finas. A continuación, coloca el paté fileteado sobre las vainas y los huevos cocidos troceados encima de las rodajas de tomate. Completa la decoración del plato con unas rodajitas de limón colocadas en el borde del plato. Por último, saltea la verdura con la vinagreta.

## 81 – ENSALADA DE VALENCIA

*Ingredientes:*

- 200 g de arroz
- 1 diente de ajo

- 1 pechuga de pollo
- 4 pepinillos
- 1 tomate
- 100 g de guisantes
- 1 cebolleta

- aceite
- sal gorda
- vinagre
- agua

*Elaboración:*

Cuece la pechuga en agua con sal, añadiéndole, si quieres, unas verduritas. Escurre y reserva.

Aparte, cuece, también, el arroz en agua con sal durante 20 minutos aproximadamente. Escúrrelo, pásalo por agua fría y reserva. En una fuente, haz una cama con el arroz cocido y el tomate en rodajas alrededor. Coloca la pechuga en tiras, el ajo picado, los guisantes, los pepinillos picados y la cebolleta en juliana.

Por último, aliña la ensalada con sal gorda, aceite y vinagre.

## 82 – ENSALADA DE VERDURAS CON FRUTAS

*Ingredientes:*
- 1 manzana
- 1 plátano
- ½ racimo de uva de mesa
  embolsada
- 2 tomates
- 4 hojas de lechuga

- 8 pepinillos
- ½ limón

para acompañar:
- mahonesa
- requesón

*Elaboración:*

Pela la fruta. Corta la manzana en dados y el plátano en rodajas, colócalos en un bol y rocíalos con el zumo de ½ limón.

Pica el tomate y los pepinillos (reservando algunos para adornar la ensalada) en dados y agrégalos a la fruta.

Corta la lechuga en juliana y ponla en el fondo del plato. Coloca encima las frutas mezcladas con los pepinillos y el tomate.

Por último, espolvorea la ensalada con los granos de uva.
Adorna con los pepinillos cortados en láminas.
Sazona y acompaña la ensalada con mahonesa y requesón.

## 83 – ENSALADA DE VERDURAS Y BACALAO

*Ingredientes:*

- 1 cebolla o cebolleta
- 1 berenjena
- 1 pimiento morrón
- 1 tomate
- 300 g de bacalao limpio y desalado
- 1 vaso de leche y otro de agua

- aceite
- sal

para la vinagreta:
- vinagre de Módena
- sal y aceite
- 1 tomate
- ½ diente de ajo

*Elaboración:*

Pon el lomo de bacalao en una cazuela cubierto con la leche y el agua y deja que cueza durante 2 o 3 minutos aproximadamente. Mientras tanto, corta en tiras la cebolla, la berenjena y el pimiento. Una vez salados, saltéalos en una sartén con un poco de aceite y deja que poche. Aliña estas verduras con una vinagreta hecha con un tomate y ½ diente de ajo muy picados, un poco de aceite, vinagre y sal. Coloca la cama de verdura en el plato, sobre ésta el bacalao laminado y encima unos taquitos de tomate, y alíñalo todo con otro poco de vinagreta.

## 84 – ENSALADA DE VIEIRAS CON MOLLEJAS

*Ingredientes:*

- 8 vieiras
- 100 g de mollejas de cordero

- aceite
- harina
- perejil picado

- 1 tomate
- 1 escarola
- 4 hojas de lechuga
- 2 hojas de treviso
- 2 dientes de ajo
- sal
- 8 cuch. de aceite de oliva
- 3 cuch. de vinagre de jerez

*Elaboración:*

Limpia bien todas las verduras. Limpia también las mollejas, sálalas, pásalas por harina y fríelas en una sartén con aceite junto a un diente de ajo picado. Limpia las vieiras y córtalas en láminas.

Dispón la verdura cubriendo el fondo de una fuente y sazona.

Después, saltea las vieiras en otra sartén con un poco de aceite y un ajo picado. Espolvorea las vieiras y las mollejas con perejil. Colócalas encima de la verdura y alíñalo todo con aceite y vinagre.

## 85 – ENSALADA DE ZANAHORIAS

*Ingredientes:*
- 2 plátanos
- 3 zanahorias
- 1 yogur natural
- 1 limón en zumo
- una pizca de azúcar
- sal

*Elaboración:*

Pela y ralla las zanahorias bien limpias. Pela los plátanos y córtalos en rodajas. Colócalo todo en una fuente: la zanahoria en el centro y el plátano alrededor.

Mezcla el yogur con el zumo de limón, un pellizco de azúcar y un poco de sal. Aliña con esta salsa la ensalada y sirve.

# 86 – ENSALADA JUAN MARI

*Ingredientes:*

- 2 patatas cocidas
- 4 pimientos morrones asados y pelados
- 2 tomates
- 1 cebolleta
- 1 pimiento verde
- 1 diente de ajo
- aceite de oliva
- vinagre
- sal gorda

*Elaboración:*

Limpia los tomates y pártelos en rodajas colocando éstas en el fondo de una fuente. Después, añade la patata pelada y en lonchas. Sazona con sal gorda. A continuación, pon los pimientos rojos y el verde en tiras finas;y por último, la cebolleta y el ajo bien picados.

Aliña con aceite de oliva, vinagre, sal gorda y listo.

# 87 – ENSALADA MIXTA

*Ingredientes:*

- 8 hojas de lechuga
- ½ escarola
- 1 endibia
- 2 huevos cocidos
- 100 g de atún en conserva
- 12 aceitunas
- 2 patatas cocidas
- aceite
- vinagre
- sal

*Elaboración:*

Limpia bien las hojas de lechuga, la escarola y la endibia. Corta las patatas peladas en rodajas y después colócalo todo en una fuente de servir de forma alterna. A continuación, decora con los demás ingredientes. Pon a punto de sal y aliña la ensalada con el aceite y el vinagre.

# 88 – ENSALADA MULTICOLOR

*Ingredientes:*

- 400 g de judías verdes
- 100 g de paté
- 3 patatas
- 2 tomates
- 1 pimiento rojo pequeño

- aceite de oliva
- vinagre de sidra
- sal
- agua

*Elaboración:*

Cuece las judías en agua y sal hasta que estén tiernas. Cuece también las patatas.

En un plato o fuente coloca las patatas cocidas y cortadas en rodajas alternando con gajos de tomate. Pon en el centro las judías verdes y sazona. Añade el paté en trozos y el pimiento picado muy fino. Aliña con aceite y vinagre y sirve.

# 89 – ENSALADA VARIADA

*Ingredientes:*

- 100 g de jamón cocido
- 200 g de vainas o judías verdes
- 2 remolachas
- 1 pie de apio
- 2 manzanas reinetas
- 2 endibias
- 2 claras de huevo cocido
- agua

aliño:
- zumo de limón o vinagre
- aceite
- mostaza
- pimienta blanca
- sal
- 3 yemas de huevo cocido

*Elaboración:*

Cuece las remolachas, las judías verdes y el apio (blanco de apio), todo cortado en juliana y por separado. Escurre y deja templar.

Pela las manzanas y córtalas en láminas.

Pon en el centro de una fuente las judías verdes y el apio y alrededor las hojas de endibias, la remolacha y el jamón en rollitos. Añade también las láminas de manzana.

En un bol, mezcla la mostaza con las yemas de huevo, el aceite, la pimienta blanca, la sal y el zumo de limón o vinagre.

Por último, aliña la ensalada con la vinagreta y adorna por encima con las claras de huevo picadas (puedes pasarlas por el pasapuré).

## 90 – ENSALADILLA CASERA

*Ingredientes:*

- 3 patatas
- 150 g de atún o bonito en aceite
- 8 colas de gambas cocidas o langostinos
- 1 pimiento morrón
- 100 g de guisantes cocidos
- 4 pepinillos
- 24 aceitunas verdes y negras
- 8 aceitunas rellenas de anchoas
- 2 huevos cocidos
- 1 cebolleta o ½ cebolla
- 8 cuch. de mahonesa
- perejil picado
- agua
- sal

*Elaboración:*

Cuece las patatas con la piel en agua con sal. Una vez cocidas, pélalas, córtalas en cuadraditos y colócalas en un bol. Añade el bonito o atún, los guisantes, el pimiento rojo (reserva un poco para decorar), los pepinillos, los huevos cocidos y la cebolla o cebolleta, todo bien picado. Agrega también las aceitunas verdes y negras, sazona e incorpora la mahonesa, mezclándolo todo bien.

Sirve la ensaladilla en una fuente y decórala con pimiento rojo picado, las aceitunas rellenas de anchoas y las colas de langostinos o gambas. Espolvorea con perejil picado.

# 91 – HINOJO RELLENO EN ENSALADA

*Ingredientes:*
- 4 bulbos de hinojo
- 200 g de arroz
- 2 cebolletas
- 1 pimiento morrón
- 50 g de guisantes cocidos
- 50 g de maíz cocido
- 100 g de colas de gambas cocidas
- 6 cuch. de mahonesa
- perejil picado
- unos rabanitos
- sal
- agua

*Elaboración:*

Limpia los bulbos de hinojo, pélalos y pica finos la cebolleta y el pimiento. Cuece el hinojo en agua hirviendo con sal en una vaporera durante unos 30 minutos. Escúrrelo, córtalo por la mitad vaciándolo un poco del centro y resérvalo.

Cuece el arroz en agua con sal hasta que esté al dente, pásalo por agua fría y escúrrelo bien.

En un cuenco grande mezcla el arroz con la cebolleta y el pimiento picados, los guisantes, el maíz, las gambas y la mahonesa y el perejil picado. Pruébalo de sal y mézclalo todo bien. Y rellena con esta mezcla los bulbos de hinojo, colócalos en una fuente y adorna el plato con unos rabanitos bien limpios.

# 92 – LECHUGA PRIMAVERA

*Ingredientes:*
- 4 lechugas pequeñas o una grande rizada
- 200 g de colas de gambas o langostinos cocidos
- 2 cuch. de queso en crema
- 1 cuch. de salsa mahonesa
- 1 tomate
- ½ limón en zumo
- sal

Lava bien las lechugas quitándoles las hojas que estén feas. Coloca las hojas en el fondo del plato, y encima las gambas o langostinos.

En un cuenco mezcla el queso, el zumo de limón, la mahonesa y la sal y cubre con esta mezcla las gambas y parte de la lechuga. Por último, adorna la ensalada con tomate cortado en tiras finitas.

---

## 93 – MOJE DE LA SERENA

---

*Ingredientes:*

- 3 patatas cocidas
- 3 tomates
- 1 pimiento verde
- 1 pepino
- 1 cebolleta
- pizca de orégano
- 1 diente de ajo
- vinagre, sal y aceite

*Elaboración:*

Pela las patatas y el pepino. Córtalos junto con el tomate en tacos.

Coloca las patatas en el fondo de una ensaladera o fuente. Pon encima el tomate, espolvorea con orégano y añade el pepino. Por último, agrega el pimiento verde y la cebolleta cortados en juliana y el ajo picadito. Aliña con sal, aceite y vinagre y sirve.

---

## 94 – PLÁTANOS RELLENOS

---

*Ingredientes:*

- 8 plátanos
- 8 lonchas de jamón cocido
- unas hojas de lechuga de roble
- aceite
- sal gorda
- vinagre de sidra

*Elaboración:*

Pela y abre los plátanos a lo largo.

Coloca el extremo de la loncha de jamón entre las dos mitades y enrolla el resto de la loncha alrededor. Pínchalo con dos palillos. Coloca los plátanos en la bandeja del horno y echa un chorro de aceite por encima. Hornéalos a 190º durante 10 minutos, aproximadamente, hasta que queden dorados.

Para acompañar, prepara una ensalada: limpia y corta las hojas de lechuga u otra verdura tierna y aliña con sal gorda, aceite y vinagre. Por último, sirve los plátanos con la ensalada en el fondo de una fuente.

## 95 – TOMATES CON AGUACATES

*Ingredientes:*
- 4 tomates hermosos
- 8 gambas o langostinos cocidos
- 2 aguacates
- 4 lonchas de jamón cocido
- un puñado de aceitunas rellenas
- mahonesa
- zumo de limón
- sal
- unas ramas de perejil

*Elaboración:*

Corta el sombrerito de los tomates y vacíalos. Sala el interior con una pizca de sal.

Corta por la mitad los aguacates, quítales el hueso y con una cucharilla separa la piel de la carne. En un bol, aplasta la carne de los aguacates con un tenedor y mézclala con un chorro de zumo de limón.

Trocea las gambas peladas, el jamón y las aceitunas en trozos pequeñitos y mézclalos con unas cucharadas de mahonesa. Incorpora esta masa a los aguacates y mezcla todo bien.

Por último, rellena con la mezcla los tomates, añadiendo por encima una cucharada de mahonesa. Cúbrelos con los sombreritos y sirve el plato adornado con ramitas de perejil.

# Verduras y hortalizas

## 96 – ACELGAS BELLAVISTA

*Ingredientes:*
- 4 hojas grandes de acelga
- 1 puñado de piñones
- 16 almendras saladas
- 1 pechuga de pollo
- 1 manzana
- 16 aceitunas sin hueso
- 1 cebolla cortada en aros
- 1 plato de harina
- aceite
- sal
- agua

*Elaboración:*

Cuece las pencas (partes blancas de las acelgas) en agua con sal. Cuece también al vapor las acelgas.

En una sartén con aceite, saltea las almendras y los piñones junto con la pechuga sazonada y cortada en dados o tiras. Después agrega las pencas escurridas y cortadas en dados, las aceitunas y la manzana pelada y troceada. Rehoga todo durante unos minutos.

Coloca las hojas de acelgas en los platos y dispón sobre ellas el relleno.

Por último, decora con los aros de cebolla enharinados y fritos en aceite bien caliente.

## 97 – ACELGAS CON ANCHOAS

*Ingredientes:*
- 1 kg de acelgas
- 1 cabeza de ajo
- 1 cebolleta picada fina
- 12 filetes de anchoa en lata
- aceite de oliva
- agua y sal

*Elaboración:*

Corta las acelgas en trozos de unos 3 centímetros aproximadamente y cuécelas en agua con sal junto con la cabeza de ajo, sin pelar. Una vez cocido, escurre las acelgas y reserva. Pela la cabeza de ajo y haz puré con ella.

En una sartén con aceite, pocha la cebolleta picada. Cuando esté dorada, agrega el puré de ajo. Rehoga y añade las anchoas picadas, removiendo hasta incorporar las acelgas. Calienta bien, prueba de sal y sirve.

## 98 – ACELGAS EN ADOBO

*Ingredientes:*
- 1,5 kg de acelgas
- aceite
- 1 huevo cocido
- 2 cuch. de vinagre
- 1 cuch. de pimentón
- miga de pan
- ajo
- pimienta
- sal
- agua

*Elaboración:*

Lava las acelgas. Pica en trozos menudillos los tallos y las hojas.

En una cazuela con abundante agua hirviendo y sal pon las acelgas hasta que estén tiernas. Entonces quítales el agua, lávalas en agua fría y escurre.

En una sartén con un chorro de aceite fríe un diente de ajo. Cuando esté bien dorado, retira y aparta la sartén del fuego. Con el aceite todavía caliente, echa el pimentón y las acelgas bien escurridas.

Aparte, en un mortero machaca el ajo, dos granos de pimienta, miga de pan mojada en agua y un chorro de vinagre. Una vez hecha la pasta, tienes que deshacerla en una taza con agua y vertirla sobre las acelgas, mezclándolas bien. Rectifica de sal y deja cocer unos minutos.

Sirve el huevo cocido, bien picado y espolvoreado, por encima.

## 99 – ACELGAS RELLENAS DE CARNE

*Ingredientes:*
- 12 acelgas hermosas
- 300 g de carne picada
- 1 taza de salsa de tomate
- 3 dientes de ajo
- 2 cuch. de bechamel
- harina
- huevo batido
- 100 g de jamón serrano
- ½ vaso de vino blanco
- agua
- sal
- 2 patatas
- aceite

*Elaboración:*

Separa las partes verdes del tronco de la acelga y resérvalas. Limpia las partes blancas de pieles e hilos y cuécelas en agua con sal. Una vez cocidas, escúrrelas y trocéalas en pedazos de unos 6 cm. Cuece las partes verdes en agua con sal y un chorrito de aceite y las patatas peladas. Una vez cocidas, tritúralas; obtendremos así la crema de verduras.

Saltea los ajos en láminas y el jamón picado, añade la carne, rehoga y sazona. Agrega el vino blanco, después el tomate y un poco de salsa bechamel. También puedes añadir una cucharada de pan rallado. Deja que reduzca y enfríalo. Rellena con esta masa las partes blancas (pencas) como si fuesen un sándwich.

Pásalas por harina (si quieres con un poco de levadura) y huevo batido. Fríelas en aceite bien caliente.

Por último, coloca la crema de verduras en el fondo del plato, las pencas rellenas encima y sirve.

---

## 100 – AJOS TIERNOS CON MOLLEJAS Y HUEVOS ESCALFADOS

*Ingredientes:*

- 10 ajos tiernos
- 300 g de mollejas (a poder ser de cordero)
- 4 huevos escalfados
- aceite
- sal
- harina
- 2 dientes de ajo

*Elaboración:*

Limpia los ajos frescos y córtalos en juliana. También limpia las mollejas, salpiméntalas y córtalas. Después, pásalas por harina y fríelas en aceite con los dientes de ajo previamente dorados. Cuando estén casi hechas, añade los ajos frescos y deja que se termine de hacer.

Para servir, ponlo todo en un plato y coloca en un costado los huevos escalfados.

---

## 101 – ALBÓNDIGAS DE LA HUERTA

*Ingredientes:*

- ½ kg de patatas
- 200 g de zanahorias
- ½ kg de guisantes desgranados
- 1 pimiento rojo
- 2 huevos
- harina
- aceite de oliva
- sal
- agua
- ¼ litro de puré de verduras

Cuece las patatas, las zanahorias y los guisantes en agua con sal y un chorro de aceite. Una vez cocido, tritúralo todo hasta conseguir un puré muy espeso. Agrega los huevos batidos a la pasta (si te queda demasiado ligera, lígala con harina de maíz diluida en agua).

Da forma a las albóndigas, pásalas por harina y fríelas en aceite hasta dorarlas.

Sirve las albóndigas en una fuente con el fondo cubierto de puré de verduritas caliente, y acompaña con el pimiento rojo frito en aros.

## 102 – ALCACHOFAS AL HORNO

*Ingredientes:*

- 8 alcachofas grandes
- 8 dientes de ajo
- 150 g de bacon o tocineta
- aceite de oliva
- sal
- 1 cuch. de harina de maíz refinada
- limón
- agua

*Elaboración:*

Limpia las alcachofas quitando las hojas duras y el rabo y frótalas con limón.

Colócalas en un recipiente hondo para horno, sazona e introduce en cada una un diente de ajo picado, la mitad de la tocineta y añade un chorro de aceite y un vaso de agua.

Mételo todo en el horno a 180º hasta que estén tiernas; tardarán unos 30 minutos aproximadamente.

Sirve las alcachofas en un plato o fuente. Fríe en una sartén con aceite el resto de la tocineta picada. Añade el caldo de la fuente del horno y un poco de harina de maíz diluida en agua fría, para espesar la salsa.

Por último, salsea las alcachofas y sirve.

# 103 – ALCACHOFAS CON CALABAZA

*Ingredientes:*

- 16 alcachofas
- 200 g de calabaza rosa
- 1 cebolleta
- 1 diente de ajo
- perejil picado

- sal
- aceite
- harina
- agua
- 2 limones

*Elaboración:*

Limpia las alcachofas y cuécelas en agua con limón, sal y una cucharada de harina. Estarán media hora cociendo.

En una cazuela con aceite sofríe la cebolleta cortada en juliana y el ajo. Agrega los trozos de calabaza y parte del caldo donde has cocido las alcachofas y deja cocer 15 minutos. Cuando veas que la calabaza está tierna, añade las alcachofas cortadas en mitades. Echa, por último, perejil picado, y mantén a fuego lento otros 5 minutos. Sirve caliente.

# 104 – ALCACHOFAS CON JAMÓN

*Ingredientes:*

- 16 alcachofas
- 200 g de jamón curado
- harina
- 2 limones

- sal
- agua
- 1 nuez de mantequilla

*Elaboración:*

Limpia las alcachofas y cuécelas en una cazuela con agua, harina, sal y zumo de limón. En 8 minutos aproximadamente estarán listas.

En una cazuela ancha derrite la mantequilla y añade el jamón cortado en taquitos. Cuando esté doradito, agrega un poco de harina, remueve y vierte un poco de agua de cocer las alcachofas para hacer la salsa. Deja cocer un par de minutos removiendo y agrega las alcachofas ya cocidas y cortadas en mitades. Prueba de sal y sirve.

---

## 105 – ALCACHOFAS CON MOLLEJAS

Para 8 personas

*Ingredientes:*

- 32 alcachofas
- 2 kg de mollejas
- 4 limones
- 2 dientes de ajo
- 1 vaso de vino blanco
- sal y pimienta
- harina

*Elaboración:*

Ante todo, limpia las alcachofas de la forma tradicional, quitando las hojas exteriores (más o menos las seis u ocho primeras, las que no se terminan de cocer nunca). Luego córtales como dos dedos de la parte superior, unta con un limón partido y ponlas a cocer en agua con sal. Añade el jugo de 2 limones y los restos de los limones utilizados para untar las alcachofas, y diluye un puñado de harina.

Todas estas operaciones son imprescindibles si no quieres que las alcachofas se pongan negras. Las alcachofas tardarán en cocerse aproximadamente 45 minutos, y una vez cocidas deben dejarse en el mismo agua.

Prepara las mollejas de la siguiente forma: quita primero la grasa y las puntillas que suelen traer. Luego haz con ellas pequeños dados y, una vez así, las sazonas con sal y pimienta. Pásalas por harina con cuidado, pues una vez cortadas resultan muy pegajosas. Fríelas luego en aceite muy caliente en varias veces.

Una vez que tengas las alcachofas cocidas y las mollejas fritas, pon en una cazuela un poco de aceite con los 2 dientes de ajo bien picados. Rehoga aquí las mollejas fritas y échales el vino blanco y un tazón de caldo o de agua. Luego, parte las alcachofas por la mitad y añádelas a las mollejas. Deja que cuezan juntas unos diez minutos, y estarán listas para servir.

Les puedes añadir un poco de jamón o de bacon frito por encima.

## 106 – ALCACHOFAS CON PATATAS

*Ingredientes:*

- 16 alcachofas
- 800 g de patatas
- 1 tomate maduro
- 1 diente de ajo
- aceite
- sal

*Elaboración:*

Fríe el diente de ajo con el tomate picado en una cazuela con un poco de aceite. Añade las patatas rotas en trozos más bien grandes y rehógalas unos minutos.

Limpia bien las alcachofas, pártelas en cuatro pedazos cada una e incorpóralas a la cazuela. Cubre todo el guiso con agua caliente y deja que cueza unos 45 minutos (10 minutos si se hace en olla exprés).

No te preocupes si las alcachofas te quedan más oscuras de lo habitual: es por falta de limón. Por el contrario, te saldrán con mucho más sabor a alcachofa.

Remueve de vez en cuando a fin de que la salsa espese. Transcurrido el tiempo necesario de cocción, echa un chorro de aceite de oliva y sirve.

## 107 – ALCACHOFAS CON TOMATE

*Ingredientes:*

- 16 alcachofas
- 1 limón
- 2 dientes de ajo
- 4 lonchas de jamón

- 1 puñado de harina
- salsa de tomate
- 1 cebolla o cebolleta
- sal
- aceite
- agua

*Elaboración:*

Limpia, frota con limón y cuece las alcachofas en agua con sal y harina durante 20 minutos aproximadamente. Una vez cocidas, escúrrelas y córtalas por la mitad.

Pica la cebolla no demasiado fina y el ajo y ponlos a pochar en aceite. En cuanto estén dorados, añade el tomate y pruébalo de sal. Deja que se haga durante unos minutos a fuego suave. Después, añade las alcachofas cortadas por la mitad, rehoga y colócalo en una fuente.

Pon el jamón encima de las alcachofas y métalo en el horno con gratinador fuerte durante 1 o 2 minutos. Sirve.

## 108 – ALCACHOFAS EN SALSA

*Ingredientes:*
- 12 alcachofas cocidas
- 1 cebolla o 2 chalotas
- 2 dientes de ajo
- 1 manzana
- 1 cuch. de mostaza
- 1 punta de apio
- 1 vasito de sidra
- aceite

*Elaboración:*

En una sartén con aceite pon a dorar las cebollas o chalotas y el ajo picados. Luego, añade la manzana pelada y el apio también picados. Agrega después la mostaza y por último la sidra. Deja cocer durante unos 5 minutos, hasta que reduzca la salsa, y cuélala.

Saltea las alcachofas partidas por la mitad en una sartén con aceite y colócalas en un plato o fuente. Rocía por encima con la salsa y sirve.

## 109 – ALCACHOFAS EN VINAGRETA

*Ingredientes:*
- 16 alcachofas
- 1 limón
- agua
- sal

vinagreta:
- 2 dientes de ajo
- ½ pimiento morrón
- sal gorda
- 8 cuch. de aceite
- 4 cuch. de vinagre
- perejil picado

*Elaboración:*

Limpia las alcachofas, quitando las hojas exteriores y pasándolas con limón después de haberlas pelado.

Cuécelas en una cocedera con agua y sal. Cuando estén cocidas, escúrrelas y pártelas por la mitad o en cuartos.

Haz la vinagreta picando los ajos y el pimiento morrón y mézclalos con el aceite, el vinagre y la sal gorda. Espolvorea con perejil picado y bate la vinagreta para que ligue. Por último, coloca las alcachofas en una fuente y rocía con la vinagreta.

## 110 – ALCACHOFAS REBOZADAS CON CREMA DE ACELGAS

*Ingredientes:*
- 9 alcachofas
- harina
- huevo batido
- agua
- sal
- ½ limón
- aceite

crema:
- ½ kg de acelgas
- 2 patatas
- 1 chorro de aceite de oliva
- agua
- sal

Cuece en una cocedera con agua, sal y un poco de harina las alcachofas limpias y untadas con limón. Limpia bien las acelgas y haz una crema cociendo las hojas picadas junto con las patatas en trozos en una cazuela con agua, sal y un chorro de aceite durante unos 25 minutos aproximadamente. Después, pásalo por la batidora.

Parte las alcachofas en mitades, rebózalas en harina y huevo y fríelas. Cubre con la crema de acelgas el fondo de una fuente y coloca las alcachofas encima. Por último, decora con un chorro de aceite crudo.

## 111 – BERENJENAS CON ANCHOAS

*Ingredientes:*
- 2 berenjenas
- 20 anchoas
- 5 tomates maduros pelados
- 3 dientes de ajo
- 4 cuch. de pan rallado
- perejil picado
- aceite
- 1 pizca de tomillo u orégano
- sal

*Elaboración:*

Corta las berenjenas por la mitad, haz unas incisiones, sazona y con un poco de aceite mételas en el horno durante 15 minutos hasta que se pueda quitar la pulpa.

Limpia las anchoas, córtalas en filetes y reserva.

Pica el tomate pelado y sin pepitas y sofríelo en una sartén con dos dientes de ajo a fuego suave durante 20 minutos. Pasado este tiempo, añade la pulpa de las berenjenas y el tomillo, poniéndolo a punto de sal.

En un mortero, mezcla el diente de ajo picado, el pan rallado y el perejil. Rellena las berenjenas con la salsa de tomate, que deberá estar más bien espesa, y espolvorea con el majado de pan rallado. Cúbrelas con las anchoas y espolvorea con más majado. Por último, sala y hornéalas con gratinador durante 5 minutos, hasta que se hagan las anchoas, y sirve. Puedes acompañarlas con salsa de tomate o queso rallado.

## 112 – BERENJENAS CON GUISANTES

*Ingredientes:*

- 2 berenjenas
- ½ kg de guisantes pelados
- 1 o 2 tomates
- 1 nuez de mantequilla
- 1 cuch. de harina
- 2 dientes de ajo picados

- sal
- aceite
- agua

para acompañar:
- puré de judías verdes

*Elaboración:*

Corta las berenjenas por la mitad, sazona y ásalas con un poco de aceite en el horno a 180º durante 10 minutos. Saca la carne y resérvala, así como su piel.

Cuece los guisantes en agua hirviendo con sal durante 20 minutos aproximadamente y resérvalos. Reserva también el caldo.

En una cazuela dora el ajo con la mantequilla, añade la harina rehogando y, después, la carne de las berenjenas picada y los guisantes. Mézclalo todo bien y agrega un vaso del caldo de los guisantes para que no quede muy espeso. Rehógalo todo durante unos minutos.

Rellena las berenjenas, cúbrelas con unas rodajas de tomate pelado y mételas en el horno fuerte durante 5 minutos.

Sírvelas acompañadas de puré de judías verdes y rociadas por encima con un chorro de aceite de oliva crudo.

## 113 – BERENJENAS GRATINADAS

*Ingredientes:*

- 4 berenjenas

- sal

- 2 tomates
- queso rallado
- un trozo de mantequilla
- aceite
- orégano
- 2 guindillas frescas (opcional)
- agua

*Elaboración:*

Escalda los tomates en agua hirviendo durante un minuto y pélalos.

Lava las berenjenas, ábrelas por la mitad y haz unas incisiones. Rocíalas con un chorrito de aceite, sazona y mételas en el horno durante 20 minutos aproximadamente. Pasado este tiempo, sácalas del horno y con una cuchara vacíalas. Pica su carne y saltéala en una sartén con un poco de aceite junto con el tomate cortado en taquitos. Espolvorea con sal y orégano y deja pochar durante unos minutos. Rellena con esta masa las berenjenas añadiendo, si quieres, las guindillas picadas. Coloca unas porciones de mantequilla encima y espolvorea con el queso rallado. Por último, gratínalas durante unos 3 minutos hasta que queden doradas.

## 114 – BERENJENAS RELLENAS DE ATÚN

*Ingredientes:*
- 2 berenjenas
- 2 latas de atún
- 2 huevos cocidos
- ½ litro de leche
- 2 cuch. de harina
- 1 cuch. de mantequilla
- sal
- pimienta negra
- nuez moscada

*Elaboración:*

Corta las berenjenas por la mitad. Ásalas al horno durante 30 minutos. Retira la pulpa de las berenjenas. Prepara una bechamel con la harina, la mantequilla y la leche. Sazona con sal, pimienta y nuez moscada. Agrega la pulpa de las berenjenas, el atún y los huevos cocidos picados, y mézclalo todo bien. Rellena las berenjenas y gratina a horno fuerte durante 3 minutos. Puedes acompañar las berenjenas con unas rodajas de tomate frito.

## 115 – BERENJENAS RELLENAS DE BACALAO

*Ingredientes:*
- 4 berenjenas medianas
- 200 g de bacalao desmigado y desalado
- 2 cebolletas o cebollas
- salsa de tomate
- 1 sobre de queso parmesano
- aceite
- sal

*Elaboración:*

Limpia y corta las berenjenas a lo largo, haz unas incisiones con un cuchillo, sálalas y rocíalas con un poquito de aceite. Métalas en el horno unos 20 minutos. Después, quítales la carne y reserva.

Pica las cebolletas y ponlas a pochar; después, añade el bacalao y rehógalo bien. A continuación, agrega la carne de las berenjenas y vuelve a rehogar unos minutos.

Por último, añade el tomate y rellena con esta masa las berenjenas. Cúbrelas con queso y gratínalas durante unos 3 minutos aproximadamente.

## 116 – BERENJENAS RELLENAS DE VERDURA

*Ingredientes:*
- 4 berenjenas
- 3 cebollas picadas finas
- aceite de oliva
- 150 g de champiñones picados
- sal
- 100 g de miga de pan desmenuzada
- 2 yemas de huevo
- perejil picado
- salsa de tomate

Corta a lo largo por la mitad las berenjenas y vacíalas con cuidado. Pica la carne de las berenjenas y rehógala con las cebollas en una sartén con aceite. Cuando estén doraditas, agrega los champiñones, perejil y la miga de pan. Rehoga todo bien hasta obtener un relleno de consistencia. Pon a punto de sal, retíralo del fuego y lígalo con las yemas de huevo batido. Rellena las berenjenas con la mezcla y un poquito de salsa de tomate.

Coloca las berenjenas en una placa de horno, rocíalas con un chorrito de aceite y mételas en el horno caliente a 180º durante 20 minutos.

Para servir, adorna con unas rodajas de berenjena frita, champiñones fileteados y salsa de tomate.

---

## 117 – BERENJENAS RELLENAS DOS SALSAS

*Ingredientes:*

- 8 berenjenas
- ½ kg de carne de ternera picada
- 1 tomate
- 1 pimiento verde
- 1 cebolla
- 1 diente de ajo
- salsa de tomate
- bechamel
- aceite
- sal

*Elaboración:*

Parte las berenjenas a lo largo, en dos trozos. Haz unos cortecitos, sazona, riégalas con un poco de aceite y mételas 8 minutos en el horno.

Una vez fuera, extráeles el interior.

Pica la cebolla, el ajo y el pimiento y échalos en una sartén con un poco de aceite. Rehoga, añade el tomate troceado en daditos, sala y echa el interior picado de las berenjenas horneadas.

Al cabo de 8 minutos pon la carne picada, rehógala un

poco y con todo ello haz el relleno de las berenjenas. Sobre el relleno echa la salsa de tomate y cúbrelo todo con bechamel.

Sólo te falta gratinar durante 5 minutos y presentar en una fuente.

## 118 – BORONÍA

*Ingredientes:*

- 1 kg de calabaza
- ¼ kg de garbanzos
- 1 diente de ajo
- 1 pimiento verde
- 1 cebolla o cebolleta
- 1 hoja de laurel
- 1 tomate
- 1 cuch. de pimentón dulce o picante
- aceite y sal
- agua
- unas rebanadas de pan

*Elaboración:*

Cuece los garbanzos –que habrás puesto en remojo en la víspera– en agua hirviendo con sal durante 45 minutos aproximadamente. Cuando estén casi a punto, añade la calabaza en trozos.

En una sartén haz un sofrito con el ajo, la cebolla, el pimiento y el tomate picados junto con el laurel y sazona. Cuando esté pochado, agrega el pimentón rehogándolo y añádeselo todo a los garbanzos. Deja que se haga unos 10 minutos y sirve.

Acompaña este plato con unas rebanadas de pan frito en aceite bien caliente.

## 119 – BORRAJAS CON GUISANTES

*Ingredientes:*

- 2 kg de borrajas
- 300 g de guisantes
- 2 panes de molde
- 2 huevos cocidos

- ¼ litro de caldo
- 2 dientes de ajo
- 30 g de harina
- aceite
- agua
- sal

*Elaboración:*

Lava y corta las borrajas en trozos de 5 cm de grosor aproximadamente. Los guisantes los puedes tener cocidos si son frescos; si no, pueden ser de lata.

Cuece las borrajas en una cocedera con agua hirviendo y sal hasta que estén tiernas.

En una cazuela baja, fríe los ajos fileteados, añade la harina, rehoga y agrega el caldo. No debe quedar muy espeso. Luego añade las borrajas y los guisantes. Déjalo hacer todo junto unos 8 o 10 minutos. Si hace falta, puedes poner más caldo. Añade los huevos picados. Fríe los panes partidos en triángulos en aceite caliente. Sirve las borrajas y adorna con los panes fritos.

## 120 – BORRAJAS GRATINADAS

*Ingredientes:*
- 1,5 kg de borrajas
- 100 g de mantequilla
- 2 cuch. de harina
- queso rallado suave
- agua, sal y pimienta
- perejil picado

*Elaboración:*

Cuece las borrajas bien limpias y troceadas, en pedazos de unos 5 cm, en agua con poca sal. Cuando estén tiernas, sácalas y escúrrelas bien. Colócalas en una fuente o plato resistentes al horno y cúbrelas con una velouté.

La velouté es una especie de bechamel que harás con una parte del agua de cocer las borrajas, la mantequilla y la harina. Salpimienta.

Una vez que hayas cubierto bien las borrajas, espolvorea con el queso rallado y pon en el horno a gratinar unos minutos.

Sirve caliente.

# 121 – BRÉCOL CON BACON

*Ingredientes:*

- 1 kg de brécol
- agua
- 3 dientes de ajo
- 150 g de bacon
- 5 cuch. de aceite
- sal

*Elaboración:*

En una vaporera con agua y sal pon el brécol en ramilletes y déjalo hacer durante unos 20 minutos. Después, colócalo en una fuente.

Mientras tanto, en una sartén con aceite haz un refrito con el ajo en láminas y el bacon. Vierte el refrito encima del brécol, y listo para servir.

# 122 – BRÉCOL CON PATATAS

*Ingredientes:*

- 2 o 3 brécoles
- ½ kg de patatas
- ½ cuch. de pimentón
- 4 huevos
- 4 rebanadas de pan
- aceite
- sal
- 2 o 3 dientes de ajo
- agua
- un chorrito de vinagre

*Elaboración:*

En una cazuela con un poco de aceite, fríe los ajos pelados y después el pan. Saca y resérvalos. Añade a la cazuela las patatas peladas y troceadas y espolvoréalas con pimentón.

Rehógalo bien, cubre con agua y sazona. Cuando el agua empiece a hervir agrega el brécol bien limpio y troceado y déjalo cocer unos 20 minutos. Mientras tanto, escalfa los huevos en agua con un chorro de vinagre y sal.

Sirve el brécol con las patatas y acompáñalo de los huevos escalfados y las rebanadas de pan con ajo.

Por último, adorna el plato con un chorro de aceite de oliva crudo.

## 123 – BUDÍN DE VERDURAS

*Ingredientes:*
- 1 coliflor mediana
- 700 g de zanahorias
- 50 g de mantequilla
- 3 huevos
- 1 litro de leche
- 5 cuch. de harina

- mantequilla y pan rallado para untar el molde
- sal
- puré de calabaza
- agua

*Elaboración:*

Cuece la coliflor en una vaporera con agua y sal, y después escúrrela.

Haz una bechamel espesa con la mantequilla, la leche y la harina. Añádele 3 yemas de huevo y la coliflor cocida y troceada. Bátelo con una varilla para hacer una masa. Después, agrega las claras montadas, mézclalo y prueba de sal.

Unta un molde con mantequilla y pan rallado. Coloca en él una capa de masa cubriendo el fondo, y después, una fila de zanahorias cocidas y partidas por la mitad. Extiende encima una capa de masa y después dos filas de zanahorias. Por último, otra de masa y tres filas de zanahorias.

Coloca el molde al baño maría y mételo en el horno a 160º, unos 40 minutos.

Déjalo enfriar y desmolda.

Puedes tomarlo frío o caliente. Preséntalo en rodajas, en una fuente, con el fondo cubierto con puré de calabaza.

## 124 – CALABACÍN A LA CREMA DE QUESO

🌿 🌿 🌿 🌿

*Ingredientes:*

- 300 g de calabacín
- 100 g de queso de vaca en barra (para fundir)
- 25 g de mantequilla
- 25 g de harina
- 1 vaso de nata líquida
- 1 cuch. de perejil picado
- pimienta negra molida
- sal
- 1 pizca de orégano molido
- agua

*Elaboración:*

Pela el calabacín y córtalo en rodajas, salpiméntalas y cuécelas en una vaporera con agua y sal durante 15 minutos.

Para hacer la crema, dora ligeramente la harina en la mantequilla fundida, añade la nata y cuece a fuego lento muy suave sin dejar de remover durante unos minutos. Retíralo del fuego y agrega el queso troceado y el perejil. Mézclalo todo bien hasta que se derrita y añade el orégano.

Por último, salsea el calabacín que debe estar bien escurrido y caliente.

## 125 – CALABACINES RELLENOS DE AJOARRIERO

🌿 🌿 🌿 🌿

*Ingredientes:*

- 2 calabacines
- 300 g de bacalao desalado
- 3 dientes de ajo
- 3 cuch. de salsa de tomate
- 1 pimiento verde
- 1 cebolleta
- aceite
- sal

para acompañar:

- salsa de tomate o vizcaína de pimientos choriceros

*Elaboración:*

Corta los calabacines en cilindros de 5 cm de altura, vaciando su interior y cociéndolos al vapor con sal unos 10 minutos. Haz el ajoarriero pochando los ajos, la cebolleta y el pimiento verde cortado en juliana con un poco de aceite. Después, añade el bacalao desalado y desmigado y el tomate y deja al fuego 5 minutos.

Rellena los calabacines con este bacalao ajoarriero.

Coloca la salsa de tomate o vizcaína en el fondo del plato y encima los calabacines. Sírvelos calientes. Los puedes recalentar en el horno.

## 126 – CALABACINES RELLENOS DE GAMBAS

*Ingredientes:*
- 2 calabacines
- 200 g de colas de gambas
- salsa de tomate
- 3 dientes de ajo
- ½ copa de brandy
- aceite
- sal
- 3 costrones de pan de molde frito
- 4 lonchas de queso de nata

*Elaboración:*

Corta los extremos de los calabacines y pártelos por la mitad. Vacíalos pero dejando un fondo. Pocha la carne de los calabacines a fuego suave con un poco de aceite y sal. Cuando esté hecho, resérvalo.

Saltea las colas de las gambas con los dientes de ajo. Cuando estén doradas, flambéalas con el brandy, y cuando se apaguen, añade el tomate. Sazona y añade los panes fritos y la carne de los calabacines. Mézclalo todo bien. Rellena los calabacines con el salteado, colócalos en una placa de horno y cúbrelos con el queso.

Por último, gratina durante 10-12 minutos y sírvelos acompañados con salsa de tomate.

# 127 – CALABAZA GRATINADA

*Ingredientes:*

- 1 kg de calabaza
- 100 g de queso de vaca en barra (para fundir)
- 100 g de mantequilla
- 1 vaso de nata
- sal y nuez moscada
- agua
- aceite

*Elaboración:*

Cuece la calabaza cortada en dados en agua con sal y un chorro de aceite durante 25 minutos aproximadamente.

Escúrrela y, si quieres, puedes guardar el caldo.

Coloca la calabaza en una fuente de horno, añade la nata y espolvorea con la nuez moscada. Añade encima el queso en tiras y la mantequilla. Gratínalo durante 3 minutos aproximadamente. Sirve.

# 128 – CARDO CON ALMEJAS

*Ingredientes:*

- 1 kg de cardo
- ½ kg de almejas
- 1 cebolleta
- 1 diente de ajo
- 1 limón
- harina
- aceite de oliva
- perejil picado
- sal
- 2 huevos cocidos

*Elaboración:*

Limpia bien el cardo y trocéalo. A continuación, cuécelo en agua hirviendo, con limón y sal.

Aparte, pica muy fina la cebolleta y el ajo. Pocha en una sartén con aceite. Después, agrega 2 cucharadas de harina y remueve bien. Añade el caldo de cardo y deja cocer un par de minutos. Cuando la salsa haya espesado, incorpora el caldo ya cocido.

En una sartén con un poco de aceite abre las almejas y extrae su carne. Echa ésta a la cazuela con el cardo y cuece a fuego suave durante 5 minutos. Transcurrido este tiempo, prueba y rectifica de sal. Antes de servir, espolvorea con perejil y añade los huevos picados.

## 129 – CARDO CON CALAMARES

*Ingredientes:*
- 1 kg de cardo
- 2 patatas
- 400 g de calamares
- 3 dientes de ajo
- perejil picado
- aceite
- agua
- sal

*Elaboración:*

Limpia el cardo de pieles e hilos y córtalo en trozos de 3 cm. Pon a cocer el agua con sal, y cuando empiece a hervir añade el cardo y un chorro de aceite de oliva, dejando que cueza durante 45 minutos. Agrega la patata pelada y troceada dejando que cueza 15 o 20 minutos más hasta que esté todo hecho.

Limpia los calamares y guarda la tinta en el congelador para otra ocasión. Trocéalos y haz un sofrito a fuego fuerte con un poco de aceite, los dientes de ajo en láminas y los calamares. Cuando esté listo, añade perejil picado.

Sirve el cardo con las patatas en una fuente y echa encima el refrito de calamares.

## 130 – CARDO CON COSTILLA DE CERDO

*Ingredientes:*
- 1 cardo mediano
- 1 cuch. de harina

- ½ kg de costilla de cerdo
- 12 almendras sin tostar
- perejil picado
- sal
- 2 dientes de ajo
- 1 cebolleta o ½ cebolla
- 1 limón
- agua
- aceite
- pimienta

*Elaboración:*

Cuece el cardo limpio y troceado en agua con sal y un chorrito de limón. Escurre y reserva el caldo.

En una cazuela sofríe la cebolleta y el ajo picados. Después, agrega la harina, rehoga y añade 9 o 10 cazos del caldo de cocción del cardo.

En una sartén fríe la costilla troceada y salpimentada, añádela a la cazuela y luego agrega el cardo. Deja que cueza unos 15 minutos a fuego lento junto con las almendras hechas puré con la ayuda de un mortero.

Por último, espolvorea con perejil picado y sirve.

## 131 – CARDO CON NUECES GRATINADO

*Ingredientes:*
- 2 kg de cardo
- agua
- sal
- ½ limón
- 100 g de nueces peladas
- 4 lonchas de jamón cocido
- 50 g de queso azul
- 1 vaso de caldo de carne o de ave
- ½ vaso de nata líquida

*Elaboración:*

Limpia el cardo de pieles e hilos. Trocéalo y cuécelo en agua con sal y medio limón.

Cuando esté tierno, escúrrelo.

Coloca en el fondo de un recipiente de horno el jamón cocido y encima el cardo troceado.

En otro recipiente, pon el caldo de carne o de ave, añade las nueces picadas, el queso y la nata. Déjalo reducir de 10 a 15 minutos a fuego lento. Viértelo después sobre el cardo y gratina todo unos 3 minutos a 200º y sirve.

## 132 – CARDO RELLENO

*Ingredientes:*

- 1 kg de cardo
- 1 limón
- sal
- agua
- ½ litro de salsa bechamel ligera
- 1 plato con harina
- 3 huevos
- masa de croquetas con bacalao, jamón o pollo
- 50 g de queso rallado
- aceite

*Elaboración:*

Limpia y cuece el cardo en agua hirviendo con sal y zumo de limón durante unos 30 minutos aproximadamente. Déjalo enfriar.

Corta el cardo en trozos iguales y rellena. Coloca entre dos trozos un poco de masa con jamón, pollo o cualquier otra cosa que te haya sobrado. Después, pásalos por harina y huevo y fríelos. Colócalos en una placa de horno y cúbrelos con salsa bechamel ligera.

Por último, espolvoréalos con queso y gratínalos 2 o 3 minutos.

## 133 – CARPACCIO VEGETAL

*Ingredientes:*

- 200 g de calabacines
- 1 ajo picado
- 1 tomate
- 1 cebolleta
- 1 zanahoria
- guisantes
- 2 cuch. de alcaparras
- 1 limón en zumo
- aceite
- sal
- pimienta

*Elaboración:*

Con un pelapatatas corta a lo largo los calabacines y la zanahoria y colócalos en un plato hondo. Corta el tomate en finas rodajas, pica la cebolleta en juliana y colócalos también en el plato. Adereza todo con ajo picado, el zumo de limón, el aceite, la sal, la pimienta y las alcaparras. Deja macerar y sirve. Puedes servirlo como plato solo o bien como complemento.

---

## 134 – CEBOLLAS RELLENAS DE JAMÓN Y CARNE

---

*Ingredientes:*
- 4 cebollas
- 125 g de carne picada
- 125 g de jamón serrano
- sal
- pimienta
- perejil picado

- 2 dientes de ajo
- 2 huevos
- pan rallado
- ½ litro de caldo de carne
- aceite de oliva

*Elaboración:*

Descorazona las cebollas dejando sólo las capas exteriores y reservando el interior.

Mezcla el jamón picado con la carne, los ajos y los corazones de cebolla. También muy picado, el perejil, y una pizca de sal y pimienta. Liga estos ingredientes con pan rallado y las claras de los huevos. Amasa todo bien y rellena con esta mezcla las cebollas.

Después, colócalas en una tartera con un chorro de aceite por encima, mójalas con el caldo y hornea durante 40 minutos aproximadamente a 160-170º, vigilando que no se queden sin caldo.

Sirve las cebollas y liga la salsa reduciéndola a fuego fuerte durante 10 minutos. Si te queda muy ligera, engórdala añadiendo un poco de harina de maíz diluida en agua. Por último, incorpora las 2 yemas de huevo batidas, espolvorea con perejil picado, pon a punto de sal y salsea las cebollas rellenas.

# 135 – CHAMPIÑONES EN SALSA

*Ingredientes:*

- 1 kg de champiñones
- ½ cabeza de ajo
- 1 cuch. de perejil picado
- 1 vaso de vino blanco
- aceite
- sal
- 2 cuch. de pan rallado
- 3 rebanadas de pan de molde

*Elaboración:*

En una cazuela con aceite pocha dos o tres dientes de ajo picados. Limpia los champiñones, córtalos por la mitad y sazona. Ponlos también a dorar en el aceite, y a los 5 minutos, aproximadamente, añade un majado de ajo picado, perejil, vino blanco y sal y deja que cueza hasta que el champiñón esté tierno, unos 30 minutos aproximadamente. Ponlo a punto de sal y lígalo añadiendo el pan rallado.

Si quieres una salsa picante, puedes añadirle un trozo de guindilla.

Sírvelos acompañados de triángulos de pan de molde, fritos en aceite bien caliente.

# 136 – CHARLOTA DE BERENJENAS Y MOLLEJAS

*Ingredientes:*

- 250 g de mollejas de ternera
- 2 berenjenas
- 2 dientes de ajo
- 1 cebolla
- 8 champiñones
- 3 cuch. de salsa de tomate
- aceite
- ½ cuch. de pan rallado
- sal
- 4 moldes de aluminio de ración
- ½ vaso de vino blanco
- salsa española (o cualquier salsa para carne)

Corta las berenjenas en lonchas y fríelas en aceite. Escurre y reserva.

En una sartén saltea las mollejas con la cebolla y el ajo picados. Añade los champiñones fileteados y el vino blanco, y deja reducir. A continuación, incorpora el pan rallado y la salsa de tomate y reserva.

Forra el molde con las lonchas de berenjenas, cubre con las mollejas y tapa con más lonchas de berenjena. Si la masa queda muy ligera, puedes añadir dos huevos y batir bien antes de poner en el molde. Calienta en el horno al baño maría 20 minutos. Introduce los moldes en el horno cuando el agua para el baño maría esté caliente.

Para servir, pon la salsa española caliente en el fondo del plato y encima la charlota, que habrás sacado del molde con mucho cuidado.

## 137 – CÓCTEL DE ESPÁRRAGOS

*Ingredientes:*

- 16 espárragos verdes y blancos cocidos
- salsa mahonesa ligera
- 1 cuch. de alcaparras
- 2 pepinillos
- 1 cucharadita de mostaza
- 1 clara a punto de nieve
- 4 hojas de lechuga
- sal fina
- sal gorda
- 2 tomates
- perejil picado

*Elaboración:*

Trocea los espárragos y guarda las puntas. Mezcla la mahonesa con las alcaparras picadas, el pepinillo picado, la mostaza y añádeselo a la clara a punto de nieve. Rectifícalo de sal.

Adorna el plato con la lechuga cortada en juliana en el fondo y el tomate cortado en gajos alrededor. Coloca los trozos de espárragos (excepto las puntas) y cúbrelos con la salsa. Decora el plato con las puntas de los espárragos.

Por último, espolvorea con perejil picado y sazona con sal gorda el tomate.

## 138 – COLES DE BRUSELAS CON JAMÓN

*Ingredientes:*

- ½ kg de coles de Bruselas
- 200 g de jamón
- 4 dientes de ajo
- aceite
- agua para cocer las coles
- sal

*Elaboración:*

En una cazuela con abundante agua y sal, cuece las coles de Bruselas durante 20 minutos aproximadamente. Una vez cocidas, escúrrelas y resérvalas.

Aparte, y en una sartén con aceite, saltea los ajos fileteados y el jamón en taquitos. Añade las coles, pon a punto de sal y deja rehogar un par de minutos. Sirve.

## 139 – COLES DE BRUSELAS GRATINADAS

*Ingredientes:*

- 600 g de coles de Bruselas
- agua
- sal
- 1 nuez de mantequilla
- 1 cucharada de harina
- 2 vasos de caldo de ave
- queso rallado
- nuez moscada
- 8 lonchas de panceta

*Elaboración:*

Cuece las coles en una vaporera con agua y sal. Cuando estén tiernas, sácalas y escúrrelas bien. Haz una velouté con la mantequilla, la harina (rehogando) y el caldo de ave. Sala y añade la nuez moscada. Coloca en una tartera de horno las coles y rocía con la velouté. Pon encima las lonchas de panceta (que puede ser ahumada) y espolvorea con el queso rallado. Gratínalo durante unos 3 o 4 minutos y sirve.

## 140 – COLIFLOR AL AZAFRÁN

*Ingredientes:*

- 1 coliflor de 800 g
- 40 g de mantequilla
- 40 g de harina
- 2 vasos de caldo de verduras
- 50 g de queso rallado
- 1 cucharadita de azafrán
- sal
- agua
- perejil picado

*Elaboración:*

Limpia la coliflor y saca sus ramitos, y cuécela al vapor en una vaporera con agua y sal. Una vez cocida, resérvala.

Para hacer la salsa, derrite en una cazuela la mantequilla, añade la harina y tuéstala un poco. Agrega poco a poco el caldo de verduras, y ponlo a cocer a fuego suave junto con el queso rallado y el azafrán. Rectifica de sal y espolvorea con el perejil picado. Coloca la coliflor en una fuente y salséala.

## 141 – COLIFLOR CON BACALAO

*Ingredientes:*

- 500 g de coliflor
- 300 g de bacalao desalado
- 3 huevos cocidos
- 100 g de jamón curado
- 3 ajos
- agua
- aceite y sal
- perejil picado

*Elaboración:*

Cuece la coliflor en agua y sal hasta que quede tierna. Escurre. Colócala troceada en una fuente y pon encima los huevos en cuartos.

En una sartén con aceite, saltea el ajo picado, añade el jamón y el bacalao desalado, ambos cortados en tiras. Dale unas vueltas rehogando y espolvorea con perejil picado. Por último, agrégaselo a la coliflor y sirve.

---

## 142 – COLIFLOR CON ESPINACAS

*Ingredientes:*

- 1 kg de coliflor
- ¼ kg de espinacas
- ½ litro de leche
- 2 cuch. de harina
- ½ limón

- 2 nueces grandes de mantequilla
- agua
- sal

*Elaboración:*

Limpia la coliflor y cuécela en agua hirviendo con sal y limón. Una vez cocida, escurre y resérvala.

Limpia las espinacas y cuécelas. Después escurre, pícalas y reserva.

Para hacer la bechamel, derrite la mantequilla y rehoga en ella la harina. Añade poco a poco la leche, sin parar de remover. Pon a punto de sal y añade las espinacas mezclándolo todo bien.

Coloca la coliflor en una fuente resistente al horno y nápala con la bechamel. Gratínalo durante 4 minutos aproximadamente y sirve.

---

## 143 – COLIFLOR CON JAMÓN

*Ingredientes:*

- 1 coliflor pequeña
- agua

- 150 g de jamón serrano
- 4 huevos
- harina
- sal
- aceite
- salsa de tomate
- 1 vaso de leche

*Elaboración:*

Comienza sacando pequeños ramilletes de la coliflor. En agua con leche y sal, cuece los ramilletes de coliflor y escúrrelos. Corta por la mitad los ramilletes y entre mitad y mitad pon una pequeña loncha de jamón. Reboza todo en harina y huevo y fríe en aceite bien caliente.

En el fondo de una fuente pon salsa de tomate y encima los ramilletes de coliflor fritos. Adorna colocando encima unas lonchas de jamón y sirve.

## 144 – COLIFLOR CON MAHONESA

*Ingredientes:*
- 1 coliflor
- sal
- aceite
- agua
- vinagre
- 4 lonchas de jamón cocido
- pimientos verdes

salsa mahonesa:
- ½ litro de aceite
- 2 huevos
- sal
- limón

*Elaboración:*

Cuece la coliflor en abundante agua con aceite, sal y un chorro de vinagre. Saca, deja enfriar y coloca en un plato poniendo la coliflor y el jamón cocido picado por encima. Baña con la mahonesa resultante de batir los huevos, la sal, el aceite y el limón.

Por último, decora el plato con aros de pimientos verdes fritos.

## 145 – COLIFLOR CON VINAGRETA

*Ingredientes:*

- 1 coliflor
- 2 huevos cocidos
- 1 tomate
- sal
- agua

vinagreta:
- 1 cebolleta picada
- 1 diente de ajo picado
- perejil picado
- aceite
- vinagre de sidra

*Elaboración:*

Cuece la coliflor con agua y sal durante 30 minutos. Deposítala en el centro de la fuente y bordéala con unas rodajas finas de tomate. Adorna la coliflor con huevo cocido picado y sálalo todo; por último, salsea con la vinagreta.

## 146 – COLIFLOR CON VINO DE MONTILLA

*Ingredientes:*

- 1,5 kg de coliflor
- unos tacos de jamón curado
- 1 cebolla
- 3 dientes de ajo
- 1 vaso de vino montilla-moriles
- 1 rama de hierbabuena
- 1 cuch. de harina
- ½ tomate maduro y pelado
- sal
- perejil picado
- aceite

*Elaboración:*

Pon a cocer la coliflor en agua con sal y harina, hasta que esté tierna. Escurre y reserva.

En una cazuela con aceite pon a pochar la cebolla, el ajo y el tomate picados con sal. Cuando estén dorados, añade los tacos de jamón y rehoga. Después, el vasito de vino y la rama de hierbabuena. Añade también la coliflor en ramitos y espolvorea con perejil picado. Deja cocer a fuego lento durante 8 o 10 minutos y sirve.

## 147 – COLIFLOR GRATINADA CON PIÑONES

*Ingredientes:*
- 1 kg de coliflor
- ¼ litro de bechamel
- un puñado de piñones
- queso rallado
- agua
- sal
- una pizca de nuez moscada

*Elaboración:*

Condimenta la bechamel con un poco de nuez moscada.

Cuece la coliflor en agua con sal, hasta que esté tierna. Colócala bien escurrida y troceada en una fuente de horno y cubre con la bechamel. Espolvorea con los piñones y con el queso a tu gusto. Gratina durante 2 o 3 minutos y sirve.

## 148 – COLIFLOR REBOZADA

*Ingredientes:*
- 1 coliflor pequeña
- 4 huevos cocidos
- sal
- 3 huevos
- harina
- aceite
- 1 limón
- fécula
- perejil picado
- ½ litro de caldo de gallina

*Elaboración:*

En primer lugar, cuece la coliflor en agua hirviendo con el

zumo de limón y sal. Si los ramilletes son muy grandes, es mejor que los partas en dos para que queden más pequeños. En unos 20 minutos está suficientemente cocida. Escurre bien la coliflor, reboza los ramilletes de uno en uno en harina y huevos y fríelos en aceite caliente.

En otra cazuela con el caldo de gallina bastante caliente pon la coliflor rebozada. Prueba de sal. Si el caldo resultase muy ligero, lo puedes ligar con fécula de patata. Añade los huevos cocidos picados y, antes de servir, espolvorea con perejil picado.

## 149 – CREPES DE VERDURA

*Ingredientes:*

- 100 g de vainas
- zanahoria
- 1 puerro
- 200 g de coliflor
- 3 cuch. de tomate
- bechamel
- aceite o mantequilla
- crema de guisantes
- puré de verduras

para los crepes:
- ¾ litros de leche
- 2 huevos
- 250 g de harina
- 1 cuch. de aceite
- sal
- azúcar

*Elaboración:*

Pica toda la verdura una vez limpia y rehógala en una sartén con aceite.

Por otra parte, haz una bechamel a la que incorporarás la verdura rehogada con el tomate. Reserva.

Haz la crema para los crepes mezclando bien todos los ingredientes. En una sartén antiadherente, con un poco de mantequilla o aceite muy caliente, cubre el fondo con la crema de crepes. Da la vuelta con cuidado y saca en seguida.

Rellena los crepes con la mezcla de bechamel, verdura y tomate, y ciérralos y fríelos. Acompaña este plato con crema de guisantes y puré de verduras.

# 150 – CREPES RELLENOS DE SETAS

*Ingredientes:*

- 250 g de setas de cultivo
- 2 dientes de ajo
- 1 cebolleta o ½ cebolla
- aceite
- huevo batido
- sal

8 crepes (aprox.):
- ½ litro de leche
- 4 huevos
- 175 g de harina
- 3 cuch. de aceite
- sal
- un trozo de mantequilla para freír

salsa:
- 300 g de setas de cultivo
- 1 cebolleta o ½ cebolla
- ¼ litro de caldo de ave
- ½ vaso de nata
- aceite

*Elaboración:*

Haz unos crepes mezclando sus ingredientes y friéndolos en una sartén untada con mantequilla. Deberán salir finos.

Para hacer la salsa, saltea la cebolleta o cebolla y agrega las setas troceadas, cuando esté pochada. Rehógalo bien y cubre con el caldo. Deja que reduzca esta salsa y tritúrala, pasándola después por un chino. Agrega un poco de nata, para que quede más suave.

Aparte, saltea con aceite las setas, el ajo picado y la cebolleta o cebolla. Pon a punto de sal, y cuando todo esté bien pochado, rellena los crepes y enróllalos, cerrando su borde con el huevo batido.

Fríe los crepes en una sartén con aceite y colócalos encima de una fuente o plato que habrás cubierto con la salsa de setas.

# 151 – EMPANADA DE ALCACHOFAS

*Ingredientes:*

- ½ kg de hojaldre
- 6 corazones de alcachofa cocidos
- 5 cebolletas o cebollas
- 1 cuch. de hinojo
- 3 huevos
- ½ vaso de leche
- ½ vaso de nata líquida
- queso rallado
- sal, pimienta y aceite
- huevo batido para untar

*Elaboración:*

Pica muy fina la cebolla y rehógala a fuego lento en una sartén; añade luego las alcachofas en rodajas.

En un bol mezcla bien los huevos, el queso, la pimienta, la sal, la leche, la nata y el hinojo picado.

Aparte, forra un molde con una capa de hojaldre de ½ cm de grosor y pon dentro la cebolla con las alcachofas y por encima la mezcla, tapando el molde con otra capa de hojaldre. Puedes adornarlo con tiras de hojaldre. Después, unta con huevo batido y mete la empanada en el horno a unos 180º durante 40 minutos aproximadamente.

# 152 – EMPANADILLAS DE VERDURAS

*Ingredientes:*

- 200 g de espinacas
- 200 g de acelgas
- 2 zanahorias
- ¼ litro de bechamel
- 16 empanadillas
- aceite
- crema de espinacas o salsa de tomate

*Elaboración:*

Cuece la verdura por separado y después pícala. Haz una bechamel y añade la verdura poniendo a punto de sal. Deja enfriar y rellena las empanadillas. Fríe en bastante aceite y acompaña con crema de espinacas o con salsa de tomate.

## 153 – ENDIBIAS BRASEADAS

*Ingredientes:*
- 8 endibias
- 100 g de tocino magro
- 100 g de mantequilla
- 80 g de piñones

*Elaboración:*

La primera operación que debes realizar para este plato es blanquear las endibias. Consiste en sumergir las endibias en abundante agua con sal para que adquieran un bonito tono y pierdan parte de su amargor. Para ello, cuando las saques del agua deberás escurrirlas bien.

Por otra parte, rehoga en mantequilla el tocino cortado en dados y resérvalo. En la misma grasa cuece las endibias a fuego muy suave durante 30 minutos. Después de un buen rato, añade los piñones, y 5 minutos antes de servir, agrega el tocino que tenías reservado.

## 154 – ENDIBIAS CON SALSA DE QUESO

*Ingredientes:*
- 4 endibias grandes
- 2 tomates grandes
- 1 vaso de nata líquida
- 100 g de queso rallado
- 50 g de almendras molidas
- 1 huevo
- sal
- agua

*Elaboración:*

Corta las endibias por la mitad y quítales, si lo deseas, la parte dura del tronco central, que amarga al cocerlas. En una cocedera, con agua hirviendo, ponlas a cocer con sal durante diez o quince minutos a fuego suave y tapadas para que queden tiernas.

Escalda los tomates en agua hirviendo; después refréscalos, pélalos y córtalos en rodajas regulares y distribúyelas en los platos.

Escurre las endibias, colócalas en los platos sobre el tomate y mantenlas calientes.

Haz la salsa calentando la nata hasta que hierva, sazona y retírala del fuego. Cuando esté templada, agrega el queso y las almendras removiendo bien para que se derrita. Añade el huevo batido y prueba de sal.

Por último, salsea los platos y sirve.

## 155 – ENDIBIAS GRATINADAS CON MEJILLONES

*Ingredientes:*
- 12 endibias
- 3 cebolletas
- 2 puerros (blanco)
- 12 mejillones
- sal
- agua
- ½ litro de bechamel

*Elaboración:*

En primer lugar, cuece las cebolletas, los puerros y las endibias durante veinte minutos. No olvides poner sal en el agua. Una vez cocidos los tres ingredientes, procede a cortar por la mitad las endibias y colócalas en una fuente resistente al calor.

Pon las cebolletas y los puerros, una vez que los hayas cortado en juliana, encima de las endibias.

Aparte, en el agua de cocer las verduras echa los mejillones y cuécelos. Una vez cocido el marisco, pícalo menudito y ponlo encima de las verduras.

Por último, napa o cubre con una bechamel ligera y mete en el horno a gratinar de 2 a 4 minutos.

# 156 – ENSALADA DE POCHAS

*Ingredientes:*

- ½ kg de pochas
- 1 zanahoria
- 1 cebolla
- unas hojas de escarola

vinagreta:
- 1 tomate maduro picado
- 1 cebolleta picada
- 1 pimiento verde picado
- 2 huevos cocidos picados
- 10 cuch. de aceite de oliva
- 5 cuch. de vinagre de sidra

*Elaboración:*

Cuece las pochas junto a la zanahoria y la cebolla sin que se hagan demasiado. Escurre y deja que se enfríe. Haz la vinagreta con el tomate maduro, la cebolleta, el pimiento verde y los huevos, todo muy bien picadito. Añade el aceite y el vinagre de sidra.

Para servir, coloca en una fuente las pochas con la zanahoria y la cebolla y mézclalo todo bien con la vinagreta. Para adornar, rodea con hojas de escarola. Sírvelo frío.

# 157 – ESCABECHE DE GUISANTES

*Ingredientes:*

- 800 g de guisantes desgranados
- 2 copitas de aceite de oliva
- 1 copita de vinagre de jerez
- 4 dientes de ajo
- 1 cebolla
- 2 hojas de laurel
- una pizca de romero
- unos granos de pimienta negra
- una pizca de tomillo
- sal
- 8 puntas de espárragos cocidos
- 4 tiras de salmón ahumado
- agua

En una cazuela con agua, pon a cocer los guisantes desgranados con el vinagre, el aceite, la cebolla cortada en juliana, los ajos enteros y sin pelar, el romero, el tomillo, la pimienta, el laurel y una pizca de sal. Déjalo hacer todo junto durante 30 minutos y, a continuación, sirve los guisantes ligeramente escurridos y acompañados con las puntas de espárragos enrolladas de dos en dos con las tiras de salmón.

Puedes tomar este plato caliente, templado o frío.

---

## 158 – ESCALIVADA

*Ingredientes:*
- 1 kg de berenjenas
- 1 kg de tomates
- 1 kg de pimientos rojos
- 1 kg de cebollas
- aceite
- vinagre
- sal gorda

*Elaboración:*

---

Quítale los rabos a las berenjenas. Pon en un trozo de papel de aluminio una cebolla, un chorro de aceite de oliva y sal y haz un paquetito. Repite la misma operación con los tomates, los pimientos rojos y las berenjenas. Colócalos en una placa y hornéalos durante una hora a unos 180º. Transcurrido este tiempo, deja templar y pela las berenjenas, los pimientos y los tomates. Corta todo en tiras, coloca en una fuente todas las verduras, cada una por su lado, y aliña con sal gorda, aceite y vinagre.

## 159 – ESPÁRRAGOS BLANCOS Y VERDES A LA PLANCHA

*Ingredientes:*
- 8 espárragos blancos
- 8 espárragos verdes

- agua
- sal
- aceite
- ½ limón

vinagreta:
- 2 cucharadas de vinagre
- 4 cucharadas de aceite
- 1 huevo cocido
- 1 tomate
- sal

*Elaboración:*

Pela los espárragos blancos y cuécelos en agua caliente con sal y el zumo de ½ limón durante 30 minutos. Escurre y reserva.

Limpia y quita las partes duras de los espárragos verdes, y después ponlos a cocer en agua caliente con sal durante 10 minutos. Escurre y reserva.

Haz una vinagreta con el aceite, el vinagre, el huevo cocido y picado y el tomate, también picado. Sala y bate con una cuchara.

Pon a la plancha todos los espárragos de 2 a 4 minutos por cada lado con un chorrito de aceite. Sácalos al plato y rocíalos con la vinagreta antes de servir. En caso de no disponer de plancha, ponlos a gratinar en el horno.

## 160 – ESPÁRRAGOS CON BECHAMEL

*Ingredientes:*
- 16 espárragos
- 6 pimientos verdes medianos
- 50 g de queso rallado
- ½ litro de bechamel
- sal y aceite de oliva
- agua
- 1 tomate
- una pizca de orégano

*Elaboración:*

Limpia bien los espárragos y ponlos a cocer en agua hirviendo con sal. Cuando estén cocidos (tardarán unos 20 minutos), escúrrelos y reserva.

Limpia, corta en aros y fríe en aceite los pimientos verdes.

Ponlos en una fuente resistente al calor, coloca encima los espárragos, cubre con la bechamel y añade el queso rallado. Dispón sobre ella unas rodajas muy finas de tomate. Espolvorea con orégano, sazona y gratínalo durante 3 minutos.

Sirve decorando con un chorrito de aceite de oliva crudo.

## 161 – ESPÁRRAGOS CON SALMÓN

*Ingredientes:*
- 12 espárragos gruesos en conserva
- 300 g de salmón ahumado
- sal
- 100 g de mantequilla
- 16 pimientos del piquillo
- aceite

*Elaboración:*

Fríe los pimientos del piquillo (asados y pelados) en una sartén con aceite. Ponlos a punto de sal y resérvalos.

Corta los espárragos a lo largo y rellénalos con el salmón ahumado cortado en tiras. Fríelos en una sartén con mantequilla, por los dos lados. Por último, colócalos en un plato o fuente acompañados con los pimientos del piquillo.

## 162 – ESPÁRRAGOS EN CAZUELA

*Ingredientes:*
- 1 manojo grande de espárragos trigueros
- 3 dientes de ajo
- aceite
- 1 rebanada grande de pan
- 4 huevos
- vinagre
- agua y sal

*Elaboración:*

En una cazuela fríe los ajos y, cuando estén dorados, añade

el pan en trozos. Después echa un chorro de vinagre, añade el agua y sazona. Pon este caldo a hervir, y cuando esté hirviendo añade los espárragos trigueros cortados y limpios. Deja que se hagan durante 20 minutos. Luego pon los huevos y mét11o todo en el horno, no muy fuerte, hasta que cuajen, unos 4 minutos aproximadamente.

---

## 163 – ESPINACAS A LA CREMA

*Ingredientes:*

- 1 kg de espinacas
- 300 g de habas
- 2 huevos
- harina
- queso rallado
- sal
- aceite
- perejil picado

crema:
- 2 patatas
- 8 pencas hermosas
- sal
- agua

---

*Elaboración:*

Cuece las hojas de las espinacas al vapor (quedan más verdes y conservan mucho mejor sus propiedades). Escúrrelas y pícalas muy finas. Haz con este picado unas pequeñas bolas y rebózalas primero en harina y después en huevo. Fríelas en abundante aceite caliente y reserva.

Aparte, cuece las pencas, las patatas peladas y las habas en un poco de agua. Cuando esté cocido todo, retira las habas y con el resto haz una crema, observando su punto de sal. Para realizar la crema no tienes más que pasar patatas y pencas por el chino o pasapuré.

Pon esta crema en una cazuela baja, incorpora las habas y también las albóndigas de espinacas. Deja cocer 5 minutos y espolvorea con queso rallado y perejil picado. Acto seguido, sirve.

# 164 – ESPINACAS CON GAMBAS

*Ingredientes:*
- 1 kg de espinacas
- 200 g de gambas
- aceite
- agua
- 1 ajo
- 2 cuch. de salsa de tomate
- ½ vaso de nata líquida
- sal

*Elaboración:*

En primer lugar, limpia bien las espinacas y ponlas a cocer en abundante agua con sal. Escúrrelas bien y pícalas un poquito.

Aparte, fríe el ajo cortado en láminas. Cuando esté doradito, añade las gambas a la sartén y fríelas por espacio de dos o tres minutos. A continuación, agrega las espinacas y saltéalas. Hecho esto, ya sólo te queda incorporar la nata y el tomate. Mezcla bien y deja a fuego lento durante cuatro minutos. Listo para servir.

# 165 – ESPINACAS EN SALSA

*Ingredientes:*
- 1 kg de espinacas
- agua
- sal

para la salsa:
- un puñado de piñones
- unas grosellas
- 10 o 12 cominos
- 2 dientes de ajo
- 2 rebanadas de pan
- 200 g de bacon
- 1 cuch. de harina
- 1 vaso de caldo de verdura o de ave
- aceite

Cuece las espinacas durante 5 minutos aproximadamente en agua con sal. Después, escúrrelas bien y reserva.

Para preparar la salsa, fríe en una cazuela con aceite los ajos en láminas, el pan troceado y los piñones y májalo todo en un mortero. Agrega también las grosellas y los cominos, y sigue majando.

En una sartén fríe el bacon en tiras, agrega la mezcla del mortero, una cucharada de harina y rehoga. Después, añade el caldo, mezclándolo todo bien. A continuación, echa las espinacas cocidas y escurridas y guísalo todo junto durante 3 o 4 minutos. Sirve.

## 166 – FRITADA DE PIMIENTOS

*Ingredientes:*
- 4 pimientos verdes
- 8 pimientos del piquillo
- 2 pimientos morrones
- 4 lonchas de tocineta ahumada
- 12 trocitos de chistorra o chorizo
- sal
- aceite
- 2 dientes de ajo

*Elaboración:*

En una cazuela con aceite fríe el pimiento verde y el morrón cortados en aros con dos dientes de ajo en láminas y una pizca de sal. Después, añade la chistorra y la tocineta troceada junto con los pimientos del piquillo en tiras. Tienes que dejarlo hacer todo junto a fuego lento durante 15 minutos, y sirve.

## 167 – GUISANTES CON ALMEJAS

*Ingredientes:*
- ½ kg de guisantes pelados
- ½ cuch. de harina

- 300 g de almejas
- 3 cuch. de aceite de oliva
- sal
- 2 cebolletas
- agua

*Elaboración:*

Cuece los guisantes con las cebolletas picadas en un cuarto litro de agua y un poco de sal durante veinte minutos. Escurre reservando el caldo por una parte, y por la otra las verduras.

Aparte, pon una cazuela al fuego con dos cucharadas de aceite y añade la harina, rehoga y agrega el caldo de guisantes. Incorpora las almejas. Deja que se abran bien, unos cinco minutos. Incorpora los guisantes y las cebolletas. Deja cocer a fuego lento no muy fuerte tres o cuatro minutos. Listo para servir.

## 168 – GUISANTES CON GAMBAS

*Ingredientes:*
- 1 kg de guisantes pelados
- 3 cebollas
- 1 chorro de aceite
- sal
- ½ kg de gambas
- 1 nuez de mantequilla o margarina
- 1 cuch. de harina

*Elaboración:*

Pica la cebolla y póchala en una sartén con un chorrito de aceite. Cuando esté bien rehogada, añade los guisantes y cúbrelos con agua. Pon a punto de sal y deja cocer veinticinco minutos.

Aparte, en otra sartén, saltea las gambas peladas con mantequilla.

Escurre los guisantes y la cebolla y reserva el caldo.

Agrega harina a las gambas y rehoga. Incorpora los guisantes y la cebolla y añade un poco (1 taza de café) de caldo de cocer los guisantes. Deja cocer 3 minutos, pon a punto de sal y sirve.

# 169 – GUISANTES CON HUEVOS ESCALFADOS

*Ingredientes:*
- 1 kg de guisantes en vaina
- ½ cuch. de harina
- aceite
- 2 cebolletas
- 4 huevos
- sal
- agua

*Elaboración:*

Desgrana y cuece los guisantes con agua y sal durante 20 minutos. En una tartera con aceite rehoga la cebolleta; después añade la harina y luego los guisantes, tapa la tartera y deja que se haga a fuego lento durante 5 minutos. Por último, añade los huevos al guiso para que escalfen.

# 170 – GUISANTES CON MOLLEJAS

*Ingredientes:*
- 800 g de guisantes pelados
- 200 g de mollejas confitadas
- 1 cuch. de harina
- 50 g de mantequilla
- un chorro de aceite
- sal
- agua

*Elaboración:*

Cuece los guisantes en agua con sal y un chorro de aceite de 15 a 18 minutos. Escúrrelos y reserva también el caldo.

Derrite la mantequilla en una cazuela y añade las mollejas fileteadas y limpias de grasa. Agrega la harina, remueve bien y echa un vaso del caldo de cocer los guisantes. Rehoga y añade los guisantes. Mézclalo todo bien y déjalo cocer a fuego lento durante 5 minutos, hasta obtener una salsa espesita. Pruébalo de sal y sírvelo.

# 171 – HABAS A LA SALMANTINA

ぜ ぜ ぜ ぜ

*Ingredientes:*

- 1 kg de habas limpias
- 200 g de chorizo
- 150 g de jamón
- 2 huevos cocidos

- aceite
- pimentón
- sal
- agua

*Elaboración:*

Cuece las habas con agua, sal y un chorrito de aceite. Corta en lonchas el chorizo, pica el jamón en tacos y saltea con aceite en una sartén. Añade, fuera del fuego, el pimentón.

Escurre las habas sin dejarlas secar del todo. Añade el jamón, el chorizo y los huevos cocidos cortados en cuartos.

Da un hervor. Si es necesario, añade más caldo y un poco de harina de maíz o fécula diluida en un poco de agua fría para ligar la salsa.

Sirve.

# 172 – HABAS CON CALABACÍN

ぜ ぜ ぜ ぜ

*Ingredientes:*

- 800 g de habas frescas peladas
- 1 calabacín
- 2 patatas

- sal
- aceite
- ½ limón
- agua

*Elaboración:*

Pela las patatas y córtalas en gajos haciendo «clac».

Pon a cocer las habas y las patatas en agua hirviendo con un chorro de aceite, junto con el limón y la sal, durante 30 minutos. Machaca un poco la patata para que espese el caldo. Después, añade el calabacín (si es muy tierno no hace falta pelarlo) cortado en medias lunas y déjalo cocer otros 10 minutos.

Por último, sirve y echa un chorro de aceite crudo por encima.

## 173 – HABAS CON GUISANTES

*Ingredientes:*
- 1 kg de guisantes
- 500 g de habas
- aceite
- sal
- cebolleta
- harina
- agua

*Elaboración:*

Pocha la cebolleta. Cuece por separado los guisantes y habas con agua, sal y aceite.

A la cebolleta pochada añádele la harina y luego los guisantes con un poco de caldo, y las habas cocidas. Deja 10 minutos y sirve.

## 174 – HABAS FRESCAS CON SALMÓN AHUMADO

*Ingredientes:*
- 700 g de habas frescas
- 300 g de salmón ahumado
- 1 cebolla
- 1 blanco de puerro
- 2 dientes de ajo
- 1 cuch. de harina
- aceite de oliva
- agua
- sal

*Elaboración:*

Cuece las habas desgranadas en agua con sal, durante 20 minutos aproximadamente. Escurre y reserva también el caldo.

En una cazuela con aceite, pocha la cebolla y el blanco de

puerro, todo picado, junto con los ajos en láminas. Sazona, añade una cucharada de harina y rehoga. A continuación, agrega las habas cocidas y escurridas. Mezcla bien y moja con un par de cazos del caldo de cocción. Deja hacer unos minutos y, mientras, filetea el salmón fino.

Sirve las habas en una fuente y coloca las tiras de salmón encima.

## 175 – HABAS FRESCAS GUISADAS

*Ingredientes:*
- 800 g de habas frescas
- 200 g de bacon
- 1 cebolleta
- 2 ajos tiernos
- ½ pimiento rojo
- 1 cuch. de carne de pimiento choricero
- ½ cucharadita de nuez moscada
- aceite de oliva
- agua
- sal
- 1 cuch. de harina

*Elaboración:*

Pon a cocer las habas con agua y sal de 25 a 30 minutos.

Aparte, haz un sofrito con la cebolleta, los ajos tiernos, el pimiento rojo y el bacon, todo picado. Añade una cucharada de harina y rehoga. Agrega también una cucharada de carne de pimiento choricero. A continuación, incorpora las habas cocidas y escurridas.

Saltéalo todo junto con una pizca de nuez moscada y déjalo hacer durante 5 minutos. Sirve.

## 176 – HOJALDRE DE PUERROS

*Ingredientes:*
- 6 puerros
- 1 cucharadita de harina

- 1 vaso de nata líquida
- 250 g de hojaldre
- 100 g de mantequilla
- huevo batido
- 2 yemas de huevo
- sal
- agua

*Elaboración:*

Limpia los puerros, quítales la parte verde y corta la parte blanca en juliana. Cuécelos en agua hirviendo con sal durante 15 minutos. Pasado este tiempo, escurre y saltéalos con mantequilla. Espolvoréalos con una cucharadita de harina, rehoga y agrega la nata, las yemas batidas, mezcla bien y pon a punto de sal.

Estira una capa de hojaldre sobre un molde. Cubre con la mezcla de puerros y tapa con otra pieza de hojaldre, cerrando los bordes. Aprovecha los recortes del hojaldre para decorar. Unta la superficie con huevo batido y hornea durante 30 minutos a 180º. Después, retira del horno, desmolda y sirve.

## 177 – HOJALDRE DE VERDURAS

*Ingredientes:*
- 250 g de hojaldre
- 200 g de judías verdes
- 200 g de guisantes
- 2 zanahorias
- huevo batido
- sal
- orégano
- salsa de tomate
- agua

para la bechamel:
- 1 nuez de mantequilla
- 1 cucharada de harina
- 1 vaso de leche o de caldo de cocción de las verduras

*Elaboración:*

Cuece las vainas, las zanahorias y los guisantes en agua con sal y trocéalos.

Haz una bechamel espesa con un poco de mantequilla y harina, rehogando y añadiendo la leche poco a poco. Después, incorpora las verduras, mezclándolo todo bien. Pruébalo de sal, añade el orégano y deja que enfríe.

Estira el hojaldre, y pártelo en cuadrados grandes. Coloca el relleno en cada cuadrado y envuélvelo haciendo un rollo, y cierra los bordes con ayuda de un tenedor. Unta con huevo batido los rollos, que puedes haber decorado con trocitos de hojaldre, y colócalos en una placa de horno. Hornea a 170º durante 35 minutos aproximadamente.

Por último, sirve el hojaldre frío o caliente acompañado de salsa de tomate en el fondo de una fuente.

## 178 – HOJALDRES DE ACELGAS

*Ingredientes:*
- 1 kg de acelgas
- ¼ kg de patatas
- 1 cebolla
- 1 diente de ajo
- 1 huevo duro
- 1 puñado de piñones
- sal y aceite
- 8 cuadrados de pasta de hojaldre

para acompañar:
- salsa española

*Elaboración:*

Lava y trocea las acelgas. Cuécelas en agua hirviendo con las patatas peladas y cortadas en gajos. Sazona. Cuando estén cocidas, escúrrelas bien y reserva.

En una sartén, pocha la cebolla picada con el ajo; cuando se dore, añade las acelgas, los piñones y el huevo cocido picado, mézclalo todo bien y rellena las obleas.

Fríe las obleas en una sartén con aceite, acompáñalas con salsa española y sirve.

# 179 – JUDÍAS VERDES A LA ANDALUZA

*Ingredientes:*

- 700 g de judías verdes
- 1 pimiento choricero (ñoras)
- 2 cuch. de aceite
- 1 rebanada de pan del día anterior
- 2 dientes de ajo
- sal
- agua
- pimienta

*Elaboración:*

Cuece las judías en agua con sal. Escúrrelas y reserva. Escalda el pimiento choricero, sácale con cuidado la carne y ponla en el mortero.

En una sartén con aceite, sofríe los dientes de ajo y agrégalos también al mortero. Después, sofríe el pan y añádelo al mortero junto con los ajos y la carne del pimiento choricero, y agrega un poco de agua y pimienta. Májalo todo bien, hasta que te quede una salsa ligada.

En la misma sartén en que has frito los ajos y el pan, saltea las judías verdes ya cocidas. Una vez realizada esta operación, pon las judías en una fuente y rocíalas con la salsa que has preparado en el mortero.

# 180 – JUDÍAS VERDES CON ESPÁRRAGOS

*Ingredientes:*

- 1 kg de judías verdes (vainas)
- 8 espárragos gordos (cocidos)
- 2 dientes de ajo
- aceite
- sal y agua

*Elaboración:*

Limpia las vainas, trocéalas y cuécelas en abundante agua

con sal. Corta los espárragos cocidos por la mitad y dóralos en una plancha o en una sartén con un poco de aceite. Coloca los espárragos en los platos y encima pon las vainas calientes y bien escurridas. Vierte un sofrito de ajo y aceite.

Sirve.

## 181 – JUDÍAS VERDES CON GAMBAS

*Ingredientes:*
- 800 g de judías verdes
- 200 g de gambas cocidas peladas
- 2 dientes de ajo
- aceite
- sal
- 1 cuch. de harina
- agua

*Elaboración:*

Limpia las judías verdes, córtalas y ponlas a cocer en una cocedera con agua hirviendo y sal durante 30 minutos.

Escurre y reserva el caldo. Pela el ajo, filetéalo y ponlo en una cazuela con aceite. En cuanto se dore añade la harina rehogándola bien, después agrega 2 vasos del caldo de las vainas y las gambas, cocidas y peladas. Por último, añade también las vainas escurridas. Prueba de sal y déjalo hacer a fuego suave unos minutos hasta que espese la salsa.

## 182 – JUDÍAS VERDES CON JAMÓN

*Ingredientes:*
- 600 g de judías verdes
- 250 g de salsa de tomate
- 100 g de jamón curado en tacos
- agua
- aceite
- sal

Cuece al vapor las judías sin hilos y troceadas en una vaporera con agua, aceite y sal, durante 20 minutos aproximadamente.

En una sartén, fríe el jamón con un chorrito de aceite y añade el tomate, dejando que todo cueza a fuego lento durante unos minutos.

Escurre las judías y rehógalas junto con el tomate y el jamón. Sirve. Puedes espolvorear con huevo picado por encima.

## 183 – JUDÍAS VERDES CON TOMATE

*Ingredientes:*
- 800 g de judías verdes
- 2 cebolletas
- 2 dientes de ajo
- 1 litro de salsa de tomate
- sal
- 2 patatas
- aceite
- agua

*Elaboración:*

Limpia y cuece las judías en agua hirviendo con sal y un chorro de aceite durante 18 o 20 minutos. Después, escúrrelas.

En otra cazuela, pon a pochar en aceite la cebolleta y el diente de ajo bien picados. Una vez pochados, sazona y agrega la salsa de tomate y las judías. Mézclalo bien y añade las patatas cortadas en cuadraditos y fritas. Déjalo guisar a fuego lento durante 4 o 5 minutos. Pruébalo de sal y sirve con un chorro de aceite crudo por encima.

## 184 – JUDÍAS VERDES EN SALSA

*Ingredientes:*
- 1 kg de judías verdes
- agua

- 4 huevos cocidos
- 2 dientes de ajo
- 2 cebolletas
- 1 pimiento morrón
- sal
- ½ litro de caldo
- aceite
- harina

*Elaboración:*

Limpia y corta las judías en trozos. Cuécelas en agua con sal. Escúrrelas y reserva. Puedes guardar el agua de las judías para otro día.

En una cazuela con un poco de aceite rehoga el ajo, la cebolleta y el pimiento morrón bien picados. Cuando estén doradas las verduras, añade un poco de harina y remueve bien. Agrega el caldo y espera que hierva. Entonces echa las judías y deja 5 minutos hasta que espese.

Prueba de sal y, antes de servir, añade los huevos cortados en cuartos.

## 185 – JUDÍAS VERDES SALTEADAS

*Ingredientes:*
- 200 g de judías verdes
- agua y sal
- 1 cebolleta
- 2 dientes de ajo
- 1 cuch. de pimentón
- 100 g de jamón serrano
- 1 puñado de piñones tostados
- aceite

*Elaboración:*

Cuece las judías en una cocedera con agua y sal. Cuando estén cocidas, escúrrelas y colócalas en una fuente de servir.

En una sartén con aceite, sofríe la cebolleta junto con los dos dientes de ajo. Cuando estén pochados, añade el jamón y saltéalo unos minutos. Echa el pimentón, rehoga y retíralo del fuego. Vierte el sofrito encima de las judías y sírvelas espolvoreadas con los piñones por encima.

## 186 – LASAÑA DE PIMIENTOS VERDES Y ROJOS

*Ingredientes:*
- 4 pimientos rojos asados y pelados
- 4 pimientos verdes asados y pelados
- 300 g de lonchas de jamón serrano
- aceite de oliva
- sal gorda

*Elaboración:*

Coloca en una fuente una capa de pimiento rojo; a continuación, una de jamón serrano, otra de pimiento verde y otra de jamón.

Decora con tiras de pimiento rojo y verde.

Por último, aliña con un chorro de aceite de oliva sobre el jamón y sal gorda sobre el pimiento.

## 187 – MENESTRA DE ESPÁRRAGOS Y PENCAS

*Ingredientes:*
- 8 espárragos
- 6 pencas de acelga
- 100 g de jamón curado en tacos
- 100 g de guisantes cocidos
- harina
- huevo batido
- sal
- aceite
- agua

*Elaboración:*

Cuece las pencas en agua con sal durante 10 o 15 minutos y, aparte, los espárragos, después de pelarlos, durante 15 o 20 minutos. Escurre y reserva el caldo de los espárragos.

Corta en trozos las pencas y los espárragos y rebózalos en harina y huevo. Fríelos en aceite bien caliente y reserva.

En una cazuela ancha, saltea con un poco de aceite el jamón. Después, añade 2 cucharadas de harina, rehoga bien y agrega vaso y medio del caldo de los espárragos hasta obtener una salsa espesita. Añade los espárragos, las pencas y los guisantes y déjalos cocer a fuego lento, unos 10 o 15 minutos.

Por último, prueba de sal y sirve.

---

## 188 – MENESTRA DE VERDURAS REBOZADAS

*Ingredientes:*

- 4 alcachofas
- 8 espárragos
- ½ coliflor
- 200 g de habas desgranadas
- 200 g de guisantes desgranados
- 200 g de espinacas
- 4 zanahorias
- 200 g de jamón curado
- harina y huevo batido para rebozar
- ½ sobre de levadura
- 2 cuch. de harina
- agua y sal
- aceite
- perejil picado

*Elaboración:*

Limpia y cuece las verduras por separado en agua con sal y un chorro de aceite. Una vez cocidas, escurre y reserva. Reserva también el caldo de cocer las alcachofas.

En una cazuela con aceite saltea unos taquitos de jamón. A continuación rehoga 2 cucharadas de harina y mójalo con 2 vasos del caldo de cocer las alcachofas, removiendo hasta que ligue. Añade también los guisantes, las habas y la zanahoria troceada.

Reboza el resto de la verdura, excepto los espárragos, pasándola por harina con levadura y huevo batido: la coliflor en ramos, las alcachofas en mitades y las espinacas en bolitas. Fríe en aceite bien caliente, escurre y añádeselo al resto de la menestra. Agrega también los espárragos y guísalo todo a fuego lento durante 5 minutos aproximadamente. Sirve espolvoreado con perejil picado.

# 189 – NABOS GRATINADOS

**≋ ≋ ≋ ≋**

*Ingredientes:*

- 700 g de nabos
- 20 g de pan duro
- 125 g de mantequilla
- pimienta negra
- 1 vaso de nata líquida
- unas lonchas de jamón curado o tocineta
- sal
- perejil picado

*Elaboración:*

Pela y sazona los nabos, cociéndolos durante 15 minutos aproximadamente en agua hirviendo para ablandarlos y suavizar un poco su sabor.

Derrite la mantequilla en una sartén y saltea los nabos cortados en rodajas. Después, pásalos a una fuente de horno.

En la misma sartén, con un poco más de mantequilla, fríe el pan en cuadraditos y añádeselos a los nabos. Agrega, también, el vaso de nata líquida y espolvorea con pimienta negra y perejil picado. Hornéalos a 150º durante 20 minutos aproximadamente, o también puedes gratinarlos durante unos minutos.

Por último, sírvelos bien calientes decorados con unos trozos de jamón curado o tocineta frita.

# 190 – PANACHÉ DE VERDURAS

**≋ ≋ ≋ ≋**

*Ingredientes:*

- 8 alcachofas
- 8 patatas torneadas
- 4 puerros
- 4 tomates
- 3 pencas de acelga
- 2 zanahorias
- 8 endibias
- 300 g de vainas
- ¼ kg de espinacas
- ajos tiernos
- aceite
- sal

*Elaboración:*

Cuece en agua con sal todas las verduras por separado y procurando que los trozos de la más larga no excedan de un dedo de longitud.

Fríe unas rebanadas de tomate que pondrás en el fondo del plato. Sobre ellas coloca las verduras y mete en el horno a 160º durante 4 o 5 minutos. Mientras está la verdura en el horno, haz un refrito con aceite y ajos tiernos. Saca las verduras del horno y vierte encima el refrito.

Sirve con cuidado de que nadie se queme con el plato, que estará aún caliente.

## 191 – PASTEL DE ALCACHOFAS

*Ingredientes:*

- 10 alcachofas
- ½ litro de nata líquida
- 3 huevos
- sal
- aceite
- agua
- ½ limón
- crema de verduras

*Elaboración:*

Cuece 8 alcachofas (reserva 2 crudas) bien limpias y frotadas con medio limón en agua con sal y un chorro de aceite, hasta que estén tiernas. Escurre y resérvalas.

En un bol bate los huevos con una pizca de sal, añade la nata líquida y mezcla.

Pon las alcachofas cocidas y troceadas en 4 moldes de ración, untados con un poco de aceite o mantequilla, y cubre con la mezcla de huevos y nata.

Hornea estos moldes a 180º durante 20 minutos.

Desmolda los pasteles y colócalos en 4 platos con el fondo cubierto de crema de verduras.

Por último, decora este plato con las hojas de las alcachofas que has reservado, fritas en aceite y sazonadas.

## 192 – PASTEL DE CALABAZA

Para 6 personas

*Ingredientes:*

- 1 kg de calabaza picada fina
- 300 g de queso fresco
- 4 huevos
- 50 g de queso rallado
- 1 vaso de nata líquida
- nuez moscada
- sal

para acompañar:
- puré de judías verdes

*Elaboración:*

Deshaz bien el queso fresco, mézclalo con la calabaza y añade la nata.

Bate las yemas de los huevos y añádeles el queso rallado. Incorpora esta mezcla a la calabaza mezclándolo todo bien. Sazona y añade una pizca de nuez moscada.

Monta las claras a punto de nieve y mézclalas con el resto de la masa. Ponlo todo en un molde antiadherente y métamelo en el horno al baño maría durante 45 minutos a 180º.

Acompaña este pastel con un puré de vainas.

## 193 – PASTEL DE ESPINACAS CON CREMA DE LENTEJAS

*Ingredientes:*

- 500 g de espinacas
- 300 g de lentejas
- 2 o 3 huevos
- 1 vaso de nata líquida
- un chorro de leche
- aceite
- sal
- agua
- verdura para cocer las lentejas (cebolla, zanahoria, puerro)

*Elaboración:*

Pon a cocer en una cazuela las lentejas (que habrás puesto

previamente en remojo) junto con la verdura, limpia y picada muy fina. Sazona y déjalo hacer hasta que estén tiernas.

Limpia las espinacas y ponlas a cocer. Después escurre, pícalas y reserva.

En un bol, bate bien los huevos con sal, añade la nata y mézclalo todo bien. Agrega después las espinacas y la mitad de las lentejas escurridas. Remueve bien y echa la mezcla en 4 moldes de ración. Hornéalos a 160º durante unos 15 minutos o algo más hasta que cuaje.

Con el resto de las lentejas y un chorrito de leche prepara un puré pasándolo por la batidora.

Para servir, cubre el fondo de cada plato con el puré y coloca encima el pastel. Decora con un chorro de aceite crudo.

---

## 194 – PASTEL DE PUERROS CON TOMATE

🌿🌿 🌿🌿 🌿🌿 🌿🌿

*Ingredientes:*
- 1 kg de puerros
- 300 g de tomates maduros
- orégano en polvo
- 100 g de jamón cocido
- 100 g de Emmental en lonchas
- aceite
- sal

*Elaboración:*

Limpia los puerros y deja lo blanco. Cuece en agua con sal durante 15 minutos.

Pela los tomates y póchalos en una sartén con un chorro de aceite, sal y una pizca de orégano.

Coloca los puerros cocidos en una fuente de horno haciendo una cama. Pica el jamón cocido y échalo encima de la cama de puerros.

Agrega el tomate rehogando y, por último, cubre todo bien con las lonchas de queso.

Gratina a fuego fuerte 2-3 minutos y sirve con cuidado de no quemarte.

## 195 – PASTEL DE VERDURAS

⠻⠳ ⠻⠳ ⠻⠳ ⠻⠳

*Ingredientes:*

- 300 g de zanahorias
- 250 g de vainas
- 250 g de coliflor
- 20 g de espinacas
- ½ litro de nata líquida
- 4 huevos enteros

- 2 claras de huevos
- mantequilla
- pan rallado
- sal
- pimienta
- crema de habas frescas

*Elaboración:*

Ante todo, cuece las vainas, las zanahorias y la coliflor y pasa las espinacas por agua hirviendo.

Luego, prepara una crema mezclando los huevos, la nata, la sal, la pimienta y, por último, las claras que habrás montado aparte.

Pon un poco de crema en el fondo de un molde, en el que ya habrás colocado la mantequilla y el pan rallado. Seguidamente, pon las vainas, una capa de crema, las zanahorias, otra capa de crema, las espinacas, otra capa más de crema y, por último, la coliflor.

Pon el molde en el horno, al baño maría, durante 75 minutos a una temperatura de 160º. Pasado este tiempo, espera que se enfríe, saca el pastel del molde, córtalo en lonchas y, al servirlo en el plato, acompáñalo con un poco de crema de habas frescas.

## 196 – PENCAS DE ACELGAS CON GAMBAS

⠻⠳ ⠻⠳ ⠻⠳ ⠻⠳

*Ingredientes:*

- 400 g de pencas de acelga
- 300 g de gambas

- aceite
- ½ vaso de vino blanco

130

- 2 dientes de ajo
- harina
- agua, sal y pimienta
- perejil picado

*Elaboración:*

Pela las gambas, y con las cáscaras y las cabezas haz un caldo concentrado. Limpia las pencas de pieles e hilo y cuécelas en agua con sal. Escurre y reserva.

En una sartén pon un poco de aceite y dora los dientes de ajo fileteados. Añade un poquito de harina y rehoga bien. Echa el vino blanco, el caldo de las gambas, las pencas, las gambas, el perejil picado y la pimienta molida. Deja hacer 3 o 4 minutos y sirve.

## 197 – PENCAS MOZÁRABES

*Ingredientes:*
- 1 docena de pencas de acelga
- 12 langostinos o gambas peladas
- un puñado de almendras crudas
- 3 dientes de ajo
- aceite
- sal
- perejil picado
- agua

*Elaboración:*

Cuece las pencas de las acelgas, sin hilos, en agua con sal hasta que estén tiernas. Escurre y reserva tanto las pencas como el agua de la cocción.

En una cazuela con un poco de aceite pon a dorar las almendras, 3 langostinos troceados y el ajo fileteado. Una vez dorados, pásalos a un mortero y májalos.

En el aceite que ha quedado, saltea el resto de los langostinos sazonados. Después, añade las pencas cocidas, un poco de caldo de la cocción y majado. Deja cocer a fuego lento durante 15 minutos. Pruébalo de sal, espolvorea con perejil picado  y sirve.

## 198 – PIMIENTOS RELLENOS EN HOJALDRE

🌿 🌿 🌿 🌿

*Ingredientes:*

- 8 pimientos del piquillo verdes o rojos
- 250 g de carne picada
- 2 dientes de ajo picados
- 2 huevos
- sal
- pimienta
- 2 cuch. de queso rallado
- ½ cebolla
- perejil picado
- 250 g de hojaldre
- salsa de tomate o salsa española

*Elaboración:*

Mezcla la carne picada con 1 huevo, el ajo picado, sal, pimienta, el queso y la cebolla y el perejil picados. Rellena con esta mezcla los pimientos y después envuélvelos en trozos de hojaldre bien estirados. Colócalos en una fuente de horno y unta el hojaldre con huevo batido. Hornea durante 30 minutos a 170º. Sírvelos acompañados de salsa de tomate o salsa española.

## 199 – PIMIENTOS VERDES RELLENOS

🌿 🌿 🌿 🌿

*Ingredientes:*

- 4 pimientos verdes medianos
- 200 g de espinacas
- 2 sesos de cordero cocidos
- 1 tomate pelado
- 1 cebolleta
- aceite y sal

*Elaboración:*

Mete los pimientos en el horno con un chorro de aceite por encima y sal. Tenlos 30 minutos en horno caliente a 170º. Pasado este tiempo, saca y pela, con cuidado que queman. Reserva. En una sartén con aceite, saltea la cebolleta picada y el tomate pelado y despepitado; cuando estén bien rehogados, añade las espinacas picadas. Después de que se hagan las espinacas, agrega los sesos cocidos y troceados. Con este preparado rellena los pimientos y métheos nuevamente en el horno en una placa untada con aceite. Pasados 10 minutos, retira y sirve acompañando con salsa de tomate.

## 200 – PISTO A LA ASTURIANA

*Ingredientes:*
- 2 huevos cocidos
- 2 cebolletas o cebollas pequeñas
- 6 tomates maduros
- 2 pimientos verdes
- 2 pimientos rojos asados
- 4 dientes de ajo
- 200 g de jamón curado
- aceite y sal

*Elaboración:*

Pica los dientes de ajo y sofríelos en una cazuela con aceite junto con el pimiento verde, las cebolletas y el tomate picados durante 15 minutos aproximadamente. Sazona.

Aparte, saltea con un poco de aceite el jamón y los pimientos rojos pelados y en tiras. Cuando esté hecho el sofrito de tomate, colócalo en una fuente y pon el salteado de jamón encima.

Adorna el plato con los huevos cocidos cortados en cuartos.

## 201 – PISTO DE CALAHORRA

*Ingredientes:*
- 3 calabacines
- 3 patatas
- 6 pimientos verdes
- ¼ litro de salsa de tomate
- aceite
- 300 g de lomo de cerdo

- 1 cebolla o 2 cebolletas
- sal y pimienta
- 4 dientes de ajo

*Elaboración:*

Pela y corta en cuadrados las patatas, y los pimientos en tiras. Fríelo a fuego lento durante 10 o 12 minutos, junto con los ajos fileteados. Después, añade la cebolla picada y déjalo hacer hasta que se poche.

Limpia y corta en trozos los calabacines (si son muy tiernos no es necesario pelarlos), sazona, póchalos en otra sartén con aceite durante 5-8 minutos y añádeselo a la fritada. Desgrasa, y en ese mismo aceite fríe el lomo en tacos y salpimentado. Cuando esté frito, agrega la salsa de tomate, rehoga y échalo sobre la verdura. Mezcla bien todos los ingredientes, y listo para servir.

## 202 – PISTO MANCHEGO

*Ingredientes:*
- 4 tomates pelados
- 2 cebolletas
- 2 calabacines
- 2 dientes de ajo
- aceite
- sal
- perejil picado
- agua

*Elaboración:*

En una cazuela pon un chorro de aceite, llévala al fuego e incorpora los tomates troceados, la cebolleta, los ajos picados y el calabacín troceado en cuadrados. Sazona, agrega un cacillo de agua y déjalo cocer a fuego lento durante 25 minutos.

Para servir, espolvorea con un poco de perejil picado y un chorrito de aceite de oliva por encima.

## 203 – POCHAS CON ALAS DE PATO CONFITADAS

*Ingredientes:*

- ½ kg de pochas (alubias blancas)
- 8 alas de pato confitadas
- 1 zanahoria
- 1 tomate
- cebolla
- 2 dientes de ajo
- sal
- aceite de oliva

*Elaboración:*

Pon a cocer en agua fría las pochas, junto a la zanahoria, el tomate y un poco de sal. Debes hacer la cocción a fuego lento para que las pochas no se rompan: éste es el secreto de este plato.

Aparte, en una sartén, haz un refrito con cebolla, ajo y tomate.

Cuando hayan pasado 20 minutos cociendo las alubias, incorpora el refrito y deja que siga cociendo a fuego lento otros 20 minutos.

Por último, añade las alas de pato confitadas y deja 10 minutos más al fuego, para que éstas suelten todo su sabor al guiso.

## 204 – POCHAS CON ALMEJAS

*Ingredientes:*

- ½ kg de pochas
- ½ kg de almejas
- 2 dientes de ajo
- aceite y sal
- perejil

*Elaboración:*

Cuece las pochas en agua con un poco de sal, media hora aproximadamente. Cuando estén cocidas, escúrrelas y reserva. En una sartén aparte, pon un poco de aceite y saltea las almejas con los dientes de ajo picados. Cuando las almejas se están abriendo, añade las pochas ya cocidas y deja cocer todo unos 3 minutos. Por último, espolvoréalas con perejil picado y sirve.

## 205 – PORRUSALDA

*Ingredientes:*
- 4 puerros
- 5 patatas
- 2 zanahorias
- aceite
- 1 cebolla
- 4 dientes de ajo
- sal
- agua

*Elaboración:*

Pocha en una cazuela con aceite la cebolla, la zanahoria, todo bien picado junto con los ajos enteros y pelados y los puerros limpios cortados en aros. Después, añade las patatas troceadas y rehógalas también. Sazona. A continuación, vierte el agua y déjalo cocer durante 30 minutos aproximadamente. Por último, pon a punto de sal y sirve.

## 206 – PUERROS CON BECHAMEL

*Ingredientes:*
- 6 pimientos verdes medianos
- 16 puerros
- 50 g de queso rallado
- agua
- ½ litro de bechamel
- sal
- aceite

*Elaboración:*

Limpia bien los puerros y ponlos a cocer en agua hirviendo

con sal. Cuando estén cocidos (25 minutos), escúrrelos y reserva. Limpia y corta en aros los pimientos verdes. Fríelos en aceite, y escúrrelos y colócalos en una fuente resistente al calor. Pon encima los puerros, cubre éstos con la bechamel, espolvorea con el queso rallado y mete en el horno a gratinar cinco minutos.

---

## 207 – PUERROS CON JAMÓN

*Ingredientes:*
- 16 puerros blancos cocidos
- 16 lonchas de jamón cocido
- 8 cucharadas de salsa de tomate
- 1 chorro de nata
- queso rallado
- sal
- pimienta

*Elaboración:*

En una cazuela con abundante agua y sal cuece los puerros atados de 4 en 4 durante 20 minutos. Escurre y reserva.

En una fuente refractaria (resistente al horno) pon salsa de tomate; encima coloca los puerros envueltos en jamón cocido. Seguidamente riega con un chorrito de nata y cubre con abundante queso rallado.

Realizadas todas estas operaciones, mete en el horno a gratinar durante 3 o 4 minutos. Retira y sirve.

---

## 208 – PUERROS EN VINAGRETA

*Ingredientes:*
- 16 puerros
- agua
- sal

vinagreta:
- 1 tomate pelado
- 1 huevo cocido
- sal
- vinagre

- aceite de oliva
- 1 cebolleta
- perejil

*Elaboración:*

---

Cuece los puerros en agua con sal a fuego lento. Después, sácalos, y, una vez escurridos, extiéndelos en una fuente. Para hacer la vinagreta, utiliza tomate pelado y troceado en daditos, 1 huevo cocido y picado, sal, vinagre, aceite de oliva, 1 cebolleta y perejil. Mezcla todo bien, y una vez elaborada la salsa, tan sólo te restará verterla sobre los puerros.

---

## 209 – QUICHE DE ESPÁRRAGOS

*Ingredientes:*
- 250 g de pasta de hojaldre
- 12 espárragos trigueros
- 100 g de jamón serrano
- 4 huevos
- 300 g de nata
- 3 cuch. de queso parmesano
- agua
- sal
- pimienta

*Elaboración:*

---

Limpia los espárragos de las partes más duras y cuécelos en agua con sal durante unos 6 minutos (dependerá del grosor de los espárragos). Sácalos y escurre bien. Extiende la pasta de hojaldre y colócala sobre un molde haciéndole un reborde. Pincha la masa y hornéala durante 15 minutos aproximadamente a unos 180º. (Si se levanta, aplástala con ayuda de un trapo limpio.) Después, coloca los espárragos encima y haz una mezcla con los huevos, el parmesano, el jamón picado, la sal, la pimienta y la nata. Extiende la mezcla encima de los espárragos y mételo todo en el horno a unos 180º durante 30 minutos aproximadamente. Una vez desmoldado, puedes adornarlo con rodajas de tomate frito.

# 210 – RAGOUT DE VAINAS

*Ingredientes:*

- 700 g de vainas cocidas
- 12 almejas
- 16 gambas o langostinos
- 150 g de salmón limpio
- 1 cebolla
- 1 vaso del caldo de cocer las vainas
- 1 cuch. de harina
- sal y pimienta
- 2 dientes de ajo
- aceite de oliva

*Elaboración:*

En una cazuela con aceite, rehoga la cebolla y el ajo picados. A continuación, agrega las gambas o langostinos pelados y las almejas. Sigue rehogando hasta que se abran estas últimas. Después, añade la harina dorándola sin que se queme, moja con el caldo y agrega las judías cocidas. Por último, echa el salmón troceado, salpimentado y previamente salteado en un poco de aceite. Mezcla bien todos los ingredientes, pon a punto de sal y sirve bien caliente.

# 211 – ROLLITOS DE ENDIBIAS

*Ingredientes:*

- 8 endibias
- 8 lonchas de jamón curado o cocido
- 50 g de harina
- ½ litro de leche
- 2 cuch. de queso rallado
- sal
- aceite de oliva
- agua

*Elaboración:*

Cuece las endibias en agua con sal durante 20 o 25 minutos.

Una vez cocidas, escúrrelas y reserva. Haz una bechamel rehogando la harina en aceite y añadiendo la leche poco a poco. Agrega también una cucharada de queso y deja cocer unos minutos.

Enrolla cada endibia con el jamón y báñalas con bechamel. Espolvorea con el resto de queso rallado y gratina durante 2 minutos y sirve.

## 212 – SAN JACOBOS DE CALABACÍN

*Ingredientes:*

- 1 o 2 calabacines
- 8 lonchas de jamón curado
- 8 lonchas de queso graso
- sal
- huevo batido
- harina
- pan rallado
- una cucharadita de levadura
- aceite
- 2 dientes de ajo
- unos pimientos rojos asados y pelados

*Elaboración:*

Corta el calabacín en rodajas.

Prepara los san jacobos colocando una rodaja de calabacín, un trozo de queso, otro de jamón y, por último, otra rodaja de calabacín.

Pásalos por harina con levadura, huevo batido y pan rallado y fríelos en abundante aceite.

En un bol, pon unos pimientos asados y pelados en tiras. Añade los dientes de ajo, pelados y muy picados, y aliña con sal y aceite de oliva.

Sirve los san jacobos en una fuente acompañados de la ensalada de pimientos.

# 213 – SETAS GRATINADAS

*Ingredientes:*
- 1,5 kg de setas
- 1 cebolleta
- 2 dientes de ajo
- sal
- aceite
- ½ litro de bechamel ligera
- perejil picado

*Elaboración:*

Pon a pochar la cebolleta y el ajo picado fino en una cazuela ancha con aceite. Añade las setas bien limpias y troceadas. Sazona y deja que cueza a fuego suave durante 10 minutos aproximadamente. Espolvorea con perejil picado y ponlo en una fuente o plato, escurriendo el aceite. Napa con la salsa bechamel sin cubrir del todo y gratina en el horno durante 2 minutos. Si quieres, puedes servir el plato sin gratinar.

# 214 – TARTA DE ENDIBIAS

*Ingredientes:*
- 8 endibias
- 8 lonchas de jamón serrano
- 8 lonchas de queso de fundir
- agua y sal
- 250 g de hojaldre

*Elaboración:*

Cuece las endibias en agua con sal durante 15 minutos aproximadamente. Escurre y reserva. Estira el hojaldre en una placa de horno, pínchalo con un tenedor y hornéalo durante 15 minutos a 180º.

Abre las endibias por la mitad y colócalas sobre el hojaldre. Tápalas con unas lonchas de jamón y cubre todo con el queso. Gratina durante 2 o 3 minutos y sirve.

# 215 – TARTA DE REQUESÓN CON VERDURAS

*Ingredientes:*

- 300 g de pasta brisé (sin azúcar)
- 3 huevos
- 150 g de requesón
- 1 vaso de nata líquida
- 60 g de queso fresco
- 2 calabacines
- 4 tomates pequeños
- 2 pimientos verdes
- unas cuantas judías verdes
- ½ zanahoria
- 1 cucharadita de pimentón
- aceite de oliva virgen
- mantequilla
- harina
- sal y pimienta
- agua

*Elaboración:*

Estira la pasta brisé sobre una superficie enharinada. A continuación, unta con mantequilla un molde, enharínalo y fórralo con la pasta.

Bate los huevos con el requesón, la nata, el queso y el pimentón trabajando la mezcla hasta que obtengas una crema. Vierte la crema en el molde y métela en el horno ya caliente a 180º durante 20 minutos.

Pela las verduras, parte los pimientos por la mitad y córtalos en tiras finas al igual que los calabacines, de los que también sacarás unas tiras de las cortezas. Corta los tomates en rebanadas gruesas. Quita las puntas de las judías y pícalas en trocitos. Y por último, corta en tiras la zanahoria.

En una cazuela, con un poco de agua y una cucharada de aceite, cuece el pimiento, el calabacín, la zanahoria y las judías. Una vez cocidos, escurre y salpiméntalos.

Saca la tarta del horno y decórala con las verduras. Hornea la tarta con las verduras 5 minutos y sirve.

# 216 – TARTA DE TOMATE

*Ingredientes:*
- 400 g de tomates
- 200 g de hojaldre
- 90 g de queso rallado
- 30 g de mantequilla
- 1 cebolla
- ½ vaso de nata
- 2 huevos
- sal
- pimienta

*Elaboración:*

Escalda los tomates y déjalos escurrir en un colador.

Aparte, bate los huevos, añade la nata batida y el queso rallado más un trocito de mantequilla. Mezcla todo bien dándole el punto de sal y pimienta, obteniendo una masa perfecta para el relleno de la tarta.

Extiende el hojaldre y forra con él un molde (23 cm de diámetro) de fondo desmoldable, cubre con el tomate picado y encima pon la masa para el relleno. Mete en el horno caliente a 180º durante 25-35 minutos.

Mientras, corta la cebolla en aros finos. Pasa los aros por harina y fríelos en abundante aceite. Te servirán para adornar y acompañar la tarta cuando esté lista.

# 217 – TARTALETAS DE TOMATE Y MOSTAZA

*Ingredientes:*
- 200 g de pasta de hojaldre
- 1 ramillete de perejil
- 80 g de requesón
- 2 huevos
- 2 cuch. de parmesano rallado
- 2 tomates
- ½ cuch. de mostaza
- 1 dl de nata
- sal y pimienta
- aceite de oliva

para acompañar:
- salsa de tomate o puré de guisantes

Extiende la pasta en una capa muy delgada. Haz en ella una serie de discos y reviste con ellos 8 tartaletas pequeñas casi de ración, o una grande. Mete en el horno a 200º durante unos 10 minutos. Mientras, pica finamente el perejil y ponlo en la batidora con el requesón, la nata, los huevos y media cucharada de mostaza. Bate hasta reducirlo a una crema e incorpora dos cucharadas de queso rallado.

Salpimenta. Rellena las tartaletas con la crema. Pon una rodaja de tomate en el centro de cada tartaleta y un chorrito de aceite de oliva, sal y pimienta. Cuécelas en el horno ya caliente a 200º durante unos 15 minutos. Sirve con salsa de tomate o de guisantes, aparte.

## 218 – TARTALETAS DE VERDURA

*Ingredientes:*
- 8-10 volovanes de hojaldre
- 400 g de verduras limpias (coliflor, pencas, puerros, zanahorias, judías verdes)
- agua
- sal

para ¼ litro de bechamel:
- 1 nuez de mantequilla
- 1 cuch. de harina
- 1 vaso de leche

*Elaboración:*

Cuece las verduras troceadas en agua con sal, hasta que estén tiernas (también puedes cocerlas al vapor). Escurre y reserva las verduras y medio vaso de caldo.

Prepara la bechamel rehogando la harina en la mantequilla derretida. Añade el caldo, la leche, rehoga bien y pon a punto de sal.

Retira las tapas de los volovanes y rellénalos con trocitos de las diferentes verduras. Echa la bechamel por encima y hornea 5 minutos a 160º.

Sirve los volovanes con sus tapitas. Puedes acompañarlos de puré o crema de verduras.

*Ingredientes* (para un molde):
- 250 g de zanahorias
- 250 g de judías verdes
- 200 g de habas frescas peladas
- 200 g de pimientos rojos y verdes
- 200 g de guisantes frescos pelados
- 5 cuch. de nata
- ¾ litros de caldo de verduras
- 8 hojas de gelatina blanca
- 300 g de queso fresco
- sal y pimienta
- una pizca de albahaca seca
- perejil picado

adorno:
- salsa de tomate
- 2 huevos cocidos

*Elaboración:*

Pica finamente las zanahorias, las judías y los pimientos y ponlos a cocer en ¾ de litro de agua durante 3 minutos.

Luego añade los guisantes y las habas y deja cocer otros 4 minutos más. Escurre con cuidado las verduras y reserva el caldo.

Añade a éste la nata y deja que siga cociendo hasta que se reduzca a ¼ litro aproximadamente. Quita del fuego y espera a que se enfríe.

Pon la gelatina en remojo unos 5 minutos en agua fría y después escúrrela. Calienta 5 cucharadas de caldo y disuelve en él la gelatina.

Bate el queso fresco con el resto del caldo y añade la gelatina disuelta. Salpimenta las verduras cocidas y espolvoréalas con albahaca antes de incorporarlas y mezclarlas con la pasta de queso. Vierte esta mezcla en el molde y alísala. Mete en el refrigerador y deja que se endurezca (unas 6 horas aproximadamente).

Para servir, en un plato pon salsa de tomate, y encima, cortada en porciones, la terrina de verduras con queso; además, encima de cada porción, una rodaja de huevo cocido.

# 220 – TOMATES CON HUEVOS AL HORNO

፠ ፠ ፠ ፠

*Ingredientes:*
- 4 huevos
- aceite de oliva
- bechamel
- sal
- aderezo provenzal
- 4 tomates maduros

*Elaboración:*

Corta por la mitad y vacía los 4 tomates. Colócalos boca abajo en una sartén a fuego lento durante 4 o 5 minutos. Dales la
vuelta y repite la operación. Deposita los tomates en una fuente de horno y aderézalos con un poco de sal y un poquito de
provenzal (pan rallado, ajo picado y perejil picado). Rompe un
huevo sobre cada medio tomate, añade el resto de la provenzal
y gratínalos ligeramente durante 4 o 5 minutos hasta que cuaje
la clara. Sirve inmediatamente.

# 221 – TOMATES DOS GUSTOS

፠ ፠ ፠ ፠

*Ingredientes:*
- 4 tomates de ensalada grandes
- 4 cuch. de arroz hervido
- 4 colas de langostinos cocidas
- 2 latas de bonito o atún
- 1 cebolleta picada
- unas hojas de lechuga cortadas en juliana
- salsa mahonesa
- sal
- aceite de oliva
- perejil picado

*Elaboración:*

Corta la parte superior de los tomates y vacía su interior.
Mete las tapas de tomate de canto en el interior de los mismos,
de forma que quede igual hueco a izquierda y a derecha.

Pica la mitad de la carne de tomate (el resto guárdala para utilizarla en otra ocasión). Mezcla el bonito con la cebolleta, añade la mahonesa (que no quede muy ligera) y agrega la mitad de la carne del tomate picado. Mézclalo todo bien.

Mezcla el arroz con la lechuga y el resto del tomate picado.

Sazona el interior de los tomates, colócalos en una fuente y rellena cada mitad con un tipo de mezcla.

Adorna con las colas de langostinos y espolvorea con perejil picado. Por último, echa un chorro de aceite crudo por encima.

## 222 – TOMATES NEVADOS

*Ingredientes:*
- 4 tomates
- 1 bolsa de queso parmesano
- nata líquida
- albahaca en polvo
- sal
- pimienta

*Elaboración:*

Escalda los tomates, pélalos, pártelos por la mitad y quita un poco de la pulpa haciendo un hoyo. Sazona con sal, pimienta y albahaca y echa encima de cada tomate una cucharadita de la nata semimontada con la mitad del queso rallado. Espolvorea el resto del queso y un poco de albahaca. Hornea hasta que se caliente (8 minutos), pero sin que llegue a tostarse.

## 223 – TOMATES RELLENOS DE ATÚN

*Ingredientes:*
- 5 o 6 tomates medianos
- 200 g de atún en aceite
- 4 cuch. de arroz cocido
- 2 dientes de ajo
- 1 cebolleta
- 4 cuch. de bechamel
- sal
- aceite
- aros de cebolla
- harina

Corta la parte superior de los tomates y vacíalos con cuidado. Hazles un corte a lo largo. Pica la pulpa y sofríe los dientes de ajo junto con la cebolleta durante unos minutos. Pasado este tiempo, añade la pulpa picada y déjala pochar de 8 a 10 minutos. Después, agrega el atún desmigado y el arroz. Saltea y ponlo a punto de sal. Rellena los tomates con el sofrito y después cúbrelos con una cucharada de bechamel. Rocía los tomates con un chorro de aceite y hornéalos durante 15 minutos aproximadamente a 170º. Sírvelos acompañados de los aros de cebolla pasados por harina y fritos en aceite.

## 224 – TOMATES RELLENOS DE POLLO

*Ingredientes:*

- 4 tomates grandes
- 1 pechuga de pollo
- 200 g de jamón curado
- ½ litro de salsa de albóndigas, redondo, etc.
- 2 dientes de ajo
- ½ litro de salsa de bechamel
- sal
- aceite

*Elaboración:*

Corta los tomates por la parte del pico y vacíalos. Reserva los tomates y pica su carne. Pica también la pechuga de pollo y el jamón.

Dora el ajo picado en aceite y añade la pechuga y el jamón. Saltéalo a fuego fuerte. Después, agrega la carne del tomate y déjalo cocer a fuego suave durante 5 o 6 minutos para que se reduzca bastante el agua del tomate. Ponlo a punto de sal.

Rellena con esta fritada el tomate, cúbrelo con salsa bechamel y un chorrito de aceite por encima. Hornea a 170º durante 15 o 20 minutos si quieres el tomate hecho, o gratínalo durante un par de minutos si no quieres que el tomate se haga.

Coloca en el fondo de una fuente la salsa caliente de albóndigas o de redondo y pon encima los tomates gratinados. Sírvelo bien caliente.

También puedes gratinar la tapa que has cortado del tomate y colocarla encima.

## 225 – VAINAS CON MEJILLONES

*Ingredientes:*
- 600 g de vainas
- 300 g de mejillones
- 2 cebolletas
- 2 dientes de ajo
- sal
- aceite
- agua
- 1 ramita de perejil
- 1 cuch. de harina

*Elaboración:*

Limpia las vainas, quitando los hilos, córtalas y cuécelas en agua con sal y un chorro de aceite, hasta que estén tiernas. Escurre y resérvalas. Guarda un vaso de caldo de cocción.

Limpia los mejillones y ábrelos al vapor, con agua, sal y una rama de perejil. Saca su carne y reserva también el caldo.

Pica fina la cebolleta y el ajo y ponlos a pochar en una cazuela ancha con aceite. En cuanto tome color dorado, añade la harina y rehoga. Después, agrega las vainas y un vaso de su caldo. Echa los mejillones y también un vaso de su caldo colado. Caliéntalo todo bien durante unos cinco minutos y sirve.

## 226 – VAINAS CON SALSA ESPAÑOLA

*Ingredientes:*
- 800 g de vainas
- 200 g de lomo de cerdo
- ½ litro de salsa española
- sal y pimienta
- aceite
- agua

Limpia las vainas y cuécelas en agua con sal hasta que estén tiernas. Escurre y reserva.

Trocea el lomo en dados y salpiméntalo.

En una sartén con aceite, rehoga el lomo. Cuando esté dorado, agrega las judías verdes cocidas, saltea y añade la salsa española. Guísalo durante 5 minutos y sirve.

---

## 227 – VERDURITAS CRUDAS

*Ingredientes:*

- 1 zanahoria
- 1/8 de coliflor
- 1 tomate
- 1 pepino
- 2 ramas de apio
- 250 g de queso de untar
- 1 taza de mahonesa
- 2 cucharadas de salsa de tomate
- perejil picado

*Elaboración:*

---

Después de lavar bien la verdura, pela la zanahoria y el pepino. Trocea la zanahoria y el apio en bastones, la coliflor en ramitos y, por último, el pepino y el tomate en dados.

Para preparar las salsas: mezcla la mahonesa con la salsa de tomate en un cuenco, y en otro pon el queso con el perejil picado.

Coloca las verduritas en una fuente y acompáñalas con las salsas para untar.

---

## 228 – VOLOVANES DE SETAS

*Ingredientes:*

- 8 volovanes de hojaldre
- huevo batido
- ½ kg de setas
- 1 copa de jerez seco o vino blanco
- 1 cebolla

- 2 dientes de ajo
- 1 pimiento verde
- 1 vaso de caldo de carne
- 1 cucharada de harina
- aceite de oliva
- sal
- salsa de tomate

*Elaboración:*

Pica la cebolla muy fina y póchala en una sartén con aceite junto con 2 ajos fileteados y el pimiento troceado hasta que se ablande. Añade las setas limpias y troceadas. Sazona y agrega la harina rehogando, y después el vino y el caldo. Cuécelo todo junto 8 o 10 minutos hasta que espese.

Hornea los volovanes untados con huevo batido y rellénalos con las setas. Coloca la salsa de tomate caliente en el fondo de una fuente y los volovanes encima.

## 229 – ZANAHORIAS CON BACALAO

*Ingredientes:*
- 600 g de zanahorias
- 300 g de bacalao desalado
- 200 g de guisantes escaldados
- 1 cebolleta o ½ cebolla
- caldo de pescado o agua
- 2 huevos cocidos
- harina
- huevo batido
- aceite de oliva
- sal

*Elaboración:*

En una sartén con aceite pon a pochar la cebolleta picada. Después, añade la zanahoria en rodajas y rehoga. Sazona, cubre con el caldo y cuécelo durante 15 o 20 minutos. Agrega los guisantes escaldados y guísalo todo junto unos minutos.

Reboza los trozos de bacalao, sin piel ni espinas, con harina y huevo, y fríelos en aceite bien caliente.

Sirve la verdura en el fondo de una fuente, y sobre ella las tajadas de bacalao. Espolvorea por encima con los huevos pasados por un pasapuré.

# 230 – ZANAHORIAS CON PANCETA

*Ingredientes:*

- 1 kg de zanahorias
- 150 g de panceta
- 4 cebolletas
- sal

- 4 huevos
- agua
- aceite

*Elaboración:*

Pela las zanahorias y córtalas en rodajas. En una cazuela pon la cebolleta troceada, añade las zanahorias y sazona. Cuando esté todo pochado, echa la panceta, que habrás rehogado aparte, en una sartén con aceite. Después, cúbrelo con agua y deja que cueza durante una hora aproximadamente, poniendo a punto de sal. Acompaña el guiso con unos huevos escalfados encima.

Por último, gratina un minuto y sirve.

# Patatas

---

## 231 – ALBÓNDIGAS DE PATATA

*Ingredientes:*

- ½ kg de patatas para puré
- 150 g de jamón curado
- 2 yemas de huevo
- 3 cuch. de queso rallado
- un poco de nuez moscada
- sal
- pimienta
- salsa de tomate
- harina
- huevo batido
- pan rallado
- agua
- aceite

*Elaboración:*

Pela y cuece las patatas en agua con sal y haz con ellas un puré espeso. Después, añádele el jamón picado, las 2 yemas de huevo, el queso rallado, una pizca de nuez moscada, sal y pimienta. Mézclalo todo bien y haz pelotitas con la masa. Pásalas por harina, huevo y pan rallado y fríelas en abundante aceite caliente a fuego no demasiado fuerte. Por último, sírvelas bien escurridas, sobre la salsa de tomate caliente.

# 232 – CESTITAS DE PURÉ DE PATATA

*Ingredientes:*

- 1 kg de patata
- 300 g de chorizo en taquitos
- 4 yemas de huevo
- 4 claras montadas

salsa española:
- ¼ kg de piltrafas de carne (sin grasas)
- 1 hueso pequeño de codillo

- aceite
- 1 cuch. de harina
- 100 g de cebolla picada
- 125 g de zanahorias picadas
- 1 ramillete de perejil
- 1 diente de ajo
- 1 hoja de laurel
- 1 litro de agua
- sal

*Elaboración:*

Cestitas.

Haz 4 cestitas con el puré de patatas. Ponles chorizo frito alrededor y, en el centro, una yema de huevo. Monta las claras a punto de nieve, ponlas encima y fríe echando el aceite por arriba. Sirve con salsa española, en parte por encima de los huevos y el resto en una salsera.

Salsa española.

En un cazo pon el aceite a calentar, poniendo la cebolla picada a dorar. Añade las piltrafas de carne. Rehoga bien y luego añade las zanahorias. Dales unas vueltas y luego añade la harina. Deja dorar unos 5 minutos y añade el agua y el resto de los ingredientes. Deja cocer a fuego lento unos 30 minutos. Entonces pasa la salsa por el chino. Rectifica de sal y deja cocer a fuego lento hasta obtener el espesor que convenga.

# 233 – ENSALADA DE PATATAS ASADAS

*Ingredientes:*

- 8 patatas medianas
- 300 g de salmón ahumado
- 1 cebolleta
- 1 cuch. de alcaparras
- 4 pepinillos
- sal
- aceite
- vinagre de sidra o de jerez

*Elaboración:*

Lava las patatas, colócalas por separado en un trozo de papel de aluminio, añádeles sal y un poco de aceite y envuélvelas. Mételas en el horno durante 40 minutos a 180º. Deja que se enfríen y pélalas. Cubre con el salmón la fuente de servir y coloca encima las patatas cortadas en lonchas. Salpícalas por encima con las alcaparras y el pepinillo picados y la cebolleta en juliana. Por último, aliña con aceite, vinagre y sal.

# 234 – ESTOFADO DE PATATAS CON COSTILLAR DE CERDO

*Ingredientes:*

- 1 ½ kg de costillar de cerdo
- 1 kg de patatas
- ½ cuch. de pimentón dulce
- ½ cuch. de pimentón picante
- sal
- 2 hojas de laurel
- agua
- 2 dientes de ajo
- perejil
- aceite

*Elaboración:*

Corta en trozos el costillar y ponlo a cocer en agua con sal, 2 hojas de laurel y una ramita de perejil. Pasados 45 minutos, echa las patatas peladas y troceadas y cuécelo todo junto 20 minutos más.

En una sartén pon un chorro de aceite y fríe los 2 dientes de ajo fileteados. Cuando estén doraditos, agrega una cucharada de pimentón dulce o picante, según el gusto. Añade este sofrito a la cazuela con las patatas y la costilla, dándole un último golpe de fuego antes de servir.

## 235 – NIDOS DE PATATAS

*Ingredientes:*

- 1 kg de patatas
- 30 g de mantequilla
- 2 cuch. de pan rallado
- 1 huevo
- 250 g de carne picada
- 1 cebolla pequeña
- ½ vaso de vino
- 2 cuch. de leche
- aceite
- sal y pimienta
- nuez moscada
- ajo

*Elaboración:*

En una sartén con aceite rehoga la cebolla picada. Cuando esté dorada, agrega la carne y el vino. Deja cocer todo lentamente hasta que esté la carne tierna. Sazona con sal, pimienta y nuez moscada; por último, agrega el pan rallado y mezcla todo bien. Reserva.

Pon a cocer las patatas con piel y tenlas hirviendo unos 40 minutos. Cuando estén cocidas, móndalas y pásalas por un tamiz para hacer un puré fino. En un cazo derrite la mantequilla y agrégala al puré, así como la leche y la yema de huevo. Amasa todo bien.

Haz ocho bolas y aplástalas un poco. Haz un hueco en el centro de cada bola. En dicho hueco pon un par de cucharadas del relleno, y coloca las bolas en una placa enharinada.

Bate la clara a punto de nieve y pon un montoncito encima de cada nido. Mete la placa con los nidos en el horno y gratínalos un par de minutos. Cuando estén dorados, sácalos y sirve.

Como acompañamiento, puedes poner una crema de alcachofas o de guisantes.

# 236 – PATATAS A LA ARAGONESA

*Ingredientes:*
- 6 patatas
- 1 cebolleta
- 3 dientes de ajo
- 1 cuch. de harina
- aceite
- 1 vaso de caldo de carne o de ave
- 4 huevos
- perejil picado
- sal

*Elaboración:*

Pela y corta las patatas en rodajas de 1 cm de grosor aproximadamente y fríelas en aceite a fuego suave para que queden blandas. Cuando estén hechas, escúrrelas y reserva.

Aparte, fríe la cebolleta junto con 2 dientes de ajo, todo bien picado; cuando estén casi dorados añade la harina, y cuando tome color, agrega el caldo de carne o de ave y deja cocer alrededor de 4 o 5 minutos.

Coloca las patatas en un recipiente o individualmente, añade la salsa –que la puedes colar– y escalfa los huevos a fuego suave, abriéndolos encima, tapándolos y poniéndolos a punto de sal. A la hora de servir, añade a la cazuela un majado de ajo, perejil y un poco de aceite virgen.

# 237 – PATATAS A LA CAZUELA

*Ingredientes:*
- 4 patatas
- 1 cebolla
- 2 tomates
- 3 dientes de ajo
- perejil picado
- unas hebras de azafrán
- ¼ kg de almejas
- ¼ kg de gambas o langostinos
- 4 calamares
- 1 vaso de vino manzanilla
- caldo de pescado
- aceite de oliva
- sal

En una cazuela con aceite, pocha la cebolla, el tomate y 2 dientes de ajo, todo picado. Después agrega los calamares, limpios, enteros y sazonados. Deja que se doren un poquito y moja con el vino. A continuación, añade las patatas peladas y troceadas y cubre con el caldo de pescado. Deja cocer unos 20 minutos y añade las almejas y las gambas o langostinos pelados. Espera unos minutos hasta que se abran las almejas.

Mientras tanto, prepara en un mortero un majado con el perejil, el diente de ajo y las hebras de azafrán. Añádeselo a las patatas, guísalo todo junto durante 3 o 4 minutos y sirve.

## 238 – PATATAS A LA ESPAÑOLA

*Ingredientes:*

- 1 kg de patatas
- 1 plato de harina
- 1 sobre de levadura
- huevo batido
- aceite
- sal
- perejil picado

1,5 litros de salsa española:
- 2 cebollas
- 2 zanahorias
- ½ kg de carne en trozos
- 2 cuch. de harina
- 2 litros de agua
- 1 vaso de vino blanco
- aceite y sal

*Elaboración:*

Pela y corta las patatas en lonchas de ½ cm. Sazona, pásalas por harina con levadura y huevo y fríelas en abundante aceite.

Para preparar la salsa española, sofríe la cebolla y la zanahoria troceadas. Añade los trozos de carne, después la harina y rehoga.

Cubre con agua y añade el vaso de vino blanco. Pon a punto de sal y deja cocer hasta que se haga la carne. Cuanto más tiempo cueza, saldrá más concentrada.

Por último, pásala por la batidora.

Coloca las patatas en una cazuela junto con la salsa española y espolvorea con perejil picado. Guísalo a fuego suave durante 10 o 15 minutos y sirve.

## 239 – PATATAS A LA RIOJANA

*Ingredientes:*
- 1 kg de patatas nuevas
- 2 chorizos
- 2 dientes de ajo
- 1 guindilla
- 1 cebolla
- 1 pimiento verde
- 1 hoja de laurel
- pimentón
- aceite
- sal
- agua

*Elaboración:*

Pica la cebolla y el pimiento verde y ponlos a pochar con aceite, un poco de sal, ajo y laurel. Rompe la patata y añádela, junto con el chorizo en lonchas, a las verduras pochadas. Cúbrelo todo con agua, echa un poco de sal, la guindilla y el pimentón y déjalo durante 40 minutos a fuego no muy rápido.

## 240 – PATATAS AL HORNO

*Ingredientes:*
- 600 g de patatas
- 8 lonchas de jamón cocido
- 4 lonchas de queso de crema
- mantequilla
- un chorrito de vinagre
- agua y sal

*Elaboración:*

Cuece las patatas enteras en agua con sal y un chorrito de vinagre para que no se rompan. Cuando estén cocidas, sácalas de la cazuela y déjalas enfriar. Posteriormente pélalas y córtalas en lonchas de medio centímetro aproximadamente. En una cazuela untada con un poco de mantequilla coloca una capa de patatas, un poco de sal, las lonchas de jamón, y, encima de éstas, el queso y por último otra capa de patatas.

Antes de meter en el horno, pon un poco de mantequilla y deja gratinar unos minutos.

Sirve caliente.

---

## 241 – PATATAS CON ALMEJAS GRATINADAS

*Ingredientes:*

- 700 g de patatas
- 300 g de almejas
- 1 cebolleta
- 1 diente de ajo
- 1 vaso de caldo de pescado o agua
- sal
- aceite

para la salsa:

- 1 cuch. de harina
- 1 nuez de mantequilla
- un chorro de nata líquida

*Elaboración:*

Pela las patatas y córtalas en lonchas. Sazona y hazlas, a fuego muy lento, con un poco de agua y sal. Resérvalas escurridas en su cazuela.

Pica la cebolleta y el ajo y ponlos a pochar en una cazuela con aceite. Cuando esté pochado, añade el caldo de pescado y las almejas, removiendo hasta que se abran. A continuación, echa las almejas en la cazuela de las patatas, reservando el caldo colado.

Para preparar la salsa, derrite la mantequilla y rehoga en ella la harina. Ve añadiendo el caldo de las almejas colado poco a poco y sin parar de remover. Después, agrega la nata líquida y sigue removiendo hasta que ligue. Cubre las patatas con esta salsa, que habrás puesto a punto de sal, gratínalo durante 2 minutos y sirve.

# 242 – PATATAS CON BACALAO

*Ingredientes:*

- 1 kg de patatas
- 300 g de bacalao desalado
- 1 cebolleta o cebolla
- 2 cuch. de pimentón
- 1 hoja de laurel
- 3 dientes de ajo
- aceite
- agua o caldo de pescado
- sal
- perejil picado

*Elaboración:*

En una cazuela con aceite pon a pochar la cebolla picada y los dientes de ajo fileteados. Añade una hoja de laurel y sazona. Una vez pochado, añade el pimentón y rehoga. Pela las patatas, rómpelas en trozos y rehógalas también.

Añade el caldo hasta cubrir y rectifica de sal. Deja cocer 30 minutos aproximadamente. Cuando falten 5 minutos para acabar la cocción, añade el bacalao desalado en trozos. Termina de hacer, añade perejil picado y sirve.

# 243 – PATATAS CON ESPINACAS Y BACALAO

*Ingredientes:*

- 4 patatas
- ½ kg de espinacas cocidas
- 400 g de bacalao desalado
- 2 dientes de ajo
- 1 tomate
- agua
- aceite

*Elaboración:*

En una cazuela con aceite saltea los ajos cortados en láminas y las patatas peladas y cortadas en rodajas. Cúbrelo todo con agua y déjalo cocer de 12 a 15 minutos. Cuando las patatas estén cocidas, incorpora el tomate troceado y sin pepitas. Agrega las tajadas de bacalao y hazlas durante 3 o 4 minutos por cada lado. Por último, añade las espinacas, cocidas y picadas, guísalo durante 5 minutos y sirve.

## 244 – PATATAS CON GAMBAS Y ESPINACAS

*Ingredientes:*
- 700 g de patatas
- 200 g de espinacas
- 200 g de gambas peladas
- agua
- sal
- aceite
- 2 dientes de ajo

*Elaboración:*

Escalda las espinacas bien limpias en una cazuela con agua hirviendo y sal, durante un minuto y medio o dos. Escurre y reserva.

En una cazuela con aceite rehoga unos minutos las patatas peladas y en rodajas. Sazona. Después, cubre con agua y déjalo cocer durante 20 o 25 minutos.

En una sartén con aceite, dora los dientes de ajo en láminas. A continuación, saltea las colas de gambas sazonadas y las espinacas de 2 a 3 minutos.

Por último, añade este salteado a la cazuela de las patatas.

Guísalo todo junto un par de minutos y sirve. Puedes presentarlo en una cazuela de barro.

## 245 – PATATAS CON HINOJO Y HABAS

*Ingredientes:*
- 1 paletilla pequeña de cordero
- ½ cebolla
- 1 tomate
- ½ kg de patatas
- ½ kg de habas
- 1 hinojo
- aceite, sal y pimienta
- agua

*Elaboración:*

Pica la cebolla fina y el tomate y ponlos a pochar en aceite.

Añade el cordero salpimentado y en 4 trozos y deja que se fría bien. Agrega la patata troceada, las habas y el hinojo picado. Rehoga y cubre con agua dejándolo cocer a fuego suave durante unos 45 minutos. Desgrásalo, ponlo a punto de sal y sirve.

## 246 – PATATAS CON QUESO

*Ingredientes:*
- 800 g de patatas
- 4 dientes de ajo
- 1 litro de leche
- pimienta
- ½ litro de nata
- sal
- queso rallado
- 1 ramita de perejil

*Elaboración:*

Pon la leche y la nata a cocer junto con los ajos picaditos. Corta las patatas en lonchas de ½ cm de grosor e incorpóralas a la leche con la nata. Deja cocer hasta que estén blandas, 30 minutos aproximadamente. Pon a punto de sal, reparte en cazuelitas individuales, espolvorea con queso rallado y gratina.

Sirve caliente adornando con una ramita de perejil.

## 247 – PATATAS CON RAPE

*Ingredientes:*
- 400 g de rape limpio
- 600 g de patatas
- 1 cebolleta o cebolla
- 1 tomate pelado
- 2 dientes de ajo
- 50 g de almendras
- 50 g de piñones
- perejil picado
- pimentón dulce o picante
- 1 y ½ litros de caldo de pescado
- aceite

- sal
- pimienta

*Elaboración:*

Pica la cebolla, el tomate y el ajo y pon todo en una cazuela con un poco de aceite. Una vez pochado, añade el pimentón y rehoga, y después las patatas en rodajas y vuelve a rehogar. Cúbrelo todo con caldo de pescado y deja cocer 20 minutos aproximadamente.

Agrega el rape en tacos, previamente salpimentados, y los piñones y las almendras bien picados en un mortero. Guísalo durante 8 minutos (a los 4 minutos da la vuelta a los trozos de rape).

Por último, espolvorea con perejil picado y sírvelo.

## 248 – PATATAS CON SALSA DE BERROS

*Ingredientes:*
- 1 kg de patatas
- 1 manojo de berros
- ½ litro de nata líquida
- ½ litro de caldo de carne
- sal, aceite y agua

*Elaboración:*

En una cazuela con agua y sal cuece los berros bien limpios. Una vez cocidos, escúrrelos y pícalos. Pela las patatas y trocéalas. Fríelas hasta que se doren pero sin quemarlas. Escurre y resérvalas.

Pon a reducir en una cazuela la nata, el caldo y los berros ya picados, durante 20 minutos a fuego lento. Después, añade las patatas, sazona y deja que hierva a fuego suave 10 minutos, hasta que espese la salsa. Sirve.

## 249 – PATATAS CON VINAGRETA PICANTE

*Ingredientes:*
- 1 kg de patatas
- 1 cebolleta

- aceite
- 200 g de harina
- agua
- sal

vinagreta picante:
- 2 dientes de ajo
- unas almendras
- 1 cuch. de perejil picado
- ½ cucharadita de tomillo
- ½ cuch. de pimienta de cayena
- ½ cuch. de pimentón
- aceite de oliva
- vinagre
- sal

*Elaboración:*

Pela las patatas y córtalas en rodajas. Cuécelas en agua con sal durante 15 minutos aproximadamente. Una vez cocidas, escúrrelas y pásalas por harina. A continuación, fríelas, escurre y reserva.

Para preparar la vinagreta picante, machaca el ajo troceado con las almendras. Agrega la pimienta de cayena, el pimentón y el tomillo. Añade vinagre, aceite de oliva, una pizca de sal y perejil picado. Sirve las patatas con la salsa y acompaña este plato con la cebolleta cortada en juliana.

## 250 – PATATAS EN SALSA VERDE CON ALMEJAS

*Ingredientes:*
- 700 g de patatas
- 300 g de almejas
- 1 cebolleta
- 2 dientes de ajo
- 1 cuch. de harina
- perejil picado
- sal
- 1 vaso de caldo de pescado o agua
- 1 plato de harina
- huevo batido
- aceite de oliva

*Elaboración:*

Pela las patatas y córtalas en lonchas de 5 cm de espesor. Sazona. Pásalas por harina y huevo y fríelas a fuego muy lento.

Reserva. Pica la cebolleta y el ajo y ponlos a pochar en una cazuela con aceite. Cuando esté pochado, añade las almejas y, cuando se abran, la cucharada de harina. Remueve bien, agrega las patatas y el perejil picado y vierte el vaso de caldo. Prueba de sal y deja cocer a fuego lento hasta que estén listas, unos 3 o 4 minutos a partir de que empiece a hervir. Por último, sirve.

## 251 – PATATAS GRATINADAS

*Ingredientes:*
- 1 kg de patatas
- 2 huevos cocidos
- 100 g de queso rallado
- aceite
- sal

bechamel:
- 100 g de mantequilla
- 100 g de harina
- ½ litro de leche
- una pizca de sal

*Elaboración:*

En una sartén con aceite, fríe las patatas cortadas en rodajas finas. Sazona y resérvalas.

Prepara una bechamel rehogando la harina en mantequilla derretida y añadiendo leche fría poco a poco y sin parar de remover.

Coloca en el fondo de una fuente de horno las rodajas de patatas fritas y cubre con la bechamel, que habrás puesto a punto de sal.

Espolvorea por encima con huevo cocido muy picado y el queso rallado. Gratínalo durante 3 minutos aproximadamente y sirve.

## 252 – PATATAS GUISADAS

*Ingredientes:*
- 4 patatas

- aceite

- 4 trozos de chorizo
- 1 cebolleta o cebolla picada
- 1 pimiento verde picado
- 2 cucharadas de carne de pimiento choricero
- agua
- sal

majado de:
- 1 ajo
- 1 hoja de laurel
- 8 hebras de azafrán

*Elaboración:*

Pica la cebolla y el pimiento verde y rehógalos en una sartén con un chorro de aceite. A continuación, agrega los trozos de chorizo y deja sofreír unos minutos. Por último, agrega las patatas partidas, que hagan «clac» al trocearlas.

Cubre todo con agua, pon sal y el majado. Deja cocer durante 35 o 40 minutos aproximadamente. Cuando el caldo haya engordado, es señal de que está listo para servir.

## 253 – PATATAS MEDITERRÁNEAS

*Ingredientes:*
- 4 patatas medianas
- 1 pimiento rojo
- 1 o 2 pimientos verdes asados y pelados
- 2 cebolletas
- 200 g de bonito en aceite
- 8 aceitunas negras
- 4 cuch. de salsa mahonesa
- aceite de oliva
- vinagre
- perejil picado
- sal
- agua

*Elaboración:*

Cuece las patatas con piel a fuego lento para que no se rompan, poniendo en el agua sal y un chorrito de vinagre. Una vez cocidas, pélalas y corta a lo largo la parte superior a 1 o 2 cm aproximadamente.

Vacía con una cuchara la pulpa de las patatas y resérvala.

En un bol, mezcla el bonito desmigado con las cebolletas picadas muy finas, la salsa mahonesa y el perejil picado (si quieres, puedes añadir un poco de pulpa de la patata). Rellena las patatas con esta mezcla.

Adorna las patatas con tiras de pimiento verde y con las aceitunas. Espolvorea con perejil picado y sirve.

Adorna el plato con aros de pimiento rojo fritos en aceite.

## 254 – PATATAS RELLENAS

*Ingredientes:*
- 4 patatas un poco grandes
- 4 yemas de huevo
- 4 bolitas de mantequilla
- queso rallado
- ajo
- perejil picado
- aceite
- 2 pimientos verdes

*Elaboración:*

Cuece en agua las patatas bien limpias pero con la piel durante media hora. Déjalas enfriar y vacíalas con mucho cuidado para que no se rompan. Rellénalas con un poco de mantequilla, ajo picado, una yema de huevo y perejil picado. Espolvoréalas con queso y métalas en el horno 5 minutos a 140º hasta que se doren.

Para servir, acompáñalas con una fritura de ajos cortados en láminas y pimientos verdes cortados en aros.

## 255 – PATATAS RELLENAS DE CHISTORRA

*Ingredientes:*
- 4 patatas hermosas
- 4 trozos de chorizo o chistorra fresca
- salsa de tomate
- sal

*Elaboración:*

Limpia bien las patatas y corta un trozo de uno de los extremos a cada una. Con ayuda de un descorazonador haz un agujero, suficientemente grande como para introducir un trozo de chorizo o chistorra. Sazona las patatas y hornéalas a 180º, envueltas en papel de aluminio, durante 40 o 45 minutos.

Por último, sírvelas acompañadas de salsa de tomate.

## 256 – PATATAS SALTEADAS

*Ingredientes:*
- 1 kg de patatas no muy grandes
- 250 g de guisantes cocidos
- 1 cebolleta
- 100 g de tocineta en lonchas
- aceite
- sal
- agua

*Elaboración:*

Cuece las patatas en agua con sal durante 30 minutos aproximadamente (no hay que cocerlas demasiado). Déjalas enfriar, pélalas y córtalas en lonchas.

Después, corta la cebolleta en juliana, póchala en aceite y sazona. Cuando esté pochada, agrega la tocineta partida en lonchas y troceada y rehógala. Incorpora luego las patatas en rodajas, moviéndolas con cuidado. Añade los guisantes cocidos y saltéalo todo junto a fuego lento durante 10 minutos, y listo para servir.

## 257 – PIMIENTOS RELLENOS DE PATATA

*Ingredientes:*
- 12 pimientos del piquillo
- 5 patatas
- aceite
- 1 plato de harina

- 2 huevos
- sal

- huevo batido
- salsa de tomate

*Elaboración:*

Pela las patatas, trocéalas y saltea en una sartén con aceite, hasta que estén tiernas.

Bate los 2 huevos con sal en un bol y añade las patatas bien escurridas. Mezcla bien y rellena los pimientos uno a uno.

Reboza los pimientos con harina y huevo batido y fríelos en aceite caliente.

Sirve estos pimientos rellenos sobre una fuente o plato con el fondo cubierto con salsa de tomate.

## 258 – SORPRESAS DE PATATA

*Ingredientes:*
- 800 g de patatas
- agua y sal
- 30 g de mantequilla
- 1 yema de huevo
- 1 plato de harina
- huevo batido
- aceite
- salsa de tomate

relleno:
- 1 pimiento morrón
- 100 g de champiñones
- 2 dientes de ajo
- 1 cebolleta
- 1 tomate
- aceite y sal

*Elaboración:*

Pela las patatas y ponlas a cocer con agua y sal unos 20 minutos. Una vez cocidas, escúrrelas y pásalas por el pasapuré, añade la mantequilla y la yema de huevo, lígalo bien y haz un puré espeso.

Para el relleno: pica finamente la cebolleta y el ajo y ponlos a pochar en aceite. Añade luego el pimiento, los champiñones troceados y el tomate pelado y troceado. Ponlo a punto de sal y rehógalo durante unos 5 minutos a fuego suave.

Forma con la mano y un poco de harina unos rollitos de puré

y coloca en el centro el salteado, enróllalo y pásalo por harina y huevo batido. Fríelos en aceite caliente. Coloca la salsa de tomate en el fondo de una fuente que puedes haber templado en el horno y sirve sobre ella los rollitos.

## 259 – SOUFFLÉ DE PATATA Y SALCHICHAS

*Ingredientes:*
- 8 salchichas tipo frankfurt
- 2 vasos de leche
- 1 vaso de vino blanco
- sal, aceite, pimienta
- 1 cuch. de harina
- puré de patata
- 1 cuch. de mantequilla
- 100 g de guisantes
- 200 g de panceta
- ramita de perejil

*Elaboración:*

Comienza cociendo las salchichas en una sartén con vino blanco y agua durante 5-8 minutos. Sácalas, ábrelas por la mitad y resérvalas.

En un cazo derrite la mantequilla. Agrega a ésta harina, sal y pimienta haciendo una masa que poco a poco se convertirá en una fina bechamel al incorporarle la leche y revolviendo constantemente. Reserva.

En una sartén, dora la panceta troceada y añade los guisantes ya cocidos. Una vez que estos últimos han quedado bien salteados, pon todo el contenido de la sartén en el fondo de una fuente de horno. Sobre los guisantes y la panceta coloca las salchichas y encima agrega la bechamel y el puré de patatas.

Mete en el horno la fuente con todos los ingredientes y deja gratinar 5 minutos. Sirve adornando con una rama hermosa de perejil.

# 260 – TARTA DE PATATA Y CEBOLLA

*Ingredientes:*
- 500 g de cebollas
- 1 kg de patatas
- 3 huevos
- 1 chorro de nata
- pimienta
- agua
- sal
- aceite
- leche
- 3 lonchas de bacon
- pimientos rojos

*Elaboración:*

Lo primero que harás es preparar un puré de patata con un chorro de aceite, leche, agua y sal. Forra de forma consistente con este puré el fondo y las paredes de un molde. Realizada esta operación, corta la cebolla en aros y dóralos a fuego lento. Por último, sofríe hasta dorar el bacon cortado en taquitos.

En un pote mezcla bien el bacon y la cebolla ya frita con los huevos batidos, un chorro de nata y una pizca de pimienta. Cuando tengas una mezcla compacta, colócala en el fondo de la tartaleta forrada con el puré de patata. Adorna con unas tiras de pimiento rojo e introdúcela en horno caliente a 160º durante 30 minutos hasta que cuaje.

# Arroces

## 261 – ARROZ A LA MARINERA

*Ingredientes:*

- 350 g de arroz
- 200 g de calamares
- 1 cebolla pequeña
- aceite
- perejil picado
- 1 litro de caldo de pescado
- 1 pimiento verde
- 2 dientes de ajo
- azafrán
- 100 g de guisantes cocidos
- 200 g de rape limpio
- 12 almejas
- 12 gambas peladas
- sal y pimienta

*Elaboración:*

Lava y limpia los distintos tipos de pescados y mariscos.

En una cazuela con un chorro de aceite rehoga la cebolla, el ajo y el pimiento picados muy fino. Cuando comiencen a dorarse estos ingredientes, añade los pescados troceados y deja que se sofrían un poquito. Agrega el arroz y rehógalo. Echa el azafrán, el caldo bien caliente y los guisantes. Pasados 10 minutos de cocción, incorpora las almejas y deja cocer otros 10 minutos más.

Queda bastante caldoso, casi como sopa espesa.

## 262 – ARROZ A LA MILANESA

*Ingredientes:*

- 4 higadillos de pollo
- 50 g de jamón
- 1 cebolla picada fina
- 200 g de guisantes cocidos
- 500 g de arroz
- agua
- 50 g de queso
- aceite
- 1 tomate picado fino
- mantequilla
- 10 pimientos del piquillo

*Elaboración:*

En una cazuela con un chorro de aceite rehoga la cebolla, el tomate, el jamón y los higadillos troceados. Cuando estén dorados, incorpora el arroz y rehógalo.

A continuación, agrega un litro de agua hirviendo. Echa los guisantes y el queso y deja hervir a fuego vivo sin tapar la cazuela.

Cuando el arroz haya absorbido completamente el caldo (unos 12-15 minutos), retira del fuego.

Llena un molde untado con mantequilla con el arroz y mételo en el horno caliente a 280º durante 10 minutos. Transcurrido este tiempo, sácalo y vuélcalo en una fuente.

Para servir, acompáñalo con unos pimientos fritos a fuego muy lento.

## 263 – ARROZ A LA ZAMORANA

*Ingredientes:*

- 400 g de arroz
- 200 g de costilla de cerdo cocida
- 200 g de oreja de cerdo cocida
- 5 dientes de ajo
- 1 pimiento rojo
- pimentón dulce
- aceite
- sal

- 2 manos de cerdo cocidas
- 1 cebolla o 2 cebolletas
- agua

*Elaboración:*

En una cazuela con un poco de aceite rehoga la cebolla y el pimiento picados y el ajo entero. Sazona. Después, añade el arroz, rehógalo bien, agrega 2 cucharadas de pimentón y vuelve a rehogar. Añade el doble de agua que de arroz y un poco más. Sazona. Por último, pon también cerdo troceado (cocido previamente) y deja que cueza hasta que se haga, unos 25 minutos aproximadamente a fuego no muy fuerte.

## 264 – ARROZ AL CAVA

*Ingredientes:*
- 4 tacitas de arroz (puedes usar liofilizado)
- aceite y sal
- 1 cebolla picada
- ½ litro de cava
- ½ litro de caldo de carne
- 1 vaso de nata líquida
- 100 g de queso rallado

*Elaboración:*

Pocha la cebolla con un poco de aceite, añade el arroz y rehoga. Moja con el cava y deja que se absorba totalmente. Después, vete añadiendo el caldo caliente poco a poco. Deja cocer unos 25 minutos, rectifica de sal, y dos minutos antes de terminar la cocción añade el queso y la nata. Si el arroz no es liofilizado, debes comer este plato inmediatamente (no puede esperar).

## 265 – ARROZ AL FORN

*Ingredientes:*
- 350 g de arroz
- aceite de oliva

- 150 g de garbanzos
- 2 patatas medianas
- 3 tomates medianos
- 1 cabeza de ajo
- azafrán
- pimentón dulce
- sal
- agua

*Elaboración:*

Pon los garbanzos en remojo el día anterior. Cuécelos en agua y sal y al final de la cocción coloréalos con el azafrán. Después, escurre y reserva el caldo de la cocción.

Pela las patatas y córtalas en rodajas de 1 cm de grosor aproximadamente. Parte por la mitad los tomates y pica uno de ellos.

En una cazuela redonda y plana calienta el aceite y sofríe la cabeza de ajo entera, los medios tomates y el tomate picado. Agrega después las patatas y una cucharada de pimentón, removiendo todo. Añade el arroz, rehoga y, a continuación, los garbanzos. Por último, moja con el caldo caliente (el doble que de arroz y un poco más).

Guísalo todo durante 6 u 8 minutos. Después, mete la cazuela en el horno que estará precalentado a 200º, hasta que el arroz esté en su punto, unos 8 minutos.

Finalmente, sácalo del horno y sírvelo en la cazuela sin dejarlo reposar.

## 266 – ARROZ BLANCO CON UVAS

*Ingredientes:*
- 400 g de arroz
- 1 litro de agua
- 1 cebolleta
- 3 dientes de ajo
- 1 pimiento verde
- 250 g de uvas blancas
- 250 g de uvas negras
- salsa de tomate
- aceite
- sal
- perejil

*Elaboración:*

Pica finamente la cebolleta, el ajo y el pimiento.

En una cazuela con un chorro de aceite sofríe los tres ingredientes anteriormente picados. Cuando estén dorados, agrega el arroz y rehoga un par de minutos. A continuación, echa el agua que será el doble que la cantidad de arroz. Cuando empiece a hervir, añade la sal y deja que cueza a fuego suave durante 20 minutos.

Pasado este tiempo, añade las uvas peladas, mezcla todo con cuidado y déjalo cocer otros 10 minutos más.

Sirve acompañado de la salsa de tomate... Y el perejil.

## 267 – ARROZ CON ALMEJAS

*Ingredientes:*
- 4 cazos de arroz
- 800 g de almejas
- 1 cebolla
- 1 pimiento verde
- 1 tomate
- sal
- aceite
- agua
- 4 huevos
- vinagre

*Elaboración:*

En una paellera con aceite, rehoga la cebolla, el pimiento verde y el tomate bien picados. Cuando la verdura esté pochada, añade el arroz salteándolo y seguidamente echa el agua. La medida exacta suele ser el doble de agua que de arroz.

Deja cocer durante 15 minutos. Transcurrido este tiempo, agrega las almejas y deja cocer otros 5 minutos más. Aparte, en agua hirviendo con vinagre escalfa los huevos, que servirás junto con el arroz y las almejas.

## 268 – ARROZ CON CALABACINES

*Ingredientes:*
- 4 calabacines pequeños
- 1 litro de caldo de carne

- 4 tazas de arroz
- 2 cebolletas
- 2 tomates maduros
- 1 ajo
- sal y aceite
- 1 puerro

*Elaboración:*

En una cazuela con un chorro de aceite rehoga el puerro, el ajo, las cebolletas y el tomate, todo troceado. Añade el arroz y rehoga unos minutos. Cubre con el caldo, doble cantidad de caldo que de arroz. Deja cocer a fuego medio veinte minutos.

Corta el calabacín en trozos grandes sin pelar y añádelos al arroz cinco minutos antes de que termine su cocción.

Es importante que tanto calabacines como puerros y cebolletas queden al dente, un poquito duros.

Cuando el arroz esté en su punto (20 minutos de cocción aproximadamente), sirve.

## 269 – ARROZ CON CALAMARES AL AZAFRÁN

*Ingredientes:*
- 350 g de arroz
- 300 g de calamares
- unas hebras de azafrán
- 1 cebolleta o cebolla
- 1 puerro
- 1 pimiento morrón asado y pelado
- sal
- aceite de oliva
- agua

*Elaboración:*

Pica la cebolla y el puerro y rehógalos en una sartén con aceite. Cuando estén pochados, añade los calamares troceados y rehoga bien. Sazona, después agrega el arroz y vuelve a rehogar y cubre todo con agua (el doble que de arroz y un poco más). Echa el azafrán y deja cocer a fuego medio unos 15 minutos. Pasado este tiempo, decora el plato con unas tiras de pimiento morrón asado, deja que repose 5 minutos fuera del fuego y sirve. (Si queda un poco caldoso, mejor.)

## 270 – ARROZ CON CHAMPIÑONES

*Ingredientes:*

- 4 vasos (de los de vino) de arroz
- doble de caldo o agua
- 2 dientes de ajo
- 1 cebolla pequeña
- ½ vaso (de los de agua) de salsa de tomate
- 100 g de jamón en daditos
- 500 g de champiñones
- sal
- aceite
- perejil picado
- una nuez de mantequilla

*Elaboración:*

Filetea el ajo y ponlo en una cazuela con aceite. En cuanto coja color añade el arroz, rehógalo y agrega el doble de agua y un poco más, un poco de sal y déjalo cocer a fuego suave durante 30 minutos.

Pica fina la cebolla, ponla a dorar en aceite y después agrega el jamón, rehógalo y añade los champiñones limpios y cortados en cuartos. Sazona, vuelve a rehogarlo e incorpora la salsa de tomate. Deja que se haga a fuego suave durante 5 minutos. Espolvorea con perejil picado.

Coloca el arroz en un molde untado con mantequilla y desmóldalo en una fuente. Acompaña con la salsa de los champiñones.

## 271 – ARROZ CON CORDERO

*Ingredientes:*

- 800 g de carne de cordero
- 1 diente de ajo
- 300 g de arroz
- 300 g de habas peladas
- 300 g de guisantes pelados
- sal
- aceite
- pimienta
- agua

Cuece en agua con sal los guisantes y las habas y resérvalos.

Trocea la carne en pequeños trozos y rehógalos en una cazuela con ajo y aceite. Cuando se dore, agrega sal, pimienta y el arroz y vuelve a rehogar bien. Añade el doble de cantidad de agua que de arroz y deja cocer durante 20 minutos. Antes de que se evapore todo el agua (5 minutos antes del final) añade los guisantes y las habas.

Para la cocción del arroz puedes aprovechar el agua donde has cocido los guisantes y las habas.

---

## 272 – ARROZ CON EMBUTIDOS

*Ingredientes:*
- 1 cebolleta
- 3 salchichas ahumadas
- 1 trozo de chorizo
- 1 trozo de sobrasada
- 1 trozo de salchichón
- 1 trozo de salami
- 1 tomate pelado
- 1 pimiento verde
- 4 tacitas de arroz
- caldo
- zanahoria

*Elaboración:*

Rehoga bien la verdura picada y sazonada, añade los embutidos troceados y agrega el tomate y el arroz (1 tacita por persona). Rehógalo y añade el caldo (doble cantidad que de arroz). Deja 10 minutos en la sartén y finalmente hornea durante 4 o 5 minutos.

Para terminar de hacer el arroz, tapa el recipiente con un paño limpio durante otros 5 minutos.

# 273 – ARROZ CON MEJILLONES

*Ingredientes:*

- 300 g de arroz
- 2 dientes de ajo
- 1 cebolla
- 1 tomate
- 1 kg de mejillones
- 1 rama de apio
- caldo de mejillones
- agua
- sal
- aceite

*Elaboración:*

Limpia los mejillones y ponlos a cocer con un poco de agua hasta que se abran. Cuela el caldo y resérvalo. Separa la carne de las valvas y guarda la carne.

Con un poco de aceite rehoga el ajo, la cebolla y el tomate picados, junto con el apio. Añade el arroz y rehógalo 3 minutos para que quede suelto. Después, añade el doble y un poco más de agua además del caldo de cocer los mejillones. Prueba de sal y deja cocer 15 minutos. Por último, agrega los mejillones y deja reposar 5 minutos.

Sirve.

El arroz es un plato al que los comensales deben esperar ya listos y no al revés.

# 274 – ARROZ CON VERDURAS Y ALMEJAS

*Ingredientes:*

- 4 cacillos de arroz
- 500 g de almejas
- 2 cebolletas
- 1 zanahoria
- 100 g de judías verdes
- 1 tomate
- 100 g de guisantes
- 1 pimiento verde
- perejil
- aceite
- sal
- agua (un poco más del doble que de arroz)

Pica la verdura y rehógala en una cazuela con aceite. Luego añade el arroz y rehógalo junto a las verduras durante unos minutos. Posteriormente, agrega el agua hirviendo y sazona. A los 5 minutos, aproximadamente, añade las almejas y el perejil picado. Deja cocer durante 10 minutos y tras un ratito de reposo, sirve.

---

## 275 – ARROZ CON VERDURAS Y RABO

*Ingredientes:*

- 1 rabo de vaca o ternera
- 300 g de arroz
- 2 cebolletas
- 1 zanahoria
- 1 puerro
- 1 tomate
- 2 alcachofas
- caldo de rabo
- sal
- aceite
- perejil picado

verdura para cocer el rabo:
- agua
- 1 cebolla
- 1 zanahoria
- 2 dientes de ajo
- 1 puerro
- sal

*Elaboración:*

Trocea el rabo y ponlo a cocer en una cazuela con agua junto con la verdura y sal. Echa abundante agua porque tarda mucho en cocerse, unas 3 horas. Cuando esté hecho, saca el rabo y quítale la carne, cuela el caldo y guárdalos.

Pica fina toda la verdura y ponla a pochar en una cazuela con un poco de aceite. Cuando esté pochada, añádele la alcachofa cortada en juliana, rehógala y agrega el arroz. Mézclalo bien con la verdura y añade el doble de caldo y la sal.

Déjalo cocer 10 minutos e incorpora la carne de rabo, y un poco más de caldo, prueba de sal y déjalo cocer 15 minutos a fuego lento con la cazuela tapada.

Antes de servir, espolvoréalo con perejil picado.

# 276 – ARROZ CUATRO DELICIAS

*Ingredientes:*

- 4 tazas de arroz
- 200 g de jamón cocido
- 100 g de guisantes cocidos
- 3 huevos
- 150 g de gambas cocidas
- aceite
- sal
- agua

*Elaboración:*

Cuece el arroz en agua hirviendo con sal, durante 20 minutos aproximadamente. Refréscalo y reserva.

Bate los huevos con sal y, en una sartén, haz una tortilla francesa.

Corta el jamón y la tortilla en cuadraditos. Pela las gambas. Por último, mezcla estos ingredientes con el arroz en una ensaladera, adornando con la tortilla.

Puedes servir el plato frío o caliente.

# 277 – ARROZ FAMILIAR

*Ingredientes:*

- 4 tazas de arroz
- 300 g de restos de pescado, carne o aves (calamares, bacalao, pollo, etc.)
- 1 cebolleta o cebolla
- 1 tomate
- 1 pimiento verde en tiras
- azafrán
- 12 tazas de agua o de caldo
- aceite
- sal

*Elaboración:*

Pica la cebolleta y el tomate y póchalos bien. Sazona. Agrega los restos rehogándolos unos minutos. Añade el pimiento, el arroz, rehoga de nuevo y echa el agua y el azafrán, poniéndolo a punto de sal. Deja que hierva a fuego no muy fuerte durante unos 15 minutos. Después, retíralo del fuego y deja que repose 5 minutos. Quedará un poco caldoso. Si prefieres que quede algo más espeso, puedes emplear 2 tazas menos de agua.

## 278 – ARROZ FRITO

*Ingredientes:*
- 300 g de arroz
- 100 g de chorizo de freír
- 2 huevos cocidos
- 8 pimientos de piquillo
- aceite y sal
- 100 g de jamón
- perejil
- agua

*Elaboración:*

Cuece el arroz en abundante agua con sal. Una vez cocido, escúrrelo con un colador y refréscalo poniéndolo bajo el chorro de agua.

Corta el chorizo y el jamón en pequeños dados. En una sartén grande, con un poco de aceite fríe estos dos embutidos. Cuando estén doraditos, añade el arroz, saltéalo, prueba de sal y espolvoréalo con perejil.

Para servir, pon el arroz con los embutidos en una fuente. Pica el huevo y pásalo por el pasapuré, colocándolo encima de la fuente con el arroz.

Por último, pon los pimientos del piquillo fritos. Es conveniente freírlos lentamente unos 15 minutos para que estén en su mejor punto. También se pueden asar al horno.

## 279 – ARROZ GRATINADO

*Ingredientes:*
- ½ kg de arroz
- 6 pimientos
- agua
- sal

- 150 g de mantequilla
- 2 dientes de ajo
- aceite
- queso rallado

*Elaboración:*

En una cazuela pon a cocer abundante agua con sal y aceite. Cuando esté hirviendo añade el arroz, deja que cueza durante 15 minutos aproximadamente y escúrrelo.

En una sartén, con aceite y un trozo de mantequilla, pon a freír los pimientos en tiras y el ajo. Sazona. Cuando estén pochados, retíralos de la sartén y rehoga el arroz en el aceite donde los has frito. Después, colócalo en una fuente de horno, pon los pimientos encima y unas nueces de mantequilla y el queso. Métalo en el gratinador durante 6-8 minutos y sirve.

## 280 – ARROZ HERVIDO EN SALSA VERDE

*Ingredientes:*
- 300 g de arroz
- 12 espárragos trigueros cocidos
- 2 dientes de ajo
- 2 cebolletas
- 200 g de almejas
- aceite
- 2 vasos de caldo de cocer los espárragos
- sal
- perejil picado
- 1 cucharada de harina
- agua

*Elaboración:*

Cuece el arroz en abundante agua hirviendo y sal. Una vez cocido, escúrrelo y lávalo bajo el chorro de agua fría.

En una cazuela pon a pochar la cebolleta y el ajo picado; en cuanto cojan color, añade las almejas y la harina removiendo bien durante un par de minutos, y cuando se hayan abierto las almejas agrega el caldo, incorpora los espárragos y el arroz y deja que cueza a fuego suave durante dos minutos más. Por último, pruébalo de sal y espolvorea con perejil picado.

## 281 – ARROZ INTEGRAL CON VERDURAS

*Ingredientes:*
- 300 g de arroz integral
- 1 litro de agua o caldo de verduras
- 100 g de judías verdes
- 2 zanahorias
- 1 tomate
- 2 dientes de ajo
- 50 g de espinacas
- aceite y sal

*Elaboración:*

Pica las judías, las zanahorias, el tomate y los ajos y rehógalos con un poco de aceite en una cazuela. Añade el arroz y rehógalo para que te quede suelto. Añade el caldo y la sal y déjalo cocer 55 minutos, ya que el arroz integral tarda algo más en cocer.

Mientras tanto, pica las espinacas y agrégalas al arroz. Deja cocer 5 minutos, pon a punto de sal y sirve.

## 282 – ARROZ NEGRO CON CALAMARES

*Ingredientes:*
- 600 g de arroz
- 2 calamares
- 2 cebolletas
- 2 tomates
- ½ kg de rape cortado en trozos
- 12 almejas
- 6 langostinos o gambas
- 1,5 litros de caldo de pescado o agua
- 3 dientes de ajo
- aceite de oliva
- sal

*Elaboración:*

Limpia los calamares y reserva las bolsas de tinta. Diluye éstas en una tacita con sal gorda y un poco de agua. Coloca los calamares troceados en la cazuela y saltéalos con un poco de aceite durante unos minutos. Después, añade la cebolleta y el ajo troceado. A continuación, incorpora el tomate cortado en trozos y deja que se rehogue unos minutos. Agrega el arroz y espera unos 3 minutos, sin parar de remover, antes de añadir el pescado sazonado, las almejas y las gambas peladas. Por último, echa el agua o el caldo de pescado (un poco más del doble de la medida de arroz) y las tintas diluidas. Espera 25 o 30 minutos, deja reposar y sirve.

## 283 – ARROZ PESCADOR

*Ingredientes:*
- 100 g de calamares
- 80 g de rape
- 10 mejillones
- 20 almejas
- 4 langostinos
- 1 pescadilla
- 300 g de arroz
- 1 pimiento morrón
- 2 dientes de ajo
- 2 pimientos choriceros
- perejil
- caldo de pescado
- aceite
- sal

*Elaboración:*

Pon en remojo el pimiento choricero limpio. Extrae su carne, pícala y resérvala.

En una cazuela echa un chorro de aceite y pocha el pimiento morrón troceado y el ajo picado. Cuando se dore, añade el arroz, rehoga y acto seguido añade el doble de caldo. Cuando empiece a hervir, añade sal y el pimiento choricero. Añade también el pescado, el calamar cortado en aros, el rape cortado en dados, los mejillones bien limpios y las almejas.

Haz con la pescadilla una rosca mordiendo la cola con su boca, y resérvala.

Deja cocer el arroz a fuego lento, con la cazuela tapada durante 15 minutos, prueba de sal y añade perejil picado. Pon la pescadilla encima, tapa la cazuela y deja cocer otros 15 minutos. Quita del fuego y deja reposar 5 minutos, y estará listo para comer.

## 284 – EMPEDRAT

*Ingredientes:*
- 300 g de bacalao desalado y desmigado
- 200 g de arroz
- 150 g de alubias blancas cocidas
- 2 tomates maduros
- un poco de azafrán
- 3 dientes de ajo
- perejil picado
- aceite
- agua
- sal

*Elaboración:*

En una cazuela con aceite, sofríe los ajos enteros y sin piel junto con los tomates pelados y picados. Sazona y deja pochar la verdura unos minutos. Después añade el azafrán y el arroz, rehogándolo bien. Vierte el doble de agua, pon a punto de sal y deja que se haga durante 15 minutos aproximadamente (deberá quedar seco).

En una sartén con aceite, saltea el bacalao. A continuación, agrega las alubias cocidas y saltéalo todo junto durante 3 o 4 minutos. Espolvorea con perejil picado.

Sirve el arroz en una fuente y echa por encima el salteado.

## 285 – ENSALADA DE ARROZ

*Ingredientes:*
- 250 g de arroz
- 2 tomates
- 1 cebolleta
- 1 pimiento verde
- 16 aceitunas sin hueso
- aceite de oliva
- vinagre
- sal

- 4 pepinillos
- 2 huevos cocidos

- agua

*Elaboración:*

Cuece el arroz, escurre y refresca.

Descorazona el tomate y córtalo en rodajas. Cubre con ellas el fondo de un plato o fuente haciendo una cama. Sazona y agrega el arroz frío. Pela y corta en cuartos los huevos cocidos. Pica las aceitunas y filetea los pepinillos. Añádeselo todo a la ensalada. Agrega también el pimiento verde picado y la cebolleta en juliana fina. Aliña con sal, aceite de oliva y vinagre y sirve.

## 286 – ENSALADA DE ARROZ INTEGRAL CON PIÑA

*Ingredientes:*
- 200 g de arroz integral
- agua
- sal
- 1 naranja
- 500 g de piña fresca
- 1 limón en zumo
- ½ vaso de nata líquida
- 1 cucharadita de pimentón dulce

*Elaboración:*

Lava el arroz y escúrrelo. Pon el agua a hervir con sal y añade el arroz dejándolo cocer a fuego suave durante unos 45 minutos. Una vez cocido, escurre y déjalo enfriar.

Pela la naranja y deja los gajos limpios. Pela la piña, quítale el corazón y córtala en rodajas iguales. Mezcla la naranja con el arroz y después rocía todo con zumo de limón.

Coloca la piña en una fuente junto con la mezcla del arroz.

Bate la nata con el pimentón y aliña con esta mezcla la ensalada.

Puedes servir esta ensalada sobre unas hojas de lechuga.

# 287 – ENSALADA DE ARROZ Y PLÁTANO

*Ingredientes:*

- 1 lechuga
- 100 g de arroz
- 2 plátanos
- 50 g de pasas
- agua
- chorrito de zumo de limón
- sal

para el aliño:
- vinagre
- 1 cucharadita de mostaza
- azúcar moreno
- sal
- orégano
- aceite de oliva

*Elaboración:*

Cuece el arroz en agua con un chorrito de zumo de limón y sal, pásalo por agua fría y escúrrelo bien.

Lava la lechuga y córtala en juliana, y a continuación colócala en una ensaladera junto con los plátanos pelados y cortados en rodajas. Agrega el arroz y mezcla bien todos los ingredientes. Añade las pasas.

En un recipiente aparte, bate una cucharadita de mostaza con un poco de vinagre, sal y una pizca de azúcar. Agrega el aceite y el orégano, mezcla bien y aliña con esto la ensalada.

# 288 – PAELLA DE CONEJO

*Ingredientes:*

- 1 conejo pequeño y joven
- 1 cebolleta
- 1 pimiento verde
- ½ pimiento morrón
- 1 zanahoria pequeña
- 1 tomate

- aceite
- sal
- 300 g de arroz
- agua (el doble)
- azafrán

*Elaboración:*

Pica fina toda la verdura y ponla a rehogar con aceite en una paellera. Cuando esté dorada, añade el conejo cortado en trocitos y sazonado. Espera 5 minutos hasta que esté doradito. Entonces, echa el arroz y la sal y rehógalo. Posteriormente vierte el agua hirviendo y el azafrán.

Déjalo cocer a fuego fuerte durante 10 minutos y prueba de sal. Luego métalo en el horno y tenlo otros 10 minutos.

Sirve caliente y con el personal sentado y listo para comer.

## 289 – PAELLA SENCILLA

*Ingredientes:*

- 200 g de rape limpio cortado en dados
- 200 g de gambas peladas
- 200 g de almejas
- 8 langostinos
- caldo de pescado
- sal
- perejil
- 400 g de arroz
- 1 cebolla picada fina
- 1 zanahoria picada fina
- 1 pimiento verde picado fino
- 1 tomate picado fino
- 2 dientes de ajo picados fino

*Elaboración:*

En la paellera, pocha o rehoga la verdura durante 5 minutos. Cuando esté bien pochada, añade el pescado, las gambas y las almejas. Rehoga bien e incorpora el arroz. Muévelo y agrega el caldo.

Prueba de sal, y cuando empiece a hervir, pon encima los langostinos y deja cocer 15 minutos a fuego suave hasta que esté hecha.

# 290 – POTAJE DE ARROZ CON GARBANZOS

## Ingredientes:

- 400 g de garbanzos
- 100 g de arroz
- 3 huevos cocidos
- 1 hueso de jamón
- 1 puerro
- 1 tomate
- agua y sal
- perejil picado

## Elaboración:

Pon los garbanzos en remojo 24 horas.

En una cazuela grande con abundante agua y sal incorpora el hueso de jamón, el puerro troceado y el tomate. Pon al fuego la cazuela, y cuando esté caliente añade los garbanzos. Deja cocer a fuego lento por espacio de hora y cuarto. Cuando los garbanzos estén bien cocidos, echa el arroz, que en unos 20 minutos estará ya hecho.

Por último, agrega el huevo picado y el perejil picado, y sirve.

Si no dispones de mucho tiempo, también puedes cocer los garbanzos en la olla exprés. El tiempo de cocción se reduce a 30 minutos.

# Pastas

## 291 – CANELONES DE BONITO

*Ingredientes:*

- 12 canelones
- 300 g de bonito o atún en conserva (aceite)
- 1 cebolla
- 1 tomate
- 1 pimiento verde
- 1 ajo
- ½ litro de bechamel
- salsa de tomate
- aceite
- agua
- sal

*Elaboración:*

Pon a pochar en aceite la cebolla, el pimiento y el diente de ajo muy picados y el tomate pelado y en trozos. Sazona y, cuando esté hecho, añade el bonito o atún en aceite desmigado. Rehoga unos minutos y añade 3 o 4 cucharadas de salsa de tomate. Retira del fuego.

Cuece la pasta en abundante agua con un chorro de aceite y sal durante 3 minutos y pásala por agua fría.

Rellena los canelones con la masa de atún o bonito y colócalos en una fuente de horno. Cúbrelos con la bechamel y adorna con un poco de salsa de tomate por encima. Gratina durante 3-5 minutos. Cubre el fondo de una fuente con salsa de tomate y coloca encima con cuidado los canelones. Sirve.

# 292 – CANELONES DE CARNE

*Ingredientes:*

- 12 canelones
- ½ kg de carne picada
- 5 champiñones
- 2 dientes de ajo
- 2 cebolletas
- ¼ litro de bechamel
- 1 pimiento verde
- queso idiazábal rallado
- salsa de tomate
- perejil
- aceite
- sal
- pimienta
- agua

*Elaboración:*

Una vez que hayas cocido los canelones en agua con sal y aceite, rellénalos con una mezcla hecha de la siguiente forma: pon a rehogar las verduras picadas en una sartén con un poco de aceite y sal, y añade la carne picada y sazonada. Una vez que has rellenado los canelones, en una fuente los metes en el horno, cubriéndolos con bechamel ligera; espolvorea con queso y gratina 5 minutos hasta que doren.

Presenta el plato acompañado con un poco de salsa de tomate y perejil.

# 293 – CANELONES DE ESPINACAS

*Ingredientes:*

- 8 placas de canelones
- ½ kg de espinacas
- 100 g de atún en aceite
- salsa de tomate
- 1 cebolleta o cebolla
- 100 g de piñones
- queso rallado
- agua
- aceite
- sal

salsa bechamel:
- una nuez de mantequilla
- ¼ litro de leche
- 1 o 2 cuch. de harina
- sal

Cuece la pasta en agua con sal y un chorrito de aceite, escurre y resérvala.

Para preparar la bechamel, funde la mantequilla en una sartén, añade la harina, rehoga con una cuchara de palo y añade la leche caliente, poco a poco y sin parar de remover. Puedes ayudarte con una varilla para que no queden grumos. Pon a punto de sal y, si quieres, añádele nuez moscada.

En una sartén con un poco de aceite, sofríe la cebolleta picada y los piñones. Añade la espinaca cocida y troceada, luego el atún desmenuzado y dos cucharadas de bechamel. Rellena con esta masa los canelones. Colócalos en una fuente de horno untada con un poco de aceite y cúbrelos con la salsa de tomate y la salsa bechamel y espolvorea con queso rallado.

Gratina durante dos minutos y sirve.

## 294 – CANELONES DE MEJILLONES

*Ingredientes:*

- 12 canelones
- 12 mejillones
- 12 gambas o langostinos
- ½ vaso de vino blanco
- 200 g de pescado (pescadilla, bacalao...)
- sal
- aceite
- agua
- ½ kg de espinacas cocidas

velouté:
- 1 vaso de caldo de verduras
- 1 cucharada de harina
- 1 nuez de mantequilla
- 2 dientes de ajo

*Elaboración:*

Cuece los canelones en una cocedera con agua y sal. Una vez cocidos, tardarán 10-12 minutos, escurre y refréscalos.

Prepara una velouté con un poco de mantequilla y los ajos picados. Cuando se doren, añade la harina, rehoga y después agrega el caldo de verduras removiendo. Por último, ponla a punto de sal.

Cuece los mejillones en el vino blanco hasta que se abran y reserva la carne. Pica los mejillones, las gambas y el pescado.

Rehoga en un poco de aceite los mejillones, las gambas y el pescado troceados.

Sazona y añade un poco de salsa velouté. Al resto de la salsa velouté añádele las espinacas cocidas y muy picadas, poniendo a punto de sal.

Rellena los canelones y cúbrelos con la velouté de las espinacas. Gratina durante dos minutos y sirve.

Si quieres, puedes espolvorear al gusto con queso rallado.

## 295 – CANELONES REBOZADOS

*Ingredientes:*

- 8 placas cocidas de canelones
- 8 lonchas de queso de fundir
- 8 lonchas de jamón curado
- harina
- huevo batido
- aceite

para acompañar:
- salsa de tomate
- patatas fritas

*Elaboración:*

Enrolla los canelones con una loncha de jamón y otra de queso y pínchalos con un palillo. Rebózalos con harina y huevo y fríelos en aceite caliente. Acompaña el plato con salsa de tomate y patatas fritas.

## 296 – CANELONES RELLENOS DE PATÉ

*Ingredientes:*

- 12 canelones
- 100 g de paté
- 2 cebolletas
- 2 zanahorias
- ¼ litro de bechamel
- queso rallado

- 4 cuch. de salsa de tomate
- 300 g de carne picada
- 2 dientes de ajo
- aceite de oliva
- agua
- sal

*Elaboración:*

Cuece la pasta en agua con sal y un chorro de aceite. Una vez cocida, escúrrela y reserva.

Para preparar el relleno, pocha la cebolleta, la zanahoria y los ajos muy picados. A continuación, echa la carne y el paté y rehoga durante unos minutos hasta que la carne coja color.

Coloca el relleno en el centro de los canelones y enróllalos. Pásalos a una fuente resistente al horno y cubre con la salsa de tomate y una bechamel espesita.

Espolvorea con queso rallado. Gratínalo durante 3 minutos aproximadamente y sirve.

## 297 – CANELONES RELLENOS DE PESCADO

*Ingredientes:*
- 16 canelones
- 200 g de bacalao desalado
- 200 g de congrio limpio
- 100 g de gambas peladas
- 16 almejas
- 1 cebolla
- 1 tomate
- 1 diente de ajo
- aceite y sal
- ¾ de litro de bechamel

*Elaboración:*

Pica muy fino el tomate y la cebolla. Rehoga en una cazuela con un poco de aceite. Cuando esté dorado, añade el pescado cortado en pequeños dados, las gambas enteras y sal. Rehoga un par de minutos y pon a punto de sal. Reserva.

En una cazuela, con un poco de agua hirviendo, echa las almejas para que se abran. Separa la carne de la cáscara y echa las almejas al relleno de los canelones.

Rellena los canelones y colócalos en una placa de horno. Cubre con bechamel y pon en el horno a gratinar.

## 298 – CANELONES RELLENOS DE VERDURA

*Ingredientes:*
- 12 canelones
- ¼ litro de bechamel
- 2 zanahorias
- 2 puerros
- 50 g de espinacas
- ¼ de coliflor
- queso rallado
- sal
- agua
- aceite

*Elaboración:*

Limpia y cuece las zanahorias, las espinacas y la coliflor por separado y pícalas. Cuece la pasta en abundante agua con sal en una cocedera y escúrrela.

Rehoga en aceite los puerros picaditos en crudo, y después agrega la mezcla hecha con la verdura cocida y picada y pon a punto de sal. Añade 2 o 3 cucharadas de bechamel y remueve.

Rellena los canelones con la mezcla y colócalos en una placa o fuente de horno cubiertos con el resto de la bechamel y espolvoreados con queso rallado. Gratínalos en el horno hasta que se doren, de 2 a 4 minutos. Sirve.

## 299 – CINTAS A LA CREMA

*Ingredientes:*
- 300 g de cintas
- 4 yemas de huevo
- sal
- queso rallado
- 1 vasito de nata líquida
- agua
- aceite de oliva

Cuece la pasta con agua, sal y un chorrito de aceite.

En una cazuela con aceite, saltea la pasta bien escurrida.

Mezcla la nata con las 4 yemas batidas y añádeselo a la pasta removiendo. No debes dejar que hierva porque puede cortarse. Añade fuera del fuego el queso rallado y ponlo a gratinar durante 2 o 3 minutos. Sirve.

---

## 300 – CINTAS CON TOMATE Y QUESO

*Ingredientes:*
- 250 g de cintas de pasta
- 4 tomates
- 8 lonchas de queso de nata
- agua
- sal
- aceite
- mantequilla
- pimienta negra molida
- 1 ramita de perejil

*Elaboración:*

---

En una cazuela con abundante agua, sal y un chorrillo de aceite cuece la pasta al dente. Escúrrela y resérvala

Por otra parte, pela el tomate, córtalo en lonchas finas y coloca éstas en el fondo de una placa de horno haciendo una cama. Sazona y riega con unas gotas de aceite. Mete el tomate en el horno fuerte un par de minutos. Retira del horno y, con cuidado de no quemarte, coloca encima del tomate la pasta salteada con un poco de mantequilla y pimienta negra molida.

Cubre con queso y métclo nuevamente en el horno a gratinar durante 2 o 3 minutos.

Para servir, puedes adornar con tomates enanos y, cómo no, una ramita de perejil.

## 301 – CINTAS CON VERDURAS

*Ingredientes:*

- 300 g de pasta cocida (cintas)
- 1 berenjena
- 1 calabacín
- 1 zanahoria
- 1 pimiento verde
- 2 tomates rojos pelados y sin pepitas
- 1 cebolleta
- ½ vaso de jerez
- sal
- 1 hoja de albahaca
- aceite

*Elaboración:*

Pon a pochar en una cazuela con aceite el pimiento verde troceado, los tomates en daditos y la cebolleta picada.

Pela la berenjena y pícala fina, trocea la zanahoria y pela el calabacín cortándolo en tiras. Añádeselo todo a la cazuela, sazona y póchalo. Agrega el jerez y déjalo hacer 15 minutos aproximadamente junto con la hoja de albahaca picada.

Por último, añade la pasta cocida y escurrida mezclándolo todo bien y sirve.

## 302 – CODITOS CON BRÉCOL

*Ingredientes:*

- 200 g de brécol cocido
- 250 g de coditos cocidos
- 8 anchoas en aceite
- un puñado de aceitunas negras
- 4 lonchas de queso de fundir
- 1 cuch. de mantequilla
- sal

*Elaboración:*

Coloca la mantequilla en una cazuela ancha junto con las anchoas y las aceitunas, rehoga y añade la pasta, cocida y escurrida, removiendo bien. Después, agrega el brécol y calienta bien, salteándolo todo. Colócalo en una fuente resistente al horno.

Por último, pon unas lonchas de queso por encima y gratínalo durante un minuto y medio. Sirve.

---

## 303 – ENSALADA DE MACARRONES

*Ingredientes:*
- 300 g de macarrones
- 12 anchoas en aceite
- 12 aceitunas rellenas
- 1 pimiento verde
- 1 cebolleta
- 2 huevos cocidos
- unas hojas de lechuga
- mahonesa ligera
- sal
- agua
- perejil picado

*Elaboración:*

Cuece los macarrones al dente en agua hirviendo con sal; después, escurre y refréscalos.

En un bol, pica la cebolleta y el pimiento verde y mézclalos con la mahonesa y la pasta ya fría. Colócalo todo en una fuente de servir con el fondo cubierto con unas hojas de lechuga, bien limpias y cortadas en juliana. Adórnalo con las anchoas y las aceitunas.

Por último, pela y pica los huevos cocidos, mézclalos con el perejil picado y espolvorea la ensalada.

---

## 304 – ENSALADA DE PASTA DE COLORES

*Ingredientes:*
- 250 g de pasta de diferentes colores
- 200 g de jamón cocido
- 1 latita de anchoas en aceite
- aceite de oliva
- vinagre o zumo de limón

- 1 tomate
- ½ lechuga
- 16 gambas
- 16 aceitunas

- perejil picado
- sal
- agua

*Elaboración:*

Cuece la pasta al dente, en agua hirviendo con sal. Una vez cocida, escurre y viértela en el centro de una fuente.

Coloca a un lado de la pasta el jamón cocido troceado. Pon también la lechuga bien limpia y troceada. Parte el tomate en gajos y añádeselo a la ensalada junto con las anchoas en rollitos y las aceitunas.

En una sartén con aceite, saltea las gambas peladas, sazonadas y espolvoreadas con perejil picado. A continuación, echa este refrito sobre la pasta.

Por último, sazona el tomate y la lechuga y aliña la ensalada con aceite de oliva y vinagre o zumo de limón.

---

## 305 – ENSALADA DE PASTA Y BONITO FRESCO

*Ingredientes:*
- 150 g de pasta
- 200 g de bonito o atún fresco
- 20 gambas peladas
- aceite

- vinagre
- ½ bote de aceitunas negras
- sal
- perejil picado
- agua

*Elaboración:*

Cuece la pasta en agua hirviendo con sal y un chorrito de aceite, escúrrela, pásala por agua fría y reserva.

Corta el bonito o atún en rodajas lo más finamente posible (para cortarlo fino es más fácil si antes lo congelas un poco).

Calienta un vaso de aceite con medio vaso de vinagre a fuego lento, y cuando esté caliente échalo sobre el pescado y déjalo un día en maceración.

Para montar el plato, coloca la pasta en el fondo de una fuente y las rodajas de bonito maceradas encima. Saltea las gambas, sazonadas y espolvoreadas con perejil picado, y adorna la fuente con ellas. Por último, añade las aceitunas negras.

Aliña la ensalada con aceite y vinagre (que puede ser el de la maceración). Sazona y a la mesa.

## 306 – ENSALADA DE PASTA Y CORDERO

*Ingredientes:*
- 250 g de cordero en trocitos
- 1 tomate
- berros
- cebolleta
- remolacha
- pasta
- aceite
- vinagre
- sal

*Elaboración:*

Primero, mezcla la pasta cocida con el cordero picado. Luego, sazona y aliña.

A continuación, dispón los berros sobre la parte exterior de una fuente, y encima de éstos, el tomate cortado en lonchas finas. Después, añade una tercera capa con la remolacha fileteada. En el centro del plato coloca la pasta con el cordero cubierto por una cebolleta cortada en juliana fina. Para terminar, aliña la ensalada con aceite y vinagre.

## 307 – ESPAGUETIS A LA ALBAHACA

*Ingredientes:*
- 400 g de espaguetis
- 2 dientes de ajo
- 100 g de parmesano
- 100 g de albahaca
- ¼ litro de aceite
- sal y pimienta blanca
- 50 g de piñones
- 75 g de mantequilla

Primero debes hervir los espaguetis con agua y sal. Después, haz una mezcla en el mortero en base a piñones, ajos, sal y pimienta. Hecho esto, rehoga los espaguetis en una sartén con 75 g de mantequilla, añadiendo primero el queso y después la mezcla del mortero.

## 308 – ESPAGUETIS CON CIRUELAS PASAS

*Ingredientes:*
- 400 g de pasta
- 150 g de ciruelas pasas
- orégano
- aceite y sal
- 2 cuch. de salsa de tomate

*Elaboración:*

Ante todo, deja las ciruelas en remojo durante 24 horas. Escúrrelas y dóralas, o saltéalas, en una sartén con aceite de oliva.

En una cazuela con abundante agua y sal cuece la pasta al dente, es decir, cuando se la pueda partir partiéndola entre los dedos. Bien escurrida, colócala en una fuente y agrégale las ciruelas salteadas.

Por último, a la pasta con las ciruelas agrega la salsa de tomate y dos pizcas de orégano. Revuelve todo con cuidado. Limpia bien los bordes, para que quede presentable, y sirve.

## 309 – ESPAGUETIS CON GAMBAS Y ESPINACAS

*Ingredientes:*
- 300 g de espaguetis
- 400 g de espinacas
- guindilla
- aceite

- 200 g de gambas
- 2 ajos
- sal
- agua

*Elaboración:*

Cuece los espaguetis en agua, sal y aceite. En otro cazo, las espinacas con agua y sal durante 8 minutos. En una sartén con aceite, saltea los ajos en láminas, la guindilla y las gambas. Añade las espinacas picadas, saltéalas bien y añade los espaguetis, dales varias vueltas y sirve.

## 310 – ESPAGUETIS CON HUEVO

*Ingredientes:*
- 300 g de espaguetis
- 3 huevos
- 1 sobre de queso rallado
- 80 g de mantequilla
- pimienta negra
- sal
- agua
- aceite

*Elaboración:*

Cuece los espaguetis en abundante agua con sal y aceite de 10 a 12 minutos. Escurre la pasta y refréscala en agua fría. En una cazuela pon la mantequilla y saltea durante 1 minuto la pasta cocida. Espolvorea con pimienta negra molida y añade los huevos sazonados. Remuévelo hasta que estén casi cuajados. Colócalo en una fuente y espolvorea con el queso rallado.

## 311 – ESPAGUETIS CON KOKOTXAS

*Ingredientes:*
- 600 g de espaguetis
- aceite
- perejil picado
- 2 dientes de ajo

- sal
- agua

- ½ cebolla
- 300 g de kokotxas de bacalao

*Elaboración:*

Cuece al dente los espaguetis en agua con sal y un chorrito de aceite en la cocedera durante 8 o 10 minutos.

En una sartén con aceite, saltea la cebolla con el ajo picado, después añade las kokotxas y rehógalas unos minutos hasta que estén hechas. Pruébalo de sal y espolvorea con perejil picado. Saltea los espaguetis cocidos y escurridos en una sartén con aceite.

Por último, sirve la pasta en el centro de una fuente y coloca las kokotxas alrededor.

## 312 – ESPIRALES CON ANCHOAS

*Ingredientes:*

- 300 g de pasta espirales
- ½ litro de salsa de tomate
- 2 dientes de ajo
- 8 aceitunas negras
- 50 g de queso rallado

- perejil
- 6 filetes de anchoa
- aceite
- sal
- agua

*Elaboración:*

En una sartén fríe los ajos fileteados con un chorro de aceite. Cuando estén dorados, añade el tomate, las aceitunas deshuesadas y troceadas, así como los filetes de anchoa. Deja a fuego medio durante 10 minutos. Pasado este tiempo, añade el perejil. Por otra parte, cuece en abundante agua con sal las espirales de pasta. Cuando estén al dente, escúrrelas y échalas a la salsa.

Para finalizar, espolvorea el queso rallado y sirve.

## 313 – ESPIRALES DE PASTA CON MOLLEJAS DE PATO

*Ingredientes:*

- 300 g de pasta (espirales, codillos, etc.)
- agua
- sal
- aceite
- 6 mollejas de pato confitadas
- 8 ajos tiernos
- 100 g de guisantes o habas

*Elaboración:*

Cuece la pasta con agua, sal y un chorro de aceite; una vez cocida, escúrrela bien.

Cuece también los guisantes o habas hasta que estén tiernos. Pica los ajos frescos y saltéalos junto con las mollejas cortadas en láminas. Añade las habas o guisantes cocidos y, acto seguido, la pasta. Saltéalo hasta que esté bien caliente y sirve.

## 314 – FIDEOS CON ALMEJAS

*Ingredientes:*

- 1 cebolla pequeña
- 3 tomates
- 200 g de fideos
- 3 patatas medianas
- 300 g de almejas
- 1 cuch. de pimentón dulce
- 2 dientes de ajo
- perejil picado
- agua
- sal
- aceite de oliva

*Elaboración:*

Haz un sofrito con el ajo, la cebolla y el tomate, todo bien picado. Sazona y añade las patatas peladas y cortadas. Rehógalo todo y agrega una cucharadita de pimentón. Cúbrelo con agua y deja que cueza durante 15 minutos aproximadamente. Después, echa los fideos y déjalo hacer otros 5 minutos. Añade las almejas y espera que se abran. Por último, espolvorea con perejil picado y sirve.

## 315 – HOJALDRE RELLENO

*Ingredientes:*
- 500 g de hojaldre congelado
- 200 g de queso azul
- 300 g de espinacas cocidas
- 1 puñado de piñones tostados
- 2 huevos cocidos
- 1 huevo para untar
- crema de espárragos
- salsa de tomate

para la bechamel:
- 100 g de mantequilla
- 1 cuch. de harina
- 250 ml de leche

*Elaboración:*

Haz una bechamel, añádele el queso y remueve hasta fundirlo. Agrega también los huevos cocidos y troceados. En una sartén con muy poco aceite saltea los piñones, y agrega la bechamel junto con las espinacas cocidas y picadas.

Es conveniente que la bechamel quede espesita. Deja enfriar. Extiende el hojaldre, coloca encima la masa estirada y enrolla el hojaldre. Pinta con huevo batido y mete en horno caliente a 180º durante 30 minutos. Retira y sirve.

El acompañamiento ideal para este hojaldre es una crema de espárragos y una salsa de tomate.

## 316 – LASAÑA DE ATÚN

*Ingredientes:*
- 9 hojas de lasaña

- bechamel

- 400 g de atún en aceite
- 4 tomates maduros
- 3 dientes de ajo
- queso rallado
- agua, sal y aceite
- perejil picado

*Elaboración:*

Cuece la pasta en abundante agua con sal y aceite. Refresca y resérvala.

Filetea los ajos y dóralos en una sartén con un poco de aceite.

Mientras tanto, pela, despepita y trocea los tomates y agrégalos a la sartén junto con los ajos. Cuando esté bien rehogado, incorpora el atún desmigado y el perejil picado.

A continuación, en una fuente resistente al horno pon una fila de pasta, encima una capa de la farsa de relleno y de nuevo otra de pasta. Cubre todo con la bechamel y espolvorea con el queso. Gratina y sirve bien caliente.

## 317 – LASAÑA DE CALABACINES

*Ingredientes:*
- 6 láminas de lasaña cocida
- ¾ kg de calabacines
- ½ vaso de nata líquida
- 1 vaso de caldo de verduras
- queso rallado
- aceite
- perejil picado
- sal
- salsa de tomate
- 2 cuch. de harina
- agua

*Elaboración:*

Lava, seca y corta en lonchas muy finas los calabacines. Cuécelos al dente en una vaporera con agua y un poco de sal durante unos dos minutos y escurre. En un poco de aceite dora la harina, añade el caldo dando vueltas, sazona y deja cocer unos minutos. Cuando espese, agrega la nata y el perejil picado. En una fuente coloca las hojas de lasaña, encima el calabacín y después la salsa de tomate. Tapa con más hojas de lasaña y repite la operación añadiendo calabacín y salsa de tomate, tapando por último con más hojas de lasaña. Cubre todo con la salsa velouté y espolvorea con queso rallado. Mete la lasaña en el horno gratinador a 160º durante 10 minutos aproximadamente si quieres calentarlo todo. Si no, vale con gratinar dos minutos. Sirve.

## 318 – LASAÑA DE PESCADO Y MARISCO

*Ingredientes:*
- 12 placas de lasaña
- 300 g de pescado que tengas para aprovechar
- 8 langostinos
- 3 cuch. de salsa de tomate
- 1 cebolleta
- 1 diente de ajo
- salsa bechamel
- queso rallado
- agua y sal

*Elaboración:*

Cuece la pasta en agua con sal y resérvala en agua fría.

Sofríe la cebolleta picada y el diente de ajo en un poco de aceite. Cuando estén bien rehogados, añade el pescado y los langostinos troceados y deja que se hagan unos minutos. Añade el tomate y un poco de bechamel para ligar la mezcla.

Coloca una capa de pasta en el fondo de la fuente. Vierte encima el salpicón de pescado, extiende bien y coloca otra capa de pasta, cubre con la bechamel sobrante y un poco de tomate. Espolvorea con abundante queso rallado y mete en el horno a gratinar.

## 319 – LASAÑA DE PRIMAVERA

*Ingredientes:*
- 6 placas de lasaña
- queso rallado

- ¼ litro de bechamel
- 2 zanahorias
- 200 g de judías verdes
- ¼ de coliflor
- ½ brécol

- sal
- agua
- aceite
- puré de guisantes

*Elaboración:*

Limpia y cuece las zanahorias, las judías verdes, la coliflor y el brécol por separado hasta que estén tiernos. A continuación, escurre y pícalos.

Cuece la pasta en abundante agua con sal y un chorro de aceite. Escurre y reserva.

Rehoga en aceite la verdura y añade 2 o 3 cucharadas de bechamel. Mezcla bien y pon a punto de sal.

En una fuente de horno coloca 2 placas de lasaña, cubre con parte de la mezcla, coloca encima otras 2 placas de lasaña y repite la operación, finalizando con la pasta. Pon alrededor el resto de la bechamel mezclada con puré de guisantes y espolvorea con queso rallado por encima. Gratina la lasaña durante 2 o 3 minutos hasta que se dore y sirve.

## 320 – LASAÑA DE VERDURAS

*Ingredientes:*
- 3 o 4 láminas grandes de lasaña
- 200 g de judías verdes
- 4 zanahorias
- ½ coliflor
- 50 g de espinacas

- salsa bechamel
- 3 dientes de ajo
- 2 tomates maduros
- agua
- aceite
- sal

*Elaboración:*

Cuece la pasta en agua con sal y un chorro de aceite y refréscala. Cuece también las judías verdes, la zanahoria y la coliflor en agua con sal, y cuando estén cocidas pícalas en trocitos. Aparte, cuece las espinacas y pícalas. Haz un sofrito con los dientes de ajo en láminas y el tomate en dados; cuando esté hecho, agrega la verdura cocida excepto las espinacas, tres o cuatro cucharadas de bechamel y mézclalo todo bien.

En una bandeja de horno coloca una capa de lasaña y, encima, el relleno de verdura; cúbrela con una nueva capa de lasaña y vuelve a colocar una capa de relleno y otra de lasaña (puedes hacer los pisos que desees). Cúbrelo todo con bechamel mezclada con las espinacas y métela en el horno unos 10 minutos a 160º. Si quieres, puedes espolvorear la lasaña con queso rallado para que gratine mejor.

Finalmente, ponlo unos 2 minutos en el gratinador y sirve.

## 321 – LASAÑA FRÍA DE VERANO

*Ingredientes:*
- 6 láminas de lasaña verde
- 300 g de gambas
- 300 g de queso de Burgos
- 3 tomates
- 3 aguacates
- 3 huevos

vinagreta:
- vinagre
- aceite
- sal
- pimienta blanca

*Elaboración:*

Cuece la pasta. Cuece también las gambas y ábrelas por la mitad. Corta fino el queso, los tomates, los aguacates y los huevos cocidos.

Haz la vinagreta y forra un molde con papel de estraza con aceite y vinagreta.

Coloca una capa de pasta, encima otra de queso de Burgos, después rodajas finas de tomate, unas gambas cocidas y peladas y encima rodajitas finas de aguacate. Tapa con otra capa de pasta y aliña con una vinagreta. Decora con cuadraditos de tomate pelado alrededor de la lasaña.

# 322 – MACARRONES AL QUESO

*Ingredientes:*

- 250 g de macarrones hervidos y escurridos
- 60 g de mantequilla
- sal
- 50 g de jamón cocido en dados
- 50 g de queso rallado
- 50 g de migas de pan rallado
- pimienta

salsa mornay:
- ¼ litro de salsa bechamel
- 50 g de queso rallado para fundir
- pimienta negra recién molida
- 1 cuch. de mostaza

*Elaboración:*

Para preparar la salsa mornay: en una cazuela calienta la bechamel y añade el queso rallado. Remueve hasta que se haya fundido. Agrega la pimienta y la mostaza mezclando bien y reduce a fuego lento unos minutos hasta que la salsa quede espesa y cremosa.

Calienta el horno a 220º. Unta una fuente resistente al horno con una nuez de mantequilla. En un cuenco, mezcla los macarrones con la mitad de la mantequilla, la sal, la pimienta, la salsa mornay y el jamón.

Una vez mezclado todo, colócalo en la fuente. Espolvorea con el queso rallado, las migas de pan y el resto de la mantequilla en trocitos.

Hornea durante 10 a 15 minutos o hasta que se dore. Sirve en seguida.

# 323 – MACARRONES CON BACALAO

*Ingredientes:*

- 300 g de macarrones
- 1 cebolleta o cebolla

- 300 g de bacalao desalado y desmigado
- 1 pimiento verde
- 1 tomate
- aceite
- agua
- perejil picado
- sal

*Elaboración:*

Cuece los macarrones en abundante agua con sal y 2 cucharadas de aceite, y una vez cocidos al dente los refrescas.

Pocha la verdura picada con un poco de aceite. Cuando esté bien pochada, añade el bacalao y rehógalo durante un par de minutos.

Echa los macarrones y tenlos rehogando de 3 a 4 minutos. Sírvelos espolvoreados con perejil.

## 324 – MACARRONES CON CARNE

*Ingredientes:*
- 400 g de macarrones
- 200 g de carne picada de ternera y cerdo
- 1 cebolleta
- salsa de tomate
- pimienta
- sal
- aceite
- 1 diente de ajo
- perejil picado
- agua

*Elaboración:*

Cuece la pasta en una cocedera con abundante agua y sal durante unos 20 minutos aproximadamente. Escúrrela y reserva.

En una cazuela vierte un chorro de aceite, y rehoga el ajo y la cebolleta picados; después, añade la carne y salpimenta. Rehógalo todo.

Por último, añade unos 4 cacitos de tomate y perejil picado. Deja que se haga durante unos minutos a fuego lento para que se mezclen bien los sabores.

Incorpora los macarrones a la cazuela o vierte la salsa sobre ellos.

## 325 – MACARRONES CON LECHE

*Ingredientes:*

- 300 g de macarrones
- 1 vaso de leche
- 100 g de mantequilla
- 100 g de queso rallado
- sal
- agua
- aceite
- pimienta negra

*Elaboración:*

Cuece los macarrones en agua con sal y un chorro de aceite. Escurre y colócalos sobre una fuente de horno honda, añádeles la mantequilla esparcida, el queso y un vaso de leche. Espolvorea con pimienta negra y gratínalos de 6 a 8 minutos. La leche debe quedar espesa. Por último, sírvelos en una fuente.

## 326 – MACARRONES CON TOMATE

*Ingredientes:*

- 250 g de macarrones
- 100 g de bacon o jamón curado
- 100 g de chorizo
- 1 cebolla
- ¼ litro de salsa de tomate
- 100 g de queso rallado
- sal
- agua
- aceite

*Elaboración:*

Cuece los macarrones en abundante agua hirviendo con un chorro de aceite y sal. Escurre y reserva. (Puedes refrescarlos con agua fría.) En una sartén con aceite sofríe la cebolla picada, el jamón o bacon y el chorizo troceados. Luego, añade la salsa de tomate y deja que se haga todo unos minutos. Mezcla los macarrones con la salsa y ponlo todo en una fuente de horno. Espolvorea con queso rallado, gratina dos minutos y sirve.

## 327 – MACARRONES MARINEROS

*Ingredientes:*

- 250 g de macarrones
  cocidos
- 250 g de gambas o
  langostinos pelados
- 300 g de almejas o chirlas
- 2 dientes de ajo
- 50 g de queso rallado
- sal
- aceite

*Elaboración:*

Pon a pochar 2 dientes de ajo picados. Cuando estén dorados, añade las almejas y espera que se abran. Una vez abiertas, agrega las colas de gambas o langostinos, sazona y rehoga unos minutos.

Por último, añade los macarrones cocidos, mezclándolo todo bien.

Colócalos en una fuente de horno, espolvorea con queso rallado, gratina un par de minutos y sirve.

## 328 – PASTA CON HABAS

*Ingredientes:*

- 300 g de pasta cocida
- 500 g de habas peladas y
  cocidas
- 1 cebolleta o cebolla
- 2 dientes de ajo
- 1 pimiento verde
- sal
- aceite
- pimentón picante

*Elaboración:*

Pica muy finos la cebolleta, el ajo y el pimiento verde. Ponlos a pochar en una cazuela con aceite y sal. Cuando se doren, añade el pimentón, y acto seguido las habas. Mézclalo y saltea. Después, agrega la pasta removiéndolo todo bien. Por último, sírvelo bien caliente en una fuente.

## 329 – PASTA CON MARISCO Y PIÑONES

*Ingredientes:*

- 300 g de pasta
- 24 langostinos
- 50 g de piñones
- ½ copa de brandy
- salsa de tomate

- perejil picado
- orégano
- agua
- aceite
- sal

*Elaboración:*

Cuece la pasta al dente en agua con sal. Una vez cocida, escurre y resérvala.

En una sartén con un poco de aceite saltea los piñones y luego añade los langostinos pelados y sazonados. Rehógalo todo junto durante unos minutos, agrega el brandy y flambea. Cuando se apague, añade el orégano, la pasta y mézclalo todo bien. Por último, incorpora la salsa de tomate y el perejil picado. Rehoga y sirve.

## 330 – PASTA CON NATA Y ACEITUNAS NEGRAS

*Ingredientes:*

- ½ kg de pasta
- 1 chorrito de aceite y sal
- 200 g de nata

- perejil picado
- 200 g de aceitunas negras
- mantequilla

*Elaboración:*

Pon en agua hirviendo la pasta con aceite y sal durante diez

minutos. Saca y escurre. Saltea con mantequilla y añade la nata.
Deja reducir y añade las aceitunas y el perejil picado.

## 331 – PASTA CON OREJA DE CERDO

*Ingredientes:*

- 250 g de pasta
- 1 cebolleta
- 1 tomate
- aceite
- 2 dientes de ajo
- perejil picado

para cocer:
- 1 oreja de cerdo
- 1 cebolla
- 1 puerro
- laurel
- pimienta en grano
- sal
- agua

*Elaboración:*

Pon a cocer en agua con sal la oreja con la verdura y las especias. Cuando esté tierna (tardará hora y media en olla normal y 20 minutos en olla a presión), córtala en trocitos no muy pequeños.

Cuece la pasta al dente y refréscala.

Pica muy fina la cebolleta, el tomate y el ajo y ponlo todo a pochar en una cazuela ancha con aceite. Sazona. En cuanto coja color, añade la oreja troceada, mézclalo todo bien y agrega la pasta. Espolvorea con perejil picado. Prueba de sal y sirve bien caliente.

## 332 – PASTA CON SETAS

*Ingredientes:*

- 350 g de pasta (macarrones, conchitas...)
- 300 g de setas de temporada (champiñones)
- 6 cuch. de salsa de tomate
- 5 cuch. de aceite
- agua
- sal

- 2 dientes de ajo
- ½ vaso de vino blanco
- perejil picado

*Elaboración:*

Cuece la pasta en abundante agua con sal y dos cucharadas de aceite, de 8 a 10 minutos, dependiendo del tipo de pasta. Después, pica los dientes de ajo y sofríelos en una sartén con tres cucharadas de aceite.

Cuando empiece a dorarse añade las setas, previamente cortadas en juliana; échale sal y rehógalas durante unos minutos. Luego agrega la pasta ya escurrida, el perejil picado, la salsa de tomate y el vino blanco, mezclando bien todos los ingredientes, y déjalos que se hagan a fuego medio durante 2 minutos aproximadamente.

Por último, ponlo a punto de sal y listo.

## 333 – PASTA PICANTITA

*Ingredientes:*
- 300 g de pasta
- 1 cebolleta o cebolla
- 2 dientes de ajo
- 1 vaso de salsa de tomate
- 2 hojas de albahaca
- 1 guindilla roja seca
- agua
- sal
- aceite
- perejil picado

*Elaboración:*

Cuece la pasta en agua con sal y un chorrito de aceite. Una vez cocida, escúrrela y resérvala.

Pica la cebolleta y los ajos y sofríelos en un poco de aceite. Añade la guindilla picada, las hojas de albahaca y la salsa de tomate. Deja cocer unos minutos hasta que esté a tu gusto.

Calienta la pasta rehogándola con la salsa y sírvela con un poco de perejil picado.

# 334 – PASTA SALTEADA CON ATÚN

## Ingredientes:

- 300 g de pasta
- 200 g de atún en aceite
- 2 dientes de ajo
- agua
- sal
- 1 hoja de laurel
- 12 aceitunas rellenas
- perejil picado
- aceite

## Elaboración:

Cuece la pasta con abundante agua, sal, 2 cucharadas de aceite y una hoja de laurel. Refréscala cuando esté al dente. Después, en una sartén con un poco de aceite saltea la pasta con los dientes de ajo picados, añade las aceitunas fileteadas y el atún un poco desmigado. Sirve.

# 335 – PASTA SALTEADA CON SETAS Y HUEVO ESCALFADO

## Ingredientes:

- 250 g de cintas de pastas
- 200 g de setas u hongos
- 8 huevos escalfados
- agua
- vinagre
- perejil picado
- 1 cebolleta
- aceite
- sal

## Elaboración:

Cuece la pasta en agua con sal y un chorrito de aceite. Pasa por agua fría para detener la cocción de la pasta y reserva. En una sartén rehoga la cebolleta picada con un poco de aceite y añade las setas cortadas en juliana. Deja que se haga todo bien, y cuando esté listo agrega las cintas y rehógalas bien.

En una cazuela con agua y vinagre escalfa los huevos.

Para servir, coloca primero la pasta y encima uno o dos huevos escalfados. Por último, espolvorea con perejil picado.

## 336 – PASTEL DE PASTA

*Ingredientes:*

- 300 g de macarrones
- 150 g de mozzarella (queso italiano)
- salsa de tomate
- 2 calabacines
- 1 cebolla
- 1 diente de ajo
- ramito de hierbas (orégano, tomillo y perejil)
- 2 nueces de mantequilla
- harina
- sal
- aceite

*Elaboración:*

En una cazuela con aceite pon a rehogar la cebolla picada, el ajo entero, salsa de tomate y el ramito de hierbas. Deja a fuego lento 20 minutos hasta que espese la salsa, entonces retira el ramito y reserva la salsa. Corta el calabacín en rodajas y, tras pasarlas por harina, fríelas en abundante aceite. Cuece la pasta, escúrrela y añádele mantequilla. Coloca en una fuente de servir redonda primero la pasta, encima el calabacín, un poquito de queso, la salsa de tomate con la cebolla y el ajo y, por último, el resto de queso. Mete en el horno 10 minutos a 160º y listo.

## 337 – PIZZA A TU GUSTO

*Ingredientes:*
para la masa:

- 250 g de harina de arroz
- 12 g de levadura
- 1 huevo
- 1 cuch. de leche
- ½ cucharadita de sal

relleno:

- 150 g de salsa de tomate
- 100 g de jamón cocido
- 3 lonchas de queso de fundir
- 4 champiñones
- unas anchoas en aceite
- orégano

*Elaboración:*

Mezcla los ingredientes de la base de la pizza, amasándolos bien. Después, estírala y dale forma redonda.

Coloca encima el relleno a tu gusto: extiende primero la salsa de tomate y coloca después el jamón cocido, las anchoas, los champiñones limpios y fileteados y espolvorea con el orégano. Por último, cubre con el queso.

Hornea la pizza a 170-180º, durante 15 minutos aproximadamente.

Sírvela bien caliente.

*Nota.* Los ingredientes utilizados en esta receta serán de las marcas permitidas por la lista difundida por la Federación Española de Asociaciones de Celíacos.

## 338 – PIZZA DE BONITO Y QUESO

*Ingredientes:*

- masa de pizza para cuatro personas
- 300 g de bonito
- 300 g de champiñones
- 100 g de gambas
- 200 g de queso de nata
- 1 diente de ajo
- tomate frito
- aceite

*Elaboración:*

Sobre la masa de pizza coloca el tomate frito y el bonito (o atún), cúbrelos con queso y encima del queso pon los champiñones salteados con el ajo, el aceite y las colas de gambas peladas. Métalo en el horno durante 20 minutos a 230º y a continuación sírvelo.

## 339 – PIZZA DE BRÉCOL

*Ingredientes:*

- 300 g de masa de pizza
- 750 g de brécol
- 1 litro de agua
- 1 diente de ajo
- 100 g de bacon
- 2 yemas de huevo
- ½ vaso de nata líquida
- 80 g de queso fresco
- aceite
- sal

*Elaboración:*

Lava el brécol, saca sus brotes y cuécelo en agua hirviendo con sal. Una vez cocido, escúrrelo.

Corta el bacon en daditos y dóralo en una sartén con aceite.

Con ayuda de la batidora, mezcla muy bien las yemas con la nata y el queso junto con un diente de ajo pelado. Ponlo a punto de sal.

Extiende la masa y enfonda con ella un molde circular de un par de cm de hondo.

Coloca el brécol encima de la masa, el bacon bien escurrido y rocía la pizza con la crema. Métalo en el horno a 200º durante 20 o 30 minutos. Desmolda la pizza con cuidado y sirve.

## 340 – PIZZA DE RABO DE VACA

*Ingredientes:*

- 2 bases de pizza
- 2 rabos de vaca
- 1 vaso de salsa de tomate
- 8 lonchas de queso de fundir
- 8 champiñones
- 4 lonchas de jamón cocido
- 2 pimientos del piquillo

para cocer:
- 1 cebolla
- 1 tomate
- 1 puerro
- 1 zanahoria

*Elaboración:*

En primer lugar, cuece los rabos con la cebolla, el tomate, el puerro y la zanahoria.

Aparte, unta las bases con la salsa de tomate, coloca encima el jamón cocido, la carne de rabo desmigada y los champiñones cortados en láminas. Cubre con tiras de pimiento del piquillo y las lonchas de queso.

Mete en el horno caliente a 180º durante 20 minutos aproximadamente. Saca y sirve caliente.

## 341 – PIZZA MARINERA

*Ingredientes:*
- 1 oblea de pizza
- 50 g de atún
- 25 mejillones
- ¼ litro de salsa de tomate
- 5 lonchas de queso de fundir
- sal
- 8 aceitunas verdes
- agua

*Elaboración:*

Unta bien con la salsa de tomate la base de la pizza. Coloca el atún desmigado y la carne de los mejillones que habrás abierto en una vaporera con agua y sal. Coloca las aceitunas y cubre la pizza con el queso. Métela en el horno a 200º durante 20 minutos.

## 342 – PIZZA NAPOLITANA

*Ingredientes:*
- 2 discos de base de pizza
- 4 tomates maduros o salsa de tomate
- 14 anchoas en conserva y su aceite
- 200 g de queso mozzarella
- una pizca de orégano
- aceitunas negras
- tiras de pimiento verde frito
- sal

*Elaboración:*

Pica el tomate y extiéndelo sobre las bases de pizza. Después, espolvorea con orégano y sal. Reparte las aceitunas, las anchoas escurridas y el queso. Rocíalo con 2 cucharadas de aceite de las anchoas. Hornea las pizzas a fuego fuerte, a unos 180º durante 25 minutos más o menos.

Antes de servir, adórnalas con las tiras de pimiento verde frito.

## 343 – PIZZAS FALSAS

*Ingredientes:*
- 8 rebanadas de pan de molde
- 8 lonchas de queso graso
- 2 latas de bonito o atún en aceite
- 8 cuch. de tomate frito
- 32 aceitunas verdes sin hueso
- 1 cebolla o cebolleta
- aceite

*Elaboración:*

Pon el queso sobre el pan, encima el atún escurrido y picado, el tomate y las aceitunas por encima. Hornéalo durante 4 o 5 minutos a 200º.

Por último, coloca encima de las falsas pizzas unos aros de cebolla o cebolleta fritos en aceite.

## 344 – RAVIOLI CON SALSA DE PIMIENTOS

*Ingredientes:*
- 500 g de ravioli (rellenos de carne)
- 100 g de carne picada
- 150 g de pimientos morrones asados y pelados
- perejil picado
- 1 vaso de nata líquida
- aceite
- agua
- sal

225

*Elaboración:*

Cuece los ravioli en agua hirviendo con sal hasta que estén al dente. Escúrrelos y reserva.

Pocha los pimientos troceados en una cazuela con aceite, añade la nata y deja reducir durante 10 minutos. Pon a punto de sal, pásalo por la batidora y a continuación por un chino.

En otra cazuela saltea la carne picada, añade la salsa de pimientos y los ravioli cocidos. Déjalo hacer a fuego lento durante 5 minutos. Si la salsa te queda muy espesa, puedes aligerarla con un chorro de nata líquida. Espolvorea con perejil picado y sirve.

## 345 – SALTEADO DE PASTA Y VERDURAS

*Ingredientes:*

- 200 g de pasta cocida
- 200 g de coliflor cocida
- 200 g de espinacas cocidas
- 100 g de judías verdes cocidas
- 100 g de zanahorias cocidas
- 1 diente de ajo
- 4 lonchas de queso de fundir
- aceite de oliva

*Elaboración:*

Dora el ajo picado en una cazuela con aceite. Añade la verdura cocida y picada (la coliflor en ramilletes pequeños). Después, incorpora la pasta cocida (cintas, macarrones, etc.) y rehoga.

Reparte el salteado en platos o cazuelitas y coloca una loncha de queso encima. Gratínalo durante 2 o 3 minutos y sirve.

## 346 – TALLARINES BOLOÑESA

*Ingredientes:*

- 250 g de tallarines
- 200 g de carne picada

- 2 puerros
- 2 zanahorias
- 2 cebolletas
- mantequilla

- salsa de tomate
- sal
- aceite
- pimienta

*Elaboración:*

Pocha la verdura picada fina en una cazuela, añádele la carne y la salsa de tomate, salpimenta y reserva.

Pon la pasta cocida en agua hirviendo con mantequilla, 8 minutos; lávala y saltéala en una sartén con mantequilla. Pon los tallarines en el plato probados de sal y la salsa en el centro.

## 347 – TALLARINES CON CARNE

*Ingredientes:*
- 250 g de tallarines
- 150 g de carne de ternera picada
- 100 g de carne de cerdo picada
- 1 kg de tomates maduros
- agua

- 2 cebollas
- sal
- aceite
- orégano
- azúcar
- 1 pimiento verde

*Elaboración:*

Cuece los tallarines en agua con sal y un chorrito de aceite. Escúrrelos y reserva.

Pica la cebolla y el pimiento verde y rehógalos en una sartén con un poco de aceite. Cuando estén doraditos, agrega los tomates escaldados y troceados. Pasados 20 minutos, espolvorea el orégano, la sal y un poco de azúcar (para quitar la acidez del tomate). Transcurridos 5 minutos, incorpora la carne picada, previamente salteada en una sartén con un poco de aceite, y deja que se haga con la salsa de tomate 5 minutos.

Por último, añade orégano, mezcla con la pasta y sirve.

También puedes servir con queso rallado o con salsa bechamel.

## 348 – TALLARINES CON PESCADO

*Ingredientes:*

- 400 g de tallarines
- 300 g de pescado limpio sin espinas
- 16 almejas
- 2 tomates maduros
- sal
- agua
- 1 cebolla
- orégano
- pimentón
- 1 ajo
- perejil
- aceite

*Elaboración:*

Cuece los tallarines durante 15 minutos en abundante agua con sal y un chorro de aceite. Escurre y reserva tapados. En una sartén, rehoga la cebolla picada con el orégano y el tomate. Deja al fuego 10 minutos e incorpora el pimentón. Al poco rato, pon las almejas y el pescado troceado y deja 4 minutos más al fuego. Retira y reserva. En otra sartén, pon aceite con las láminas de ajo, y cuando esté dorado saltea en ese mismo aceite los tallarines con una pizca de orégano. Para servir, coloca los tallarines en el centro del plato, y el pescado con las almejas y la salsa bordeando la pasta.

## 349 – TALLARINES REVUELTOS

*Ingredientes:*

- 400 g de tallarines
- 100 g de bacon o tocineta
- 3 dientes de ajo
- 4 huevos
- agua
- sal
- aceite

*Elaboración:*

Cuece los tallarines en agua con sal y un chorrito de aceite durante 8-10 minutos. Refresca la pasta y reserva.

Sofríe los dientes de ajo fileteados en un poco de aceite, y cuando empiecen a dorarse añade el bacon en tiras y casi acto seguido los tallarines. Rehoga bien y casca los huevos encima, removiendo hasta que queden cuajados a tu gusto. Por último, sirve el plato bien caliente.

## 350 – VOLOVÁN DE PASTA

*Ingredientes:*

- 2 láminas de hojaldre
- 200 g de cintas al huevo
- 200 g de cintas de espinaca
- 150 g de queso parmesano rallado
- 150 g de queso gruyère rallado
- 6 yemas
- 6 lonchas de jamón cocido
- 1 dl de nata
- sal
- pimienta
- nuez moscada

*Elaboración:*

Fabrica 2 discos de hojaldre de 24 cm de diámetro y unta con huevo el borde de ellos. Corta un círculo de 17 cm en el segundo y coloca su aro sobre el perímetro. Hornea a 200º durante 25 minutos.

Coloca la pasta cocida en un cazo y añade las 6 yemas enteras, los quesos gruyère y parmesano, las tiras de jamón cocido y un chorro de nata líquida. Revuélvelo todo y calienta. Añade luego la nuez moscada rallada y mezcla bien. Por último, rellena el volován y sirve.

# Legumbres

## Alubias

---

### 351 – ALUBIAS BLANCAS CON CALAMARES

❦ ❦ ❦ ❦

---

*Ingredientes:*

- 300 g de alubias
- 4 calamares
- 1 cebolla
- 4 dientes de ajo
- 2 tomates
- ½ pimiento verde
- sal
- agua
- aceite
- perejil picado

*Elaboración:*

---

Cuece las alubias (que habrás puesto en remojo en la víspera) en agua con sal y un chorro de aceite, durante una hora aproximadamente. Escurre y reserva.

Pon a pochar las verduras, bien limpias y en juliana. Añade los calamares ya limpios y cortados en aros sobre la verdura. Sazona y saltea durante 2 o 3 minutos a fuego fuerte. Agrega las alubias y guísalo todo junto durante 5 minutos. Espolvorea con perejil y sirve.

# 352 – ALUBIAS BLANCAS CON CHORICEROS

*Ingredientes:*
- 400 g de alubias blancas
- 2 pimientos choriceros
- 2 cebollas
- 1 zanahoria
- 1 pimiento verde
- 1 pimiento rojo
- 4 dientes de ajo
- 3 o 4 clavos
- aceite de oliva
- sal
- agua

*Elaboración:*

Pon a cocer las alubias en una cazuela con agua, una cebolla, una zanahoria, dos dientes de ajo, 3 o 4 clavos, un chorro de aceite y sal. Tardarán en hacerse una hora o una hora y cuarto aproximadamente. Mientras tanto, prepara una fritada con el pimiento verde, el pimiento rojo, una cebolla y dos dientes de ajo, todo picado. Despepita los pimientos choriceros, trocéalos y dóralos en una sartén con aceite. A continuación, machácalos en un mortero con sal gorda. Añade las alubias, bien escurridas, a la fritada de verdura junto con el majado de pimiento choricero. Deja a fuego lento 5 minutos y sirve.

# 353 – ALUBIAS BLANCAS CON JUDÍAS

*Ingredientes:*
- 300 g de alubias
- 1 zanahoria
- 1 pimiento verde
- 1 tomate
- 300 g de judías verdes
- 2 dientes de ajo
- aceite y sal
- agua

*Elaboración:*

Las alubias estarán en remojo desde la víspera.

Comienza poniendo a cocer las alubias con la zanahoria, el tomate y el pimiento verde en agua fría. Si ves que se están quedando secas, agrega agua fría, pero siempre poco a poco, para que no pierdan el hervor.

Cuando estén cocidas, echa las judías verdes y el refrito que habrás hecho con aceite y los ajos cortados en láminas. Deja cocer 20 minutos a fuego lento. La salsa no tiene que quedar muy espesa ni tampoco muy ligera, sino en un punto medio, consistente o de caldo gordo. Sirve caliente.

## 354 – ALUBIAS BLANCAS CON SANGRECILLAS

*Ingredientes:*

- 400 g de alubias blancas
- 3 cebolletas
- 1 zanahoria
- 1 puerro
- 3 dientes de ajo
- 4 sangrecillas de cordero
- sal
- agua
- aceite
- perejil picado

*Elaboración:*

Pon en remojo las alubias en la víspera. Cuécelas en una cazuela con agua, las cebolletas, la zanahoria y el puerro bien limpios, durante 40 o 45 minutos, hasta que las alubias estén tiernas. Después, pon a punto de sal y desespuma.

Haz un refrito en una sartén con los ajos en láminas. Cuando estén doraditos agrega las sangrecillas troceadas, saltéalas y espolvorea con perejil picado. Por último, vierte este salteado sobre las alubias y sirve.

## 355 – ALUBIAS BLANCAS CON VIEIRAS

*Ingredientes:*

- 300 g de alubias
- 2 cuch. de salsa de tomate

- 8 vieiras
- 5 dientes de ajo
- 2 cebolletas o cebollas
- 1 pimiento verde

- aceite
- sal
- agua

*Elaboración:*

Pon las alubias en remojo en la víspera y cuécelas en una cazuela con agua y una cebolleta entera pero pelada, 5 dientes de ajo sin pelar y sal, hasta que estén tiernas (unos 45–50 minutos).

Cuando estén cocidas, pasa la cebolleta y los ajos por el pasapuré y añádelo de nuevo a las alubias mezclando bien.

Pica la otra cebolleta y el pimiento muy finos y ponlos a pochar en otra cazuela con aceite. Sazona.

Limpia las vieiras, ábrelas, saca su carne y córtala en varios trozos. Añade éstos a la verdura pochada y rehógalo todo junto. Agrega el tomate y las alubias mezclando con cuidado. Guísalo a fuego lento durante un par de minutos, pruébalo de sal y sirve.

## 356 – ALUBIAS BLANCAS FRITAS

*Ingredientes:*
- 400 g de alubias
- 1 cebolleta
- 1 tomate
- 100 g de jamón en taquitos
- 100 g de chorizo en taquitos

- 100 g de tocino curado en taquitos
- agua, sal y aceite
- perejil picado

*Elaboración:*

Pon a cocer las alubias, puestas en remojo en la víspera, en agua con sal a fuego muy suave para que no se rompan. Una vez cocidas, escúrrelas y enfríalas bajo el chorro de agua fría.

En una sartén con un poco de aceite fríe el jamón, el chorizo y el tocino. Cuando estén dorados, añade la cebolleta y el tomate finamente picado, rehógalo y quita parte de la grasa. Después, agrega las alubias, saltéalas a fuego fuerte y sírvelas espolvoreadas de perejil.

## 357 – ALUBIAS CON CALABAZA

*Ingredientes:*
- 500 g de alubias negras
- 2 cebolletas
- 1 puerro
- 1 zanahoria
- 3 dientes de ajo
- 400 g de calabaza roja
- aceite
- sal
- agua

*Elaboración:*

Pon las alubias en una cazuela con abundante agua fría a cocer junto con las verduras picadas y añade un chorro de aceite. Cuando el agua rompa a hervir, pon el fuego a temperatura suave, tapa la cazuela y deja cocer las alubias durante una hora o una hora y cuarto aproximadamente. Pasado este tiempo, añade la calabaza sin piel y en daditos y un poco de sal (si hiciera falta, agrega un poco más de agua). Deja que todo cueza durante 10-15 minutos más aproximadamente.

Pruébalo de sal y comprueba que las alubias queden tiernas. Antes de servir, agrega un chorrito de aceite o un refrito de ajo por encima.

## 358 – ALUBIAS CON COLA DE CERDO

*Ingredientes:*
- 300 g de alubias
- 1 cola de cerdo
- 1 cabeza de ajo
- 1 zanahoria
- 1 cebolla
- sal
- aceite
- agua

*Elaboración:*

Pon las alubias en remojo el día anterior.

Colócalas en una cazuela con la cabeza de ajo entera, la verdura en trozos y el rabo también troceado. Cúbrelo con agua, sazona y añade un chorro de aceite. Deja que cueza a fuego lento hasta que esté tierno. A la hora de servir, retira la cabeza de ajo y, si lo deseas, también la verdura.

Por último, rectifica de sal. Puedes acompañar las alubias con guindillas.

## 359 – ALUBIAS CON PURÉ DE BERZA

*Ingredientes:*

- 500 g de alubias
- 1 cebolleta
- 1 pimiento verde
- 1 puerro
- panes fritos
- sal y agua

puré de berza:
- ½ berza
- 4 patatas medianas
- perejil picado

*Elaboración:*

Habrás puesto las alubias en remojo en la noche anterior.

Comienza picando muy fino la cebolleta, el pimiento verde y el puerro. A continuación, pon un chorro de aceite en la cazuela, agrega las verduras picadas, las alubias, el agua y la sal y deja que cuezan a fuego suave durante 2 horas (30 minutos si es olla a presión).

Aparte, limpia la berza y trocéala. Pela y trocea las patatas. Pon todo junto en una cazuela y añade un litro de agua y sal. Deja que cueza media hora a fuego medio. Si se seca, agrega poco a poco agua.

Cuando estén bien cocidas tanto la berza como las patatas, pasa por la batidora y obtendrás un auténtico puré de berza.

Para servir, pon en el plato una ración de alubias y adorna

con una rebanada de pan frito. Espolvorea el puré con perejil y deja que cada uno se sirva al gusto.

## 360 – ALUBIAS CON ZANCARRÓN DE CORDERO

*Ingredientes:*
- 500 g de alubias negras
- 3 puerros
- 6 granos de pimienta negra o molida
- 2 zancarrones de cordero
- sal
- agua

*Elaboración:*

Pon a cocer las alubias en una olla a presión con agua fría y el puerro finamente picado. Añade la pimienta y un poco de sal.

Con un cuchillo muy bien afilado, deshuesa los zancarrones y guarda los huesos en el congelador para otro día. Ata los zancarrones con la cuerda por separado, sálalos y añádelos a las alubias. Tapa la cazuela y déjalo cocer a fuego lento durante unos 30 minutos. Si lo cueces en una cazuela normal, deberás alargar el tiempo a una hora y media (1 hora las alubias solas; y los últimos 30 minutos, agrega el zancarrón).

Pasado este tiempo, saca los zancarrones y déjalos enfriar para poderles quitar las cuerdas. Rectifica de sal, sirve las alubias y añade el zancarrón cortado en lonchas.

## 361 – ALUBIAS ESTOFADAS

*Ingredientes:*
- 500 g de alubias negras
- 1 pimiento verde grande
- 2 pimientos morrones
- 2 codornices
- ½ cabeza de ajo
- aceite
- sal
- agua

*Elaboración:*

Pon las alubias con agua en una cazuela al fuego. Cuando empiece a hervir, añade un chorro de aceite y sal. Deja cocer una hora a fuego suave y con la cazuela tapada. Añade el pimiento morrón sin pepitas pero relleno con la codorniz, y el pimiento verde también limpio y relleno con la media cabeza de ajo.

Deja cocer todo junto una hora más vigilando que las alubias no se queden sin agua. Saca los pimientos y pasa por el pasapuré el pimiento verde, el ajo y el pimiento morrón.

Haz tiras la carne de las codornices cocidas e incorpóralas a las alubias cuando ya estén hechas.

Listo para servir.

## 362 – ALUBIAS NEGRAS CON BOLITAS DE CARNE

*Ingredientes:*

- 300 g de alubias
- 300 g de carne picada
- 1 hueso de cañada
- 1 cebolla
- 3 dientes de ajo
- 1 huevo
- perejil picado
- sal
- pimienta
- aceite
- 1 cuch. de harina
- 10 g de miga de pan remojada en leche
- agua

*Elaboración:*

Pon a cocer las alubias negras (que habrás puesto en remojo en la víspera) en agua fría con sal, un chorro de aceite, la cebolla y el hueso de cañada, a fuego lento durante una hora u hora y cuarto.

Mezcla la carne picada con la miga remojada en leche, el ajo picado, un huevo, perejil, sal y pimienta y una cucharada de harina. Con esta masa prepara unas bolitas y cuécelas en agua hirviendo de 5 a 7 minutos.

Saca el hueso de cañada, pasa la cebolla por un pasapuré y añádesela de nuevo a las alubias.

Sirve las alubias acompañadas con las bolitas de carne.

## 363 – ALUBIAS NEGRAS CON VERDURAS

*Ingredientes:*
- 500 g de alubias
- 4 puerros finos
- 8 cebolletas finas
- 2 zanahorias
- 1 pimiento morrón
- 1 pimiento verde
- aceite virgen
- sal
- agua

*Elaboración:*

Pon a cocer las alubias con abundante agua y sal. Cuando rompa a hervir, añade toda la verdura, entera pero limpia. Cuando esté blandita saca las cebolletas, los puerros y el pimiento morrón, y el resto déjalo cocer hasta que se haga, vigilando que las alubias no se queden secas.

Separa la carne del pimiento morrón y ponla en un plato; encima coloca las cebolletas y el puerro. Aliña con aceite y sal y sirve las alubias acompañándolas con estas verduras.

## 364 – COCIDO DE ALUBIAS BLANCAS

*Ingredientes:*
- 400 g de alubias blancas
- ½ kg de costilla de cerdo fresca
- 1 morcilla de arroz
- 1 morcilla de verdura
- ½ berza cocida
- 1 pimiento verde
- 1 puerro
- 1 zanahoria
- agua
- aceite
- sal

*Elaboración:*

Pon en remojo en la víspera las alubias en agua sin sal.

Limpia y trocea las verduras y échalas en una cazuela junto con las alubias escurridas y cúbrelo todo con agua. Añade también la costilla troceada, sazona y agrega un chorrito de aceite.

Cuécelo todo durante una hora aproximadamente. Después, saca las verduras, pásalas por un pasapuré y añádeselas al cocido.

Trocea y fríe la morcilla de arroz en una sartén con aceite. Coloca la berza ya cocida en una fuente con la morcilla de arroz frita y la de verdura cocida y desgrasada.

Sirve las alubias acompañadas de esta fuente.

## 365 – ENSALADA DE ALUBIAS BLANCAS

*Ingredientes:*

- ½ kg de alubias cocidas y escurridas
- 1 tomate picado
- 1 pimiento verde picado
- 1 cebolleta picada
- 2 huevos cocidos y picados
- sal
- aceite
- vinagre

*Elaboración:*

Cuando estén cocidas las alubias (sin que se pasen), escurre y pasa por agua fría.

Junta la verdura y los huevos, todo bien picado, con el aceite y el vinagre, poniendo a punto de sal. Mezcla todo con las alubias y sirve.

## 366 – ENSALADA DE ALUBIAS BLANCAS CON BACALAO

*Ingredientes:*

- 400 g de alubias
- 1 diente de ajo

- 500 g de bacalao (lomo)
- 2 pimientos rojos
- 1 pimiento verde
- 1 cogollo de lechuga
- ½ limón
- aceite, vinagre y sal
- 1 cebolla
- 1 huevo cocido
- 1 hoja de laurel
- 1 chorro de leche
- perejil
- agua

*Elaboración:*

Cuece las alubias con agua, cebolla, sal y el laurel. Deja enfriar una vez cocidas.

Pon agua y leche en una cazuela. Mete el bacalao; cuando dé un hervor, y con cuidado, sácale todas las láminas.

Mezcla las alubias con el pescado y coloca todo sobre una cama hecha con el cogollo. Aliña con una vinagreta: aceite, un chorro de vinagre, perejil picado, un diente de ajo picado, un huevo cocido y unas gotitas de limón. Pon también pimiento rojo y verde muy picadito. Adorna con unas tiras finas de pimiento rojo y verde fritas.

## 367 – JUDÍAS BLANCAS CON ALAS DE PATO

*Ingredientes:*
- ½ kg de judías blancas
- 1 pimiento verde
- 1 tomate
- perejil
- sal
- 4 alas de pato
- 1 cebolla
- 1 puerro
- agua

*Elaboración:*

Pon las alubias blancas en remojo en la víspera.

Coloca en una olla rápida las alubias junto a la verdura troceada, el agua y la sal. Cierra y deja cocer 10 minutos a la máxima presión. Transcurrido este tiempo, abre la olla y añade las

alas y deja cocer todo nuevamente durante otros 10 minutos.
Por último, añade perejil y sirve.

## 368 – JUDÍAS BLANCAS EN ENSALADA TIBIA

*Ingredientes:*

- 300 g de alubia blanca
- costrones de pan frito
- agua
- sal

vinagreta:
- 1 tomate pelado y picado
  y sin pepitas

- 1 huevo cocido y picado
- 1 cebolleta picada
- 4 cuch. de vinagre de sidra
- 10 cuch. de aceite de oliva
- 1 pimiento verde picado
- sal
- 4 guindillas en vinagre
  troceadas

*Elaboración:*

Cuece las alubias (la noche anterior habrán estado en remojo) en agua fría con sal durante 40 minutos.

Haz una vinagreta mezclando y batiendo el tomate, el huevo cocido, la cebolleta, el vinagre, el aceite, el pimiento, las guindillas y la sal.

Cuando estén cocidas las alubias, escúrrelas y pásalas por agua fría.

Coloca las alubias en el centro de la fuente, rodéalas con la vinagreta y adorna con los costrones de pan frito.

## 369 – JUDÍAS ESTOFADAS CON TOMILLO

*Ingredientes:*

- 400 g de judías blancas
- 1 cabeza de ajo
- 1 hoja de laurel
- 2 o 3 ramitas de tomillo

- 8 avellanas picadas
- sal
- agua
- perejil picado

- 2 o 3 pimientos rojos asados

*Elaboración:*

---

Pon las judías en remojo en la noche anterior. Cuécelas tapadas a fuego lento, en una cazuela con agua fría y sal junto con todas las hierbas y el ajo hasta que estén tiernas: tardarán unos 45 minutos aproximadamente. Añade luego las avellanas y el pimiento troceado. Mezcla bien, saca el ajo, el laurel y el tomillo y espolvorea con perejil picado. Pruébalo de sal y sirve.

---

## 370 – JUDÍAS GUISADAS

*Ingredientes:*
- ½ kg de judías blancas
- 2 zanahorias en rodajas
- 2 cebolletas picadas
- 2 tomates pelados y picados
- aceite
- sal
- 12 aceitunas negras
- 100 g de salmón ahumado
- agua
- perejil picado

*Elaboración:*

---

Pon a cocer en agua fría las judías blancas, puestas en remojo en el día anterior, con la verdura. Sala al gusto y deja que cuezan hasta que queden tiernas (de 40 a 45 minutos aproximadamente a fuego lento). A continuación, añade aceitunas negras y salmón ahumado en tiras, y déjalo hacer 4 o 5 minutos. Espolvorea con perejil picado y sirve.

---

## 371 – POTAJE DE ALUBIAS COLORADAS CON BACALAO

*Ingredientes:*
- 500 g de alubias
- 4 dientes de ajo

- 200 g de bacalao desalado
- 1 taza de arroz
- aceite, agua y sal
- 8 guindillas en vinagre

· *Elaboración:*

Pon las alubias a cocer con agua y sal, habiéndolas tenido la noche anterior en remojo. Cuando estén casi cocidas (al dente), escúrrelas y reserva. Haz un sofrito con los dientes de ajo picados, el bacalao desmigado y las guindillas partidas por la mitad, y agrégalo a las alubias. Cubre con agua fría, y cuando rompa a hervir añade la taza de arroz. Déjalo hacer alrededor de 20 minutos. Ponlo a punto de sal, sirve y echa un chorrito de aceite por encima.

## Garbanzos

## 372 – BOLITAS DE GARBANZOS

*Ingredientes:*
- 300 g de garbanzos cocidos
- 2 o 3 huevos
- 2 dientes de ajo
- perejil picado
- una pizca de pimienta
- pan rallado
- 1 sobre de levadura
- aceite
- salsa de tomate

*Elaboración:*

Puedes preparar esta receta con los garbanzos que sobran del cocido.

Bate los huevos, agrega los garbanzos y mézclalo todo con la batidora. Cuando consigas una masa añade el ajo picado, el perejil y un poco de pimienta. Vuelve a batir y echa la levadura para que salgan esponjosos. Haz unas bolitas con esta masa, pásalas por pan rallado y fríelas en abundante aceite caliente hasta que se doren.

Sirve las bolitas de garbanzos sobre una fuente cubierta con la salsa de tomate caliente y espolvoreadas con perejil picado.

---

## 373 – ENSALADA DE GARBANZOS PELADOS

*Ingredientes:*

- 400 g de garbanzos cocidos
- 50 g de soja cocida
- 8 filetes de anchoa en aceite

vinagreta:
- 1 cebolla o cebolleta
- ½ pimiento verde
- ½ vaso de aceite de oliva
- ½ vaso de vinagre de sidra
- sal

*Elaboración:*

Pela de piel los garbanzos y colócalos en una fuente. Echa la soja por encima y adorna la fuente con los filetes de anchoa.

Pica muy fina la cebolleta y el pimiento, colócalos en un bol y agrega el aceite, el vinagre y la sal. Mézclalo todo bien y aliña la ensalada.

---

## 374 – ENSALADA DE GARBANZOS Y SARDINAS

*Ingredientes:*

- 250 g de garbanzos
- 1 cebolla
- 1 hoja de laurel
- 1 clavo (especia)
- 4 sardinas en aceite
- 2 dientes de ajo
- 2 huevos cocidos
- aceite
- sal
- 1 tomate
- vinagre
- perejil picado

- 1 pimiento verde
- ½ guindilla seca
- agua

*Elaboración:*

Pon los garbanzos en remojo en el día anterior. Pela la cebolla dejándola entera e inserta el clavo en ella. Cuece los garbanzos con la cebolla, el laurel y la sal hasta que estén tiernos, de 45 a 50 minutos. Una vez cocidos, escúrrelos y retira la cebolla y el laurel. Pica bien fino el ajo, el pimiento y los huevos cocidos. Dora los ajos, la guindilla y el pimiento picados en una sartén con aceite. Después, añade los garbanzos y saltea, mezclándolo todo bien. Agrega el huevo cocido y picado y el tomate en daditos. Rehoga y echa el vinagre. Sírvelo en una fuente, coloca encima las sardinas y espolvorea con perejil picado.

## 375 – GARBANZOS AL AZAFRÁN

*Ingredientes:*
- 300 g de garbanzos
- 1 cuch. de aceite de oliva virgen
- 3 tomates maduros
- 1 pellizco de azafrán
- pimentón
- sal
- 2 zanahorias
- 1 puerro

*Elaboración:*

Remoja los garbanzos durante 12 horas. Después, colócalos en una cazuela con agua hirviendo, sal, un par de zanahorias, un puerro y los tomates en trozos. Mantén el hervor durante unos 45 minutos (según el tipo de garbanzo), añadiendo, si fuera necesario, más agua hirviendo. Mientras se cuecen los garbanzos, coloca el azafrán envuelto en papel de aluminio sobre la tapa del recipiente. Tras este tiempo de cocción, añade el azafrán y deja cocer los garbanzos a fuego lento otros 20–25 minutos.

## 376 – GARBANZOS CON ALMEJAS

*Ingredientes:*

- 300 g de garbanzos
- 1 cebolla
- 1 zanahoria
- 1 pimiento verde
- sal
- aceite
- 300 g de almejas
- 2 o 3 cuch. de salsa de tomate
- 3 dientes de ajo
- agua
- perejil picado

*Elaboración:*

Pon los garbanzos en remojo en la víspera.

Pásalos a una cazuela con el agua hirviendo, junto con la cebolla pelada y entera, la zanahoria y el pimiento. Pon a punto de sal, añade un chorro de aceite y déjalos cocer hasta que estén tiernos. Después, pasa la verdura por el pasapuré y reserva.

Pela los dientes de ajo y filetéalos. Ponlos a dorar en una cazuela con aceite y añade las almejas. Tapa la cazuela y espera a que se abran las almejas. Después, agrega los garbanzos bien escurridos, la salsa de tomate y el puré de verduras. Espolvorea con perejil picado y guísalo todo a fuego lento durante unos 10 minutos.

## 377 – GARBANZOS CON ARROZ Y ESPINACAS

*Ingredientes:*

- 300 g de garbanzos
- 100 g de arroz
- 100 g de espinacas
- agua
- sal
- 1 berenjena
- aceite

*Elaboración:*

Pon los garbanzos en remojo en la noche anterior.

En una cazuela con agua y sal pon a cocer los garbanzos. Después de unos 45 minutos de cocción desespuma, añade las espinacas, limpias y troceadas, y el arroz. Deja que se hagan 15 minutos más y sirve.

Acompaña este plato con unas rodajas de berenjena frita.

## 378 – GARBANZOS CON BACALAO

*Ingredientes:*
- 300 g de garbanzos
- 300 g de espinacas
- 300 g de bacalao desmigado
- 2 huevos cocidos
- sal
- aceite de oliva

*Elaboración:*

Desala el bacalao, teniéndolo 24 horas en agua y removiéndola 3 veces.

Una vez que el bacalao esté listo para cocinar, cuece los garbanzos durante una hora y cuarto. Luego añade las espinacas cortadas, el huevo picado y el bacalao desmigado. Deja cocer 20 minutos más. Controla de sal. Antes de servir, pon un chorrito de aceite de oliva.

## 379 – GARBANZOS CON MEJILLONES

*Ingredientes:*
- 400 g de garbanzos
- 16 mejillones
- 1 cebolla
- 2 zanahorias
- 2 dientes de ajo
- 1 cuch. de perejil picado
- sal
- agua
- aceite

*Elaboración:*

En una cazuela con agua hirviendo y sal, echa los garbanzos (que habrás puesto en remojo en la víspera) con las zanahorias, la cebolla y un chorro de aceite. Cuécelos durante 50 o 55 minutos aproximadamente. Una vez cocidos, desespuma los garbanzos.

Abre los mejillones con un poco de agua y resérvalos.

En una cazuela con aceite, dora los ajos en láminas. Cuando estén dorados, añade los garbanzos escurridos con la zanahoria. Saltea y espolvorea con perejil picado. Por último, añade la carne de los mejillones. Rehógalo todo junto y sirve.

## 380 – GARBANZOS CON POLLO EN ESCABECHE

*Ingredientes:*
- 300 g de garbanzos cocidos
- 300 g de pechuga de pollo
- 1 cebolleta
- 2 dientes de ajo
- 1 pizca de tomillo
- 1 ramita de romero
- ¼ litro de vinagre de jerez
- ½ litro de aceite de oliva
- sal
- pimienta

*Elaboración:*

En una cazuela con un poco de aceite, pocha la cebolleta picada y los dos dientes de ajo. Trocea la pechuga de pollo, salpiméntala y añádesela a la cazuela. Una vez rehogada, moja con el vinagre y el aceite. Agrega los garbanzos cocidos y las especias, guísalo durante 15 minutos y sirve.

Puedes tomar este plato frío o caliente.

## 381 – GARBANZOS CON SALMÓN

*Ingredientes:*
- 400 g de garbanzos
- apio

- caldo de pescado
- 250 g de salmón ahumado
- 1 cebolleta
- perejil

salsa:
- 2 azucarillos
- vinagre de estragón
- aceite de oliva
- agua

## Elaboración:

Cuece los garbanzos en un caldo de pescado con 1 rama de apio. En un plato coloca el salmón abierto y finamente cortado. Encima, los garbanzos fríos y escurridos, y sobre éstos, la cebolleta en juliana y el perejil.

Para preparar la salsa, en un cazo pon un poco de agua con el azúcar y un chorro de vinagre de estragón. Deja reducir el caldo a la mitad y deja enfriar. Salpimenta la ensalada y aliña.

## 382 – GARBANZOS CON TOMATES

*Ingredientes:*
- 300 g de garbanzos
- unas verduras (cebolla, puerro, zanahoria...)
- 2 clavos
- 1 cebolla
- 1 zanahoria

- 200 g de chorizo
- 3 tomates
- sal
- agua
- aceite
- perejil picado

## Elaboración:

Pon en remojo los garbanzos en la víspera. Cuécelos en agua caliente con sal, un chorro de aceite, dos clavos y unas verduras (cebolla, puerro, zanahoria...), hasta que estén tiernos. Tardarán de 50 a 55 minutos.

Pocha en una cazuela con aceite la cebolla y la zanahoria picadas y sazona. Trocea el chorizo, añádeselo y rehoga junto con los tomates muy picados. Agrega los garbanzos bien escurridos y guísalo durante 5 minutos.

Por último, espolvorea con perejil picado y sirve.

# 383 – GARBANZOS CON TORTAS DE PAN

*Ingredientes:*

- 400 g de garbanzos
- 40 g de miga de pan remojada en leche
- 2 patatas
- 1 cebolleta
- 1 zanahoria

- 2 dientes de ajo
- perejil picado
- 1 plato con harina
- sal
- agua
- aceite

*Elaboración:*

Deja en remojo en la víspera los garbanzos.

Ponlos a cocer en agua caliente (la justa) junto con una cebolleta y una zanahoria durante 40 minutos. A continuación, añade las patatas peladas y troceadas y déjalo hacer otros 15 minutos, poniendo a punto de sal.

En un mortero, machaca los dientes de ajo con el perejil picado. Añade este majado a la miga de pan remojada y mezcla bien.

En una sartén con aceite, fríe las tortas, que habrás formado con la masa de pan, enharinadas.

Por último, agrega las tortas a los garbanzos, espolvorea con perejil picado y sirve.

# 384 – GARBANZOS CON TORTELLINI

*Ingredientes:*

- 300 g de garbanzos
- 150 g de tortellini rellenos de carne
- 1 huevo cocido
- 1 cebolleta

- 1 zanahoria
- sal
- agua
- aceite
- perejil picado

Cuece los tortellini en abundante agua con sal durante 10 minutos. Escurre y reserva.

Cuece también en agua caliente los garbanzos, que habrás puesto en remojo en la víspera, hasta que estén tiernos. Tardarán unas 2 horas a fuego lento.

En una sartén con aceite, pocha la zanahoria y la cebolleta muy picadas. Sazona y, después de unos minutos, añade los tortellini y rehoga. A continuación, agrega los garbanzos bien escurridos y sigue rehogando para que se mezclen bien todos los sabores.

Sirve en una fuente con el huevo cocido y el perejil, todo picado.

## 385 – GARBANZOS CON TROPIEZOS

*Ingredientes:*

- 300 g de garbanzos
- 1 cebolla
- 3 dientes de ajo
- 1 hoja de laurel
- 1 zanahoria
- 1 cuch. de pimentón
- 200 g de chorizo de cocer
- 100 g de tocino entreverado
- 100 g de zancarrón
- 50 g de manteca de cerdo
- 1 cuch. de harina
- sal
- agua
- perejil picado

*Elaboración:*

Pon los garbanzos en remojo en la víspera. Pela y trocea la cebolla, la zanahoria, los ajos en láminas y póchalo en una cazuela con aceite. Sazona. Después, añade la carne y el tocino y rehoga. Pon los garbanzos en la cazuela junto con el laurel y el chorizo. Cúbrelo con abundante agua y deja que cueza 45 o 50 minutos. Si quieres, puedes desgrasarlo una vez cocido.

Trocea el chorizo, el tocino y el zancarrón.

Funde la manteca en una sartén y rehoga ligeramente la harina y el pimentón, añádeselo a los garbanzos, pruébalo de sal, espolvorea con perejil picado y sirve.

## 386 – GARBANZOS FRITOS CON HUEVOS

*Ingredientes:*

- 8 huevos
- 350 g de garbanzos cocidos
- 3 dientes de ajo
- perejil picado
- ¼ litro de salsa de tomate
- aceite de oliva

*Elaboración:*

En una sartén, con un poco de aceite, fríe los ajos en láminas. Añade la salsa de tomate y los garbanzos cocidos, rehogándolo durante unos minutos. Espolvoréalo con perejil y sirve en un plato o fuente.

Aparte, fríe los huevos y acompáñalos de los garbanzos con salsa de tomate.

## Lentejas

## 387 – ENSALADA DE LENTEJAS

*Ingredientes:*

- 500 g de lentejas
- 1 cebolla
- 1 cabeza de ajo
- 3 zanahorias
- 2 cebolletas
- 3 cuch. de vinagre
- 9 cuch. de aceite
- laurel
- hierba de canónigo
- jamón de pato

- 1 trozo de apio
- 3 tomates rojos

- lechuga de roble

*Elaboración:*

Cuece las lentejas con cebolla, la zanahoria y el ajo en la olla a presión durante ocho minutos. Escurre y guarda el caldo. Corta en juliana las zanahorias y el apio, pica la cebolleta, el ajo y la cebolla muy finos, los tomates picaditos y aliña con aceite y vinagre.

Pon en el fondo del plato la lechuga de roble. Mezcla los demás ingredientes con las lentejas y añade el vinagre, el aceite y 2 cucharadas de caldo de cocción, y coloca encima la hierba de canónigo acompañándolo todos con tiras de jamón de pato.

## 388 – LENTEJAS CON ALITAS DE POLLO

*Ingredientes:*
- 300 g de lentejas
- 1 cebolleta
- 1 cebolla roja
- 3 dientes de ajo
- 1 pimiento morrón asado y pelado

- 8 alas de pollo
- 3 patatas
- sal
- pimienta
- aceite
- agua

*Elaboración:*

Cuece las lentejas (previamente remojadas) en agua con una cebolleta, sal y un chorro de aceite, durante 40 o 45 minutos. Después, añade las patatas, peladas y troceadas, y déjalo hacer otros 15 minutos.

Salpimenta las alas de pollo y fríelas, hasta que estén doradas, en una sartén con aceite donde habrás puesto 3 dientes de ajo, enteros y con piel, y la cebolla roja picada.

Sirve las lentejas en una fuente y coloca sobre ellas las alitas. Acompaña con la verdura (cebolla y ajo) y los pimientos en tiras.

## 389 – LENTEJAS CON CUELLOS DE CORDERO

*Ingredientes:*

- 400 g de lentejas
- 400 g de cuellos troceados
- 1 cebolleta
- 1 tomate
- 2 dientes de ajo
- ½ hoja de laurel
- unos granos de pimienta
- aceite
- agua
- sal

*Elaboración:*

Pica fino el tomate, la cebolleta y el ajo y ponlo todo a pochar en una cazuela con aceite junto con el laurel y 6 u 8 granos de pimienta. Sazona. Una vez pochado, añade el cordero troceado y sazonado y rehógalo. Después, agrega las lentejas, que habrás dejado en remojo, y cúbrelas con abundante agua. Pon a punto de sal y deja cocer hasta que las lentejas estén hechas, unos 40 minutos aproximadamente.

Puedes añadir más agua en el tiempo de cocción si es necesario.

## 390 – LENTEJAS CON FOIE-GRAS

*Ingredientes:*

- 300 g de lentejas
- 250 g de foie-gras
- ½ cebolla
- 1 puerro
- 1 zanahoria
- aceite de oliva
- pimienta
- sal
- agua

*Elaboración:*

Cuece las lentejas (que habrás puesto en remojo en la víspera) en agua fría con sal, el puerro, la zanahoria, la cebolla y un chorro de aceite de oliva. En una olla a presión tardará de 15 a 20 minutos.

Corta el foie-gras en tajadas, salpimenta con sal gorda y fríelas en una sartén muy caliente, pero sin aceite.

Sirve las lentejas acompañadas del foie-gras frito.

## 391 – LENTEJAS CON MOLLEJAS

*Ingredientes:*

- 400 g de lentejas
- 300 g de mollejas de cordero
- 2 cebollas
- 4 dientes de ajo
- 1 zanahoria
- 1 cuch. de harina
- 1 vaso de caldo de verduras
- sal
- agua
- aceite

*Elaboración:*

Pon a cocer las lentejas (que habrás puesto en remojo en la víspera) en agua con sal y un chorro de aceite de oliva junto con una cebolla y una zanahoria. Déjalas hacer durante 40 minutos aproximadamente, hasta que estén tiernas.

En una cazuela con aceite, rehoga la otra cebolla picada y los dientes de ajo pelados y enteros.

Limpia las mollejas, sazona y agrégaselas a la cazuela. Rehoga, añade la harina y vuelve a rehogar. Moja con el caldo. Por último, echa sobre este salteado las lentejas bien escurridas, déjalo hacer todo junto durante unos minutos y sirve.

## 392 – LENTEJAS CON VERDURAS

*Ingredientes:*

- 500 g de lentejas (en remojo durante 10 horas)
- 2 ajos
- aceite

- 1 calabacín
- 1 cebolla o cebolleta
- 1 puerro
- 1 pimiento verde
- 1 zanahoria
- 2 tomates

- 1 plátano
- 1 hoja de laurel
- pimienta negra en grano
- agua
- patatas fritas en cuadrados
- sal

*Elaboración:*

Limpia y corta la cebolleta, el calabacín, la zanahoria, el puerro, el pimiento verde, los dientes de ajo y los tomates. Una vez picados todos estos ingredientes, échalos a una cazuela con aceite, para que se pochen durante 10 minutos. Transcurrido este tiempo, añade 4 o 5 granos de pimienta y una hoja de laurel. Deja al fuego lento 5 minutos más. Después, agrega las lentejas –que habrán estado en remojo desde la noche anterior–, cubre con agua y deja cocer a fuego medio durante 30 minutos, vigilando el agua para que no se sequen. Sazona al gusto y añade las patatas fritas y el plátano cortado en rodajas.

Deja a fuego lento 5 minutos y sirve, comprobando antes el punto de sal.

## 393 – LENTEJAS GUISADAS

*Ingredientes:*
- 1 kg de lentejas
- 1 morcilla
- 1 cebolla picada
- 1 cucharadita de pimentón dulce o picante

- aceite de oliva
- sal
- agua
- 1 diente de ajo picado

*Elaboración:*

Pon a cocer las lentejas, sálalas. Estarán cocidas en unos 40 o 45 minutos

Aparte, cuece la morcilla pinchada por varios sitios.

Sofríe la cebolla y el ajo en una sartén con aceite. Cuando se doren, y fuera del fuego, agrega el pimentón, rehoga y añádeselo a las lentejas junto con la morcilla en rodajas. Déjalo reposar fuera del fuego unos minutos y sirve.

## 394 – LENTEJAS POSADERAS

*Ingredientes:*
- 400 g de lentejas
- 1 pimiento verde
- 1 cebolla
- pimienta blanca
- 2 yemas de huevo
- 1 chorrito de vinagre
- perejil
- aceite, agua y sal

*Elaboración:*

Cuece las lentejas en agua con un chorrito de aceite, sal y un pimiento verde (1 hora aproximadamente a fuego lento).

En una sartén, rehoga la cebolla picada y salpimentada.

Vierte este sofrito en las lentejas cocidas, espolvorea con perejil picado y deja cocer 5 minutos más.

Bate las yemas con un chorrito de vinagre e incorpora todo a la cazuela de las lentejas. Mezcla bien y deja reposar 3 minutos.

Sirve y adorna con una ramita de perejil.

## Otras legumbres

## 395 – ENSALADA DE LEGUMBRES CON JAMÓN

*Ingredientes:*
- 500 g de legumbres cocidas (lentejas, alubias blancas, garbanzos)
- 300 g de jamón serrano
- 1 endibia
- ½ lechuga
- aceite de oliva
- sal

*Elaboración:*

En el fondo de una fuente coloca las hojas de lechuga, bien limpias y en juliana, y sazona. Añade por encima las legumbres ya frías y las hojas de endibia cortadas en tiras. Cubre la ensalada con las lonchas de jamón, aliña con aceite de oliva y sirve.

## 396 – ENSALADA DE LEGUMBRES Y SOJA

*Ingredientes:*
- 1 lechuga
- 200 g de judías blancas
- 200 g de brotes de soja
- 1 tomate en dados
- 1 endibia
- aceite de oliva o de soja
- vinagre de jerez
- perejil
- sal
- agua

*Elaboración:*

Pon en remojo las judías en la víspera. Cuécelas en agua con sal hasta que estén tiernas, después escurre y refréscalas.

Limpia las verduras. Haz una vinagreta con el aceite de oliva o de soja, el tomate en dados, el vinagre y la sal, mezclándolo todo bien. Espolvorea con perejil picado.

Coloca la lechuga troceada y las hojas de endibia en el fondo de un plato o fuente y después dispón encima las judías y los brotes de soja. Por último, sazona con sal gorda, aliña con la vinagreta y sirve.

## 397 – HABAS SECAS CON PULPO

*Ingredientes:*
- 300 g de habas secas
- 400 g de pulpo cocido
- 1 cebolleta
- 1 pimiento verde
- 1 cuch. de pimentón
- perejil picado
- sal
- agua
- aceite

*Elaboración:*

Pon a pochar en una cazuela con aceite la cebolleta y el pimiento verde picados. Echa una pizca de sal. Agrega una cucharada de pimentón, rehoga y añade las habas. Cubre con agua y deja cocer a fuego lento durante una hora y cuarto aproximadamente, hasta que las habas estén tiernas (tardarán menos si previamente las has puesto en remojo). Pon a punto de sal y, si te queda ligero, puedes ligarlo con harina de maíz refinada, diluida en agua fría. Desespuma.

Trocea el pulpo y añádeselo a las habas. Espolvorea con perejil picado, guísalo todo junto otros 5 minutos y sirve.

## 398 – POTAJE CANARIO

*Ingredientes:*
- 250 g de judías blancas
- 200 g de calabaza
- 1 calabacín
- 1 tomate
- 100 g de maíz cocido
- 2 dientes de ajo
- aceite de oliva
- agua

- 1 cebolleta
- 100 g de bacon

- sal

*Elaboración:*

Pon en remojo las judías en la noche anterior. En una cazuela, sofríe el bacon con un poco de aceite, añade la cebolleta picada, los ajos fileteados y el tomate pelado y troceado. Después, agrega las judías, cúbrelo todo con agua, y deja que hierva de 40 a 45 minutos.

En otra sartén con aceite, saltea la calabaza y el calabacín troceados. Sazona y agrega el maíz cocido. Rehógalo y echa este salteado sobre el potaje. Mézclalo todo bien y déjalo a fuego lento de 5 a 10 minutos. Pon a punto de sal y sirve.

## 399 – POTAJE CASTELLANO

*Ingredientes:*

- ½ kg de garbanzos
- ½ kg de espinacas
- 2 zanahorias
- 2 hojas de laurel
- 4 dientes de ajo
- 1 cebolla

- 2 huevos cocidos
- sal
- 1 cuch. de harina
- 1 cuch. de pimentón
- aceite

*Elaboración:*

Pon los garbanzos con una hoja de laurel en remojo en la noche anterior. Pica las zanahorias, media cebolla y las espinacas. Pon a cocer en agua caliente los garbanzos, las verduras picadas y el laurel. Deja a fuego lento un par de horas. También puedes hacerlos en olla a presión, el tiempo de cocción se reducirá considerablemente.

Aparte, haz un sofrito con la otra media cebolla picada y los ajos picados. Cuando esté casi rehogado, añade harina, el pimentón y un cazo de caldo de los garbanzos. Agrégalo a los garbanzos y deja cocer otros 5 minutos.

Sirve con huevo picado.

# 400 – POTAJE CON BACALAO

*Ingredientes:*

- 250 g de garbanzos
- 200 g de judías blancas
- 2 tomates
- 2 cebolletas
- 1 cucharadita de pimentón picante
- aceite
- sal

- 250 g de bacalao desalado
- 1 o 2 huevos
- un poco de miga de pan
- orégano
- perejil picado
- harina
- agua
- un chorrito de leche

*Elaboración:*

Deja los garbanzos y las judías en remojo en la víspera.

Pon a cocer las judías en agua fría, y cuando empiecen a hervir agrega los garbanzos y un chorrito de aceite (también puedes añadir alguna verdura). Al cabo de una hora, aproximadamente, añade un sofrito hecho con el tomate, la cebolleta, bien picados y sazonados, y el pimentón. Pon el potaje a punto de sal.

Prepara unas albóndigas mezclando el bacalao desalado y desmigado con la miga de pan que habrás remojado en leche, huevo batido y una pizca de orégano. Pasa estas bolitas por harina y fríelas en aceite bien caliente.

Por último, agrega las albóndigas al potaje y deja éste fuera del fuego reposando unos 5 minutos aproximadamente.

Sirve espolvoreado con perejil picado.

# Sopas y cremas

## 401 – CALDO GALLEGO

*Ingredientes:*

- 1,5 litros de agua
- 200 g de jamón curado en un trozo
- 2 huesos de caña
- 50 g de alubias blancas
- ½ kg de patatas
- ½ manojo de grelos o unas hojas de berza
- 2 trozos de tocino (unto)
- sal
- unas lonchas de codillo cocido

*Elaboración:*

En una olla a presión con agua y sal cuece los huesos junto con el jamón y las alubias (que habrán estado en remojo en la noche anterior) durante unos 20 minutos. Cuando las alubias estén medio cocidas, saca los huesos y agrega las patatas cortadas en trozos pequeños y deja que siga cociendo 8 o 10 minutos. Aparte, cuece en otra cazuela con agua los grelos, para quitarles el sabor ácido que tienen. Cuando el agua empiece a hervir, retíralos y escurridos échalos junto con el unto (tocino) en la cazuela donde están las alubias, dejándolo al fuego, hasta que esté todo bien cocido, otros 10 minutos aproximadamente.

Por último, desespuma, desgrasa, pruébalo de sal y sirve.

Acompáñalo con unas lonchas de codillo cocido.

263

# 402 – CONSOMÉ AL AROMA DE AJO

*Ingredientes:*

- 4 carcasas de pollo
- 3 yemas de huevo
- 3 dientes de ajo
- 6 cuch. de aceite de oliva virgen
- 1 puerro
- 1 tomate
- 1 zanahoria
- 2 litros de agua
- sal

*Elaboración:*

Cuece las carcasas y las verduras en una cazuela con agua y sal durante hora y media aproximadamente. Pasado este tiempo, cuela el caldo, saca la carne de las carcasas y pícala.

Pica los dientes de ajo y dóralos en aceite en una cazuela. Cuando estén dorados, añade el caldo poniéndolo a punto de sal, y el pollo picado junto con las yemas batidas que agregarás poco a poco para que cuajen. Remueve el consomé y sirve en sopera o en cuencos individuales.

# 403 – CONSOMÉ CON PASTA

*Ingredientes:*

- 100 g de pasta
- 1 litro de caldo
- 20 tortellini cocidos
- sal
- aceite

*Elaboración:*

Cuece la pasta en una cocedera, colocando el caldo abajo y encima la pasta, y deja que cueza unos 8 o 10 minutos. Una vez cocida, escúrrela y sírvela en una sopera, añade después el caldo caliente y los tortellini cocidos. Rectifica de sal y adorna con un chorro de aceite.

## 404 – CONSOMÉ FRÍO

*Ingredientes:*

- ½ gallina
- 100 g de zancarrón
- 1 hueso
- 1 ramillete de perejil
- 2 puerros (parte blanca)
- 2 zanahorias
- 2 cebolletas
- 1 cebolla
- 10 hojas de gelatina neutra
- 3 litros de agua
- sal
- 2 huevos cocidos

*Elaboración:*

Limpia la gallina y las verduras y trocéalo todo excepto la cebolla. Ponlo en una cazuela con agua y sal a fuego suave. Corta la cebolla pelada en tres rodajas y gratínalas hasta dorarlas. Añádeselas al caldo para darle un color oscuro. Déjalo reducir a fuego lento, durante una hora u hora y media, hasta que quede más o menos 1 litro y medio.

Cuela el caldo sin enturbiarlo, reservando la gallina y el zancarrón. Cuando esté templado, añádele la gelatina. Déjalo enfriar en el frigorífico durante dos horas aproximadamente. Trocea el caldo ya duro y sírvelo en tazas o platos acompañado de huevo cocido picado, y la gallina y el zancarrón también picados.

Este caldo también puedes tomarlo caliente.

## 405 – CREMA DE ACELGAS CON PENCAS

*Ingredientes:*

- 1 kg de acelgas
- ½ kg de patatas
- 2 o 3 zanahorias
- 2 puerros
- harina
- huevo batido
- aceite
- agua
- sal

*Elaboración:*

En una vaporera con agua y sal gorda, pon a cocer las pencas (blanco de las acelgas), bien limpias, hasta que estén tiernas.

En una cazuela con agua hirviendo, un chorro de aceite y sal, pon las acelgas, bien limpias, junto con las patatas peladas y troceadas y el resto de la verdura –zanahorias y puerros– también limpia y troceada. Deja cocer durante 30 minutos y tritúralo todo con la batidora. Si quieres una crema más fina, pásalo por un chino.

Corta las pencas en trozos, pásalos por harina y huevo batido y fríelos en una sartén con un poco de aceite.

Por último, añade las pencas –escurridas de aceite– a la crema y sirve.

Echa por encima un chorro de aceite de oliva crudo.

---

## 406 – CREMA DE APIO

*Ingredientes:*

- 500 g de apio
- perejil picado
- ½ vaso de nata líquida
- sal
- agua

- 1 cuch. de harina de maíz refinada
- unas rebanadas de pan
- aceite

*Elaboración:*

Cuece las hojas y partes verdes del apio, bien limpias y cortadas en trocitos, durante 20 minutos en agua con sal.

Con ayuda de la batidora, tritura el apio y desespuma.

Pasa la crema por un chino y después mézclala con la nata líquida, calentándola durante 2 o 3 minutos, hasta que ligue la crema. Pon a punto de sal y, si te queda muy ligera, espésala con un poco de harina de maíz refinada, diluida en agua.

Por último, espolvorea con perejil picado y adorna con unos costrones de pan fritos en aceite bien caliente.

# 407 – CREMA DE CALABACÍN CON SALMÓN

*Ingredientes:*
- 500 g de calabacín
- 1 cebolla
- 3 patatas
- 200 g de salmón ahumado
- ½ litro de bechamel
- aceite

*Elaboración:*

Pela los calabacines y trocéalos, así como las patatas y la cebolla. Pon todo en una cazuela con aceite y rehoga unos minutos. Cuando esté bien rehogado, agrega el agua. Deja cocer a fuego medio durante 20 minutos.

Cuando estén ya cocidos los ingredientes, pásalos por la batidora y añade la bechamel. Pon nuevamente al fuego para que espese.

Para servir, pon la crema en cuencos y adorna con tiras de salmón ahumado.

# 408 – CREMA DE CALABAZA

*Ingredientes:*
- ½ kg de calabaza roja
- 2 cebollas
- 2 zanahorias
- 1 puerro
- 1 diente de ajo
- ½ pimiento verde
- 1 vasito de tomate natural hecho
- 2 patatas nuevas
- ½ vaso de aceite
- agua
- sal

*Elaboración:*

Pica la verdura y ponla a rehogar en una cazuela con el vaso de aceite a fuego lento.

Mientras, saca la carne de la calabaza y córtala en trozos como la verdura. Haz lo mismo con las patatas. Cuando la verdura empiece a dorar, añade la calabaza y las patatas. Rehoga todo un poco con las verduras y añade agua hasta que lo cubra.

Sazona y añade el vasito de tomate.

Mantenlo a fuego lento durante una hora aproximadamente.

Cuando esté hecho, pásalo por la batidora y luego por el chino, para que quede una crema suave al paladar.

## 409 – CREMA DE CHAMPIÑÓN

*Ingredientes:*
- ¼ kg de champiñones
- 3 dientes de ajo
- 1 chorro de jerez
- sal y aceite
- 1¼ litros de leche
- harina de maíz refinada
- 1 puerro
- 1 zanahoria
- 1 chorrito de nata líquida
- agua
- 2 yemas de huevo

*Elaboración:*

En una cazuela con un poco de aceite pon bien picado el ajo, el puerro, la zanahoria y los champiñones fileteados. Rehoga y añade el jerez y al rato un poco de agua hasta cubrir. Sazona. Deja cocer 20 o 30 minutos. Una vez cocido, cuela el caldo.

Al caldo añádele la leche, la nata líquida y los champiñones picaditos muy finos. Pon al fuego, y cuando hierva agrega una cucharadita de harina de maíz. Deja cocer otros 5 minutos y añade las yemas batidas. Prueba de sal y sirve.

# 410 – CREMA DE COLIFLOR

*Ingredientes:*

- 500 g de coliflor
- 400 g de patatas
- 30 g de queso de cabra
- 1 cebolleta
- sal

- 2 litros de agua
- costrones de pan
- huevo batido
- un plato de harina
- aceite

*Elaboración:*

Pela las patatas y córtalas en trozos. Limpia y trocea la coliflor. Pica la cebolleta y el queso.

Pon a cocer la coliflor y la patata en agua hirviendo con sal y un chorro de aceite a fuego suave una media hora. A mitad de la cocción añade la cebolleta y el queso.

Pásalo por la batidora –reservando unos 100 g de coliflor para rebozar–, y si quieres que quede más fina, por el chino.

En una sartén con aceite fríe los costrones y reserva. En otra, fríe los trocitos de coliflor rebozados en harina y huevo.

Sirve la crema y pon encina un chorro de aceite de oliva.

Por último, añade los tropiezos.


# 411 – CREMA DE ESPÁRRAGOS CON ALMEJAS

*Ingredientes:*

- 3 manojos de espárragos verdes
- 2 patatas
- 400 g de almejas
- 1 cebolleta

- 2 dientes de ajo
- aceite de oliva
- sal
- agua

*Elaboración:*

Pela las patatas y cuécelas durante 15 minutos en una cazuela con agua. Después, incorpora los espárragos bien limpios y troceados y déjalos cocer otros 10 minutos aproximadamente. Una vez cocido todo, tritúralo y pon a punto de sal. Si quieres obtener una crema más fina, pasa el puré por el chino.

En una sartén con un poco de aceite pocha una cebolleta picada y 2 dientes de ajo. Cuando estén dorados, añade las almejas y espera que se abran. Una vez abiertas, agrégaselas a la crema. Deja hacer unos minutos y sirve.

## 412 – CREMA DE ESPÁRRAGOS VERDES CON VIEIRAS

*Ingredientes:*
- 2 manojos de espárragos verdes
- 4 patatas
- 8 vieiras
- 1 diente de ajo
- aceite de oliva
- sal
- pimienta
- perejil picado

*Elaboración:*

Comienza pelando las patatas. A continuación, en una cazuela con agua cuece las patatas unos 20 minutos. Transcurrido este tiempo, incorpora los espárragos bien limpios y deja cocer otros 10 minutos. Una vez cocidos estos dos ingredientes, escurre y tritura las patatas y los espárragos. Si fuese necesario, pásalos por el chino para obtener una crema más fina.

Aparte, corta en lonchas las vieiras sazonadas con sal y pimienta. Saltéalas con un poco de aceite, el ajo picadito y el perejil picado. Para servir, pon en el fondo del plato un cazo de crema y vierte encima las vieiras salteadas.

# 413 – CREMA DE GUISANTES CON TROPIEZOS

*Ingredientes:*
- 1 kg de guisantes pelados
- 6 espárragos blancos cocidos
- 3 patatas nuevas
- 2 cuch. de aceite de oliva
- sal
- agua

para freír los espárragos:
- harina
- huevo
- aceite
- sal

*Elaboración:*

Cuece los guisantes con las patatas, sal y 2 cucharadas de aceite de oliva durante 20 minutos aproximadamente a fuego no muy fuerte. Tritura y pasa por el chino. Una vez cocidos los espárragos (también pueden ser de lata), trocéalos, rebózalos y fríelos. Añádelos a la crema o bien ponlos para acompañar.

# 414 – CREMA DE LENTEJAS CON CODORNIZ

*Ingredientes:*
- 500 g de lentejas
- 1 cebolla
- 1 tomate

- 1 puerro
- 4 codornices
- aceite, sal y agua

*Elaboración:*

Pon las lentejas en remojo en la víspera. Lávalas y pon a cocer todo junto en una cazuela, y cuando empiece a hervir, añade las codornices atadas, prueba de sal y vigila que las lentejas no se queden sin agua.

Cuando se cuezan las codornices, sácalas y deja que se terminen de cocer las lentejas.

Pásalas por un pasapuré y añade las codornices abiertas por la mitad.

## 415 – CREMA DE MEJILLONES

*Ingredientes:*
- 2 kg de mejillones
- 3 puerros
- 1 vaso de vino blanco o vermut
- unas hebras de azafrán
- 2 vasos de caldo de pescado
- 2 vasos de agua
- 1 vaso de nata líquida
- sal
- aceite
- perejil picado

*Elaboración:*

Cuece los mejillones en una cocedera con agua, vino blanco (o vermut) y sal. Reserva la carne de los mejillones y el caldo colado.

En una cazuela, con un chorro de aceite, pocha 2 puerros bien picados junto con las hebras de azafrán. Después, añade el caldo de los mejillones, el caldo de pescado y la nata líquida. Cuece durante 20 minutos aproximadamente y, después, tritúralo con una batidora. Pica la carne de los mejillones –reservando alguno– y añádesela a la cazuela. Vuelve a triturar la crema, pásala por el chino y sirve añadiendo por encima el resto de los mejillones troceados.

Fríe, en aceite muy caliente, un puerro en juliana. Añade a la crema el puerro frito y perejil picado.

## 416 – CREMA DE NÍSPERO

*Ingredientes:*
- ½ kg de níspero
- 6 zanahorias
- sal
- 1 puerro

- 2 patatas
- 3 dientes de ajo
- agua
- aceite

verduras para acompañar:
- berenjena
- zanahoria, etc.

*Elaboración:*

Saltea la zanahoria y el puerro cortados en rodajas junto con el ajo en un poco de aceite. Cuando esté bien dorado, añade los nísperos, pelados y sin pepitas, y las patatas en gajos. Rehoga, cúbrelo con agua y deja hacer a fuego lento durante unos 30 minutos. Pasado este tiempo, tritúralo con una batidora y pásalo por el chino.

Por último, pon la crema a punto de sal y acompáñala con unas verduras fritas en rodajas finas.

Esta crema también se puede tomar fría.

## 417 – CREMA DE PAVO

*Ingredientes:*
- 2 pechugas de pavo
- 2 cebollas
- un trozo de apio
- 1 vaso de nata líquida
- 100 g de harina

- 100 g de mantequilla
- sal
- agua
- perejil picado

*Elaboración:*

Cuece el pavo en agua con sal junto con las cebollas troceadas, el apio y un chorro de nata líquida. Retira el pavo y cuela el caldo. Corta el pavo en trocitos y resérvalo.

Prepara una velouté rehogando la harina en la mantequilla derretida y añadiendo poco a poco el caldo de pavo, sin parar de remover. Una vez que la crema tenga el espesor deseado, agrega el resto de la nata y parte del pavo desmenuzado.

Por último, pon a punto de sal, espolvorea con perejil picado y sirve.

Acompaña la crema con el resto de los trocitos de pavo para servir al gusto.

## 418 – CREMA DE PUERROS CON ESPÁRRAGOS

*Ingredientes:*

- 1 kg de puerros
- 3 patatas
- agua
- sal
- 24 yemas de espárragos verdes
- aceite de oliva
- 12 rebanadas de pan

*Elaboración:*

Limpia bien los puerros. Pon agua a hervir y agrega los puerros picados junto con las patatas peladas y troceadas, la sal y un chorrito de aceite de oliva –si es virgen, mejor– y deja que cueza durante 30 minutos aproximadamente. Una vez cocido, tritúralo y pásalo por la batidora y, si lo quieres más fino, por el chino.

Cuece las yemas de espárragos durante 1 minuto y después añádelas a la crema. Acompaña esta crema con picatostes de pan que habrás frito en aceite.

Por último, adorna la crema con un chorrito de aceite crudo.

## 419 – GAZPACHO DE TRIGUEROS

*Ingredientes:*

- 2 manojos de espárragos trigueros
- 4 huevos cocidos
- 2 dientes de ajo
- 3 cucharadas soperas de aceite de oliva
- 1 chorrito de vino blanco
- 3 patatas grandes
- 1,250 litros de agua
- sal
- vinagre

Limpia y fríe en una sartén con aceite los espárragos. Escurre y deja enfriar. Tritura la mitad de los espárragos con las yemas, los ajos y el vinagre, añadiendo el agua poco a poco. Una vez triturado bien fino, coloca y agrega el resto de los espárragos, las patatas en rodajas fritas y las claras de los huevos picaditos.

Pon a punto de sal, espolvorea con perejil y sirve.

## 420 – PURÉ DE APIO Y ZANAHORIA

*Ingredientes:*

- 500 g de zanahorias
- 1 tallo de apio
- 2 patatas
- 2 cebollas o cebolletas
- aceite

- 2 litros de caldo
- sal
- 1 tacita de nata
- perejil picado

*Elaboración:*

En una cazuela con aceite pon la cebolla picada, añade el apio limpio y picado, sala y rehoga durante 4 o 5 minutos. Después agrega las patatas y las zanahorias troceadas, rehoga, baña con el caldo y deja cocer durante 30 o 40 minutos. Después, pásalo por el pasapuré. Rectifícalo de sal y espolvorea con perejil picado. Sirve el puré con un chorro de aceite crudo por encima.

## 421 – PURÉ DE BERENJENAS

*Ingredientes:*

- 1 kg de berenjenas
- 3 huevos

- dos rebanadas de pan de molde

- 1 vaso de caldo de carne
- 1 cebolla
- aceite
- sal

*Elaboración:*

Pela las berenjenas y colócalas a cocer en una cazuela con el caldo de carne y un poco de sal, durante unos 20 minutos, hasta que estén tiernas. Después, hazlas puré con la batidora y reserva.

Mientras tanto, bate los huevos con sal.

Sofríe la cebolla bien picada en un poco de aceite; cuando esté pochada, mézclala con el puré y los huevos batidos y gratínalo durante 3 o 4 minutos.

Corta el pan de molde en triángulos y fríelos en aceite bien caliente.

Por último, sirve el puré con los costrones de pan frito.

## 422 – PURÉ DE LEGUMBRES CON REFRITO

*Ingredientes:*
- ½ kg de garbanzos
- 1 hoja de laurel
- 2 dientes de ajo
- 2 o 3 cebolletas
- 1 zanahoria
- 2 huevos cocidos
- unas rebanadas de pan
- aceite
- agua
- sal
- perejil picado

*Elaboración:*

Cuece en agua los garbanzos (que habrás puesto en remojo en el día anterior) con el laurel, la zanahoria, un chorro de aceite y sal, de 45 a 60 minutos. Después, retira el laurel y tritura el resto con una batidora (también puedes pasarlo por un chino).

En una sartén con aceite, fríe las cebolletas troceadas, los ajos picados, el pan y el huevo, también picado. Espolvorea con el perejil. Sirve el puré y echa por encima el refrito, que previamente puedes haber pasado por el mortero. Decora con un chorro de aceite de oliva crudo.

## 423 – PURÉ DE ORTIGAS

*Ingredientes:*

- 8 puñados de ortigas tiernas
- 4 patatas grandes
- 3 dientes de ajo
- aceite y sal
- agua
- nuez moscada
- 3 rebanadas de pan tostado
- mantequilla
- ½ vaso de nata líquida

*Elaboración:*

Rehoga en el aceite de oliva los tres dientes de ajo. Cuando estén doraditos, añade las patatas peladas y troceadas y las ortigas picadas (si son muy grandes, se separan las hojas del tallo). Cubre con agua, sazona y déjalo cocer 30 minutos con un poquito de nuez moscada.

A continuación, pásalo por el pasapuré o batidora.

Por último, añade la nata líquida fuera del fuego y mézclalo todo bien. Sirve y decóralo con unas rebanadas de pan tostado untado con mantequilla.

## 424 – SOPA CASERA

*Ingredientes:*

- 1½ tazas de arroz
- 100 g de jamón con tocino
- 1 cebolla
- 1 hoja de laurel
- 2 huevos cocidos
- 1 pimiento morrón asado
- sal
- aceite
- 200 g de guisantes
- 50 g de tocino
- 1 litro de agua
- perejil

*Elaboración:*

En una cazuela con un poco de aceite rehoga la cebolla picada. Cuando esté doradita, añade el jamón cortado en pequeños tacos, el tocino también en taquitos y el pimiento morrón pelado y picado. Después, agrega el arroz, los guisantes cocidos y una hoja de laurel, deja rehogando 3 o 4 minutos y echa el agua. Deja que cueza a fuego lento 15 minutos, hasta que se haga el arroz. Espolvorea con perejil picado y los huevos cocidos y sirve.

## 425 – SOPA CON HUEVO Y PIMENTÓN

*Ingredientes:*
- 12 rebanadas de pan tostado
- 150 g de jamón curado en tacos
- 4 dientes de ajo
- 4 yemas de huevo
- 1 cuch. de pimentón dulce
- 1 litro de caldo de carne
- perejil picado
- sal gorda

*Elaboración:*

Hierve en el caldo el jamón cortado en taquitos. En un mortero machaca el ajo pelado y troceado junto con el pimentón y un poco de sal gorda, hasta que quede todo bien majado. (Puedes añadir 1 cucharada de aceite para majarlo más fácilmente.) Pasados unos minutos de hervir el caldo, añade el pan tostado y el majado, y deja cocer a fuego suave de 6 a 8 minutos. Pruébalo de sal y espolvorea con perejil picado. Por último, pon una yema en cada cuenco y cúbrelas con la sopa bien caliente.

## 426 – SOPA DE AGUACATE

*Ingredientes:*
- 4 aguacates
- 1 litro de caldo de pollo
- 4 cuch. de nata
- sal
- pimienta

*Elaboración:*

Tritura tres aguacates. Añádeles el caldo y calienta hasta que lleguen al primer hervor. Añade la nata y deja que reposen 5 minutos. Sirve decorando la sopa con el cuarto aguacate.

## 427 – SOPA DE ARROZ

*Ingredientes:*

- 1 ½ tazas de arroz
- 100 g de jamón curado
- 50 g de bacon
- 1 cebolla
- 1 hoja de laurel
- 2 huevos cocidos
- 1 pimiento morrón asado y pelado
- 8 costrones de pan frito
- 2 dientes de ajo
- queso rallado
- 1 litro de agua
- aceite de oliva
- perejil picado
- sal

*Elaboración:*

En una cazuela con un poco de aceite, rehoga la cebolla picada. Cuando esté doradita, añade el jamón y el bacon cortados en tacos pequeños y una hoja de laurel.

Después agrega el arroz, rehógalo durante 2 o 3 minutos y moja con el agua, poniendo a punto de sal. Déjalo cocer a fuego lento durante 15 minutos, hasta que se haga el arroz.

Espolvorea con perejil y añade también el huevo cocido picado y el pimiento en tiras.

Unta los costrones de pan con los dientes de ajo y pon encima el queso rallado. Gratínalos hasta que se derrita el queso.

Sirve la sopa con los costrones de pan gratinados.

## 428 – SOPA DE ARROZ CON CALDO

*Ingredientes:*
- ½ kg de zancarrón
- 3 litros de agua
- 2 huevos cocidos
- 4 cuch. de arroz
- 4 cuch. de garbanzos
- 1 cuch. de perejil picado
- sal
- aceite de oliva

*Elaboración:*

Prepara el caldo cociendo, en el agua a fuego suave de una hora y media a dos horas, los garbanzos y el zancarrón con sal, junto con algunas verduras si lo deseas, hasta que reduzca a la mitad. Después, cuela el caldo y reserva los garbanzos y el zancarrón.

Pon el caldo a hervir y luego añade el arroz, deja que cueza a fuego suave durante 20 minutos más o menos y añade los garbanzos y el huevo cocido picado. Espolvorea con el perejil y sirve.

Parte el zancarrón en rodajas, échale sal gorda y aceite crudo por encima: sírvelo de acompañamiento para la sopa.

## 429 – SOPA DE ARROZ CON RAPE

*Ingredientes:*
- 2 cebolletas
- 2 tacitas de arroz
- 250 g de rape limpio
- 1 taza de salsa de tomate
- 50 g de almendras
- 2 huevos cocidos
- sal
- perejil picado
- aceite de oliva
- 1,5 litros de caldo de pescado

*Elaboración:*

Pica muy fina la cebolleta, sazona y ponla a pochar con aceite. Cuando se dore, añade la salsa de tomate, el arroz, el rape cortado en trocitos y la almendra machacada en un mortero.

Rehógalo todo y agrega el caldo. Déjalo cocer unos 20 minutos aproximadamente. Espolvorea la sopa con los huevos y el perejil picados. Mézclalo bien, rectifica de sal y sirve.

## 430 – SOPA DE AZAFRÁN

*Ingredientes:*

- ½ cucharadita de azafrán
- 1 cebolleta
- 2 puerros
- 2 dientes de ajo
- 1 litro de caldo de verduras
- 100 g de pan casero tostado
- 5 rebanadas de pan
- sal y aceite

*Elaboración:*

Pon al fuego una cazuela con el caldo.

Por otra parte, pica muy fino la cebolleta, los puerros y el ajo. Pon todo a pochar con aceite en una cazuela. Cuando se doren, añade el pan tostado y troceado. Rehoga bien y agrega el azafrán y el caldo hirviendo. Puedes dejar cocer a fuego suave 30 minutos o meter en el horno caliente a 180°, también 30 minutos. Cuando la sopa esté lista, fríe las rebanadas de pan, úntalas con ajo y colócalas en la sopa.

## 431 – SOPA DE BERROS

*Ingredientes:*

- 1 litro de caldo de ave
- 1 manojo de berros (sólo hojas)
- 3 cebolletas
- 2 huevos
- sal, aceite
- 500 g de guisantes
- 500 g de habas

*Elaboración:*

Pela los guisantes y las habas. Con las vainas haz un poco de caldo. Aparte, pica finas las cebolletas y póchalas en una cazuela con aceite.

Cuando estén doraditas, agrega las habas, los guisantes y los berros muy picaditos. Rehoga bien y agrega el caldo de ave y también el de las vainas. Cuece durante 20 minutos y al final añade los huevos batidos. Échalos despacio para que cuajen y formen largas hebras.

Prueba de sal y sirve.

---

## 432 – SOPA DE BONITO

*Ingredientes:*
- 300 g de bonito en un trozo
- 1 cebolla o cebolleta
- 3 dientes de ajo
- 4 cuch. de salsa de tomate
- 200 g de pan seco
- 4 cuch. de aceite de oliva virgen
- perejil picado
- caldo de bonito o agua
- sal
- pimienta

*Elaboración:*

Ante todo, limpia el bonito de pieles y espinas y haz con ellas un caldo. Pica el ajo y la cebolla y ponlos a pochar con el aceite. Cuando empiece a dorarse, añade el bonito en trozos pequeños y la salsa de tomate y salpimenta.

Cuando el caldo esté listo, cúelalo y ponlo a hervir, añadiendo el sofrito y el pan cortado en trozos, durante 15 o 20 minutos aproximadamente a fuego suave. Por último, ponlo a punto de sal y sírvelo con un poco de perejil picado.

---

## 433 – SOPA DE CALABACÍN

*Ingredientes:*
- 4 calabacines grandes
- 100 g de queso fresco

- 2 patatas
- 1 cebolleta o cebolla
- ½ litro de agua
- sal
- aceite
- cuadraditos de pan

*Elaboración:*

Pon la patata y los calabacines pelados y cortados en una cazuela con agua y sal junto con la cebolla también troceada (si los calabacines son muy tiernos no es necesario pelarlos). Deja que cueza 30 minutos aproximadamente, añade el queso y pásalo todo por la batidora y después por el chino. Pruébalo de sal y decora con los costrones de pan fritos en aceite.

## 434 – SOPA DE CALABAZA

*Ingredientes:*
- 1 calabaza limpia de ½ kg aproximadamente
- sal y pimienta
- azafrán
- aceite
- 1 cebolleta o cebolla
- queso rallado
- ½ taza de arroz
- agua
- perejil picado

*Elaboración:*

Corta la calabaza en tacos pequeños, y ponla a cocer en agua con sal unos 10 o 15 minutos aproximadamente. Cuando esté cocida, pásala por la batidora y añade un sofrito hecho con la cebolleta picada finamente, un poco de pimienta y 4 hebras de azafrán. A continuación, agrega el arroz y deja que todo cueza lentamente otros 15 minutos aproximadamente. Una vez en la sopera, espolvorea en el centro con el queso rallado y el perejil picado.

## 435 – SOPA DE CEBOLLA

*Ingredientes:*

- 1,5 litros de caldo de verduras o de ave (agua, sal, verduras o ave)
- 3 cebolletas
- aceite de oliva
- 12 rebanadas de pan tostado
- queso rallado
- sal
- 1 diente de ajo

*Elaboración:*

Prepara un caldo de ave o de verduras, dejando cocer dos o tres horas sus ingredientes. Cuanto más concentrado, mejor. Cuélalo y déjalo reposar para poder quitarle luego la grasa.

Rehoga la cebolleta cortada en tiras finas en una cazuela con sal y aceite de oliva, y póchala a fuego lento durante 10 o 15 minutos hasta que empiece a coger color dorado. Sazona. Añade luego el caldo y deja cocer otros 25 o 30 minutos a fuego no muy fuerte. Prueba la sopa de sal, añade las rebanadas de pan untadas con el diente de ajo pelado y cortado por la mitad. Espolvorea con queso rallado, y por último gratina la sopa en el horno durante 2 minutos y sírvela.

## 436 – SOPA DE CEBOLLA CON FIDEOS

*Ingredientes:*

- 2 cebollas
- 3 puñados de fideos
- 1,5 litros de caldo de verduras o ave
- unas lonchas de queso
- pan rallado
- aceite de oliva
- sal

*Elaboración:*

Rehoga la cebolla cortada en juliana en una cazuela con aceite de oliva y sal. Póchala a fuego lento hasta que empiece a coger color dorado. A continuación, añade los fideos junto con el caldo y deja cocer durante 10 o 12 minutos. Pon la sopa a punto de sal y pásala a unas tazas o cazuelitas resistentes al horno. Espolvorea con pan rallado, coloca encima unas lonchas de queso y gratina durante 2 minutos aproximadamente. Sirve.

## 437 – SOPA DE COLIFLOR

*Ingredientes:*

- ½ coliflor
- 4 rebanadas de pan duro
- 2 dientes de ajo
- 1 pimiento verde
- 1 cebolleta o cebolla
- 1 cuch. de pimentón dulce
- sal
- aceite
- perejil picado
- 2 huevos
- 1 litro de agua o caldo

*Elaboración:*

En una cazuela con un poco de aceite fríe los ajos pelados y troceados con las rebanadas de pan. Una vez fritos, sácalos y haz un majado. En el mismo aceite fríe la cebolleta y el pimiento bien picados, sazona, y cuando se hayan pochado añade el pimentón. Después agrega el agua, el majado y, cuando empiece a hervir, la coliflor cortada en ramilletes. Deja que todo se haga durante 20 minutos. Espolvorea con perejil picado y pruébalo de sal. Antes de servir incorpora los huevos batidos mezclando bien.

## 438 – SOPA DE ESPÁRRAGOS CON GAMBAS

*Ingredientes:*

- 2 cebollas o cebolletas
- 3 zanahorias
- 200 g de gambas peladas
- sal

- 40 g de mantequilla
- 1,5 litros de caldo de verduras
- aceite
- 500 g de espárragos trigueros
- 1 chorro de nata líquida

*Elaboración:*

Pon a pochar en mantequilla las cebollas y las zanahorias picadas a fuego suave durante unos minutos. Añade después los espárragos troceados excepto las puntas. Rehógalo un minuto y añade el caldo, sala y déjalo cocer de 25 a 30 minutos a fuego suave.

Pásalo luego por la batidora y, si lo quieres más fino, puedes pasarlo por un colador. Añade por encima un chorro de nata.

Saltea las puntas crudas de los espárragos en una sartén con aceite, después añade las gambas sazonadas y fríe a fuego fuerte durante unos minutos.

Escurre el salteado de aceite y agrégaselo a la sopa. Deja reposar unos minutos y sirve.

## 439 – SOPA DE GARBANZOS

*Ingredientes:*
- 150 g de garbanzos
- 10 almendras
- 1 puerro
- 1 zanahoria
- 1 cebolla
- 1 tomate
- 12 rebanadas de pan
- sal
- agua
- aceite
- perejil picado

*Elaboración:*

Pon los garbanzos en remojo en el día anterior. Cuécelos en agua y sal junto con un puerro y una zanahoria. Escúrrelos y reserva un poco de caldo. En una cazuela sofríe la cebolla y el tomate picado. Luego añade el pan cortado en rebanadas y deja que se fría durante un rato. Mientras, en el mortero machaca las almendras hasta hacerlas polvo y añádelas al sofrito junto con el caldo de los garbanzos. Deja que cueza durante 15 minutos y agrega los garbanzos.

Sirve la sopa adornada con un chorro de aceite crudo y perejil picado.

## 440 – SOPA DE HIGADILLOS

*Ingredientes:*
- 8 higadillos de pollo
- 1,5 litros de caldo de ave
- 2 cebolletas
- 4 cuch. de tomate en salsa
- 4 puñados de fideos
- aceite
- sal

*Elaboración:*

Corta las cebolletas en juliana, rehógalas en aceite y, cuando estén pochadas, añade los higadillos troceados y ponlo todo a punto de sal. Agrega 4 cucharadas de salsa de tomate y vierte el caldo. Cuando empiece a hervir, añade los fideos y deja cocer 15 minutos. Pruébalo de sal y sirve. (También puedes colocar unas rebanadas de pan tostado, queso y gratinar.)

## 441 – SOPA DE LENTEJAS CON ARROZ

*Ingredientes:*
- 1 cebolleta
- 1 zanahoria
- 1 pimiento verde
- ½ hoja de laurel
- 1,5 litros de caldo de ave
- 1 puñado de arroz
- 200 g de lentejas
- sal
- aceite
- perejil picado

*Elaboración:*

Pica toda la verdura muy fina y ponla a pochar en una cazuela con aceite, añade laurel y sazona. Cuando haya pochado, agrega las lentejas y el caldo de ave y deja cocer la sopa durante 30 minutos a fuego muy suave. Al final de la cocción añade el arroz.

Deja hacer 20 minutos aproximadamente, prueba de sal y sirve.

Adorna el plato con perejil picado.

## 442 – SOPA DE MELÓN Y GAMBAS

*Ingredientes:*

- 2 melones pequeños (1 kg de melón)
- 8 gambas cocidas
- chorrito de nata líquida
- nuez moscada
- sal
- 200 g de jamón serrano en lonchas

*Elaboración:*

Corta los melones por la mitad intentando dar forma dentada para luego servir la sopa en la cáscara. Saca la pulpa, tritúralo con la batidora, añade la nata y la nuez moscada. Pásalo por el chino para que quede más fino y pon a punto de sal.

Sirve la sopa muy fría acompañada de las gambas y el jamón. Puedes presentarla en el mismo melón como recipiente.

## 443 – SOPA DE PASTA

*Ingredientes:*

- 1 muslo de gallina
- 100 g de zancarrón
- 2 huesos
- ½ cebolla
- 1 puerro
- 1 manojito de perejil
- 300 g de tortellini rellenos de queso
- agua
- ½ cabeza de ajo
- sal

*Elaboración:*

Pon en una cazuela grande el muslo de gallina, el zancarrón, los huesos, la cebolla, el puerro, el perejil y el ajo, añade abundante agua, sal y ponlo a cocer a fuego suave hasta que más o menos quede 1,5 litros de caldo.

Cuece los tortellini en una cazuela aparte, refresca y resérvalos. Cuela el caldo y ponlo a hervir a fuego suave, añade los tortellini y la carne de gallina y el zancarrón.

Prueba de sal y sirve.

---

## 444 – SOPA DE PESCADO

*Ingredientes:*

para el caldo:
- 1 cabeza de rape pequeña
- 300 g de mejillones
- 1 cebolleta
- 2 dientes de ajo
- 1 tomate maduro
- agua y sal
- 100 g de rape limpio
- 100 g de pescadilla limpia
- 10 gambas peladas
- 1 huevo cocido
- pan frito

para la salsa:
- 1 cebolleta
- 1 diente de ajo
- aceite
- 1 cuch. de harina
- 3 cuch. de salsa de tomate

*Elaboración:*

Pon en una cazuela la cabeza de rape troceada, los mejillones y la verdura troceada. Sazona y agrega 2 litros de agua y pon al fuego a cocer. Cuando empiece a hervir, quita la espuma que saque (espumar) y déjalo hervir a fuego muy suave hasta que reduzca a la mitad.

Cuélalo y reserva.

En otra cazuela, pica muy fina la cebolleta y ponla a rehogar con aceite y un diente de ajo. Cuando se dore, añade la harina, mezcla bien y seguidamente la salsa de tomate y el caldo dejando cocer todo por espacio de unos 10 minutos.

Por último, agrega el pescado troceado, las gambas y el huevo cocido también picado. Rectifica de sal, deja cocer otros 4 minutos y sirve acompañándola de pan frito.

## 445 – SOPA DE TAPIOCA

*Ingredientes:*

- 1,5 litros de caldo de ave
- 20 g de tapioca
- 2 huevos cocidos
- sal
- perejil picado

*Elaboración:*

Pon el caldo colado en una cazuela al fuego. Cuando rompa a hervir, echa la tapioca en forma de lluvia, dándole vueltas con una cuchara para que no se hagan bolas.

Deja cocer 10-15 minutos aproximadamente y agrega el huevo picado y el perejil.

Prueba de sal y sirve.

También puedes echarle un chorro de aceite de oliva por encima antes de servir.

## 446 – SOPA DE TOMATE

*Ingredientes:*

- 2 cebollas o cebolletas
- 1 kg de tomates maduros
- 3 dientes de ajo
- ½ vaso de nata
- una pizca de azúcar
- rebanadas de pan
- 1,5 litros de agua
- 2 hojas de menta
- aceite de oliva
- sal

*Elaboración:*

Pica la cebolla y filetea el ajo. Rehoga todo en una cazuela con aceite.

A continuación, pica los tomates y échalos a la cazuela. Rehoga unos minutos e incorpora el agua dejando que cueza a fuego lento durante 20-25 minutos con un poco de sal y azúcar. Después de este tiempo, tritura con la ayuda de un pasapuré o una batidora y cuela. Añade un chorro de nata líquida y prueba de sal.

Para servir, añade costrones de pan frito, untados con ajo y menta picada.

Puedes servirla fría o caliente.

---

## 447 – SOPA DE TOMATE CAMPESTRE

*Ingredientes:*

- 4 tomates maduros
- 12 champiñones
- 2 dientes de ajo
- 1 cebolleta
- 1 pizca de orégano
- 3 cuch. de aceite
- 1 litro de caldo de carne o de gallina
- 1 pimiento choricero
- 2 puñados de fideos
- sal
- 4 panes tostados

*Elaboración:*

Pela y pica en trozos pequeños el tomate sin pepitas. Corta los champiñones en láminas. Pica un ajo y la cebolleta y rehoga en aceite. Añade luego los champiñones y deja que se haga unos minutos. Sala y agrega el orégano. Echa el tomate y rehoga. Pon el pimiento choricero y el caldo y deja hervir 20 minutos aproximadamente. Agrega los fideos y deja cocer otros 10 o 15 minutos. Retira el pimiento y añade su carne a la sopa. Para servir, adórnala con los panes tostados y untados con ajo por encima.

# 448 – SOPA DE ZANAHORIAS

*Ingredientes:*
- ½ kg de zanahorias
- 40 g de mantequilla
- 1 cebolleta picada fina
- 1 litro de caldo de verduras
- 40 g de arroz
- sal
- costrones de pan frito

*Elaboración:*

Corta la zanahoria en rodajas finas. Pica también fina la cebolleta y rehoga junto a la zanahoria en una cazuela con mantequilla a fuego lento.

A continuación, añade el arroz y el caldo caliente, sazona y deja cocer a fuego lento unos 20 minutos. Si queda espeso, agrega más caldo, calienta y, antes de servir, incorpora los costrones de pan frito.

# 449 – SOPA FRÍA DE PEPINO

*Ingredientes:*
- 2 pepinos grandes
- 1 trocito de apio
- 1 yogur natural
- sal
- 1 vaso de agua
- 1 pizca de pimentón dulce
- 2 panes de molde

*Elaboración:*

Pela, trocea los pepinos y colócalos en una jarra o bol. Agrega el apio limpio y la miga de pan, todo ello troceado junto con el yogur y el vaso de agua. Por último, añade el pimentón dulce, triturándolo todo muy bien con ayuda de una batidora (si quieres que te quede más fino, pásalo por un chino). Pon a punto de sal y sirve.

Puedes acompañar la sopa con unas rodajas finas de pepino.

---

## 450 – SOPA FRÍA DE TOMATE A LAS FINAS HIERBAS

*Ingredientes:*

- 1 kg de tomates maduros
- 2 cebolletas
- finas hierbas (orégano, albahaca, hierbabuena...)
- sal
- aceite
- un chorro de nata líquida
- rebanadas de pan frito

1 litro de caldo:
- 3 puerros
- 1 cebolla
- 2 zanahorias
- 1 diente de ajo
- 1,5 litros de agua
- sal

*Elaboración:*

Prepara el caldo cociendo sus ingredientes y colándolo. Rehoga las cebolletas con un poco de aceite, añade el tomate troceado, sazona y póchalo todo. Agrega el caldo de verduras hasta cubrir y las finas hierbas, dejándolo durante 30 minutos más o menos. Después, pásalo por un colador o un chino si quieres que te quede más fino y añade la nata.

Por último, deja enfriar en la nevera y acompaña con los panes fritos.

---

## 451 – SOPA ITALIANA DE VERDURAS

*Ingredientes:*

- 2 puñados de pasta (coditos, conchas, etc.)
- 100 g de panceta
- 1 tomate
- 1 puerro
- 1 cebolleta o ½ cebolla

- 1 zanahoria
- 1 puñado de vainas
- 1,5 litros de caldo o agua
- sal
- aceite
- ½ guindilla

*Elaboración:*

En una cazuela con aceite sofríe la panceta troceada. Cuando esté dorada, añade las verduras picadas. Rehoga bien y agrega el caldo o agua. Incorpora los coditos u otra pasta y un trozo de guindilla. Deja que cueza unos 15 minutos, pon a punto de sal y sirve.

## 452 – SOPA JULIANA DE AVE

*Ingredientes:*

- 100 g de zanahorias
- 100 g de cebollas
- 50 g de puerros (parte blanca)
- 1 rama de apio
- 100 g de guisantes
- 100 g de coliflor
- 100 g de jamón
- 40 g de mantequilla
- 2 litros de caldo de ave
- sal
- 2 cuch. de aceite

*Elaboración:*

Corta toda la verdura en juliana –menos los guisantes– y mézclala. En una cazuela pon el aceite y la mantequilla a calentar, añade el jamón cortado en daditos, y a continuación agrega el conjunto de la verdura. Si los guisantes están cocidos, los añadirás después junto con el caldo. Sala y póchalo a fuego lento durante unos 5 o 10 minutos. Después vierte el caldo, pruébalo de sal y deja que cueza otros 20 minutos tapado hasta que reduzca a la mitad. Por último, sírvelo.

## 453 – SOPA RÁPIDA DE VERDURAS

*Ingredientes:*

- 2 cebolletas
- 1 zanahoria
- 2 puñados de fideos
- sal

- 1 pimiento verde
- 1 tomate
- 50 g de jamón curado en dados

- 1,5 litros de caldo de verduras o de carne, o agua
- 50 g de chorizo en dados
- aceite

*Elaboración:*

Pica toda la verdura bien fina y ponla a pochar en una cazuela con un poco de aceite. Sazona. Cuando esté dorada, añade el chorizo y el jamón en dados y rehoga. Agrega el caldo o agua, y cuando empiece a hervir, desespuma. Echa los fideos y déjalo cocer a fuego suave durante 20 o 25 minutos. Prueba de sal y sirve.

## 454 – SOPA RIOJANA

*Ingredientes:*
- 2 puerros
- 2 pimientos choriceros
- 4 ajos
- 2 tomates
- 1 barra de pan de sopas
- sal gorda

- 2 huevos
- aceite de oliva
- vinagre
- perejil picado
- agua

*Elaboración:*

En 1 litro de agua pon a cocer los puerros sin trocear, los pimientos choriceros, los tomates enteros y los ajos. Sala. Deja hervir durante 40 minutos a fuego no muy fuerte, retira los puerros, los tomates, los ajos y los pimientos choriceros. Añade al caldo el pan en rodajas y deja que vuelva a hervir unos 15 minutos a fuego suave.

Mientras tanto, saca la carne de los pimientos choriceros y añádesela a la sopa. Por último, agrega 2 huevos batidos con perejil picado. Dale un hervor y a la mesa.

Sirve los puerros aparte con sal gorda, un chorro de aceite y un poco de vinagre.

## 455 – SOPA SALAMANDROÑA

*Ingredientes:*

- 300 g de calabaza
- 2 cebolletas
- 2 tomates
- 2 pimientos verdes
- 1 pimiento rojo
- 6 sardinas
- 2 dientes de ajo
- aceite de oliva
- sal
- agua

*Elaboración:*

Una vez limpios y picados el pimiento verde, la cebolleta y el tomate, rehógalos en una cazuela con un chorro de aceite.

Cuando estén estos ingredientes doraditos, sazona y agrega el agua, dejando que cueza durante 15 minutos. Transcurrido este tiempo, incorpora la calabaza troceada en dados, los ajos cortados en láminas y el pimiento rojo, y espera que cueza otros 15 minutos.

Una vez pasado el tiempo señalado, coloca los filetes de sardina sazonados sobre la sopa que ya está cocida y deja que se hagan con la cazuela tapada 5 minutos a fuego lento.

Una vez cocidas, saca las sardinas a un plato para que no se rompan.

Sirve la sopa y coloca encima los filetes de sardina.


## 456 – SOPA SENCILLA

*Ingredientes:*

- ¾ de litro de caldo de ave
- 2 higadillos de pollo
- 1 tomate
- 2 cebolletas
- 4 dientes de ajo
- 2 puñados de fideos
- 100 g de jamón curado
- aceite
- sal

*Elaboración:*

Pocha en una cazuela con aceite los ajos, la cebolleta y el tomate bien picados. Cuando estén listos, añade los higadillos y
el jamón troceados. Sofríe y agrega el caldo. Cuando comience
a hervir, añade el fideo y deja que hierva unos 5 minutos. Pon
a punto de sal y sirve.

## 457 – SOPA TROPICAL

*Ingredientes:*
- 3 aguacates
- 4 yogures naturales
- ½ litro de caldo de carne
  o de ave desgrasado
- sal
- zumo de un limón
- 1 ramita de apio
- perejil picado
- una pizca de azúcar

*Elaboración:*

Pela y quita la semilla a los aguacates y tritúralos junto con
los yogures, el caldo, el apio picado, el zumo de limón y el azúcar. Pon a punto de sal. Pásalo por un chino y sirve en copas individuales muy frío, espolvoreado con perejil picado.

## 458 – SOPAS DE AJO TOSTADAS

*Ingredientes:*
- 4 ajos
- 1 cebolleta o cebolla
- 1 tomate picado
- 2 o 3 huevos
- 100 g de pan en rebanadas
- queso rallado
- comino
- 4 lonchas muy finas de
  jamón
- aceite
- sal
- 1 litro de agua o de caldo
  de verduras

*Elaboración:*

En una cazuela con aceite (½ taza más o menos) pon los ajos a freír. Después de fritos, retíralos y reserva. Añade la cebolla picada, dejando que se haga hasta que esté dorada; después agrega el tomate, sala y cuando esté frito echa el pan en rebanadas y rehoga. Después, riégalo con el agua o caldo y deja cocer 20 o 30 minutos. Por último, pásalo por el chino a una cazuela de barro. El resultado es un caldo un poco espeso.

Pon encima los huevos batidos junto con un majado de los ajos que habrás frito y el comino, las lonchas de jamón y cúbrelo con queso. Mételo en el gratinador fuerte hasta que se dore.

## 459 – TIPULA KREMA

*Ingredientes:*

- 800 g de cebollas en rodajas muy finas
- 1 litro de caldo de ave
- 2 yemas de huevo
- ½ taza de leche
- 125 g de queso rallado
- sal
- ½ vaso de agua

para acompañar:
- aros de cebolla fritos

*Elaboración:*

Cuece la cebolla con el agua y un poco de sal en una cazuela tapada. Cuando se consuma el agua, destapa la cazuela y remueve a menudo para que no se agarre. Cuando comience a dorarse, agrega el caldo y déjalo cocer a fuego suave durante 1 hora. Una vez cocido, ya fuera del fuego, pásalo por la batidora.

Aparte, bate las yemas y añade la leche y el queso rallado, mézclalo todo bien hasta obtener una crema y agrégala a la sopa sin dejar que hierva. Remueve para que se mezcle todo y vuélvelo a pasar por la batidora.

Por último, retira la espuma, pruébalo de sal y sirve acompañado con la cebolla frita.

# 460 – VICHYSSOISE AL AROMA DE APIO

*Ingredientes:*
- 10 puerros pequeños
- 3 patatas
- 1 cebolleta
- mantequilla o margarina
- ½ litro de leche
- 1 litro de agua
- sal y pimienta
- 2 ramos de apio

*Elaboración:*

Pica sólo lo blanco de los puerros, la cebolleta y las patatas y ponlo a pochar en una cazuela con la mantequilla, sin que se dore. Añade la leche, el agua, la pimienta y la sal y déjalo cocer a fuego muy suave sin que llegue a hervir, 30 minutos aproximadamente. Pásalo por la batidora y por un colador. Prueba de sal y pimienta y añade el apio escaldado y picado muy fino. Sirve frío.

# Huevos

---

## 461 – CAZUELITAS DE HUEVOS ESCONDIDOS

*Ingredientes:*

- 4 huevos
- 4 lonchas de jamón cocido
- 4 lonchas de queso graso
- puré de patatas espeso
- un pimiento rojo asado y pelado
- agua
- vinagre
- sal

*Elaboración:*

Escalfa los huevos en agua hirviendo con sal y un chorro de vinagre durante 2 minutos. Escurre y reserva.

Prepara 4 cazuelitas de ración (pueden ser de barro) y coloca puré de patatas en el fondo de cada una, jamón cocido cortado en juliana por todo el borde, el huevo escalfado en el medio, unas tiras de pimiento encima y, por último, una loncha de queso cubriéndolo todo.

Gratina las cazuelitas en el horno durante 2 o 3 minutos hasta que se funda el queso.

Sirve.

# 462 – HUEVOS A LA REINA

*Ingredientes:*

- 4 huevos
- 4 rebanadas de pan
- 2 lonchas de jamón serrano
- 1 cebolla
- 1 cuch. de tomate concentrado
- 1 chorro de vino blanco seco
- 1 cuch. de harina
- pimienta
- nuez moscada
- 1 vaso grande de leche
- 4 cuch. de nata líquida
- aceite
- sal
- perejil

*Elaboración:*

Corta el pan en círculos y fríelos en una sartén con aceite muy caliente. Retíralos. En la misma sartén, con un poco de aceite, rehoga la cebolla picada. Añade el jamón, da vueltas y agrega la harina, el vino y el tomate concentrado. Luego incorpora la leche, y por fin la nata y la nuez moscada. Coloca todo en una fuente refractaria y pon los huevos encima. Echa sal y pimienta y ponlo todo en el horno durante 4 minutos, a 180º, hasta que cuaje.

Al servir, rodéalos con el pan frito y espolvorea con perejil.

# 463 – HUEVOS AL PLATO

*Ingredientes:*

- 5 huevos
- 250 g de chorizo
- 100 g de queso suave
- harina de maíz refinada
- leche
- sal
- 8 cuch. de nata líquida
- aceite

*Elaboración:*

En una tartera de horno con un poco de aceite saltea el chorizo troceado. Sobre él echa el queso en triángulos finitos (reserva un poco para añadir al final), y encima una mezcla hecha de la siguiente forma: bate bien 1 huevo, añade luego la harina de maíz disuelta en leche junto con la nata y un poco de sal.

Casca encima los demás huevos, espolvoréalos con el resto del queso y métalo todo en el horno gratinador, no muy fuerte, hasta que cuajen, unos 5 o 6 minutos.

## 464 – HUEVOS CON ESPÁRRAGOS

*Ingredientes:*
- 8 huevos
- 150 g de hojaldre
- 16 espárragos cocidos
- salsa mahonesa
- vinagre
- 8 lonchas de salmón ahumado
- agua
- sal

*Elaboración:*

Hornea durante 15 o 20 minutos el hojaldre cortado en 8 cuadrados o rectángulos finos. Escalfa los huevos en agua caliente con sal y un chorro de vinagre, durante unos minutos.

Coloca encima del hojaldre el salmón, después los huevos escalfados, bien escurridos, y unas tiras de espárragos.

Acompaña con salsa mahonesa.

## 465 – HUEVOS CON JAMÓN Y SALSA HOLANDESA

*Ingredientes:*
- 8 huevos
- 8 costrones de pan frito
- 8 lonchas de jamón ibérico
- perejil
- agua
- vinagre
- sal

salsa holandesa:
- 1 yema de huevo
- ½ limón
- 250 g de mantequilla
- sal

*Elaboración:*

Comienza preparando la salsa holandesa. Funde la mantequilla en un cazo y espera que se temple. Bate la yema de huevo. Cuando esté bien batido el huevo, ve agregando poco a poco la mantequilla fundida y templada, mezclando con cuidado. Por último, agrega un chorro de zumo de limón y pon a punto de sal.

Cuando tengas terminada la salsa holandesa, pasa a escalfar los huevos en agua hirviendo, con sal y un buen chorro de vinagre. En unos 3 minutos, los huevos están listos.

Coloca sobre los costrones o rebanadas de pan frito las lonchas de jamón, y sobre éstas, los huevos escalfados. Baña con salsa holandesa, espolvorea con perejil y gratina 1 minuto. Sirve calentito.

---

## 466 – HUEVOS CON SALSA BRETONA

*Ingredientes:*
- 4 huevos
- ½ cebolla
- 1 puerro
- 100 g de panceta
- 100 g de champiñones
- ½ vaso de vino blanco
- vaso y medio de caldo de carne
- ½ cuch. de harina de maíz refinada
- aceite
- sal

*Elaboración:*

Pica la cebolla y el puerro en juliana y póchalo en una cazuela con un chorrito de aceite. Añade los champiñones en láminas y la panceta en tacos. Sala, y cuando esté pochado agrega el vino blanco. Rehoga unos minutos y añade el caldo con la harina de maíz diluida.

Estrella los huevos, pon a gratinar fuerte durante un minuto aproximadamente y sirve.

## 467 – HUEVOS DUROS GRATINADOS

*Ingredientes:*

- 6 huevos cocidos
- 6 tomates maduros
- 100 g de mantequilla
- sal
- 100 g de queso rallado
- tomillo u orégano
- pimienta
- agua

*Elaboración:*

Pela los huevos. Escalda los tomates en agua hirviendo para pelarlos con más facilidad y corta los huevos y los tomates en rodajas.

En una fuente de horno coloca una cama de tomate y espolvorea con sal y orégano o tomillo. Después, pon una capa de huevos con queso rallado. Encima coloca una nueva capa de tomate con sal, orégano o tomillo y pimienta. Añádele por encima el queso y mantequilla en nueces. Gratínalos durante unos 8 minutos aproximadamente y sirve.

## 468 – HUEVOS EN CAZUELA CON TOMATE

*Ingredientes:*

- 4 huevos
- 200 g de tocineta
- 200 g de chorizo
- 4 lonchas de queso
- ½ litro de salsa de tomate
- 8 triángulos de pan frito
- aceite y sal
- 4 cazuelas de barro pequeñas

*Elaboración:*

Trocea la tocineta y el chorizo y fríe todo en una sartén con

305

aceite. Escurre y cubre con el tomate caliente. Casca un huevo en cada cazuela, sazona y pon la loncha de queso encima de los huevos. Mete en el horno a 180º, y en cuanto se cuajen los huevos, ya están listos para servir.

Adorna con los panes fritos y presenta a la mesa.

## 469 – HUEVOS ESCALFADOS CON CHAMPIÑONES

*Ingredientes:*

- 8 huevos
- 300 g de champiñones
- agua
- 1 chorro de vinagre
- 3 dientes de ajo
- ½ vaso de caldo de carne
- ½ vaso de nata
- ½ vaso de vino tinto
- sal
- 8 costrones de pan frito o tostado
- aceite
- perejil picado

*Elaboración:*

Limpia y filetea los champiñones. Pica dos ajos y saltéalos junto con los champiñones en un poco de aceite. Pasados unos minutos agrega el vino y, a continuación, añade el caldo y la nata, poniéndolo a punto de sal. Deja cocer hasta que espese, unos 15 minutos aproximadamente.

Mientras, escalfa los huevos en agua con sal y un chorrito de vinagre. Saca y escurre. Unta los costrones de pan con un diente de ajo y coloca sobre cada uno de ellos un huevo.

Cúbrelos con la salsa, que habrás espolvoreado con perejil picado.

## 470 – HUEVOS ESCALFADOS Y GRATINADOS

*Ingredientes:*

- 4 huevos
- 16 pimientos del piquillo

- 4 rebanadas de pan de molde
- 6 cuch. de puré de patata
- 3 cuch. de salsa de tomate
- aceite
- sal
- agua
- vinagre

*Elaboración:*

Corta un círculo en el centro de los panes de un tamaño mayor que una yema de huevo.

Fríe estos panes en una sartén con aceite hasta que estén dorados y colócalos bien escurridos en una fuente resistente al horno.

Escalfa los huevos en agua hirviendo con sal y un chorro de vinagre. Mientras tanto, mezcla el puré con la salsa de tomate. Después, coloca los huevos sobre los panes y cúbrelos con la mezcla anterior. Gratínalo durante 2 minutos.

Fríe en una sartén con aceite los pimientos del piquillo y sazónalos.

Por último, sirve los huevos acompañados con los pimientos.

## 471 – HUEVOS FLORENTINA

*Ingredientes:*
- 8 huevos
- 500 g de espinacas
- sal
- 1 nuez de mantequilla
- queso rallado
- agua con un chorrito de vinagre
- bechamel

*Elaboración:*

Cuece durante 5 minutos las espinacas en agua con sal. Escúrrelas, córtalas en juliana y saltéalas en una sartén con mantequilla. Retíralas de la sartén y colócalas en el fondo de una fuente resistente al horno.

Aparte, habrás escalfado los huevos. Una vez listos, colócalos en la fuente sobre las espinacas. Baña todo con bechamel y espolvorea con queso rallado. Mete en el horno y gratina 3-4 minutos.

# 472 – HUEVOS FRITOS CON CHORIZO EN BRICK

*Ingredientes:*

- 6 hojas de pasta brick
- 6 huevos
- 3 chorizos frescos
- 350 g de setas
- 1 kg de patatas
- aceite de oliva virgen
- pimienta
- sal

*Elaboración:*

Quita la piel a los chorizos y pica el relleno hasta que quede muy fino. Pon el relleno en una sartén con aceite a fuego lento y deja que se vaya haciendo. Mientras, limpia las setas con la punta de un cuchillo, córtalas en trozos pequeños e incorpóralas a la sartén junto con el chorizo. Rehógalo todo durante 5 minutos más, sazona y resérvalo.

Lava y corta las patatas y fríelas en una sartén con mucho aceite.

Mientras se acaban de freír las patatas, extiende las obleas de pasta brick sobre una superficie lisa. Abre un huevo en el centro de una de ellas, añádele una pizca de sal, un par de cucharadas de la mezcla de chorizo y setas y un poco de pimienta y cierra la hoja de pasta. Fríela rápidamente en aceite muy caliente, hasta que esté bien dorada. Repite esta operación con el resto de las obleas de brick.

Sirve inmediatamente las obleas acompañadas de las patatas fritas.

# 473 – HUEVOS TEMPLADOS CON GELATINA

*Ingredientes:*

- 8 huevos
- vinagre
- unas trufas (opcional)
- 200 g de paté
- gelatina en polvo
- 8 panes tostados

- agua
- sal
- puré de guisantes
para el caldo:
  - ½ gallina
  - ½ cebolla
- 1 puerro
- 1 zanahoria
- agua
- unas ramas de perejil
- especias
- sal

*Elaboración:*

Prepara un litro de caldo cociendo sus ingredientes a fuego lento de 45 a 60 minutos. A continuación, cuela el caldo. Añádele la gelatina en polvo y enfríalo en el frigorífico extendido en una fuente.

Escalfa los huevos en agua hirviendo con un chorro de vinagre y sal. Escurre y reserva.

Coloca montoncitos de puré sobre la gelatina y el paté partido en 8 rodajas. Coloca sobre cada una de ellas un huevo escalfado. Espolvorea con la trufa bien picada y acompaña con los panes tostados.

## 474 – REVUELTO DE ANCHOAS Y ESPÁRRAGOS

*Ingredientes:*
- ½ kg de anchoas limpias
- 2 cebolletas
- 12 espárragos trigueros cocidos
- 2 dientes de ajo
- 5 huevos
- 8 pimientos rojos
- sal
- aceite

*Elaboración:*

Filetea las anchoas y sazona.

Corta las cebolletas en juliana y rehógalas con los dientes de ajo picados. Cuando esté pochado, incorpora los espárragos troceados y las anchoas y saltéalos durante unos minutos. Rompe los huevos encima y haz un revuelto jugoso.

Acompaña el plato con pimientos rojos fritos.

## 475 – REVUELTO DE ARROZ CON TROPIEZOS

*Ingredientes:*

- 250 g de arroz cocido
- 150 g de magro de cerdo
- 1 pimiento verde
- 5 huevos
- 150 g de salchichas frescas
- 150 g de chorizo de freír
- 150 g de jamón cocido (en tacos)
- aceite
- sal

*Elaboración:*

En una sartén con un poco de aceite, haz una tortilla francesa con los huevos batidos y un poco de sal. Después, córtala en taquitos y reserva.

Fríe el pimiento cortado en trocitos y resérvalo también.

A continuación, saltea el magro, las salchichas, el chorizo y el jamón, todo cortado en trocitos pequeños, durante unos minutos hasta que esté hecho.

Por último, mezcla este salteado con el pimiento, la tortilla y el arroz y sirve.

## 476 – REVUELTO DE BACALAO CON SALSA DE CALAMARES

*Ingredientes:*

- 6 trozos de bacalao desalado
- 6 huevos
- 5 cebollas
- 4 pimientos verdes
- 4 dientes de ajo
- 2 bolsas de tinta
- 1 litro de caldo de pescado
- un poco de miga de pan
- sal
- ¾ de litro de aceite de oliva

*Elaboración:*

Para preparar la salsa de calamares, pica 2 cebollas y un diente de ajo y rehógalos a fuego lento en una cazuela con aceite de oliva, sin dejar que cojan color. Después, añade el caldo de pescado y déjalo cocer a fuego lento y con la cazuela tapada durante una hora.

En un mortero, maja las bolsas de tinta con la miga de pan y añade un poco del caldo que estás guisando, e incorpóralo todo a la cazuela. Déjalo que hierva 10 minutos más, pon a punto de sal, pasa la salsa por un pasapuré y reserva.

Desmiga el bacalao, ya desalado, retirando las pieles y las espinas.

Pica fino el resto de las cebollas, los pimientos verdes y los dientes de ajo y póchalos en una cazuela (preferiblemente de barro) con aceite. Añade el bacalao desmigado, rehógalo durante 1 minuto y aparta la cazuela del fuego, moviéndola hasta conseguir que el bacalao suelte su gelatina. Cuando vaya ligando la salsa, añade poco a poco más aceite, sin parar de mover la cazuela.

Por último, coloca la cazuela en el fuego y añade los huevos batidos con un poco de sal, removiendo hasta que estén cuajados, pero sin dejar que se sequen.

Extiende en el fondo de un plato o fuente la salsa negra y sirve encima el revuelto.

## 477 – REVUELTO DE ESPÁRRAGOS Y BACON

*Ingredientes:*
- 6 huevos
- 12 espárragos verdes
- 200 g de bacon (adobado)
- 6 champiñones
- 1 cebolleta
- 2 dientes de ajo
- aceite
- sal
- agua

*Elaboración:*

Cuece los espárragos limpios y pelados en agua con sal durante 15 minutos aproximadamente. Escurre y trocea.

En una sartén con aceite, pocha la cebolleta, los ajos picados y los champiñones fileteados. A continuación, agrega el bacon en dados y fríelo. Añade los espárragos, saltéalos y casca encima los huevos, mézclalo todo bien hasta que cuaje y sirve.

## 478 – REVUELTO DE GAMBAS Y SETAS CON PIMIENTOS DEL PIQUILLO 🌿🌿🌿🌿

*Ingredientes:*

- 200 g de gambas peladas
- 50 g de setas
- 1 cebolleta
- 4 ajos frescos
- 12 pimientos del piquillo
- perejil picado
- aceite y sal
- 6-8 huevos

*Elaboración:*

Limpia y corta los ajos, y corta la cebolleta en juliana.

Pon todo en una sartén a pochar, y cuando se dore, añade las setas fileteadas y la sal. Póchalo también. Añade las gambas, saltéalo y añade los huevos batidos con perejil y sal.

Pásalo al plato, y pon los pimientos del piquillo, fritos en otra sartén, alrededor del revuelto.

## 479 – REVUELTO DE HIGADILLOS Y MOLLEJAS DE POLLO 🌿🌿🌿🌿

*Ingredientes:*

- ½ kg de higadillos
- ¼ kg de mollejas
- 2 cebolletas
- 2 dientes de ajo
- 2 rebanadas de pan de molde
- 100 g de guisantes pelados
- perejil picado
- sal
- aceite
- 8 huevos

*Elaboración:*

Corta en juliana la cebolleta y el ajo y fríelos en la sartén con aceite. Cuando se doren, añade los higadillos limpios y cortados en cuatro y las mollejas cortadas en juliana no muy fina.

Rehoga bien y añade los guisantes cocidos, da unas vueltas y casca los huevos en la sartén. Añade la sal y el perejil. Mézclalo hasta que cuaje y pásalo al plato. Adorna con los panes de molde fritos y cortados en triangulitos.

## 480 – REVUELTO DE JAMÓN SERRANO

*Ingredientes:*

- 600 g de jamón serrano en dados
- 8 huevos
- 1 berenjena grande
- perejil picado
- ½ pimiento morrón
- 1 diente de ajo
- aceite
- harina
- sal

*Elaboración:*

Bate los huevos en un bol, sazona y añádeles perejil picado.

Saltea el pimiento troceado junto con los dados de jamón en una sartén con un poco de aceite. Desgrasa y añade el huevo batido, revolviendo hasta que cuaje.

Corta la berenjena en lonchas finas, sazona, pasa éstas por harina y fríelas junto con un diente de ajo aplastado.

Monta los platos poniendo en el fondo la berenjena formando un círculo, y coloca encima el revuelto.

## 481 – REVUELTO DE LANGOSTINOS CON ACELGAS

*Ingredientes:*

- 12 langostinos
- 1 kg de acelgas
- 2 dientes de ajo
- 4 huevos
- aceite de oliva
- sal
- agua

Limpia bien las acelgas, separando las hojas de las pencas.

Cuece las acelgas (hojas y pencas) en abundante agua con sal, hasta que estén tiernas. Tardarán 15 o 20 minutos. Pasado este tiempo, escúrrelas bien.

En una sartén con aceite, saltea las colas de los langostinos peladas y sazonadas junto con los dientes de ajo picados. A continuación, agrega las hojas de acelga y las pencas, todo bien picado, y rehoga.

Por último, echa los huevos, ligeramente batidos, y remueve hasta que cuaje el revuelto.

Sirve.

---

## 482 – REVUELTO DE MOLLEJAS CONFITADAS

*Ingredientes:*

- 6 mollejas de pato confitadas
- 2 patatas medianas
- 1 cebolleta o cebolla
- 1 pimiento verde
- 2 dientes de ajo
- 6 huevos
- sal
- aceite
- 1 cucharadita de levadura

*Elaboración:*

Pela las patatas y córtalas en rodajas de ½ cm de grosor; corta en juliana la cebolleta, y el pimiento y el ajo en láminas, sálalos y ponlo todo a freír en una sartén con aceite. Cuando se haya dorado, quita casi todo el aceite de la sartén, añade las mollejas fileteadas y rehógalo.

Una vez rehogado, añade los huevos batidos junto con la levadura y una pizca de sal y remuévelo bien.

Cuando el huevo haya cuajado, sírvelo.

## 483 – REVUELTO DE PISTO

*Ingredientes:*

- ½ kg de calabacines
- ½ tomate maduro
- ½ kg de pimientos
- ¼ kg de cebollas
- perejil
- aceite
- 1 diente de ajo
- 4 huevos
- sal

*Elaboración:*

En una cazuela pon el aceite, y cuando esté caliente echa la cebolla picada muy menudita y el ajo y el perejil, también picados.

Parte los pimientos y quítales la simiente, córtalos en pedacitos y añádelos a la sartén. Deja rehogar tapado a fuego suave. Pela los calabacines, pártelos en cuadraditos y añádelos a la cazuela. Pela el tomate, quítale la semilla, córtalo en pedacitos y viértelo en la cazuela. Prueba de sal y deja cocer a fuego lento durante 20 minutos. Cuando esté hecho, añade los huevos, múevelo bien y sirve.

## 484 – REVUELTO DE SALMÓN Y AJOS FRESCOS

*Ingredientes:*

- 15 ajetes (ajos tiernos)
- 300 g de lomo de salmón
- 6 huevos
- perejil
- pimienta blanca
- aceite
- 1 cuch. de nata líquida
- sal

*Elaboración:*

Limpia y trocea el salmón en pequeños daditos. Limpia y pica los ajetes. En una sartén con un chorrito de aceite dora los ajetes picados. A continuación, añade los trozos de salmón y saltéalos unos 3 minutos. Aparte, bate los huevos con sal, perejil y pimienta. Cuando estén batidos, añade la cucharada de nata líquida y mezcla bien.

Incorpora los huevos a la sartén con los ajetes y el salmón. Remueve en la sartén para que el huevo no se cuaje del todo y sirve.

## 485 – REVUELTO DE SESOS

*Ingredientes:*
- 3 sesos
- 2 manojos de ajos frescos
- 1 berenjena
- sal
- 8 huevos
- aceite
- harina
- pimienta negra

*Elaboración:*

Limpia bien los sesos y córtalos en rodajas. Limpia también los ajos frescos, y pícalos y póchalos en una sartén con aceite. Añade los sesos y saltéalos, poniéndoles sal y pimienta negra. Deja hacer y desgrasa.

Casca los huevos y haz un revuelto con los sesos. Ponlo en una fuente.

Corta la berenjena en rodajas, sálala y pásala por harina para freírla después. Por último, colócala encima del revuelto.

## 486 – REVUELTO DE VERDURAS

*Ingredientes:*
- 4-5 huevos
- 2 cebolletas
- 2 puerros (blanco)
- 1 pimiento morrón
- 2 alcachofas
- 100 g de guisantes cocidos
- aceite de oliva
- sal

En una sartén con aceite, pocha el blanco de puerro cortado en juliana junto con el pimiento rojo en tiras y la cebolleta picada, sin que lleguen a dorarse. Sazona y añade los guisantes cocidos, mezcla bien y agrega los huevos y una pizca de sal. Ve revolviendo hasta que cuaje el huevo.

Fríe en aceite muy caliente las alcachofas cortadas en láminas transversales. Colócalas en el fondo de una fuente o plato y sirve encima el revuelto de verduras.

## 487 – TORTILLA AL ESTILO DE BURGOS

*Ingredientes:*

- 5 o 6 huevos
- 1 lata pequeña de bonito en aceite
- 50 g de jamón curado
- 50 g de chorizo fresco
- 100 g de guisantes cocidos
- ½ pimiento morrón
- 2 espárragos cocidos
- salsa de tomate
- sal
- aceite

*Elaboración:*

En una sartén con aceite, pocha el pimiento rojo picado, después el chorizo en dados y el jamón.

En un bol bate los huevos con sal junto con el bonito, los guisantes y los espárragos troceados. Agrégaselo a la fritada anterior, removiendo hasta que esté todo bien mezclado. Dale la vuelta a la tortilla para que se haga también por el otro lado, pero sin dejar que cuaje del todo.

En una cazuela echa la salsa de tomate y después la tortilla, y deja que se haga unos 2 minutos a fuego lento para que termine de cuajarse.

## 488 – TORTILLA CON CALABACINES

*Ingredientes:*
- 1 kg de calabacines
- 2 cebollas
- 6 huevos
- queso rallado
- sal
- aceite
- salsa de tomate
- pimienta

*Elaboración:*

Corta los calabacines en dados con piel incluida. Corta la cebolla finamente en juliana. Pon todo en una sartén con aceite. Espera hasta que la verdura esté pochada. Unos 15 minutos.

Por otra parte, bate 6 huevos mezclando con el queso rallado, sal y pimienta.

Cuando la verdura esté bien rehogada, quita el caldo sobrante y añade los huevos batidos con el resto de los ingredientes, y haz la tortilla.

Para servir, acompaña con salsa de tomate.


## 489 – TORTILLA CON TOMATE

*Ingredientes:*
- 4 tomates
- 2 cebolletas
- 5 huevos
- sal
- aceite
- ½ sobre de levadura
- 1 ajo
- 6 triángulos pequeños de pan de molde

*Elaboración:*

Escalda, pela y quita las pepitas a los tomates y trocéalos.

En una sartén con un poco de aceite, pocha las cebolletas picadas, el tomate y un ajo picado y sala. Cuando esté todo muy hecho, bate los huevos con la levadura y échalos a la sartén. Deja que cuajen. Sirve con los panes fritos.

## 490 – TORTILLA DE ANCHOAS

*Ingredientes:*
- ½ kg de anchoas
- 6 huevos
- 1 diente de ajo
- aceite
- sal
- ½ guindilla
- perejil

*Elaboración:*

Limpia las anchoas quitándoles la espina. En una sartén con un chorro de aceite fríe un diente de ajo y la guindilla. Acto seguido, saltea las anchoas.

Bate los huevos, sal y perejil picado. Mezcla con las anchoas y haz una jugosa tortilla. Rica y con fundamento.

## 491 – TORTILLA DE COLIFLOR

*Ingredientes:*
- 4 o 5 huevos
- ½ coliflor
- zumo de limón
- sal
- perejil picado
- 2 dientes de ajo
- aceite
- agua
- salsa de tomate

*Elaboración:*

En una cazuela con agua cuece la coliflor partida en ramilletes, que previamente habrás remojado durante media hora con zumo de limón. Ten en cuenta que no debe quedar demasiado blanda. También puedes cocer los ramilletes al vapor.

En una sartén con aceite sofríe el ajo y dora ligeramente la coliflor bien escurrida. Bate los huevos con sal y perejil picado y viértelos sobre la sartén. Cuaja la tortilla por los dos lados y sírvela acompañada de la salsa de tomate.

## 492 – TORTILLA ESPECIAL DE PATATA

*Ingredientes:*
- 6 huevos
- 4 patatas
- 2 cebolletas
- 1 lata pequeña de bonito en aceite
- salsa de tomate
- perejil picado
- aceite de oliva
- sal

*Elaboración:*

Fríe las patatas, peladas y troceadas, en una sartén con abundante aceite junto con la cebolleta picada.

En un bol, bate los huevos con una pizca de sal y perejil picado.

Una vez fritas las patatas, escúrrelas de aceite y échalas en el bol, mezclándolo todo bien. Añade también el bonito desmigado.

En una sartén, con un poco de aceite, fríelo todo como si hicieras una tortilla de patatas normal.

Sirve la tortilla y acompaña con la salsa de tomate caliente.

## 493 – TORTILLA RELLENA DE BACALAO

*Ingredientes:*
- 8 huevos
- 400 g de bacalao desalado
- 2 pimientos verdes
- 1 cebolleta
- 2 dientes de ajo
- salsa de tomate
- aceite
- perejil picado
- sal

Pica fino el ajo, y en juliana el pimiento verde y la cebolleta. Rehoga todo en una sartén con aceite. Cuando esté dorado, añade el bacalao desmigado. Sofríe unos minutos y reserva al calor.

Aparte, bate los huevos y sala. Calienta en la sartén un poco de aceite y haz una tortilla francesa. Sácala a un plato y cúbrela con el bacalao rehogado. Dobla la tortilla por la mitad y en la otra mitad del plato pon la salsa de tomate.

## 494 – TORTILLA SACROMONTE

*Ingredientes:*
- criadillas de cordero o toro
- 4 riñones de cordero
- 4 sesos de cordero
- 2 dientes de ajo
- 1 pimiento rojo
- 5 huevos
- perejil picado

*Elaboración:*

Cuece las criadillas y los sesos sin que se pasen. Después, trocea. Saltea el ajo y el pimiento picado y añade los riñones troceados. Sala cuando estén los riñones hechos y añade los sesos, las criadillas y los huevos batidos con perejil.

Confecciona la tortilla. Es preferible hacer 2 tortillas pequeñas.

## 495 – VOLOVANES CON HUEVO

*Ingredientes:*
- 4 volovanes
- 4 huevos
- 1 cebolla
- salsa de tomate
- ½ vaso de nata
- ½ hoja de laurel

- 1 zanahoria
- 1 vaso de vino blanco
- 40 g de mantequilla
- agua
- sal
- pimienta

*Elaboración:*

Ralla en primer lugar la zanahoria, y luego pica la cebolla y rehoga todo en mantequilla. Añade el laurel y la pimienta. A continuación, incorpora la salsa de tomate, el vino, el agua y la nata, y deja que cueza a fuego lento durante 25 minutos. Pasado este tiempo, coloca esta salsa y viértela en los volovanes ya troceados y reserva una parte de la salsa.

Aparte, escalfa los huevos en agua hirviendo y colócalos dentro de cada volován con la salsa. Salpimenta y salsea por encima y coloca las tapas. Listos para servir.

Para hacer los volovanes en el horno, la temperatura es de 175º y el tiempo entre 20 y 25 minutos, dependiendo del grosor.

# Carnes

## Vacuno

---

## 496 – ALBÓNDIGAS CON CHAMPIÑONES

🦌 🦌 🦌 🦌

---

*Ingredientes:*

- 2 huevos
- sal
- pimienta
- 15 g de miga de pan remojada en leche
- 500 g de champiñones
- 1 cebolla
- harina
- 1 vaso de salsa de tomate

- 1 vaso de vino blanco
- aceite
- agua (si hace falta)

picadillo de:
- 250 g de carne de cerdo
- 250 g de carne de vaca
- 1 loncha de tocino
- 1 loncha de jamón

*Elaboración:*

Mezcla bien la carne con los huevos, la sal, la pimienta y la miga de pan. Forma las albóndigas, pásalas por harina y fríelas. Mientras, en otra cazuela con aceite fríe la cebolla picada y después añade la salsa de tomate. Rehoga y agrega las albóndigas fritas.

Por último, añade el vino blanco y los champiñones limpios y troceados. Pon a punto de sal y déjalo cocer a fuego suave durante 30 minutos (si es necesario añade agua) y sirve.

## 497 – ALBÓNDIGAS CON QUESO

*Ingredientes:*

- 200 g de carne picada de ternera
- 200 g de carne picada de cerdo
- 1 cebolla
- 1 pimiento verde
- 1 diente de ajo
- harina
- sal
- perejil
- queso de nata en 12 tacos
- 2 huevos
- chorro de leche
- 100 g de pan rallado
- salsa de tomate
- pimientos rojos
- aceite

*Elaboración:*

Pica la verdura, añade la carne, sala, y después incluye el pan rallado, la leche y los huevos. Mezcla todo haciendo unas albóndigas un poco grandes.

En las albóndigas haz unos hoyos donde meterás el queso, cerrándolos a continuación. Pásalas por harina y fríelas en abundante aceite, a fuego lento.

Por último, haz una salsa de tomate casero y pimientos rojos, donde meterás las albóndigas, dejándolas de 15 a 30 minutos a fuego lento. Con la carne que sobre, haz bolitas para preparar una sopa de sobras.

## 498 – BRAZO DE TERNERA RELLENO

*Ingredientes:*

- ½ pimiento morrón
- aceite

- 1 kg de aleta de ternera o 2 aletas de ½ kg cada una más o menos
- 1 cucharadita de harina
- 1 vaso de vino blanco
- 2 cebolletas o cebollas
- 1 pizca de tomillo
- 1 vaso de caldo de carne o agua
- 1 pimiento rojo asado y pelado
- sal

relleno:
- 200 g de carne picada
- 100 g de jamón serrano picado
- 2 dientes de ajo
- 1 huevo
- sal
- pimienta negra

*Elaboración:*

Limpia bien la aleta de grasas y extiéndela como si fuera un filete. Ábrela por la mitad si es gorda.

Amasa la carne picada con el jamón, el huevo, la sal, la pimienta y el ajo picado y extiende esta masa sobre la aleta. Enrolla la aleta sobre sí, atándola después. Sazona.

En una cazuela pon las cebollas picadas a rehogar con un chorrito de aceite. Después, añade la aleta y deja que se dore. Acto seguido, agrega un poco de harina, el tomillo, el pimiento morrón en tiras, el vino blanco y el caldo o agua, dejando que cueza a fuego suave hasta que quede tierna con la cazuela tapada durante 1 hora aproximadamente. Después, añade el pimiento asado y pelado en tiras.

Saca la aleta, quita la cuerda y córtala en lonchas. Colócala en una fuente de servir, rectifica la salsa de sal y salsea.

---

## 499 – BROCHETA DE CARNE

*Ingredientes:*
- 400 g de lomo de vaca
- 400 g de filetes de vaca
- 3 tomates
- 2 cebollas
- pimienta
- 1 o 2 pimientos verdes según tamaño
- 1 dl de aceite
- sal

Corta en trocitos la carne. Trocea en cuartos los tomates, las cebollas y los pimientos.

Ensarta la carne y las verduras, alternando los colores en las brochetas. Rocía con aceite y sazona. Ásalas 5 minutos por cada lado en una parrilla bastante caliente.

---

## 500 – CALDERILLO

*Ingredientes:*
- carne de vacuno sin hueso (1 kg de aguja o morcillo)
- 1 cebolla o cebolleta
- 1 zanahoria
- 2 tomates
- ½ cabeza de ajo
- 1 pimiento
- perejil picado
- ½ guindilla
- 3 patatas
- aceite
- vinagre
- sal
- pimienta
- agua

*Elaboración:*

---

Pica la cebolla, la zanahoria, el tomate con piel y el pimiento natural.

Trocea la carne como para estofar.

Pela las patatas y trocéalas desconchando o rompiendo.

Pon en el fondo de la cazuela todas las verduras, y sobre ellas la carne. Sazona y añade un chorro de aceite y vinagre (un poco más de vinagre que de aceite). Añade también la guindilla y el ajo entero y un poco de agua.

Pon a cocer a fuego lento unos 45 minutos aproximadamente con la cazuela tapada.

Fríe las patatas en una sartén con aceite.

Cuando la carne esté casi cocida, prueba: tiene que tener un ligero sabor ácido y un poco picante.

Añade las patatas fritas y el perejil picado y espera que se termine de hacer unos 5 minutos. Sirve caliente.

# 501 – CALLOS Y MORROS EN SALSA

*Ingredientes:*

- 1 morro de ternera pequeño
- 700 g de callos
- harina
- huevo batido
- aceite de oliva

para cocer morros y callos:
- unas verduras (cabeza de ajo, puerro, cebolla y zanahoria)
- unos granos de pimienta
- sal
- agua

salsa:
- 3 cebollas
- un trozo de mantequilla
- 3 tomates
- 3 dientes de ajo
- 2 cuch. de puré de pimiento choricero
- 1 cuch. de pimentón dulce o picante
- 1 cuch. de harina
- sal
- aceite de oliva

*Elaboración:*

Pon a cocer los callos y el morro limpio en abundante agua con las verduras, los granos de pimienta y una pizca de sal, de una hora y media a dos horas. Una vez cocidos, escurre y reserva el caldo. Trocea los callos y corta el morro en trozos grandes para rebozarlos, pasándolos primero por harina y luego por huevo batido.

Para preparar la salsa, trocea las verduras (cebolla, ajo y tomate) y ponlas a pochar a fuego lento. Cuando estén blandas, pásalas por el pasapuré y reserva.

En otra cazuela, pon la mantequilla a derretir; después, añade el pimentón y la harina, rehogándolo bien. Agrega la carne de pimiento choricero y ½ litro del caldo, poco a poco y sin parar de remover. Incorpora a esta salsa la verdura, los callos y el morro. Pon a punto de sal y guísalo a fuego lento durante 15 minutos.

Sirve.

## 502 – CARAJACA

*Ingredientes:*
- 750 g de hígado de vacuno
- 4 dientes de ajo
- 1 cuch. de orégano
- sal
- puré de patatas
- aceite
- pimienta

mojo rojo:
- 1 cabeza de ajo
- ½ guindilla
- ½ cuch. de comino
- 1 cuch. de pimentón picante
- 1 taza de aceite de oliva
- 2 cuch. de vinagre
- agua
- sal

*Elaboración:*

Mojo rojo: en un mortero maja el ajo, la guindilla remojada, el comino, el pimentón. Después, añade el vinagre y el agua y maja hasta ligar bien.

Limpia el hígado, córtalo en tiras y luego en cuadrados. Colócalo en un bol y salpimenta. Maja el ajo con sal, añade el orégano y el aceite. Unta el hígado con este majado y deja reposar varias horas. Saca y pasa por la sartén con un poco de aceite.

Acompaña con el mojo rojo y el puré de patatas.

## 503 – CARNE MECHADA

*Ingredientes:*
- 1,250 kg de redondo de ternera
- 500 g de tiras de tocino
- 8 tiras de zanahoria cocida
- 2 zanahorias
- 2 cebollas
- 2 tomates
- 2 puerros
- 1 pimiento verde
- 2 vasos de vino blanco
- caldo o agua
- puré de manzanas
- un chorrito de aceite
- espinaca

Con un aparato de mechar, mecha la ternera con tiras de tocino, zanahoria cocida y espinaca. De esta forma quedará más jugosa. Sazona la carne, cúbrela con verdura troceada y echa el caldo o agua, el vino y un chorrito de aceite. Tras hornear durante una hora y media a una temperatura de 160º, utiliza las verduras y el jugo producido durante la cocción para hacer una salsa.

Primero hierve juntos jugo y verduras y luego pásalos por la batidora. Una vez hecho esto, sólo faltará trocear el redondo y cubrirlo con la salsa. El plato puede acompañarse de puré de manzanas como guarnición.

## 504 – CARPACCIO DE TERNERA CON QUESO

*Ingredientes:*
- 4 filetes finos de ternera
- 2 limones
- pimienta negra molida
- sal
- 2 cebolletas
- 100 g de queso tipo castellano

*Elaboración:*

Aplasta bien la carne con un tenedor. Coloca los filetes en platos, salpiméntalos y cúbrelos con el zumo de los limones. Mételos en la nevera durante 2 horas. Pasado este tiempo, échales por encima las cebolletas picadas, cúbrelos con láminas finas de queso, añade más cebolleta. Sírvelos junto con el jugo de la maceración.

## 505 – CARRILLERAS CON SALSA DE QUESO

*Ingredientes:*
- 3 carrilleras de ternera
- 1 vaso de nata líquida

- 1 cebolla
- 1 puerro
- 1 tomate
- 100 g de queso roquefort
- ½ litro de caldo de las carrilleras
- perejil picado
- zanahorias cocidas de guarnición
- aceite
- sal
- agua

*Elaboración:*

Limpia de nervios y otros tejidos las carrilleras y cuécelas en agua con sal junto a la cebolla, el puerro y el tomate. Deja cocer una hora o una hora y cuarto. Cuela el caldo y reserva la carne. Pon el caldo en un cazo con el queso y la nata. Deja cocer aproximadamente quince minutos hasta que se espese la salsa.

Aparte, cuece unas zanahorias. Una vez cocidas, saltéalas y ponlas de acompañamiento.

Corta en lonchas las carrilleras y nápalas con la salsa espesita. Antes de servir, espolvorea con perejil picado.

---

# 506 – CHULETAS GRATINADAS CON QUESO

*Ingredientes:*

- 4 chuletas de ternera
- 100 g de queso rallado
- 2 yemas de huevo
- ½ vaso de nata líquida
- sal y aceite

guarnición:
- patatas fritas

*Elaboración:*

Dora las chuletas en una sartén con aceite, añadiéndoles la sal al final.

En un bol, bate las yemas con la nata y el queso rallado, mezclando bien. Coloca las chuletas en una placa de horno, cúbrelas con la crema y hornea durante 5 minutos a 200º.

Sirve estas chuletas gratinadas con queso, acompañadas de patatas fritas.

## 507 – COSTILLA DE TERNERA ASADA

*Ingredientes:*

* 1 kg de costilla de ternera de leche
* 3 dientes de ajo
* 1 cucharadita de perejil picado
* sal marina
* ¼ vaso de vinagre
* ½ vaso de aceite virgen

para la guarnición:
* patatas fritas
* pimientos del piquillo
* sal
* aceite

*Elaboración:*

Pela los dientes de ajo, machácalos en un mortero con la sal, el vinagre, el aceite y el perejil picado mezclándolo todo bien.

Sala la costilla con sal marina y la colocas en la placa. Báñala con el majado y lo metes en el horno a unos 180º, 20 minutos aproximadamente. No es necesario, pero puedes añadir agua durante el asado, si ves que se seca.

Fríe los pimientos a fuego lento en una sartén con aceite, echándoles un poquito de sal.

Por último, fríe la costilla, salséala con el jugo de la placa y sírvela acompañada con la guarnición.

## 508 – ESCALOPE MILANESA

*Ingredientes:*

* 4 escalopes finos de ternera
* queso rallado
* aceite
* huevo
* harina

* pan rallado
* 1 limón
* 2 pimientos verdes
* sal

331

*Elaboración:*

Sala los escalopes, los cuales deben ser finos y tiernos. Pásalos por harina, huevo batido, queso rallado y pan rallado, por este mismo orden. Fríelos en aceite bien caliente. Para acompañar, pon rodajas de limón y un pimiento verde frito cortado en tiras.

## 509 – ESCALOPES DE TERNERA CON SALSA DE ALMENDRAS

*Ingredientes:*

- 4 filetes de ternera de 100 g cada uno
- 1 tomate
- 1 cebolla
- 100 g de almendras tostadas
- aceite
- 1 vasito de vino blanco
- 2 dientes de ajo
- perejil picado
- sal
- pimienta
- harina
- huevo
- pan rallado

*Elaboración:*

Sala y empapa los filetes con harina, huevo y pan rallado. Aplástalos con la hoja del cuchillo, y con el filo haz unos rombos en el empanado. Fríe los escalopes en una sartén con aceite. Escúrrelos y resérvalos en zona caliente.

En el aceite sobrante fríe la cebolla, el ajo y el tomate, todo finamente picado. Salpimenta y espera a que esté bien rehogado. Entonces, agrega las almendras trituradas, un poco de perejil y el vino. Deja hervir. Sirve los escalopes acompañados por la salsa.

## 510 – ESTOFADO DE RABO DE VACA

*Ingredientes:*

- 50 g de manteca de cerdo
- caldo de buey o agua

- 1 rabo de ternera cortado en trozos de 4 o 5 cm
- 3 cebolletas
- 1 tomate grande
- 3 ajos pelados
- ½ copa de anís seco
- sal
- ramillete de hierbas aromáticas
- zanahorias
- harina
- perejil

*Elaboración:*

Pasa los trozos de rabo por harina. Calienta la manteca de cerdo en una cazuela y dora el rabo por todas partes. Añade las cebolletas, el tomate, los ajos y cuécelos suavemente, removiendo unos minutos. Vierte el licor y bastante caldo (o agua). Añade el ramillete de hierbas aromáticas y sazona. Tapa bien la cazuela y ponla a hervir a fuego suave durante 2 horas, o más tiempo si hace falta. Añade un poco de caldo si reduce mucho para que no se seque. Espolvorea con perejil.

Pasa la salsa por el pasapuré o batidora y sirve.

## 511 – ESTOFADO DE TORO CON VERDURAS

*Ingredientes:*
- 1,200 kg de zancarrón (morcillo) de toro
- 2 cebollas
- 3 dientes de ajo
- 2 puerros
- caldo de carne o agua
- harina
- pimienta
- ½ litro de vino tinto
- 8 espárragos cocidos
- 4 alcachofas cocidas
- 2 patatas
- perejil picado
- aceite de oliva
- sal

*Elaboración:*

Pica la verdura (cebolla, ajo y puerro) y póchala en una cazuela con aceite de oliva.

Trocea y salpimenta la carne, pásala por harina y fríela en aceite caliente. Después, incorpora la carne al pochado de verdura y agrega el vino tinto y el caldo de carne o agua hasta cubrir. Deja cocer lentamente durante hora-hora y media aproximadamente (si ves que queda seco, puedes añadir más caldo o agua).

Por último, añade las alcachofas y los espárragos troceados junto con las patatas previamente fritas en trozos. Guísalo durante 5 minutos a fuego suave, espolvorea con perejil picado y sirve.

## 512 – FALDA DE TERNERA AL HORNO

*Ingredientes:*

- 1 kg de falda de ternera
- 2 cebollas
- 1 zanahoria
- 1 puerro
- 4 patatas medianas
- una pizca de tomillo
- ½ vaso de vino tinto
- 2 pimientos asados y pelados
- perejil picado
- sal
- agua
- aceite de oliva

*Elaboración:*

Cuece la falda, en agua con sal, con una cebolla, el puerro y la zanahoria hasta que esté tierna. Después, reserva la falda y también el caldo.

Pocha la otra cebolla, cortada en juliana, en una tartera con aceite. Agrega las patatas peladas y en rodajas no muy finas, el vino tinto y un vaso del caldo de cocer la falda. Añade una pizca de tomillo y guísalo durante unos 20 minutos.

Corta la falda en rodajas y colócalas encima del guiso de patatas junto con los pimientos en tiras y un poco de perejil picado. Mételo en horno fuerte durante 10 minutos y sirve.

## 513 – FALDA DE TERNERA ESTOFADA

*Ingredientes:*

- 1,5 kg de falda de ternera
- pimienta

- 1 cebolla picada
- 3 dientes de ajo
- 2 tomates maduros
- 1 vaso de vino tinto
- 1 hoja de laurel
- 3 clavos
- sal

- aceite
- perejil picado
- agua

para acompañar:
- bolitas de patata

*Elaboración:*

Corta la carne en trozos, salpiméntalos y dóralos en un poco de aceite bien caliente. Una vez dorada la carne, sácala y resérvala.

En el mismo aceite, rehoga los dientes de ajo, la cebolla y el tomate, todo bien picado. Cuando esté bien rehogado, agrega la carne y las especias e incorpora el vino, y déjalo reducir todo lentamente durante una hora y cuarto, cubriéndolo con agua. Ponlo a punto de sal y, si quieres, añade un poco de pimentón.

Como acompañamiento fríe unas patatas en bolitas, tamaño de una nuez, e incorpóralas al guiso.

Espolvoréalo todo con perejil picado y listo para servir.

## 514 – FILETES DE HÍGADO RELLENOS

*Ingredientes:*
- 8 filetes de hígado de vaca pequeños
- 1 lata de paté
- 2 patatas grandes
- 1 pimiento verde
- 1 cebolleta

- 1 diente de ajo
- aceite
- sal
- 2 huevos
- harina
- pan rallado

*Elaboración:*

El primer paso que tienes que dar para la elaboración de este plato es salar todos los filetes de hígado. Luego, toma 4 filetes, úntalos sólo por una cara con el paté y coloca los otros encima, como si de un bocadillo de paté se tratase, únicamente que aquí se sustituye el pan por filetes de hígado. Realizada esta operación, empapa los filetes con harina, huevo y pan rallado para a continuación freírlos en aceite bien caliente.

Por otra parte, una vez peladas y limpias las patatas, córtalas en rodajas, también llamadas patatas panadera o a lo pobre, y fríelas.

En el último momento de la fritura, añade el ajo, el pimiento verde y la cebolleta, todo ello cortado en juliana. Una vez listo el sofrito, ponlo como guarnición de este suculento plato.

## 515 – FILETES SORPRESA

*Ingredientes:*

- 4 filetes de ternera bien estirados
- 4 lonchas de jamón curado
- 4 lonchas de queso graso
- 2 cuch. de piñones
- 30 g de queso rallado
- pimienta
- aceite de oliva
- ¼ litro de vino blanco
- 2 cuch. de tomate
- sal
- ½ kg de puré de patatas
- perejil picado

*Elaboración:*

Extiende y salpimenta los filetes y pon encima las lonchas de queso. Pica el jamón y mézclalo con la mitad de los piñones, el queso rallado y el perejil. Ponlo encima de los filetes, enróllalos y pínchalos con palillos o átalos con un cordel. Fríe la carne en aceite a fuego suave, 3 o 4 minutos, para que se hagan bien por dentro y no se quemen.

Una vez fritos, quita las cuerdas y reserva.

En la misma sartén, pero dejando un poco de aceite, añade el vino blanco, el tomate y el resto de los piñones. Deja cocer hasta que espese un poco la salsa.

Sirve los filetes en trozos, salsea y acompáñalos de puré de patatas, adornado con un chorro de aceite crudo.

# 516 – FRICANDÓ DE TERNERA

*Ingredientes:*

- 8 filetes de redondo de ternera
- 1 cebolla
- ½ kg de tomates maduros
- 10 champiñones
- harina
- aceite
- sal
- orégano
- tomillo
- pimienta

*Elaboración:*

Espolvorea los filetes con la sal, la pimienta, el orégano y el tomillo. A continuación, pásalos por harina y fríelos en una sartén con aceite a fuego fuerte. Saca los filetes a una cazuela.

En la misma sartén haz un sofrito con la cebolla picada muy fina y los tomates maduros. Tenlos en la sartén entre 8 y 10 minutos. Transcurrido este tiempo, añade este sofrito a la cazuela con los filetes y agrega los champiñones limpios y fileteados.

Deja cocer todo a fuego lento para que reduzca el caldo y la carne quede tierna.

# 517 – GUISOTE DE RABO

*Ingredientes:*

- 1 rabo de ternera o vaca
- 2 cebollas
- 1 tomate grande
- 6 dientes de ajo
- 2 copitas de brandy
- 4 zanahorias cocidas
- 8-10 granos de pimienta negra
- una pizca de orégano
- harina
- perejil picado
- agua o caldo
- sal
- aceite
- 8 alcachofas cocidas

Corta el rabo en trozos de 5 cm aproximadamente y sazona.

Pon a pochar en una cazuela con aceite las cebollas, el tomate y los ajos, todo picado. Añade la pimienta y el orégano y sazona. Agrega una cucharada de harina, rehoga y a continuación añade el rabo y sigue rehogando. Vierte el brandy y agua hasta cubrir. Guísalo de 1 a 1 ½ horas hasta que el rabo esté tierno. Añade un poco de caldo o agua, si reduce mucho, para evitar que se seque.

Añade las alcachofas y zanahorias en trozos. Espolvorea con perejil, deja reposar unos minutos y sirve bien caliente.

## 518 – HAMBURGUESAS AL JEREZ

*Ingredientes:*

- 500 g de carne picada de cerdo y vaca
- 1 huevo
- ½ copita de jerez
- 1 cuch. de pan rallado
- 2 cuch. de perejil picado
- 10 aceitunas picadas
- 1 diente de ajo picado
- sal
- 2 tomates
- 4 lonchas de queso
- pimienta

*Elaboración:*

En un bol o tazón grande coloca la carne picada, el pan rallado, el perejil, las aceitunas picadas, el jerez, el ajo y el huevo. Mezcla todo hasta conseguir una masa compacta y uniforme. Con esta masa haz las hamburguesas a la plancha o en una sartén por las dos partes.

Corta los tomates en lonchas y colócalos en la bandeja del horno; métalos en éste 3 o 4 minutos. Una vez asado el tomate, retira del horno, coloca encima de las rodajas las hamburguesas y métalas en el horno 5 minutos. Sácalas, colócales encima una loncha de queso y gratínalas en el horno 1 o 2 minutos. Saca y sirve con patatas fritas.

# 519 – HAMBURGUESAS SORPRESA

*Ingredientes:*

- 350 g de carne de ternera picada
- 250 g de queso
- 1 huevo
- 1 cebolleta
- 1 ajo
- aceitunas rellenas picadas

- aceite
- sal
- perejil

para acompañar:
- calabacín
- salsa de tomate

*Elaboración:*

Pica la cebolleta, el ajo y el perejil y haz las hamburguesas mezclando estos ingredientes con la carne picada, el huevo crudo y un poco de sal, procurando que su tamaño sea grande. Haz un agujero en el centro de cada hamburguesa e introduce en él una bolita de queso y aceitunas. Tapa cada agujero con carne picada y pon las hamburguesas a freír en una sartén con aceite a fuego lento. Una vez fritas, sírvelas acompañadas de una guarnición de calabacín cortado en lonchas y frito y un poco de salsa de tomate.

# 520 – HÍGADO DE VACA A LA MOSTAZA

*Ingredientes:*

- 4 filetes de hígado de vaca (150 g cada uno)
- harina
- 2 cuch. de mostaza fuerte

- aceite
- sal
- pimienta negra molida

*Elaboración:*

Salpimenta los filetes y úntalos con mostaza. Después, espolvoréalos con harina e imprégnalos con un poco de aceite. A continuación, colócalos en una parrilla y déjalos 2 o 3 minutos por cada lado. Si quieres hacerlos fritos, no es necesario que los untes con aceite previamente.

---

## 521 – LENGUA DE TERNERA A LA JARDINERA

*Ingredientes:*

- 8 filetes de lengua de ternera cocida
- 8 alcachofas
- 1 zanahoria
- 1 cebolla
- 1 diente de ajo
- 200 g de guisantes
- 1 patata
- ½ litro de agua
- 1 cucharadita de harina
- sal
- aceite
- perejil picado
- 2 huevos
- harina
- limón

*Elaboración:*

Pica finamente la cebolla y el ajo y rehógalos en una cazuela con aceite. Cuando se doren, añade una cucharadita de harina y remueve bien. Agrega el agua. Limpia las alcachofas y frótalas con limón para que no se ennegrezcan, córtalas en 4 partes cada una y échalas a la cazuela.

Pela y trocea la zanahoria y la patata y échalas también a la cazuela. Deja todo durante unos 25 minutos.

Reboza los filetes de lengua con harina y huevo. Fríelos con cuidado y échalos a la menestra. Incorpora también los guisantes y deja que cueza todo junto otros 5 minutos más para tenerlo listo para servir.

---

## 522 – LENGUA DE TERNERA EN SALSA

*Ingredientes:*

- 8 alcachofas
- 200 g de guisantes cocidos

- 8 filetes de lengua de ternera cocida
- 1 puerro
- 1 zanahoria
- 1 cebolla
- 1 diente de ajo
- harina
- 2 patatas
- ½ litro de agua o caldo
- 1 cuch. de harina
- sal
- aceite de oliva
- huevo

*Elaboración:*

Pon a pochar, en una cazuela con aceite, el puerro, la cebolla y el diente de ajo, bien picados. A continuación, añade la harina y rehoga. Mójalo con el caldo o agua. Limpia las alcachofas, córtalas en cuartos y échalas a la cazuela junto con la zanahoria pelada y troceada. Déjalo hacer durante unos 25 minutos.

Reboza los filetes de lengua con harina y huevo y fríelos.

Por último, añade al guiso las patatas que habrás frito en tacos, los guisantes cocidos y los filetes de lengua rebozados. Guísalo todo junto otros 5 minutos, pon a punto de sal y sirve.

## 523 – LENGUA EN SALSA DE MOSTAZA

*Ingredientes:*
- 1 kg de lengua de ternera cocida
- ½ litro de caldo de carne o de ave, o de verduras
- 1 cebolla
- 1 cuch. de harina
- 1 cuch. de mostaza
- 1 trozo de mantequilla
- aceite
- sal

*Elaboración:*

En una cazuela, funde un trozo de mantequilla junto con un chorro de aceite y pocha en ella la cebolla muy picada. Sazona y agrega una cucharada de harina rehogándola bien. Después, echa la mostaza y moja con el caldo poco a poco y sin dejar de remover. Deja que se haga unos minutos antes de añadir la lengua cortada en filetes.

Guísalo a fuego lento durante 5 minutos y sirve.

---

## 524 – LONCHITAS DE TERNERA AL TXAKOLÍ

*Ingredientes:*

- 800 g de redondo de ternera
- 1 cebolla grande
- 1 vaso de txakolí
- ½ vaso de nata líquida
- 200 g de champiñones
- aceite de oliva
- 30 g de mantequilla
- perejil picado
- sal
- pimienta

guarnición:
- pasta cocida

*Elaboración:*

Corta la carne en filetes y salpimenta.

Calienta la mantequilla y el aceite en una sartén. Fríe la carne a fuego vivo, por turnos, y sirve los filetes ya hechos. Echa la cebolla picada muy fina en la sartén y espera a que se dore. En ese momento añade los champiñones limpios, lavados y cortados en láminas. Salpiméntalos y ponlos a fuego vivo hasta que empiecen a dorarse. Añade el txakolí y déjalo cocer unos minutos. Agrega la nata, y cuando rompa a hervir agrega la carne.

Calienta y sirve el plato espolvoreándolo con perejil y acompañado de pasta cocida.

---

## 525 – MOLLEJAS DE TERNERA AL CAVA

*Ingredientes:*

- 3 mollejas enteras de ternera
- 2 cuch. de aceite
- sal
- perejil
- 1 vaso de vino blanco (o cava)
- pimienta

salsa:
- 1 vaso de nata
- 1 vaso de cava

- 2 cebolletas o 4 chalotas
- 1 nuez de mantequilla o margarina

*Elaboración:*

Limpia bien las mollejas de telillas y grasas. Salpimenta y mete en el horno con el aceite caliente y el vino blanco. Después, baña las mollejas con el jugo que sueltan y dales la vuelta. Añade un poco de agua, si fuese necesario, y deja que se hagan en el horno unos 30 minutos a 180º.

Mientras, pocha las cebolletas o chalotas picadas con la mantequilla y agrega la nata y el cava. Deja que reduzca y liga la salsa. Incorpora también la salsa de las mollejas desgrasada.

Para servir, corta las mollejas en lonchas. Coloca la salsa en el fondo y encima las mollejas, y espolvorea luego con perejil. Se puede acompañar con brécol.

## 526 – PIMIENTOS RELLENOS DE RABO

*Ingredientes:*
- 2 rabos de ternera
- 1 lata de pimientos del piquillo
- 2 dientes de ajo
- 2 cebolletas
- aceite
- 1 pimiento verde

- 1 cuch. de harina

para cocer el rabo:
- 1 tomate maduro
- agua
- sal
- 2 zanahorias

*Elaboración:*

Corta el rabo por las uniones gelatinosas y cuécelo con la verdura. Tarda 3 horas en estar listo, por lo que puedes cocerlo el día anterior. Cuando esté cocido y frío, retira la carne del hueso. Rellena los pimientos con la carne desmigada y reserva.

En una cazuela, pon el diente de ajo, las cebolletas y el pimiento verde picado. Rehoga bien con aceite. Añade la cucharada de harina y, después, caldo de cocción del rabo. Mete los pimientos, que se quedarán cubiertos, y deja cocer 10 minutos a fuego lento.

Retira los pimientos, liga la salsa y salsea los pimientos antes de servir.

## 527 – PINCHOS DE HÍGADO

*Ingredientes:*
- 8 trozos de hígado de ternera
- 8 cabezas de champiñones
- 8 trozos de pimiento verde o rojo
- 8 lonchas de tocineta

- sal
- pimienta negra
- aceite

para acompañar:
- patatas paja o normales

*Elaboración:*

Coloca los ingredientes (champiñón, hígado, pimiento y tocineta) alternándolos en los palos o pinchos de brocheta.

Salpimenta y fríelos en una sartén con un poco de aceite dándoles la vuelta cuando se doren por un lado.

Por último, sírvelos acompañados de patatas paja o normales, fritas en aceite bien caliente.

## 528 – REDONDO FRÍO CON ENSALADILLA

*Ingredientes:*
- 1 trozo de ½ kg de redondo de ternera
- vino blanco
- caldo

- aceite
- sal
- perejil
- 1 tomate

ensaladilla:
- 3 patatas medianas
- 1 zanahoria
- 2 huevos
- 1 cuch. de guisantes cocidos
- 1 lata pequeña de atún
- salsa mahonesa
- agua

*Elaboración:*

Sazona el redondo y colócalo en una fuente de horno. Riégalo con el vino blanco, el caldo y, por último, con un buen chorro de aceite de oliva. Mételo en el horno caliente a 180º durante 45 minutos. Ten cuidado de que no se haga mucho para que no quede seco. Transcurrido el tiempo necesario, sácalo y déjalo enfriar.

En una cazuela con abundante agua cuece las patatas y la zanahoria. En otra más pequeña cuece los huevos. Cuando esté todo cocido y frío, pícalo y mézclalo bien con la salsa mahonesa, añadiendo también los guisantes y el atún desmigado. De esta forma tienes una ensaladilla rusa con fundamento. Pon la ensaladilla en un costado de la fuente, y el redondo, ya frío y fileteado, en un lado. En el otro, el tomate cortado en rodajas finas. En el centro coloca una bonita rama de perejil y a servir.

## 529 – RIÑONCITOS FRITOS

*Ingredientes:*
- 1 o 2 riñones de vaca
- vinagre
- 3 cebollas
- 3 dientes de ajo
- ½ vaso de vino blanco
- sal
- aceite
- perejil picado
- agua

*Elaboración:*

Corta en dados los riñones limpios de grasa, sumérgelos en agua hirviendo con vinagre durante ½ hora y después sácalos, sécalos y échales sal.

Pica la cebolla y el ajo y póchalos un poco en una sartén, y antes de que se doren añade el riñón troceado y el vino. Tápalo y deja que se haga a fuego lento, unos 20 o 30 minutos. Si queda ligera la salsa, lígala con fécula diluida en agua. Antes de servir agrega el perejil picado.

---

## 530 – ROLLITOS DE CARNE Y QUESO A LA PIMIENTA VERDE

*Ingredientes:*
- 8 filetes pequeños de ternera
- 8 lonchas finas de queso tradicional español (tipo castellano)
- 2 vasos de nata
- 1 cuch. de pimienta verde
- pan rallado
- 2 vasos de caldo de carne
- sal y aceite

para acompañar:
- patatas paja

*Elaboración:*

Aplasta los filetes y sálalos ligeramente. Pon una loncha de queso encima de cada filete, enróllalos y pínchalos con un palillo.

En un cazo, vierte el caldo y la nata con la pimienta, deja reducir unos 10 o 12 minutos y añade la sal. Mientras, pasa los rollitos por pan rallado y fríelos en abundante aceite caliente. Sácalos y salsea.

Sírvelos acompañados de patatas paja.

---

## 531 – SAN JACOBO DE HÍGADO

*Ingredientes:*
- 8 filetes finos de hígado de ternera
- 1 cebolla hermosa
- 3 pimientos verdes
- 2 patatas
- 8 guindillas frescas dulces o pimientos
- aceite de oliva
- sal
- pan rallado

Pela las patatas, trocéalas y fríelas en aceite bien caliente junto con las guindillas frescas. Sazona. Para preparar el relleno, pocha la cebolla y los pimientos troceados. Sazona los filetes de hígado.

Extiende parte del pochado sobre un filete y tapa con otro. Repite esta operación hasta preparar todos los san jacobos. A continuación, empánalos y fríe hasta que queden crujientes por fuera y jugosos por dentro.

Sírvelos acompañados de la fritada de patatas y guindillas.

---

## 532 – SESOS CON SALSA DE TOMATE

*Ingredientes:*

- 2 sesos de ternera
- harina
- huevo
- aceite
- salsa de tomate

- 3 dientes de ajo
- 1 chorro de vinagre
- 2 patatas
- agua
- sal

*Elaboración:*

---

Limpia muy bien los sesos de impurezas y telillas. Cuécelos suavemente en agua con un poco de sal y vinagre, junto con unas verduras si lo deseas. Después, deja que enfríen. Sazona, pásalos por harina y huevo y fríelos en aceite con tres dientes de ajo enteros. Calienta la salsa de tomate y colócala en el fondo de una fuente. Pon los sesos encima acompañados con patatas fritas en tiras muy finas.

## 533 – SESOS DE TERNERA A LA PIMIENTA VERDE

*Ingredientes:*

- 2 sesos de ternera
- harina

- 1 cuch. de granos de
  pimienta verde
- 1 litro de nata líquida
- 1 litro de caldo de ave
- huevo batido

- 1 sobre de levadura
- agua
- sal
- aceite

*Elaboración:*

Para preparar la salsa, en una cazuela reduce a la cuarta parte de su volumen la nata con el caldo y la pimienta verde, calentándolo a fuego lento de 20 a 25 minutos.

Cuece los sesos bien limpios durante 5 minutos en agua hirviendo. Después, escurre, córtalos en rodajas y sazona. Reboza estas rodajas en harina con la levadura y huevo batido.

Fríe los sesos en una sartén con aceite y colócalos bien escurridos en la salsa. Guísalos durante 2 o 3 minutos y sirve.

## 534 – SESOS REBOZADOS EN FRITADA

*Ingredientes:*
- 2 sesos de ternera cocidos
- 2 tomates
- 1 calabacín
- 2 dientes de ajo
- huevo batido
- agua

- harina
- levadura
- perejil picado
- aceite de oliva
- sal

*Elaboración:*

Una vez cocidos los sesos (bien limpios y durante 15 minutos aproximadamente, en agua con sal), escurre y déjalos enfriar. Córtalos en rodajas y rebózalos en harina con levadura y huevo batido. A continuación, fríe en aceite muy caliente y reserva.

Rehoga, en una cazuela con aceite, el tomate troceado con los ajos picados. Sazona, y cuando esté pochado, añade el calabacín, limpio y cortado en medias lunas. Hazlo todo junto durante 10 minutos aproximadamente, poniendo a punto de sal.

Por último, agrega los sesos rebozados y déjalo a fuego lento otros 5 minutos.

Sirve espolvoreado con perejil picado.

## 535 – TERNERA FRÍA A LA BILBAÍNA

*Ingredientes:*

- 1 kg de falda de ternera
- 4 tomates maduros
- 2 o 3 cebollas
- 2 dientes de ajo
- perejil picado
- 3 huevos cocidos
- aceite

- pimienta
- vinagre
- sal

para acompañar:
- una ensalada de lechuga y escarola

*Elaboración:*

Sazona la carne y ponla a dorar en una cazuela con aceite. Añade la cebolla y el tomate cortados finos, espolvorea con pimienta y tapa la cazuela para cocerlo en su jugo a fuego suave durante una hora aproximadamente. Si lo haces en una olla a presión, tardará 15 o 20 minutos. Cuando la carne esté tierna, sácala y deja que enfríe, después córtala en rodajas y pon éstas en una fuente.

En un mortero, machaca los ajos pelados con el perejil, los huevos picados y la sal. Agrega un chorro de aceite y otro de vinagre. Salsea con este majado la carne y acompaña el plato con una ensalada de escarola y lechuga.

# Cerdo

## 536 – CERDO CON GUARNICIÓN DE FRUTAS

*Ingredientes:*

- 1 pieza de lomo de cerdo de 1 kg
- 100 g de bacon en lonchas
- 2 peras
- 12 ciruelas pasas
- 15 o 20 granos de uvas
- 3 cebollas o cebolletas
- 3 zanahorias
- 1 vaso de vino blanco
- sal
- pimienta
- agua
- aceite
- 1 cuch. de harina de maíz
- perejil picado

*Elaboración:*

En una cazuela con aceite, rehoga a fuego vivo el cerdo salpimentado y envuelto en el bacon y atado con un cordel. Una vez dorado, añade las cebollas y las zanahorias picadas y rehógalas a fuego medio. Luego agrega el vino y un poco de agua. Deja cocer 1 hora aproximadamente, añadiendo más agua si se queda seco. Después, saca el lomo y resérvalo. Agrega a la salsa las ciruelas pasas (si lo deseas, maceradas en brandy), las uvas y las peras peladas y cortadas por la mitad. Deja cocer 10 minutos más.

Mientras tanto, quita la cuerda del lomo y córtalo en rodajas, colocando éstas en una fuente.

Por último, pon la salsa a punto de sal (si te queda muy ligera, puedes ligarla con la harina de maíz diluida en agua), espolvorea con perejil picado y salsea.

# 537 – CHULETAS CON SALSA ESPAÑOLA Y TUÉTANO ✂ ✂ ✂ ✂

*Ingredientes:*

- 4 chuletas de cerdo de 250 g cada una
- 2 dientes de ajo
- perejil picado
- puré de patata
- sal
- aceite
- pimienta

para la salsa:
- unas verduras (cebolla, zanahorias, etc.)
- 1 litro de caldo
- 1 cuch. de harina
- aceite
- 4 huesos de cañada
- agua

*Elaboración:*

Prepara una salsa española rehogando en aceite las verduras picadas con una cucharada de harina y mojando con el caldo. Cuando haya reducido casi a la mitad, pásala por un pasapuré.

Cuece los huesos de cañada y saca el tuétano del interior. Añádeselo troceado a la salsa española (puedes volverlo a triturar si no quieres que se vean los trozos).

Salpimenta las chuletas y fríelas en aceite con los dientes de ajo troceados, espolvoreándolas con perejil picado.

Coloca la salsa de tuétano en el fondo de una fuente o plato y sirve encima las chuletas con los ajitos fritos.

Por último, decora con puré de patatas.

# 538 – CHULETAS DE CERDO CON MEMBRILLO ✂ ✂ ✂ ✂

*Ingredientes:*

- 8 chuletas de cerdo
- 200 g de membrillo dulce
- 3 cebollitas
- 1 vaso de caldo de carne
- 1 diente de ajo
- 25 g de piñones
- aceite
- sal
- pimienta

*Elaboración:*

Pon en la sartén un chorrito de aceite y echa el ajo cortado en rodajitas. Salpimenta las chuletas y fríelas junto al ajo. Saca y resérvalas.

En la misma sartén rehoga los piñones y resérvalos.

En ese mismo aceite rehoga las cebollitas cortadas en juliana y el membrillo. Tres minutos después, agrega el caldo. Espera a que se deshaga el membrillo y después deja reducir. Añade los piñones y báñalos con la salsa de la chuleta.

También puedes añadir, junto con el caldo, un vaso de vino dulce oporto. La salsa adquiere un toque más señorial.

---

## 539 – CHULETAS DE CERDO CON MIEL

*Ingredientes:*

- 4 chuletas de cerdo
- 4 cuch. de aceite
- 4 cuch. de miel
- 4 cuch. de zumo de limón
- 1 cucharadita de curry
- sal

- 1 plato de harina
- aceite para freír
- arroz blanco cocido y refrescado
- 1 ramita de perejil

*Elaboración:*

---

En un bol mezcla las 4 cucharadas de aceite con la miel, el zumo de limón y el curry.

Mete las chuletas sazonadas en la mezcla y deja que maceren en ella unos 15 minutos, dándoles la vuelta de vez en cuando. Pasado ese tiempo sácalas, pásalas por harina y fríelas en una sartén con aceite. Una vez fritas, colócalas en una bandeja de servir y báñalas con el jugo de maceración.

Acompaña con arroz blanco salteado en una sartén y moldeado en un bol untado con un poquito de aceite y con una ramita de perejil en el fondo.

## 540 – CHULETAS DE CERDO CON SALSA DE PEREJIL

*Ingredientes:*

- 8 chuletas de cerdo
- aceite
- sal
- pimienta
- pimientos rojos

para la salsa:

- 2 cuch. de aceite
- 1 cebolleta
- 50 g de perejil en hojas
- 1 vaso de caldo de carne
- ½ vaso de nata líquida
- sal

*Elaboración:*

Haz la salsa pochando la cebolleta picada en aceite, añadiendo el perejil picado, el caldo y la nata. Déjalo hacer unos minutos y lo trituras todo, pasándolo luego por el chino si deseas que quede más fino. Ponlo a punto de sal.

Aparte, fríe las chuletas salpimentadas. Sírvelas acompañadas con la salsa en el fondo y unos pimientos rojos fritos.

## 541 – CHULETAS DE CERDO CON SALSA DE TUÉTANO

*Ingredientes:*

- 4 chuletas de cerdo de 250 g cada una
- sal y aceite
- pimienta
- 1 cebolleta
- 2 patatas
- 1 pimiento verde

salsa de tuétano:

- aceite
- perejil picado

- 60 g de mantequilla
- 2 vasos de vino (tamaño vaso de agua)
- diente de ajo
- 50 g de tuétano de vaca limpio
- 1 vaso de agua
- 1 cebolleta
- zumo de ½ limón
- 1 hoja de laurel
- sal

*Elaboración:*

En una cazuela pon la mantequilla con un poco de aceite y rehoga la cebolleta picada, el ajo también picado y la hoja de laurel. Cuando estén bien rehogados, añade el vino, el agua y el zumo de limón. Deja reducir a fuego fuerte (20 minutos).

A esta salsa, ya reducida, agrégale el tuétano cocido y un puñado de perejil picado. (El tuétano se cuece durante 15 minutos en agua con sal.)

En una sartén con aceite fríe las chuletas con sal y pimienta.

En otra sartén, saltea las patatas peladas y troceadas, el pimiento cortado en tiras y la cebolleta picada. Luego hornea 10 minutos.

Para servir, pon en el fondo del plato la salsa, encima la chuleta, y, como guarnición, la patata con pimiento y cebolla.

---

## 542 – CHULETAS RELLENAS

*Ingredientes:*
- 4 chuletas de cerdo de 2 cm de grosor cada una
- 4 lonchas de queso
- 4 lonchas de jamón
- sal
- pan rallado
- aceite

- 2 dientes de ajo
- palillos

guarnición:
- 8 pimientos fritos
- patatas fritas

*Elaboración:*

Corta la carne de las chuletas para rellenar por la mitad, desde el borde hasta el hueso. Sazona y rellena con una rodaja de jamón y otra de queso. Pínchalas con los palillos para que no se abran, rebózalas en pan rallado y fríelas a fuego lento en una sartén con aceite y dos dientes de ajo.

Para servir, pon como guarnición las patatas y los pimientos fritos.

## 543 – CINTA DE CERDO ASADA CON COSTRA DE SAL

*Ingredientes:*

- 1 kg de cinta de cerdo
- 2 kg de sal gorda

guarnición patatas panadera:

- 4 patatas grandes
- 2 cebolletas

- 1 pimiento verde
- 1 diente de ajo
- aceite
- sal
- perejil picado

*Elaboración:*

Pon aceite a calentar en una sartén. Corta las patatas peladas en rodajas y échalas en la sartén. Añade el resto de las verduras cortadas en juliana y el ajo picado y póchalos unos 10 minutos. Después escurre y ponlo todo en una bandeja a hornear. Añade sal y perejil picado, cúbrelo con papel de aluminio y métalo en el horno de 15 a 20 minutos.

Coloca en el fondo de una fuente de horno una capa de sal gorda de 1 cm de grosor y el largo y ancho del asado. Posa la cinta de cerdo encima y cúbrela por completo con el resto de la sal.

Con el horno caliente a fuego medio, mete el cerdo durante 1 hora aproximadamente (hasta que se resquebraje la sal).

Pasado ese tiempo, sácalo del horno y rompe la corteza de sal para después trinchar la cinta como un asado normal.

Acompaña el plato con la guarnición y sirve.

## 544 – CODILLO ASADO

*Ingredientes:*

- 4 codillos de cerdo
- 2 hojas de laurel
- 2 zanahorias
- 4 patatas

- 2 lonchas de bacon
- 2 cebollas
- agua

*Elaboración:*

Cuece los codillos durante 2 horas y media con el laurel y las zanahorias y cebollas cortadas en juliana.

Escúrrelo y ponlo a asar durante 1 hora a 160º, hasta que la corteza esté crujiente.

Corta muy finas las patatas y saltéalas con bacon.

## 545 – COSTILLA DE CERDO AL TOMILLO

*Ingredientes:*

- 8 costillas de cerdo troceadas
- ½ cuch. de tomillo
- aceite
- sal

guarnición:
- patatas fritas

*Elaboración:*

Pon en la víspera las costillas en adobo con el tomillo, el aceite y la sal. Fríelas en aceite muy caliente, girándolas continuamente para que se doren bien. Sírvelas acompañadas de patatas fritas.

## 546 – COSTILLA DE CERDO ASADA

*Ingredientes:*

- 1 kg de costilla de cerdo troceada
- 3 dientes de ajo
- ½ vaso de vinagre
- perejil picado
- 1 vaso de vino blanco
- sal
- perejil picado

para acompañar:
- pimientos rojos asados y en tiras
- 1 diente de ajo
- sal
- aceite de oliva

Machaca en un mortero 3 dientes de ajo pelados y troceados, con un poco de sal, medio vaso de vino blanco y el vinagre.

Rocía con este majado la costilla troceada, que habrás colocado en una fuente de horno. Añade por encima el resto de vino blanco y hornéalo a 200º durante 30 minutos aproximadamente (puedes añadir algo de agua si ves que el asado se queda seco).

Prepara una ensalada con los pimientos rojos asados, pelados y cortados en tiras y un diente de ajo picado. Aliña con sal gorda y aceite de oliva.

Sirve las costillas asadas y calienta ligeramente la placa en el fuego para ligar la salsa, espolvoreando con perejil picado.

Salsea la costilla y acompaña este plato con la ensalada de pimientos.

## 547 – EMPANADILLAS DE CERDO

*Ingredientes:*

- ¼ kg de carne de cerdo
- 2 cebollas
- 1 zanahoria
- 200 g de champiñones cocidos
- salsa de tomate
- 16 empanadillas
- 1 tomate
- aceite
- sal

*Elaboración:*

Pica finamente las cebollas, el tomate y la zanahoria. Póchalo todo en una sartén con un poco de aceite y después añade los champiñones troceados.

A continuación, incorpora la carne de cerdo cortada en daditos pequeños y sazona.

Deja enfriar y rellena las empanadillas con esta mezcla. Fríelas en aceite caliente y acompáñalas con salsa de tomate.

## 548 – ENSALADA DE SOLOMILLO

*Ingredientes:*

- 2 solomillos de cerdo
- 1 cebolleta
- 2 pimientos verdes
- 1 zanahoria
- 2 dientes de ajo
- 1 puerro

- tomillo
- 1 lechuga
- 1 vaso de vino blanco
- sal gorda
- aceite
- vinagre

*Elaboración:*

Pon en una sartén con un poco de aceite el solomillo limpio y sazonado. Una vez rehogado, añade la verdura (la cebolleta, pimiento verde, zanahoria, ajo, puerro) en juliana. Sazona, añade el vinagre, el vino blanco y el tomillo. Déjalo hacer 15 o 20 minutos aproximadamente. Puedes añadir agua si ves que se seca. Después, saca el solomillo, déjalo enfriar y reserva las verduras. Una vez frío, haz lonchas finas.

Para montar el plato: haz una cama de lechuga bien limpia en juliana. Sirve encima las lonchas de solomillo y, por último, las verduras a los lados.

Salsea por encima con el jugo y sirve. Puedes echar un chorro de aceite crudo por encima.

## 549 – FLAMENQUINES

*Ingredientes:*

- 4 filetes de cerdo
- 4 lonchas de jamón serrano
- harina
- huevo

- pan rallado
- aceite
- patatas chips o paja

Es éste es un plato típico de Andújar, sencillo y rico, rico.

En primer lugar, salpimenta el filete de cerdo. Conviene que esté cortado bastante fino. Sobre él pon una loncha de jamón. Enrolla sobre el filete, formando un rollito que, bien puedes atar con un cordel, bien puedes pinchar con un palillo para que no se suelte.

A continuación, pasa los rollos por harina, huevo y pan rallado. Fríe fuerte al principio para que no se dore, y después suave para que se haga bien por dentro.

Sírvelo cortando en lonchas los rollos. Sobre ellos coloca las patatas, y por último pon encima un poco de jamón serrano picado.

---

## 550 – JAMÓN ASADO CON SALSAS
### Para 8 a 10 personas

*Ingredientes:*

- 1 pernil fresco deshuesado
- sal
- pimienta
- aceite
- agua

guarnición:
- puré de castañas
- puré de manzanas
- mermelada de fresas
  o grosellas

*Elaboración:*

---

Salpimenta el pernil y átalo con una cuerda de liz. Colócalo en una placa de horno honda, añade un chorro de aceite y agua y hornea a 130-140º. Hay que poner la piel hacia arriba y no es necesario darle la vuelta. Tardará en hacerse 3 o 4 horas más o menos. Sólo debemos añadir agua de vez en cuando para que no se seque.

Una vez asado, déjalo enfriar, quita la cuerda y córtalo en lonchas.

Sírvelo acompañado del puré de castañas, el puré de manzanas y la mermelada de fresas o grosellas. También puedes tomar este plato caliente.

## 551 – JAMÓN SERRANO CON SALSA HOLANDESA ✂ ✂ ✂ ✂

*Ingredientes:*

- 8 lonchas de jamón serrano
- 4 tomates escaldados
- perejil picado

para la salsa holandesa:
- 4 yemas de huevo
- 300 g de mantequilla
- sal
- agua
- zumo de ½ limón

*Elaboración:*

Para preparar la salsa holandesa, pon a fundir la mantequilla. Aparte, en un bol, monta las yemas de huevo con un poco de sal y un poco de agua templada, con la ayuda de una varilla. Cuando esté fundida la mantequilla, retira la espuma y añade el resto al bol poco a poco y sin dejar de batir, fuera del fuego hasta que ligue. Por último, agrega el zumo de medio limón.

Pela los tomates y córtalos en lonchas finas. Colócalos formando un círculo en el fondo de una fuente. Pon encima las lonchas de jamón serrano, cúbrelo con la salsa holandesa, espolvorea con perejil picado y gratínalo durante un minuto aproximadamente.

## 552 – JAMÓN SERRANO RELLENO ✂ ✂ ✂ ✂

*Ingredientes:*

- 16 lonchas grandes de jamón serrano
- 4 patatas medianas
- 1 cebolleta
- 1 pimiento verde

- 2 dientes de ajo
- ½ kg de champiñones
- aceite
- sal

*Elaboración:*

Con la patata pelada y en lonchas finas, el pimiento, la cebolleta y un diente de ajo, prepara unas patatas panadera pochándolo todo en aceite.

Limpia y filetea los champiñones, y con el otro diente de ajo saltéalos en una sartén con aceite. Sazona, desgrasa y añádeselo a las patatas panadera.

Coloca la mitad de las lonchas de jamón en el fondo de una fuente o platos individuales; encima, las patatas y los champiñones bien escurridos, y cúbrelo todo con el resto de las lonchas de jamón. Mételo en el horno a 200º durante 3 minutos, para que se temple el jamón, y sirve.

## 553 – LASAÑA DE JAMÓN SERRANO

*Ingredientes:*

- 12 lonchas de jamón serrano
- 4 patatas
- agua
- sal
- salsa de tomate
- queso rallado
- aceite

*Elaboración:*

Pela y cuece las patatas en agua con un chorro de aceite. Añade un poquito de sal, porque con el jamón es suficiente. Cuando estén cocidas, pásalas por el pasapuré, de forma que quede un puré espesito.

Coloca en una bandeja de horno, de forma alternativa, capas de puré y capas de jamón. Espolvorea la última capa con queso rallado y mételo en el horno a gratinar durante 3 o 4 minutos.

Acompaña esta lasaña con salsa de tomate o cualquier otra salsa caliente.

# 554 – LENGUA DE CERDO EN FRITADA

৸৺ ৸৺ ৸৺ ৸৺

*Ingredientes:*

- 3 lenguas de cerdo
- agua
- sal
- unas verduras para cocer las lenguas

para la fritada:
- 1 pimiento verde
- 1 pimiento rojo
- 1 tomate
- 2 cebolletas
- 1 hoja de laurel
- 3 dientes de ajo
- pimentón picante
- aceite
- sal

*Elaboración:*

Cuece las lenguas en agua con sal y alguna verdura durante 1 hora aproximadamente hasta que estén hechas. Déjalas templar fuera del caldo y pélalas.

Corta toda la verdura de la fritada en juliana y ponla a pochar en una cazuela con un poco de aceite junto con el laurel. Sazona. Cuando esté pochada, añade el picante y rehoga. Corta las lenguas en lonchas y agrégalas también y déjalas cocer unos 10 minutos con un poco de caldo de cocción de la lengua y sirve.

Si quieres, también puedes rebozar los trozos de lengua.

# 555 – LENGUA DE CERDO ENCEBOLLADA

৸৺ ৸৺ ৸৺ ৸৺

*Ingredientes:*

- 4 lenguas de cerdo cocidas
- 1 cebolla roja
- 1 cebolla blanca
- harina
- huevo batido

- sal
- aceite
- 1 vaso de caldo
- perejil picado

*Elaboración:*

Pon a pochar en una cazuela con aceite las cebollas picadas en juliana. Sazona, añade una cucharada de harina y rehoga. Después, agrega el caldo y el perejil picado, dejándolo reducir todo durante unos minutos.

En otra sartén con aceite, fríe las lenguas en rodajas, pasadas por harina y huevo batido.

Por último, añade la lengua frita a la cebolla pochada, mezcla bien y sirve.

---

## 556 – LOMO DE CERDO A LA CREMA

---

*Ingredientes:*

- 1 kg de lomo de cerdo entero
- ¾ de litro de leche desnatada
- 3 cuch. de salsa de tomate
- 1 cucharadita de mostaza suave
- sal
- aceite
- un poco de harina de maíz refinada o fécula diluida en agua

*Elaboración:*

---

Sazona el lomo y hornéalo con un chorro de aceite durante 35-40 minutos a 170º. Cuando se forme una costra crujiente, pásalo a una cacerola con su jugo. Ponlo a cocer junto con la leche, la mostaza y la salsa de tomate, a fuego lento durante 30 minutos.

Después, saca el lomo y córtalo en rodajas.

Pon la salsa a punto de sal y pásala por un chino. Si te queda muy ligera, espésala con harina de maíz refinada, diluida en un poco de agua.

Por último, sirve el lomo acompañado de la salsa.

# 557 – LOMO DE CERDO AL AROMA DE VODKA

## Ingredientes:

- aceite de oliva
- 1 kg de carne de cerdo
- 1 diente de ajo
- 1 cebolleta
- 2 pepinillos en vinagre
- 1 pizca de pimienta de cayena
- 1 vaso de jugo de carne

- ½ vaso de vodka
- perejil picado
- sal

guarnición:
- 200 g de pasta verde cocida
- mantequilla

## Elaboración:

Pica la cebolleta y el ajo finamente, y rehoga en una cazuela con un chorro de aceite. Cuando estén dorados, agrega los pepinillos picados y el caldo de carne, y deja cocer a fuego lento.

Aparte, corta la carne en trozos de 1 cm. Salpimenta en una sartén con un poco de aceite muy caliente. Agrega la cayena y el vodka. Con cuidado de no quemarte, flambea. Agrega el lomo flambeado a la salsa preparada en la cazuela y deja cocer a fuego lento. Espera que espese la salsa, prueba de sal, espolvorea con perejil picado y sirve.

Acompaña la carne con la pasta cocida y salteada en la sartén con mantequilla.

# 558 – LOMO DE CERDO ASADO

## Ingredientes:

- 1 lomo de cerdo

marinada:
- 4 cuch. de aceite

- 1 cebolleta picada
- sal
- pimienta
- vino blanco

- 2 dientes de ajo
- 1 cuch. de tomillo
- 2 cuch. de perejil
- 2 cuch. de ralladura
  de naranja

para acompañar:
- brochetas de patatas asadas
  sin pelar

*Elaboración:*

Selecciona un lomo limpio de grasa y telilla.

Pásalo por la marinada preparada con todos los ingredientes y cúbrelo con papel de plástico durante 2 horas.

Asa el lomo a 180º durante ½ hora. Estará bien hecho cuando al pincharlo los jugos estén claros.

Presenta el lomo cortado en rodajas y acompañado con patatas asadas en brocheta con su piel.

## 559 – LOMO DE CERDO CON ALMENDRAS

*Ingredientes:*
- 1 kg de lomo de cerdo
- 400 g de almendras
  tostadas
- ½ vaso de leche
- 1 cebolla grande trinchada
- 1 hoja de laurel
- harina
- aceite
- sal
- triángulos de pan frito

*Elaboración:*

Pide al carnicero que haga cortes profundos en el lomo, pero sin llegar a separar los filetes.

Pica las almendras tostadas y pon una cucharadita pequeña en cada corte, y átalo transversalmente con un bramante o cuerda. Rehógalo con cuidado en una cazuela con aceite, antes de salar el lomo. Añade la cebolla, una cucharada de harina y el resto de las almendras y deja que se dore. Una vez realizada esta operación, agrega la leche y el laurel y cuécelo tapado a fuego lento, dándole vuelta, de 20 a 30 minutos.

Para servir, quita la cuerdita y acaba de cortar las rodajas de lomo. Rodéalo con triángulos de pan frito y sirve la salsa aparte.

---

## 560 – MAGRAS DE JAMÓN CON TOMATE

*Ingredientes:*

- 8 lonchas de jamón serrano
- salsa de tomate
- 2 dientes de ajo
- 4 huevos
- 1 pimiento morrón
- 1 pimiento verde
- aceite
- sal

*Elaboración:*

Saltea los pimientos cortados en tiras junto con los dientes de ajo en una tartera con aceite. Sazona. Después, añade la salsa de tomate y déjalo cocer a fuego suave.

Mientras tanto, pasa por la sartén el jamón y agrégaselo a la salsa. Añade un poco más de salsa de tomate y casca encima 4 huevos. Gratina 3 minutos aproximadamente, hasta que cuajen los huevos. Sirve.

---

## 561 – MANITAS DE CERDO EN FRITADA

*Ingredientes:*

- 4 patas de cerdo cocidas
- 2 cebollas
- 3 tomates
- 2 pimientos verdes
- 1 pimiento morrón
- 2 dientes de ajo
- ¼ litro de salsa de tomate
- huevo batido
- 1 plato de harina
- aceite
- sal
- ¼ de guindilla roja
- perejil picado

*Elaboración:*

Limpia y corta toda la verdura en juliana y ponla a pochar en una cazuela ancha con aceite, el ajo y la guindilla. Sazona. Pasa las patas partidas por la mitad por harina y huevo, fríelas en aceite y escúrrelas. Cuando esté la verdura bien pochada añade la salsa de tomate, pruébalo de sal y rehoga unos minutos.

Por último, agrega las patas y espolvorea con perejil picado. Deja reposar el plato unos minutos antes de servir.

## 562 – MANITAS DE CERDO GUISADAS

*Ingredientes:*

- 6 manitas de cerdo cocidas
- 2 cebollas
- 2 tomates
- 3 vasos de vino blanco
- harina
- huevo batido
- 1 sobre de levadura
- 1 hoja de laurel
- pimentón dulce
- 2 dientes de ajo
- un trozo de guindilla
- 200 g de guisantes
- ½ litro de caldo de carne o de cocer las manitas
- perejil picado
- aceite de oliva
- sal

*Elaboración:*

Abre las manitas cocidas por la mitad, sazona, rebózalas con harina, levadura y huevo y fríelas en aceite bien caliente. Reserva.

En una sartén con aceite, fríe la cebolla y el tomate bien picados, junto con la hoja de laurel, el trozo de guindilla y los ajos en láminas. Rehógalo todo durante 8-10 minutos y después añade el pimentón, el caldo y el vino blanco. Déjalo reducir de 25 a 30 minutos. Transcurrido este tiempo, saca la hoja de laurel y la guindilla y pasa la salsa por un pasapuré. Calienta la salsa en una cazuela y añade los guisantes y las manitas rebozadas.

Espolvorea con perejil picado, guísalo durante 8 o 10 minutos y sirve.

# 563 – MANITAS DE CERDO RELLENAS

☙☙ ☙☙ ☙☙ ☙☙

*Ingredientes:*

- 4 manitas de cerdo cocidas
- huevo batido
- harina
- 1 sobre de levadura
- pan rallado
- aceite y sal
- 3 dientes de ajo

relleno:
- 100 g de paté al gusto

- 50 g de bacon picado
- 50 g de jamón curado y picado
- 10 almendras picadas
- 50 g de cabeza de jabalí picada

guarnición:
- patatas fritas
- pimientos del piquillo fritos

*Elaboración:*

Si no consiguieras manitas cocidas, tendrás que cocerlas con agua, y algunas verduras y sal, de 2 a 4 horas en una cazuela normal o en olla a presión 30 minutos más o menos.

Corta por la mitad las manitas y quítales la mayor cantidad de huesos. Mezcla bien todos los ingredientes del relleno.

Sala y rellena las manitas. Pásalas por harina con la levadura, huevo batido y pan rallado. Fríelas en una sartén con aceite y 3 dientes de ajo enteros, a fuego no muy fuerte, cuatro o cinco minutos de cada lado. Sírvelas luego en una fuente o plato acompañadas con la guarnición.

# 564 – MEDALLONES DE CERDO

☙☙ ☙☙ ☙☙ ☙☙

*Ingredientes:*

- 4 medallones de lomo de cerdo de 3 cm de espesor y unos 100 g de peso cada uno
- 8 lonchas finas de tocino

- ½ vaso de vino tinto
- 30 g de mantequilla
- aceite
- pimienta

- 1 cebolleta
- 4 aceitunas negras
- 1 copa de brandy
- 2 cuch. de tomate natural triturado

- sal
- 1 vaso de caldo

guarnición:
- zanahorias cocidas

*Elaboración:*

Enrolla cada medallón (filete) con una loncha de tocino. Sujeta todo con un hilo anudándolo de tal modo que la carne quede bien prieta. Condimenta con sal y pimienta.

Por otra parte, pica fina la cebolleta y déjala que se dore en una sartén junto con la mantequilla y aceite. Entonces, incorpora los medallones dorados por ambos lados. Báñalos con brandy y flambéalos. Cuando la llama se haya apagado vierte en la sartén el tomate, el vino tinto y el caldo y déjalo cocer unos 25 minutos con la sartén medio tapada a fuego moderado.

Al finalizar la cocción, coloca los medallones sin la cuerda en una fuente, ponles una aceituna encima a cada uno y salséalos.

De guarnición, pon unas zanahorias cocidas.

---

## 565 – PATÉ CASERO

*Ingredientes:*
- 300 g de carne de cerdo cortada en trozos
- 1 pechuga de pollo
- 50 g de tocino con magro
- 2 dientes de ajo
- ½ cebolla
- 1 hoja de laurel
- 1 vaso de vino blanco
- 1 vaso de caldo de carne

- 30 g de mantequilla
- perejil
- una pizca de pimentón picante
- sal
- rebanadas de pan tostado
- lechuga
- aceitunas rellenas
- pimienta

*Elaboración:*

Pica la cebolla y corta el tocino en tiras.

Pon a derretir la mantequilla en una cazuela. Añade la cebolla, los ajos machacados y el laurel, y deja sofreír lentamente. Cuando la cebolla esté bien rehogada, incorpora el tocino y la carne y dora a fuego fuerte. A continuación, condimenta con pimentón, rehoga con el vino y déjalo reducir casi por completo. Aproximadamente 5 minutos de cocción.

Agrega el caldo y la pechuga de pollo cortada en dados, y deja que se complete la cocción unos 10 minutos más. Terminada esta operación, echa sal y pimienta. Pon todo en la trituradora hasta obtener una pasta fina y homogénea. Vierte esta pasta en un recipiente y apriétalo bien hasta cerrar a presión con una tapadera hermética. Déjalo reposar una hora en el frigorífico.

Para servir, pon el paté en un plato cubierto de lechuga cortada en juliana. Adorna el paté con unas aceitunas rellenas cortadas por la mitad.

Acompaña con rebanadas de pan tostado.

## 566 – PINCHOS MORUNOS

Ingredientes:

- 700 g de lomo de cerdo
- un chorro de vino blanco
- ½ cucharada de pimentón picante
- 1 diente de ajo
- tomillo
- orégano

- perejil picado
- aceite y sal
- pimienta

para acompañar:

- 2 tomates asados
- patatas fritas

Elaboración:

Corta la carne en trozos y coloca éstos en una fuente honda.

Añade los demás ingredientes: medio vaso de aceite, pimentón, ajo picado, sal, pimienta, vino blanco, hierbas aromáticas y perejil picado y déjalo macerar durante 24 horas en la nevera.

Después, pincha los trozos de carne en los palitos y sazona con sal gorda. Fríelos con un poco de aceite, a fuego fuerte, unos 4 minutos por cada lado, hasta que estén hechos. Por último, sírvelos en una fuente acompañados de unos tomates asados y patatas fritas.

Los tomates puedes pelarlos, partirlos en cuartos y aliñarlos con sal gorda y un chorro de aceite crudo por encima.

## 567 – QUICHE DE JAMÓN

*Ingredientes:*

masa:
- 200 g de harina
- 1 sobre de levadura
- 1 pizca de sal
- 100 g de mantequilla
- 75 ml de agua

relleno:
- 200 g de jamón
- 80 g de queso rallado
- 2 huevos
- 150 g de nata
- sal

además:
- 5 pimientos del piquillo fritos

*Elaboración:*

Masa: haz una pasta quebrada mezclando todos los ingredientes de la masa en un bol. Déjala reposar y trabájala al día siguiente. Estira la pasta y forra con ella un molde de 30 cm. Bate los huevos con la nata, sazona y añade el queso rallado y el jamón en daditos. Reparte esta mezcla por el molde cubierto de pasta. Mételo en el horno a unos 180º durante 20 minutos aproximadamente. Desmolda y adorna el quiche con los pimientos del piquillo fritos con aceite y sal.

## 568 – ROLLITOS DE JAMÓN

*Ingredientes:*
- 200 g de hojaldre
- 4 lonchas de jamón cocido
- 4 lonchas de jamón serrano
- huevo batido

Estira el hojaldre y córtalo en triángulos de unos 10 cm de lado. Corta el jamón serrano y el cocido también en triángulos un poco más pequeños y colócalos sobre el hojaldre. Puedes combinar otros ingredientes a tu gusto. Enrolla los triángulos comenzando por la parte más ancha, úntalos con el huevo batido y hornea a 190º durante 20 minutos aproximadamente.

Puedes acompañar estos rollitos de jamón con salsa de tomate.

## 569 – SAN JACOBOS DE CERDO

*Ingredientes:*

- 8 filetes de cerdo finos
- 8 rodajas de piña finas
- huevo batido
- harina
- pan rallado
- sal
- aceite

guarnición:
- 2 manzanas
- 1 nuez de mantequilla

*Elaboración:*

Sala los filetes y prepara los san jacobos introduciendo 2 rodajas de piña entre 2 filetes de cerdo. Después empánalos con harina, huevo y pan rallado y fríelos en una sartén con aceite.

Sirve los san jacobos en una fuente acompañados de trozos de manzana fritos en mantequilla.

## 570 – SOLOMILLITOS DE CERDO AL CAVA

*Ingredientes:*
- 2 solomillos de cerdo
- 1 vaso de nata líquida

- ¼ kg de champiñones
- 3 dientes de ajo
- 1 vaso de cava

- aceite de oliva
- sal
- pimienta

*Elaboración:*

En una cazuela con aceite sofríe los solomillitos salpimentados junto con los ajos picados. Una vez dorados y en ese mismo aceite, rehoga los champiñones limpios y cortados en láminas. Cuando estén casi hechos, agrega el cava y déjalo hacer todo junto durante 10 minutos. Pasado este tiempo, añade la nata líquida y espera otros 10 minutos.

Sirve los solomillitos fileteados en una fuente, pon la salsa a punto de sal y agrégasela por encima.

## 571 – SOLOMILLO A LA NORMANDA

*Ingredientes:*

- 4 filetes de solomillo
- 200 g de champiñones
- 1 cebolleta o cebolla
- ½ vaso de sidra
- 1 cuch. de harina

- puré de patatas y manzanas
- aceite
- sal
- pimienta

*Elaboración:*

Salpimenta los filetes y dóralos en aceite, después retíralos y agrega la cebolleta picada y los champiñones limpios y fileteados. Sala, y cuando estén pochados añades la harina, rehoga, y después la sidra, dejándolo a fuego lento durante unos minutos. Añade luego los filetes y deja que se hagan durante un hervor, sácalos después al plato y salsea.

Sírvelos acompañados de puré de patatas y manzanas. Decora con un chorrito de aceite encima del puré.

## 572 – SOLOMILLO DE CERDO AL JEREZ

*Ingredientes:*
- 1 kg de solomillo de cerdo
- 2 vasos de jerez
- 1 rama de romero
- pan rallado
- 200 g de tortellini (es pasta rellena de carne) cocidos
- 1 nuez de mantequilla
- aceite
- sal
- pimienta
- 2 plátanos

*Elaboración:*

Corta el solomillo en 8 trozos y aplástalo un poco con ayuda del cuchillo. Colócalo en un cuenco, cúbrelo con el jerez y agrega la rama de romero. Lo tapas y lo dejas macerar unas dos horas. Transcurrido este tiempo, saca los solomillos, salpimenta, pásalos por pan rallado y fríelos con muy poco aceite y con la ramita de romero.

Colócalos en el plato y acompáñalos con los tortellini salteados con mantequilla, y, si quieres, les puedes añadir un poco de jerez. Adorna con los plátanos partidos por la mitad y fritos en un poco de aceite.

## 573 – SOLOMILLO DE CERDO CON CEBOLLA CONFITADA

*Ingredientes:*
- 2 solomillos de cerdo
- 1 kg de cebollas
- 1 vaso de vino oloroso
- aceite de oliva
- sal
- 2 cuch. de azúcar
- pimienta negra
- 2 dientes de ajo

*Elaboración:*

Corta las cebollas por la mitad y después en tiras finas.

Ponlas en una sartén con un poco de aceite de oliva junto con el ajo pelado y picado y deja hacer a fuego muy lento, moviendo con frecuencia para que no se pegue. Mantenlo a fuego lento y añade poco a poco el vino junto a dos cucharadas soperas de azúcar, hasta que la cebolla esté blanda y sin dejar que se seque.

Limpia los solomillos quitándoles la grasa. Cuando la cebolla esté hecha, ponlos enteros en una sartén con un poco de aceite de oliva y deja que se hagan durante 8 o 10 minutos, dándoles la vuelta.

Sazona y añade pimienta negra bien molida.

Corta los solomillos en filetes de medio cm de grosor y ponlos en el plato encima de un poco de cebolla confitada.

Puedes adornar el plato con un tomatito abierto.

## 574 – SOLOMILLO DE CERDO CON CIRUELAS

*Ingredientes:*

- ½ litro de vino de oporto
- 10 ciruelas pasas
- 2 solomillos de cerdo
- 1 cuch. de jalea grosella o mermelada de grosella o frambuesa
- ½ vaso de nata líquida
- sal
- pimienta
- grosellas
- aceite

*Elaboración:*

En primer lugar, pon a macerar las ciruelas en vino de oporto.

En una cazuela pon a hervir una copa de vino de oporto, y cuando reduzca a la mitad, añade 1 vaso de caldo de ciruelas macerado, ½ vaso de nata y la jalea de grosella. Deja cocer lentamente durante 20 minutos y reserva. Fríe el solomillo fileteado con sal y pimienta en un poco de aceite. Hazlo al gusto. Es recomendable no tenerlo demasiado tiempo al fuego; si no, la carne se pone muy dura.

Para servir, napa el solomillo fileteado con la salsa y adorna con las ciruelas.

## 575 – TERRINA DE JAMÓN COCIDO

Para 4 a 6 personas

*Ingredientes:*

- ½ kg de jamón cocido
- 200 g de champiñones
- 150 g de queso fresco
- 2 huevos
- 2 cuch. de salsa de tomate
- 2 cuch. de perejil picado
- aceite de oliva
- sal

*Elaboración:*

Limpia y corta los champiñones en láminas, saltéalos en una sartén con aceite y sazona. Escurre y déjalos enfriar.

Corta el jamón en daditos. En una batidora, pica el jamón junto con los champiñones, el queso, los huevos, el tomate y el perejil, poniéndolo a punto de sal.

Forra el fondo de un molde rectangular con papel vegetal y rellénalo con toda la mezcla. Introdúcelo en el horno al baño maría durante 1 hora a 180º.

Por último, desmolda y córtalo en rodajas. Puedes acompañar esta terrina con tostadas y mantequilla o un poco de ensalada. También puedes tomarla fría.

# Cordero

## 576 – ASADURILLA DE CORDERO AL VINO BLANCO

*Ingredientes:*

- 1 asadurilla de cordero (hígado, corazón, riñones...)
- 1 hoja de laurel
- 3 cuch. de salsa de tomate
- 2 cebollas
- 1 vaso de caldo
- perejil picado
- 1 vaso de vino blanco
- aceite de oliva
- 1 cuch. de harina
- sal

*Elaboración:*

Pica la cebolla muy fina y rehógala en una cazuela con un poco de aceite de oliva. Corta la asadurilla, sazónala y añádela a la cazuela cuando la cebolla esté transparente.

Después añade la harina, rehoga, agrega la hoja de laurel y sigue rehogando unos minutos. Por último, echa el tomate, el vaso de vino y el caldo. Espolvorea con perejil picado.

Deja que hierva a fuego fuerte de 5 a 8 minutos con la cazuela destapada, para que el caldo se reduzca.

Al servir, puedes acompañar la asadurilla con arroz blanco.

## 577 – BROCHETA DE CORDERO

*Ingredientes:*

- 500 g de cordero
- 4 tomates

- 2 manzanas
- 2 pimientos verdes
- 2 pimientos rojos
- sal

salsa:
- 1 cuch. de mostaza
- 1 cuch. de pimentón
- 1 cuch. de azúcar
- 1 chorro de vinagre
- 4 cuch. de aceite con sal
- ½ cebolla

*Elaboración:*

Bate los ingredientes de la salsa y pon al fuego, calienta y sirve en una salsera. Haz las brochetas colocando las verduras, el cordero y la manzana, alternando los trozos. Sazona las brochetas y colócalas en la parrilla (5 minutos por cada lado).

Presenta las brochetas salseadas por encima.

## 578 – CHULETILLAS DE CORDERO A LA GABARDINA

*Ingredientes:*
- 16 chuletillas de cordero
- 2 dientes de ajo picados y 2 enteros
- aceite
- sal
- salsa de tomate

pasta orly:
- 3 claras de huevo montadas
- 250 g de harina
- 1 sobre de levadura
- 3 yemas de huevo
- ¼ litro de cava
- sal

*Elaboración:*

Para preparar la pasta orly, en primer lugar monta las claras con una batidora. Añade a las claras la harina, sal, levadura, las yemas y el cava poco a poco hasta conseguir el espesor deseado. Deja reposar 1 hora. Así obtendrás una excelente pasta orly.

A continuación, sala las chuletillas, colócalas en una placa de horno y añádeles por encima el ajo picado y unas gotas de aceite. Sácalas y deja que se enfríen.

Después, rebózalas con la pasta orly y fríelas en una sartén con abundante aceite caliente, con dos dientes de ajo enteros, y escúrrelas bien. Ponlas en una fuente acompañándolas con salsa de tomate.

## 579 – CHULETITAS DE CORDERO A LA PARRILLA

*Ingredientes:*
- 24 chuletitas de cordero
- sal gorda
- aceite
- romero molido
- 4 pimientos morrones
- vinagre

*Elaboración:*

Sazona las chuletitas y úntalas en el aceite con el romero molido. Colócalas en la parrilla y déjalas hacer durante 5 minutos aproximadamente por cada lado. Si es necesario, déjalas más tiempo. Los pimientos sírvelos asados, cortados en tiras y aliñados con aceite y vinagre.

## 580 – CHULETITAS DE CORDERO CON MANZANAS

*Ingredientes:*
- 16 chuletitas de cordero
- 2 manzanas
- zumo de limón
- 150 g de mantequilla
- pan rallado
- ¼ vaso de jerez
- agua o caldo
- perejil picado
- sal

para acompañar:
- 2 patatas rejilla
- aceite
- sal

*Elaboración:*

Pasa las chuletitas sazonadas por el zumo de limón. Colócalas sobre una fuente de horno, y espolvorea con pan rallado y perejil picado. Pon encima las manzanas peladas y descorazonadas en lonchas con un poco de mantequilla encima de cada manzana. Mete las chuletitas en el horno durante 15 minutos aproximadamente a 160º, rociando con un chorrito de agua o caldo. Pasado este tiempo, sácalas, y al jugo de la placa agrégale el jerez y dale un hervor en una sartén. Espolvorea la salsa con perejil picado.

Corta las patatas peladas en rodajas (hay aparatos especiales que las cortan en forma de rejilla). Fríelas en abundante aceite caliente y sazona. Acompaña las chuletitas con la salsa y las patatas rejilla.

---

## 581 – CHULETITAS DE CORDERO CON SALSA CAZADORA

*Ingredientes:*
- 16 chuletitas de cordero
- 5 dientes de ajo
- sal
- aceite

para la salsa:
- 200 g de champiñones
- ½ copa de brandy
- 1 vaso de caldo de ave
- 3 cuch. de salsa de tomate
- hierbas aromáticas (laurel, tomillo, romero, perejil)
- ½ vaso de vino tinto
- 1 cuch. de harina
- 2 cebolletas
- 1 diente de ajo
- aceite

*Elaboración:*

Para hacer la salsa, pocha en un poco de aceite la cebolleta y el ajo fileteados. Cuando estén un poco hechos, flambea con el brandy, agrega la harina, la salsa de tomate y el vino tinto. Deja reducir unos minutos. Añade después el caldo de ave y las hierbas aromáticas. Deja que se haga todo durante 30 minutos aproximadamente, hasta que esté a punto.

Retira el laurel y pasa la salsa por la batidora.

Filetea los champiñones, bien limpios, y saltéalos en otra sartén con aceite. Desgrasa y añádeselos a la salsa.

Fríe las chuletitas, sazonadas, en aceite con los dientes de ajo enteros.

Sírvelas en una fuente y rocíalas con la salsa.

## 582– CHULETITAS DE CORDERO ENCEBOLLADAS

*Ingredientes:*

- 16 chuletitas de cordero
- 2 cebolletas
- 3 o 4 dientes de ajo
- un trozo de pimiento morrón

- sal
- aceite

guarnición:
- patatas fritas

*Elaboración:*

Sala las chuletitas y ponlas a freír por un lado junto con los ajos enteros y pelados. Al darles la vuelta, añade la cebolleta cortada en juliana y el pimiento morrón también cortado. Sazona y deja que se terminen de hacer, unos 6 u 8 minutos.

Saca las chuletitas a un plato y deja que la verdura se poche y se dore bien.

Por último, echa la verdura por encima de las chuletitas y sírvelas acompañadas de patatas fritas.

## 583 – COCHIFRITO

*Ingredientes:*

- 1 kg de cordero lechal
- 2 vasos de vino blanco
- 100 g de jamón
- 100 g de almendras fileteadas
- una pizca de pimentón

- una pizca de comino
- una pizca de orégano
- 3 clavos
- 2 tomates picados
- aceite
- sal

Corta el cordero en trozos pequeños y tenlo macerando una noche en vino blanco y sal. Al día siguiente, sácalo y dóralo en una cazuela con aceite. Cuando todos los trozos de cordero estén bien doraditos, añade el jamón, el tomate picado, la almendra fileteada, el vino de la maceración, el pimentón y el resto de las especias.

Déjalo cocer a fuego lento 40 minutos y agrégale agua si es necesario para que no quede seco.

Antes de servir, le puedes añadir huevo cocido picado.

## 584 – CORDERO AL CHILINDRÓN

*Ingredientes:*

- 1 kg de cordero troceado
- 1 cebolla picada fina
- 1 pimiento verde picado
- 2 dientes de ajo picado fino
- 2 tomates picados finos
- 2 dientes de ajo machacados en un mortero con un poco de vinagre
- 1 cuch. de puré de pimiento choricero
- 1 vaso de vino blanco
- caldo o agua
- harina
- aceite
- sal
- pimienta

*Elaboración:*

Pocha en una cazuela con aceite la cebolla, el pimiento, el ajo y el tomate sazonados.

Pasa el cordero salpimentado por harina y fríelo en una sartén con aceite. Añade a la verdura pochada el vino y el puré de pimiento choricero, y por último, el cordero. Cubre con el caldo o agua. Prueba de sal y deja cocer a fuego muy suave. Tardará unos 30 minutos o algo más. Cuando esté a punto, añade el majado de ajo y vinagre.

Sirve.

# 585 – CORDERO AL TOMILLO

*Ingredientes:*
- 1 pierna de cordero
- 1 cebolleta
- una pizca de tomillo
- 3 patatas
- 3 dientes de ajo
- aceite de oliva
- ½ vaso de vino blanco
- ½ vaso de agua
- perejil picado
- sal

*Elaboración:*

Sazona la pierna de cordero, colócala en una fuente de horno untada con aceite y añade las patatas, peladas y cortadas en lonchas, la cebolleta en juliana y los ajos pelados y en láminas. Espolvorea con el tomillo y agrega por encima un chorro de aceite, el vino blanco y el agua. Hornéalo a 180º de 40 a 45 minutos dándole la vuelta a la pierna de vez en cuando (si ves que queda seco, puedes añadir más agua).

Una vez horneada la pierna, retira el hueso y filetea su carne. Sírvela en una fuente junto con las patatas y la cebolleta. Por último, salsea y espolvorea con perejil picado.

# 586 – CORDERO ASADO AL VINAGRE

*Ingredientes:*
- 1,5 kg de cordero
- 5 dientes de ajo
- caldo
- aceite
- vinagre
- perejil
- sal
- 1 cebolla
- 1 pimiento verde

*Elaboración:*

Sazona el cordero y colócalo en la placa añadiendo el ajo, el aceite, el vinagre y el agua o el caldo. Seguidamente, métalo en el horno durante 1 hora y 10 minutos a una temperatura de 160º.

A la hora de servir, acompaña el cordero troceado con cebolla, pimiento verde y ajo pochados. Finalmente, salséalo con el jugo del cordero previamente hervido en una sartén a fuego fuerte.

## 587 – CORDERO CON PATATAS

*Ingredientes:*

- 1 kg de patatas
- 1 kg de cordero (costillar)
- agua
- sal
- 2 hojas de laurel
- 1 cuch. de pimentón picante
- 3 clavos
- 4 dientes de ajo
- aceite

*Elaboración:*

Blanquea el cordero cociéndolo unos minutos en agua con sal y resérvalo.

Fríe los ajos picados y los clavos en un poco de aceite, añade el pimentón, rehoga y echa las patatas peladas y cascadas junto con el laurel.

Vuelve a rehogar y pon el cordero cubriéndolo con el caldo de su cocción. Deja que se haga durante 40 minutos a fuego suave. Prueba de sal y sirve.

## 588 – CORDERO CON SETAS

*Ingredientes:*

- 1,5 kg de cordero lechal troceado
- 300 g de setas o champiñones
- 1 cuch. de vinagre
- 1 cuch. de harina
- una pizca de romero
- caldo de carne o agua

- 3 dientes de ajo
- perejil picado
- aceite
- sal

*Elaboración:*

---

Sala y sofríe los trozos de cordero. Cuando empiecen a dorarse, añade las setas limpias y troceadas junto con el romero. Rehoga bien. Añade un majado de ajo, perejil y vinagre, la harina y vuelve a rehogar hasta que se disuelva. Agrega el agua o caldo cubriendo el cordero y déjalo hacer unos 30 minutos aproximadamente tapado y a fuego no muy fuerte. Por último, ponlo a punto de sal.

---

## 589 – CORDERO EN SALSA DE CHORICEROS

*Ingredientes:*
- 1,5 kg de cordero en trozos grandes
- 2 dientes de ajo
- 1 cuch. de vinagre
- aceite
- sal
- 2 vasos de caldo o agua
- 2 cuch. de puré de pimiento choricero
- fécula
- perejil picado
- puré de manzanas

*Elaboración:*

---

Pela y machaca los ajos en un mortero y añade el vinagre. Sala el cordero, úntalo con el majado y agrega un chorro de aceite.

Después, colócalo en una placa de hornear, añade el caldo o agua y mételo en el horno durante una hora y cuarto a una temperatura de 180º a 200º. Durante el tiempo de cocción, si ves que se queda seco, puedes añadir un poco de agua.

Una vez horneado, coloca el cordero en una fuente de servir y vierte la salsa del asado en una cazuelita aparte, quítale bien la grasa y, a continuación, añade el puré de pimientos. Si la cantidad de salsa no es suficiente, puedes añadir un poco de caldo. Por último, pruébala de sal y lígala con un poco de fécula, si fuese necesario. Espolvorea con el perejil picado, salsea el cordero y sírvelo acompañado de puré de manzanas.

## 590 – COSTILLAR DE CORDERO AL ROMERO

*Ingredientes:*

- 1 costillar de cordero de 1,300 kg
- 4 cuch. de aceite
- 1 rama de romero fresco (si no, seco)
- 1 vaso de agua
- ½ vaso de vino blanco
- 2 dientes de ajo
- 1 cuch. de vinagre
- perejil picado
- sal

guarnición:
- 300 g de coles de Bruselas

*Elaboración:*

Sala el costillar, rocíalo con el aceite y metélo en el horno a 160º. Tenlo 10 o 15 minutos dándole la vuelta. Haz una mezcla con la batidora del romero picado, el agua, el vino blanco, los ajos, el vinagre y el perejil. Añade esta mezcla al cordero y deja hacer unos 40 minutos más en el horno, rociándolo con su jugo de vez en cuando. Para la guarnición, saltea las coles de Bruselas una vez cocidas y sírvelas acompañando al cordero.

## 591 – GUISO DE CORDERO

*Ingredientes:*

- 1,5 kg de cordero
- 1 cebolla o 2 cebolletas
- 3 dientes de ajo
- 1 limón
- 2 cuch. de salsa de tomate
- 3 vasos de vino blanco
- sal
- perejil picado
- agua
- aceite

386

guarnición:
- 5 espárragos cocidos

- 2 patatas cortadas en cuadraditos y fritas

*Elaboración:*

Parte en trozos el cordero, sazona y dóralo en una cazuela con aceite. Después, echa la cebolla, bien picada, junto con los ajos en láminas. Cuando empiece a pocharse agrega el vino blanco, la salsa de tomate y el zumo de un limón. Rehógalo todo y cúbrelo con agua. Tápalo y deja que cueza durante 30 o 35 minutos, hasta que el cordero quede tierno.

A continuación, agrega las patatas fritas y los espárragos cocidos. Espolvorea con perejil picado y hazlo a fuego lento durante 5 minutos. Sirve.

## 592 – HÍGADO DE CORDERO SALTEADO

*Ingredientes:*
- 500 g de hígado de cordero
- 4 huevos
- 1 cebolla
- 2 dientes de ajo
- 1 pimiento verde
- 4 cuch. de salsa de tomate
- ½ copa de jerez
- aceite
- sal
- pimienta
- agua
- vinagre
- perejil picado
- patatas fritas en tacos

*Elaboración:*

Pon a pochar en una sartén con un chorro de aceite el ajo fileteado, el pimiento y la cebolla cortada en juliana. Cuando esté bien pochado, sazona y añade el hígado cortado en tacos previamente salpimentados. Rehógalo bien y agrega el jerez, la salsa de tomate y las patatas fritas. Guísalo unos minutos y espolvorea con perejil picado. Aparte, en una cazuela con agua hirviendo y un chorro de vinagre escalfa los huevos, con un poco de sal.

Sirve el hígado acompañado de los huevos escalfados, también espolvoreados con perejil picado.

## 593 – MANITAS DE CORDERO CON RABO DE VACA

*Ingredientes:*

- 12 patitas de cordero
- 1 ½ kg de rabo de vaca
- 3 puerros
- sal
- agua

salsa:
- aceite
- caldo de cocción

- 2 pimientos morrones
- 2 cuch. de carne de pimiento choricero
- guindilla
- 1 cebolla
- 3 tomates maduros
- sal
- perejil picado

*Elaboración:*

Cuece el rabo en trozos junto con las patitas, los puerros y un poco de sal. Cuando estén cocidos, retíralos del fuego y guarda parte del caldo.

Asa los pimientos morrones, pélalos y después córtalos en tiras. Reserva.

Pica la cebolla y el tomate en trozos y póchalos en una cazuela con un poco de aceite junto con media guindilla a fuego muy lento. Sazona. Después pásalo por el pasapuré y, si quieres, también por el chino. Añade el choricero, incorpora las patitas y el rabo y deja que hierva despacio durante 15 minutos junto con los pimientos morrones troceados. Puedes añadir un poco de caldo si ves que queda seco. Pruébalo de sal, espolvorea con perejil picado y sirve.

## 594 – MANITAS DE CORDERO EN SALSA

*Ingredientes:*

- 16 manitas de cordero
- 2 cebollas

- 1 cuch. de pimiento choricero

- 3 cuch. de salsa de tomate
- harina
- aceite
- huevo
- sal

para cocer las manitas:
- 1 cebolla
- 1 puerro
- 1 tomate
- agua

*Elaboración:*

Cuece las manitas en agua con una cebolla, un puerro y un tomate. Una vez bien cocidas, deshuésalas y rebózalas en harina y huevo. Fríelas en abundante aceite caliente y resérvalas.

Aparte, pica 2 cebollas y ponlas a pochar con un poco de aceite. Cuando estén doraditas, añade el tomate y la carne del pimiento choricero. Ponlo a punto de sal y déjalo cocer 10 minutos.

Para servir, pon la salsa en el fondo del plato y las manitas encima haciendo un círculo.

## 595 – MOLLEJAS DE CORDERO AL AJILLO

*Ingredientes:*
- 300 g de mollejas de cordero
- 3 dientes de ajo
- aceite
- pimienta
- harina
- perejil picado
- sal

*Elaboración:*

Limpia las mollejas de telillas y grasas. Trocéalas y salpimenta.

Pasa las mollejas por harina rebozándolas bien.

En una sartén pon aceite y añade el perejil picado. Luego incorpora el ajo picado y las mollejas. Fríe durante 2 minutos aproximadamente moviéndolas bien y con cuidado porque se puede quemar el ajo, y salpimenta.

Cuando estén doradas, sácalas a un plato y espolvoréalas con perejil picado.

Si quieres completar más el plato, puedes poner un revuelto con huevo.

## 596 – PIERNA DE CORDERO A LA NARANJA

*Ingredientes:*
- 1 pierna de cordero de 1,5 kg
- 2 naranjas
- un poco de tomillo al gusto
- 2 dientes de ajo
- 1 vaso de vino blanco
- coles de Bruselas cocidas
- 100 g de tocineta o bacon
- sal
- aceite
- perejil picado
- agua
- 1 cucharadita de fécula

*Elaboración:*

Moja la pierna de cordero con aceite y colócala en una fuente de horno con un poco de sal.

En un mortero machaca los dientes de ajo con la ralladura de naranja y el tomillo.

Después, añade el zumo de dos naranjas y el vino. Mézclalo todo bien y agrégaselo a la pierna. Introdúcela en el horno y déjala asando 40 o 50 minutos a 180º, vigilándola por si hiciera falta agregar un poco de agua.

Por último, saca la pierna del horno, sírvela y reduce la salsa en una sartén.

Añade la fécula diluida en un poco de agua fría para ligarla, y perejil picado. Salsea y acompáñala con las coles de Bruselas salteadas con tocineta.

## 597 – PIERNA DE CORDERO SALTEADA

*Ingredientes:*
- 1 kg de pierna de cordero cortada en rodajas
- 5 zanahorias cocidas
- 2 tomates asados

- 2 dientes de ajo
- 1 vaso de vino blanco
- 2 patatas troceadas
- perejil picado
- aceite
- sal

*Elaboración:*

Dora las rodajas de cordero ya sazonadas en una tartera con aceite unos minutos por cada lado, junto con los ajos pelados y en láminas (puedes dar unos cortes en los extremos de las rodajas para que no se recojan). Después, incorpora el vino, retirando parte del aceite, si fuera necesario.

Fríe las patatas en una sartén, corta las zanahorias en rodajas y añádeselo todo al cordero. Espolvorea con perejil picado y guísalo durante 8 o 10 minutos.

En una fuente, coloca el cordero con su guarnición y acompaña el plato con unos tomates asados.

## 598 – RIÑONES DE CORDERO AL VINO TINTO CON PASTA

*Ingredientes:*

- 10 riñones de cordero
- 2 dientes de ajo
- 200 g de pasta
- 2 cebollas
- 1 vaso de vino tinto
- tomillo
- agua
- 1 vaso de caldo de carne o ave
- pan rallado
- aceite
- sal
- pimienta negra

*Elaboración:*

Cuece la pasta en agua con sal y un chorrito de aceite. Escurre y reserva. Pica la cebolla y los ajos y pon a rehogar en aceite. Cuando esté bien pochado, añade el vino y el caldo, y deja cocer hasta que reduzca a la mitad. Limpia los riñones, córtalos, salpimenta y saltéalos con ajo y un poco de aceite. Espolvoréalos de pan rallado y échalos al cazo con la salsa. Deja cocer 5 minutos agregando una pizca de tomillo.

Saltea la pasta con un poco de aceite y ponla en el fondo del plato. En el centro coloca los riñones con su salsa y sirve.

---

## 599 – RIÑONES DE CORDERO ENCEBOLLADOS

*Ingredientes:*

- ½ kg de riñones de cordero
- 1 vaso de vino blanco
- 3 cebollas
- ½ cuch. de harina
- 1 vaso de caldo de carne
- aceite
- sal
- 1 vaso de salsa de tomate
- perejil picado
- agua
- vinagre

*Elaboración:*

Corta la cebolla en juliana y póchala en aceite. Limpia bien los riñones de telillas y grasa y córtalos en trozos pequeños, pásalos bien por agua corriente, y después escáldalos durante 1 minuto aproximadamente en agua hirviendo con un poco de vinagre. Cuélalos y reserva.

Una vez pochada la cebolla, quita parte del aceite, añade la harina y rehoga bien. Después incorpora el vino, un poco de caldo y el tomate. Por último, añade los riñones y espolvorea con perejil picado. Deja que se haga –poniendo a punto de sal– durante un par de minutos y sirve.

---

## 600 – SORPRESAS DE MOLLEJAS Y PISTO

*Ingredientes:*

- 500 g de mollejas de cordero
- sal
- harina
- aceite
- 8 hojas de brick
- ½ litro de salsa de tomate o española

pisto:
- ½ cebolleta picada
- ½ pimiento morrón troceado
- ½ pimiento verde troceado
- 1 calabacín pelado y troceado
- 1 tomate picado
- 1 diente de ajo picado
- aceite
- sal

*Elaboración:*

Pon todos los ingredientes del pisto en una cazuela con el aceite y la sal a pochar. Una vez pochados, resérvalos.

Limpia bien las mollejas de telillas y grasas, córtalas en daditos, sálalas, pásalas por harina y fríelas hasta que estén bien doraditas en una sartén con aceite caliente. Después, escúrrelas bien. Rellena las hojas de brick con un poco de pisto y mollejas en el centro y junta los bordes haciendo una especie de cestitas atadas con cuerda de cocina. Una vez rellenas, mételas en el horno durante unos 10 minutos a 160º aproximadamente y sírvelas acompañadas con salsa de tomate o española.

# Conejo

## 601 – CONEJO A LA CERVEZA

*Ingredientes:*
- un conejo de 1,5 kg
- 5 cebolletas
- 1 cuch. de harina
- 1 copa de brandy
- 2 dientes de ajo
- un poco de tomillo

- 1 vaso de agua
- 1 cerveza
- sal

- un vaso de salsa de tomate
- aceite

*Elaboración:*

Trocea el conejo y sazona guardando los higaditos.

Pica la cebolleta y póchala en aceite junto con dos dientes de ajo y sal. Cuando esté bien pochada, añade la harina, rehoga y añade después los trozos de conejo rehogando otra vez. Añade el tomillo y el brandy, flambéalo y agrega la cerveza, el agua y la salsa de tomate. Mézclalo todo bien. Deja guisar 35 minutos hasta que esté tierno. Pon a punto de sal y sirve.

## 602 – CONEJO A LA JARDINERA

*Ingredientes:*
- 1 kg de conejo
- 200 g de guisantes
- 1 hoja de laurel
- 1 vaso de vino blanco
- 1 cebolla
- 2 tomates

- caldo de carne
- pimienta negra
- 4 alcachofas
- 1 pimiento verde
- aceite de oliva
- sal

*Elaboración:*

Dile al carnicero que te trocee el conejo.

Pocha con aceite la cebolla, el tomate y el pimiento verde, muy picados, hasta tener un buen sofrito. Añade el conejo junto con la hoja de laurel y rehoga bien, dándole vueltas hasta que coja color. Salpimenta y agrega el vaso de vino blanco. Deja al fuego, con la cazuela destapada, hasta que se haya evaporado casi todo el vino (5 o 6 minutos).

Cubre el guiso con el caldo de carne, incorporando las alcachofas y los guisantes cuando empiece a hervir. Tapa la cazuela, baja el fuego y deja cocer durante 45 minutos.

Rectifica el punto de sal antes de servir.

## 603 – CONEJO AL AZAFRÁN

*Ingredientes:*

- 1 kg de conejo
- 4 rebanadas de pan
- unas hebras de azafrán
- 2 cebolletas o 1 cebolla
- 1 pimiento verde
- 1 vaso de vino blanco
- 1 cuch. de harina
- sal
- pimienta
- 2 dientes de ajo
- agua o caldo
- aceite

*Elaboración:*

Salpimenta el conejo una vez troceado. En una cazuela con aceite fríe las rebanadas de pan junto con unos granos de pimienta. Después, machácalas en un mortero junto con los dos dientes de ajo y el azafrán. Añade el vino blanco.

En el aceite donde has frito el pan, dora el conejo, añade luego las cebolletas y el pimiento picados y rehoga bien. Agrega un poco de harina y vuelve a rehogar. A continuación, añade el majado junto con el vino y rehoga. Cúbrelo casi de agua y deja que se haga hasta que quede tierno; tardará unos 30 minutos aproximadamente. Pruébalo de sal y sirve.

## 604 – CONEJO CON ACEITUNAS

*Ingredientes:*

- 1 conejo
- 300 g de zanahorias
- 1 cebolla
- 2 ajos
- 1 pimiento verde
- tomillo
- 1 vaso de vino blanco seco
- aceite
- 12 aceitunas
- 1 taza de salsa de tomate
- 300 g de patatas
- perejil picado
- albahaca
- harina
- sal
- pimienta

En primer lugar, limpia y trocea el conejo.

En una cazuela pon un chorro de aceite y sofríe la cebolla, el ajo, el pimiento y las zanahorias, todo bien picado. Sazona y añade el tomillo y la albahaca. Por último, incorpora una cucharadita de harina para espesar la salsa.

Aparte, enharina y sazona el conejo. Dóralo en otra sartén con aceite caliente.

Cuando veas el conejo doradito, procede a ponerlo en la cazuela con las verduras rehogadas. Agrega el vino, agua y la salsa de tomate. Deja cocer 30 minutos. Cinco minutos antes de acabar la cocción, incorpora las aceitunas deshuesadas.

En otra cazuela, cuece las patatas en abundante agua. Pela, trocea y reserva.

Pon el conejo con la salsa en una fuente y acompáñalo con las patatas cocidas. Adorna con el perejil picado y sirve.

## 605 – CONEJO CON ALCACHOFAS

*Ingredientes:*
- 1 conejo de 1,200 kg
- 6 alcachofas cocidas
- 2 cebolletas o 1 cebolla
- 2 pimientos verdes
- 2 cuch. de carne de pimiento choricero
- 1 cuch. de harina
- caldo o agua
- aceite
- sal
- pimienta

*Elaboración:*

Limpia y trocea el conejo.

En una cazuela con aceite, saltea los trozos de conejo salpimentados. Cuando comiencen a dorarse, agrega la cebolleta o cebolla y el pimiento verde, todo bien troceado. Una vez sofrita la verdura añade la harina, rehoga y, a continuación, agrega la carne de pimiento choricero, volviendo a rehogar. Cubre con agua o caldo y deja que cueza durante 35 minutos aproximadamente. Por último, añade las alcachofas, cocidas y troceadas, déjalo hacer otros 5 minutos y sirve.

## 606 – CONEJO CON ARROZ Y PIMIENTOS

*Ingredientes:*

- 1 conejo de 1 kg aprox.
- 300 g de arroz
- 3 pimientos verdes
- 1 cebolleta
- aceite
- 1 tomate
- 3 dientes de ajo
- agua
- sal

*Elaboración:*

Trocea y sala el conejo. Después, ponlo a dorar en un recipiente con un poco de aceite. Cuando esté dorado, añade los pimientos en tiras, la cebolleta, el tomate, todo bien picado, y los dientes de ajo enteros. Rehoga bien, agrega el arroz volviendo a rehogar y añade el doble y un poco más de agua o caldo que de arroz. Da un hervor fuerte y lo terminas de cocinar a fuego suave unos 20 minutos aproximadamente poniendo a punto de sal. Si lo deseas, puedes añadir alguna especia.

## 607 – CONEJO CON CIRUELAS PASAS

*Ingredientes:*

- 1 conejo de 1,300 kg
- 1 vaso de jerez seco
- 1 cuch. de harina
- 1 cebolla
- 12 ciruelas
- un poco de tomillo
- un poco de laurel
- pimienta negra
- sal
- 100 g de panceta
- aceite

En una sartén pon a rehogar la cebolla picada.

Mientras, salpimenta el conejo ya troceado y agrégalo a la cebolla junto con la panceta en trocitos y la harina. Déjalo que se rehogue todo y añade el jerez junto con el laurel, el tomillo y unos granos de pimienta negra dándole un pequeño hervor. Añade las ciruelas y deja cocer otros 10 minutos.

Para servir, coloca los trozos de conejo en una fuente y nápalos con la salsa resultante de la cocción.

## 608 – CONEJO CON LENTEJAS

*Ingredientes:*
- 1,200 kg de conejo cortado en trozos grandes
- 200 g de lentejas
- 100 g de tocineta en adobo
- sal
- aceite
- 1 hoja de laurel
- agua
- harina

*Elaboración:*

Pon en la víspera las lentejas en remojo.

Sazona y enharina los trozos de conejo y fríelos en una sartén con aceite hasta que estén dorados. Añade la hoja de laurel y la tocineta troceada. Rehoga, añade las lentejas escurridas y cúbrelo todo con agua, poniendo a punto de sal. Deja cocer, unos 45 minutos, hasta que esté hecho, removiendo de vez en cuando. Sirve.

## 609 – CONEJO CON MOSTAZA

*Ingredientes:*
- 1 conejo troceado
- 3 puerros

- 1 copa de jerez
- 4 cuch. de mostaza
- 1 vaso de vino blanco
- 2 patatas
- agua

- 1 zanahoria
- ¼ litro de caldo
- aceite
- sal

*Elaboración:*

Una vez salado el conejo, úntalo con mostaza y aceite y métemelo en el horno caliente durante 15 minutos. Transcurrido este tiempo, sácalo y ponle más mostaza, añade el jerez y un poco de caldo, volviendo a meterlo en el horno durante 20 minutos más aproximadamente. Una vez que observes que el conejo está bien asado, retíralo del horno y trocéalo y sírvelo en una fuente rociándolo con su propia salsa. De acompañamiento pon los puerros, la zanahoria y las patatas. Trocea tanto estas últimas como la zanahoria y cuécelas en agua con sal. Por último, rehoga los puerros cortados en bastones y la zanahoria y las patatas ya cocidas.

## 610 – CONEJO CON NUECES

*Ingredientes:*
- 1 kg de conejo
- aceite de nuez
- 1 cebolleta o chalota
- 1 diente de ajo
- ¼ litro de vino blanco
- 1 taza de nata líquida
- 300 g de nueces

- sal
- pimienta

guarnición:
- espinacas salteadas
- pimientos asados

*Elaboración:*

Trocea el conejo, salpiméntalo y ponlo en una sartén con aceite a dorar.

En una cazuela con aceite, pon a rehogar la cebolleta o chalota picada y el diente de ajo entero. Cuando esté bien pochado todo, agrega el vino blanco y la nata líquida y déjalo cocer 3 minutos. Transcurrido este tiempo, incorpora a la cazuela el conejo ya frito y déjalo cocer todo junto a fuego no muy fuerte durante unos 15 minutos. Después, retira el conejo de la cazuela y deja ésta en el fuego hasta ligar la salsa. Pasa ésta por el pasapuré y añádele las nueces picadas.

Para servir, salsea el conejo y acompáñalo con unas espinacas y unos pimientos asados.

## 611 – CONEJO CON PISTO

*Ingredientes:*
- 1 conejo
- 1 cebolla
- 2 tomates
- 1 calabacín
- 1 vaso de vino blanco
- pimienta
- sal
- 2 pimientos verdes
- perejil picado
- agua
- aceite

*Elaboración:*

Trocea el conejo y salpiméntalo. A continuación, dóralo en una cazuela con un poco de aceite. Cuando esté bien doradito, sácalo de la cazuela y resérvalo. En el mismo aceite rehoga la cebolla y los pimientos picados en juliana. Cuando esté la cebolla transparente, incorpora el conejo y el vino y deja cocer 5 minutos. Transcurrido este tiempo, cubre con agua y deja que hierva. Cuando lleve cociendo 20 minutos, añade el calabacín y el tomate en trozos. Espera otros 10 minutos de cocción y sirve.

## 612 – CONEJO DE MONTE EN MENESTRA

*Ingredientes:*
- 1 conejo
- 4 alcachofas

- 2 cuch. de harina
- 1 cebolla
- 1 zanahoria grande
- 1 puerro
- 1 pimiento morrón
- aceite
- agua

- 100 g de guisantes
- 100 g de habas
- sal
- 1 vaso de vino blanco
- pimienta
- tomillo

*Elaboración:*

Pica la cebolla, el pimiento, la zanahoria y el puerro. Pon todo a pochar en una cazuela con 2 cucharadas de aceite. Mientras tanto, trocea el conejo limpio y salpiméntalo. Cuando las verduras empiecen a dorar, añade el conejo y espera que se ponga doradito. Entonces, agrega la harina y el vino. Cuando haya reducido el vino, echa el agua. Nada más empezar a hervir, es conveniente que quites la espuma. Prueba de sal. Deja que cueza una hora y cuarto, vigilando que no se quede seco. Transcurrida media hora, incorpora la alcachofa limpia y troceada en mitades, las habas y los guisantes. Deja hervir otros 10 minutos, listo para servir. A este plato le sienta de maravilla un buen vino tinto.

## 613 – CONEJO EN ADOBO

*Ingredientes:*
- 1 conejo
- aceite
- 1 hoja de laurel
- 4 dientes de ajo
- vinagre

- 1 cebolla
- orégano
- pimienta negra
- sal

*Elaboración:*

Limpia y trocea el conejo. Salpimenta y colócalo en una olla con 3 partes de agua y 1 de vinagre y aceite. Añade la cebolla, el orégano, los ajos, el laurel, la pimienta y una pizca de sal. Pon a hervir, tapado, a fuego muy lento durante ½ hora. Sirve frío.

Con este adobo, el conejo aguanta una semana en el frigorífico. También se lo puede congelar.

## 614 – CONEJO PICANTE

*Ingredientes:*
- ½ conejo (trasero)
- 1 cebolla
- 1 kg de tomates maduros
- 2 pimientos choriceros
- ½ guindilla
- sal
- aceite
- 2 ajos

*Elaboración:*

Sala el conejo. Estíralo lo más posible y colócalo sobre la parrilla hasta que quede bien dorado (30 minutos aproximadamente).

Pocha en una cazuela con aceite la cebolla picada y el ajo. Cuando la cebolla se dore, añade el tomate picado, la guindilla y el pimiento choricero entero. Deja que cueza a fuego lento hasta que reduzca a la mitad. Saca la guindilla y el pimiento choricero. Descarna este último y añádeselo a la salsa. Pásalo todo por el pasapuré y prueba de sal. Coloca el conejo en una bandeja y salsea por encima.

## 615 – GUISO DE CONEJO CON MAJADO

*Ingredientes:*
- 1 conejo de 1,5 kg aprox.
- 1 cebolla
- 3 dientes de ajo
- unas rebanadas de pan
- una pizca de nuez moscada
- 1 vaso de vino blanco
- un puñado de almendras
- perejil picado
- aceite de oliva
- sal
- agua

*Elaboración:*

Limpia el conejo (reservando el hígado), pártelo en trozos y sazona.

En una cazuela con aceite sofríe la cebolla troceada. Después, añade los ajos y las rebanadas de pan. Una vez dorados, retira los ajos y el pan y fríe en ese mismo aceite los trozos de conejo.

Coloca los ajos y el pan en un mortero y machácalos. A continuación, añade las almendras, la nuez moscada y el hígado frito del conejo. Una vez bien machacado, echa este majado al conejo junto con el vino blanco y un vaso de agua.

Guísalo a fuego suave durante 30 minutos aproximadamente hasta que esté tierno (si queda seco, añade más agua). Espolvorea con perejil picado y sirve.

# Aves y caza

## Aves de corral: pollo y pavo

---

### 616 – ALAS DE POLLO AL AJILLO

---

*Ingredientes:*

- 16 alas de pollo
- ½ cabeza de ajo
- ½ cebolla o cebolleta
- ½ tomate
- aceite y sal
- 1 cuch. de harina

- ½ cuch. de perejil picado
- 1 vaso de caldo de ave o agua

para acompañar:
- patatas rejilla o asadas

*Elaboración:*

---

Fríe las alas previamente sazonadas en aceite hasta que queden bien doraditas. Saca las alas y resérvalas.

Retira la mitad del aceite de la sartén y añade el ajo pelado y cortado en láminas, así como el tomate y la cebolla troceados. Sazona. Cuando esté pochado agrega la harina y mézclala bien, rehogando. Después incorpora el caldo, pruébalo de sal y deja cocer unos minutos. A continuación, añade el perejil y salsea las alas bien calientes.

Acompaña el plato con patatas rejilla o asadas y sirve.

## 617 – ALAS DE POLLO AL BRANDY

*Ingredientes:*
- 16 alas de pollo
- 2 cebollas
- 2 copitas de brandy
- 24 uvas peladas
- una pizca de tomillo
- una pizca de romero
- un trocito de mantequilla
- perejil picado
- aceite de oliva
- sal
- pimienta
- 3 dientes de ajo

*Elaboración:*

En una sartén con aceite, rehoga las alas salpimentadas hasta que estén doraditas, con unas pizcas de romero y tomillo, los dientes de ajo enteros y la cebolla muy picada.

A continuación, desgrasa y añade un trocito de mantequilla y el brandy y flambea. Espolvorea con perejil picado y agrega las uvas peladas. Déjalo hacer unos minutos para que se mezclen bien todos los sabores y sirve.

## 618 – ALAS DE POLLO CON BROCHETAS DE PIMIENTO Y TOMATE

*Ingredientes:*
- 16 alas de pollo
- 2 pimientos verdes
- sal
- aceite de oliva
- harina

para las brochetas:
- 6 tomates pequeños
- 6 pimientos verdes pequeños

*Elaboración:*

Primero confecciona las dos brochetas, una con los tomatitos y otra con los pimientos verdes, y colócalas en la parrilla.

Después, pasa por harina las alas de pollo y fríelas con 2 pimientos verdes.

Este plato preséntalo acompañando el pollo y los pimientos con las 2 brochetas como guarnición.

## 619 – ALAS DE POLLO CON JAMÓN

*Ingredientes:*
- 16 alitas de pollo
- 16 lonchas de jamón serrano
- pan rallado
- 2 dientes de ajo
- aceite
- perejil picado

patatas panadera:
- 1 cebolleta
- 2 patatas
- 1 pimiento verde
- 1 diente de ajo
- sal

*Elaboración:*

Envuelve cada trozo de ala (para esta receta utiliza sólo la parte más carnosa del ala) en una loncha de jamón serrano. Pínchalo con un palillo y pásalo por pan rallado. Fríelo en aceite a fuego lento, para que se haga bien, con dos dientes de ajo.

Para preparar las patatas panadera, fríe en una sartén con aceite las patatas peladas y en lonchas con el resto de las verduras troceadas. Sazona y espolvorea con perejil picado.

Sirve las alas (sin palillo) con las patatas panadera.

## 620 – ALBÓNDIGAS DE POLLO

*Ingredientes:*
- 800 g de pollo deshuesado
- 1 o 2 dientes de ajo
- perejil picado
- sal y aceite

- harina
- 100 g de miga de pan remojada en leche
- 1 huevo

puré de verduras:
- 500 g de judías verdes
- 300 g de patatas
- sal
- agua

*Elaboración:*

Con un cuchillo bien afilado pica bien la carne de pollo, o pícala con una picadora. Pela el ajo y machácalo junto con una pizca de perejil picado. En un bol, mezcla la carne de pollo picada con el majado, el huevo entero, sin batir, la miga de pan, un chorrito de aceite y sal. Mézclalo todo muy bien. Forma las bolas, pásalas por harina y fríelas en aceite caliente. Cuando estén doradas, resérvalas.

Para preparar el puré, pon un litro de agua a hervir. Trocea las vainas, pela las patatas y córtalas en tiras. Añádeselo todo al agua con sal y déjalo cocer a fuego lento hasta que esté hecho. Pásalo por la batidora, y después por un colador a una cazuela. Añade las albóndigas y déjalo cocer a fuego suave unos 15 minutos. Por último, espolvorea con perejil picado y sirve.

## 621 – BROCHETA DE POLLO EN ADOBO

*Ingredientes:*
- 4 pechugas de pollo
- 8 lonchas de tocineta
- 4 pimientos verdes
- sal y aceite
- pimienta

para acompañar:
- arroz blanco

para el adobo:
- 1 cebolla picada
- ½ vaso de aceite de oliva
- orégano
- pimienta
- 3 dientes de ajo picados
- ½ cuch. de pimentón
- sal

*Elaboración:*

Mezcla todos los ingredientes del adobo y mete el pollo troceado, dejándolo de media a una hora.

Para montar las brochetas, ve colocando de forma intercalada los trozos de pollo, los de pimiento y los de tocineta. Salpimenta y hazlos en la sartén durante 3 o 4 minutos por cada lado. Sirve las brochetas acompañadas de arroz blanco.

---

## 622 – BROCHETAS DE CHAMPIÑONES Y POLLO

*Ingredientes:*
- 12 champiñones
- 4 palos de brochetas
- 8 tiras de bacon
- 2 pechugas de pollo
- sal
- 4 pimientos verdes en tiras
- aceite de oliva
- pimienta

*Elaboración:*

Haz 4 brochetas intercalando champiñones ya limpios, trozos de bacon y taquitos de pechuga de pollo. Salpimenta y pon a la plancha con un chorrito de aceite, dándole la vuelta cada 3 minutos aproximadamente.

Para servir, acompaña con tiras de pimiento verde frito.

---

## 623 – CÓCTEL DE POLLO Y MARISCO

*Ingredientes:*
- 4 hojas de lechuga rizada, lechuga de roble y escarola
- 1 tomate
- 1 muslo de pollo
- 200 g de gambas
- mahonesa
- cebollino
- 2 patatas

*Elaboración:*

Cuece las patatas y córtalas en rodajas muy finas, colocando éstas en el fondo del plato. Sobre ellas pon el tomate en lonchas finas y pelado. También coloca las hojas de las diferentes lechugas y el pollo desmigado. Posteriormente añade las gambas cocidas y peladas.

Baña todo en una mahonesa ligera y, por último, sazona con una pizca de cebollino.

## 624 – GUISO DE POLLO CON PATATAS

*Ingredientes:*
- 2 muslos de pollo (en 4 trozos)
- 1 kg de patatas
- 1 cebolla
- 2 tomates maduros
- 2 ajos
- 1 hoja de laurel
- ½ litro de caldo o agua
- sal
- aceite

*Elaboración:*

En una cazuela con aceite, dora el pollo previamente sazonado. Después, agrega la cebolla, los ajos y los tomates, todo bien picado. Una vez rehogada la verdura, añade las patatas, peladas y troceadas, el laurel y, a continuación, vierte el caldo. Deja que cueza durante media hora. Pasado este tiempo, desgrasa el guiso y sirve.

## 625 – MUSLO DE PAVO RELLENO

*Ingredientes:*
- 2 muslos de pavo
- 2 salchichas
- 2 lonchas de tocino
- 2 zanahorias
- 1 cebolla
- apio
- aceite
- ½ litro de cava seco
- agua
- sal
- perejil picado

*Elaboración:*

Deshuesa con cuidado los 2 muslos de pavo, rellénalos con

una salchicha envuelta en una loncha de tocino y átalos. A continuación, pocha en una cazuela con un poco de aceite las zanahorias, la cebolla y un trozo de apio, todo ello cortado en juliana no muy fina. Después añade los muslos de pavo, rehógalos y agrega el medio litro de cava seco, sazona y deja que reduzca a la mitad, a fuego suave y con la cazuela tapada durante 20 minutos. Pasado este tiempo, añade agua justo hasta cubrir los muslos y déjalos cocer a fuego lento hasta que estén hechos, aproximadamente 1 hora.

Saca los muslos rellenos y desgrasa bien la salsa (si está ligera, lígala con un poco de fécula disuelta en agua fría).

Sirve el plato cortando los muslos en lonchas espolvoreadas con perejil y acompañadas con la salsa.

## 626 – MUSLOS DE PAVO AL LIMÓN

*Ingredientes:*

- 4 muslitos de pavo
- aceite
- una nuez de mantequilla o margarina
- 1 vaso de vino blanco
- 1 limón
- 200 g de aceitunas negras

- 2 cebolletas o cebollas
- 5 dientes de ajo
- sal
- pimienta
- una pizca de tomillo picado
- harina
- perejil picado

*Elaboración:*

Corta los muslos en tres trozos y fríelos, salpimentados, en aceite junto a 2 dientes de ajo enteros y pelados. Aparte, sofríe el resto de los ajos fileteados y la cebolleta picada en una nuez de mantequilla y una cucharada de aceite. Incorpora el pavo y la harina. Rehoga. Después, añade las aceitunas, la piel de limón en juliana (tiras), el vino blanco y el zumo de limón.

Cuécelo todo junto unos 20 minutos más o menos añadiendo un poco de agua si fuera necesario. Debe quedar con poco jugo.

Por último, lo adornas con perejil picado

## 627 – MUSLOS DE PAVO ESTOFADOS

*Ingredientes:*

- 4 muslos de pavo
- 2 puerros pequeños
- 1 tomate
- 2 zanahorias pequeñas
- 1 pimiento verde
- 1 cebolla
- aceite
- sal
- 1 vaso de vino blanco
- mantequilla
- 12 ciruelas pasas
- agua

*Elaboración:*

Limpia y pica los puerros, tomate, zanahoria, pimiento verde y cebolla. Pocha todo en una sartén con un buen chorro de aceite. Transcurridos 10 minutos, añade el pavo y rehógalo unos 5 minutos. A continuación, vierte el vino y déjalo que reduzca. Realizada esta operación, cubre con agua y prueba de sal. Deja cocer a fuego lento hasta que esté hecho. Tardará una hora y media. Retira el pavo y colócalo en una fuente. Pasa la salsa por el pasapuré. Saltea las ciruelas con mantequilla e incorpóralas a la salsa con el pavo.

## 628 – MUSLOS DE POLLO A LA BARBACOA

*Ingredientes:*

- 4 muslos de pollo
- sal gorda
- patatas paja
- aceite

*Elaboración:*

Sazona los muslos y colócalos sobre la barbacoa, untados en aceite, durante 20 minutos aproximadamente por cada lado.

Para acompañar el pollo usa unas patatas paja previamente fritas.

## 629 – MUSLOS DE POLLO GUISADOS

*Ingredientes:*

- 4 muslos hermosos de pollo
- 1 cebolla
- 1 tomate
- 3 dientes de ajo
- 1 hoja de laurel
- 3 rebanadas de pan frito
- 50 g de jamón curado
- agua
- 1 pimiento morrón asado
- 1 vaso de vino blanco
- 2 vasos de agua
- aceite
- sal
- harina
- perejil picado

*Elaboración:*

Deshuesa todos los muslos y rellena éstos con un salteado de jamón picado, pimiento morrón picado y cierra el hueco con un palillo.

Pasa los muslos, sazonados, por harina y fríelos sin que se hagan del todo.

En una cazuela pocha el tomate y la cebolla picados junto con una hoja de laurel. Machaca en un mortero los ajos, pelados y troceados, y las rebanadas de pan frito. Cuando la verdura esté pochada, incorpora este majado. Después, agrega el vino blanco, el agua y los muslos de pollo. Pon a punto de sal y deja que se haga de 20 a 25 minutos. Espolvorea con perejil picado, sirve los muslos y salsea.

## 630 – MUSLOS DE POLLO PICANTES

*Ingredientes:*

- 4 muslos de pollo
- 1 vaso de vino blanco

- 2 dientes de ajo
- 2 tomates
- ½ guindilla
- 12 aceitunas negras
- 3 patatas medianas
- aceite
- sal
- perejil picado

*Elaboración:*

Sazona los muslos de pollo y fríelos en una sartén con aceite.

En una cazuela pon a pochar en un poco de aceite el tomate, el ajo picado y la guindilla. Cuando estén ligeramente dorados, añade el pollo y las aceitunas sin hueso fileteadas. Rehógalo todo y a continuación incorpora el vino blanco. Pruébalo de sal y añade el perejil picado. Déjalo cocer a fuego suave hasta que el vino se haya evaporado, unos 10 minutos aproximadamente.

Fríe las patatas en rodajas y añádelas al pollo.

Introdúcelo todo en una fuente y métela en el horno (arriba y abajo) 10 minutos aproximadamente a unos 180º. Sirve.

## 631 – MUSLOS DE POLLO RELLENOS

*Ingredientes:*
- 4 muslos de pollo deshuesados
- 4 lonchas de jamón curado
- 4 lonchas de queso
- 5 patatas medianas
- pimienta
- 1 cebolleta
- 1 pimiento verde
- sal
- 8 palillos
- aceite
- agua

*Elaboración:*

Deshuesa los muslos de pollo, sálalos y rellénalos con el jamón y el queso; enróllalos y pínchalos con los palillos. Pela las patatas y córtalas en lonchas de ½ cm. Después, colócalas en el fondo de la placa de horno, y encima la cebolleta y el pimiento cortados en juliana. Añade sal y coloca los muslos encima, ponles pimienta y añade aceite, un vaso de agua y métalos en el hor-

no a 180º durante 35-40 minutos. Si se queda seco, puedes añadir más agua. Si al servir queda el caldo muy ligero, puedes ligarlo con fécula.

## 632 – PAVO CON CALABACÍN

*Ingredientes:*
- 500 g de pechuga de pavo
- 2 dientes de ajo picados
- aceite
- 500 g de calabacines
- 1 vaso de vino blanco
- sal
- 1 cucharadita de orégano
- perejil
- 10 aceitunas negras
- ½ vaso de caldo
- harina de maíz
- pimienta

*Elaboración:*

Corta las pechugas en tiras, salpiméntalas y, en una sartén
con aceite, dóralas. Cuando estén doradas, sácalas. Fríe el calabacín cortado en aros. Retira y coloca las tiras de pavo encima.

Quita un poco de aceite de la sartén y añade un poco de ajo
picado, orégano y el vino blanco. Deja reducir un poco y agrega el caldo, las aceitunas negras y un poco de harina de maíz
diluida en agua.

Liga la salsa y échala sobre las tiras de pavo y el calabacín.

## 633 – PAVO EN ESCABECHE A LA ANTIGUA
### Para 10 personas

*Ingredientes:*
- 1 pavo limpio de 3 kg
  aproximadamente
- 2 litros de aceite de oliva
- 1 litro de vinagre de vino
- 1 ramita de tomillo seco
- sal
- 1 cebolla grande
- 4 hojas de laurel
- 15-20 granos de pimienta
  negra

- 1 docena de dientes de ajo
- ½ litro de vino blanco
- ½ litro de agua
- azúcar
- piñones

para acompañar:

- frutas pasas (dátiles, higos secos, uvas pasas, orejones)

*Elaboración:*

En una cazuela, pon a calentar medio litro de agua y medio litro de vino blanco con 4 cucharadas colmadas de azúcar. Cuando comience a hervir, añade las frutas pasas troceadas y los piñones y deja hacer a fuego lento unos 10 minutos.

Aparte, en otra cazuela grande coloca el pavo limpio y sazonado por fuera y por dentro, el tomillo, los dientes de ajo enteros y con piel, la cebolla troceada, el laurel y los granos de pimienta. Añade los 2 litros de aceite, el litro de vinagre y una cucharada sopera de sal. Cuando empiece a hervir, cubre la cacerola con papel de aluminio y pon encima la tapa, para que no se evapore el vinagre. Guísalo a fuego suave durante una hora y media aproximadamente. Escurre el pavo y filetéalo. Sirve acompañado de las frutas y salsea.

Puedes tomar este plato recién hecho o conservarlo varios días en su jugo, tomándolo entonces frío, sin recalentar.

## 634 – PECHUGA DE PAVO CON MOSTAZA

*Ingredientes:*
- 1 pechuga de pavo para 4 personas
- 1 vaso de mostaza
- harina
- sal
- aceite
- 2 dientes de ajo

guarnición:
- salsa de tomate
- patatas fritas

*Elaboración:*

Corta la pechuga en filetes y sálalos. Después, úntalos bien

con la mostaza y déjalos macerar durante una hora. Pasa los filetes por harina y fríelos en aceite caliente junto con dos dientes de ajo golpeados.

Acompáñalos con la salsa de tomate y unas patatas fritas.

## 635 – PECHUGA DE PAVO CON PIMIENTOS

*Ingredientes:*
- 600 g de pechuga de pavo
- 4 pimientos verdes
- 2 pimientos morrones
- 2 patatas
- pimienta
- 4 dientes de ajo
- sal
- aceite
- perejil picado

*Elaboración:*

Trocea la pechuga, salpimenta y dórala en una sartén con aceite caliente y los dientes de ajo, sin pelar. Sácala y reserva. En el
mismo aceite, fríe a fuego suave los pimientos limpios y troceados hasta que estén pochados. Pela las patatas, trocéalas (si quieres, puedes tornearlas) y fríelas en otra sartén con aceite bien caliente. Cuando esté dorado el pimiento, quítale parte del aceite y
añade la pechuga y la patata. Espolvorea con perejil picado, sazona y déjalo hacer todo junto unos minutos a fuego lento.

## 636 – PECHUGAS DE PAVO CON PURÉ
## DE CASTAÑAS

*Ingredientes:*
- 1 kg de pechugas de pavo
- 1 cebolla
- 2 zanahorias
- 1 tomate
- 1 puerro
- 1 pimiento verde
- sal gorda
- pimienta
- 1 vaso de vino blanco
- agua
- puré de castañas
- pasta cocida

- 2 dientes de ajo
- aceite
- perejil picado

*Elaboración:*

---

Limpia la verdura y luego pícala no demasiado fina. Salpimenta las pechugas de pavo y colócalas en una placa de horno honda. Echa la verdura picada por encima, agrégales un vaso de vino y 2 vasos de agua, dejando que cueza durante 40 minutos a 180º, dándole vueltas durante el tiempo de cocción y vigilando para echarle agua con el fin de que no se quede seco.

Una vez hechas las pechugas, sácalas a un plato y pasa la verdura con su salsa por el pasapuré. Si queda muy espeso, añade agua, y si queda muy ligero, déjalo cocer un poco más. Calienta el puré y saltea la pasta en aceite espolvoreando con perejil picado.

Corta las pechugas en filetes y colócalas en una fuente. Salsea y acompáñalo con puré de castañas y la pasta salteada.

## 637 – PECHUGAS DE PAVO EN SALSA

*Ingredientes:*

- 2 pechugas de pavo
- 3 peras
- 600 g de espinacas cocidas
- 100 g de mantequilla
- sal y pimienta
- 2 ajos
- ½ vaso de vino de madeira
- ½ vaso de brandy
- ½ vaso de nata líquida
- aceite
- perejil picado

*Elaboración:*

---

Corta las peras en 4 o 6 trozos y quita las pepitas. En una sartén con un poco de mantequilla fríelas hasta que estén tiernas.

Pon el madeira, el brandy y la nata a reducir en un cazo a fuego lento, liga la salsa con fécula si es necesario, pruébala de sal, espolvoréala con perejil picado y resérvala.

Fríe las pechugas fileteadas y salpimentadas en un poco de

aceite junto con el ajo en tacos. Saltea las espinacas con un chorrito de nata y colócalas en el fondo de una fuente; a continuación coloca las pechugas encima y salséalo. Una vez en la mesa, acompaña el plato con las peras.

## 638 – PECHUGAS DE POLLO AGRIDULCE

*Ingredientes:*

- 4 pechugas de pollo
- ¼ litro de caldo
- 3 cuch. de pimienta
- azúcar
- 1 cuch. de harina de maíz
- 1 dl de vinagre
- sal
- aceite

*Elaboración:*

Salpimenta las pechugas limpias. Fríelas en un poco de aceite haciendo que queden bien doradas. Resérvalas. Caramelizado el azúcar, añade el vinagre y luego el caldo, y por último un poco de pimienta rosa o verde. Para ligar la salsa, agrega harina de maíz disuelta en agua y deja que espese. Corta las pechugas en filetes e incorpóralas a la salsa, deja reposar un minuto y sirve acompañado con pimientos morrones o una ensalada.

## 639 – PECHUGAS DE POLLO AL OPORTO

*Ingredientes:*

- 3 pechugas de pollo
- 1 vasito de oporto
- 1 vasito de nata
- ½ cebolleta
- aceite
- 1 tomate
- ½ kg de champiñones
- sal
- maizena (si necesita espesar)
- pimienta

*Elaboración:*

Pica muy fino la cebolleta y el tomate pelado y sin pepitas.

Ponlo en una cazuela con aceite a rehogar, sazona e incorpora los champiñones cortados en láminas y las pechugas en tiras. Deja sofreír todo, y cuando las pechugas estén doraditas, añade el vasito de oporto y la nata. Pon a fuego lento más o menos 20 minutos hasta que reduzca la salsa. Si queda ligera, puedes espesar con harina de maíz. Sirve. De guarnición puedes poner patatas paja.

## 640 – PECHUGAS DE POLLO CON CHAMPIÑONES

*Ingredientes:*
- 300 g de champiñones
- 4 pechugas de pollo
- 3 dientes de ajo
- ½ vaso de vino blanco
- perejil picado
- aceite
- sal
- 1 cuch. de pan rallado
- salsa de tomate

*Elaboración:*

Limpia y corta los champiñones en láminas de ½ cm de grosor aproximadamente y ponlos en una cazuela con un poco de aceite y el ajo picado. Rehógalo todo bien y añade el vino dejando que se haga despacio. A la mitad de la cocción pon pan rallado y perejil.

Por otro lado, fríe en aceite las pechugas, no mucho para que estén jugosas. Echa las pechugas a la cazuela de los champiñones y pon un poco más de pan rallado y déjalo 5 minutos más en el fuego.

Para acompañar este plato es recomendable salsa de tomate casera.

## 641 – PECHUGAS DE POLLO RELLENAS

*Ingredientes:*
- 4 pechugas de pollo
- aceite

- 4 lonchas de jamón curado
- 4 lonchas de queso graso
- pan rallado
- 2 dientes de ajo
- sal
- pimienta
- perejil picado
- 250 g de pasta cocida

*Elaboración:*

Abre las pechugas, ya limpias, por la mitad, sazona e introduce una loncha de queso y otra de jamón.

Pasa las pechugas por pan rallado y fríelas en una sartén con aceite bien caliente y dos dientes de ajo.

En otra sartén con aceite, saltea la pasta cocida y bien escurrida y espolvorea con pimienta molida y perejil picado.

Sirve las pechugas acompañadas de la pasta.

## 642 – PECHUGAS DE POLLO VILLEROI

*Ingredientes:*
- 4 pechugas de pollo
- leche
- sal
- harina
- 2 nueces de mantequilla
- aceite
- huevo
- pan rallado
- pimienta negra
- patatas fritas

*Elaboración:*

Pon las pechugas abiertas por la mitad, en leche, durante 1 hora. Sácalas y sécalas.

Haz la bechamel con 2 nueces de mantequilla, 2 cucharadas de harina, 1 vaso grande de leche, sal y pimienta.

Cuando esté hecha y bien espesa, mete las pechugas en la bechamel intentando que queden cubiertas por una capa de ésta, y luego colócalas en una placa untada de mantequilla para que no se peguen. Cuando estén frías, pásalas por harina, huevo y pan rallado y fríelas en aceite caliente.

Sírvelas acompañadas de patatas fritas.

# 643 – PIMIENTOS RELLENOS DE POLLO Y PAVO

*Ingredientes:*

- 16 pimientos del piquillo
- 250 g de picadillo de pollo
- 200 g de picadillo de pavo
- 1 loncha picada de jamón
- harina
- sal y aceite
- pimienta
- perejil picado
- huevo batido

salsa:
- 200 g de pimientos rojos
- 1 cebolla
- 1 tomate
- 1 vaso de agua
- sal
- aceite
- 2 dientes de ajo

## Elaboración:

Mezcla la carne con el jamón picado y salpimenta. Rellena los pimientos, pásalos por harina y huevo, fríelos y después resérvalos bien escurridos.

Salsa: pica la cebolla y el tomate y ponlos a dorar junto con los ajos picados en una sartén con aceite, añade luego los pimientos rojos picados y el agua; déjalo cocer durante unos 30 minutos, a fuego lento. Pruébalo de sal, pásalo por la batidora y después por un colador o un chino. Agrega luego a la salsa los pimientos rellenos y ponlo a cocer a fuego suave 15 minutos aproximadamente, también a fuego lento. Espolvorea con perejil picado, sirve los pimientos y salsea.

# 644 – POLLO A LA ANDALUZA

*Ingredientes:*

- 1 pollo de 1 ½ kg aprox.
- 100 g de aceitunas sevillanas
- 2 higadillos de pollo
- frutos secos (almendras y piñones)
- unos granos de pimienta negra

- 2 cebollas
- 2 dientes de ajo
- perejil

- azafrán
- caldo de carne
- aceite

*Elaboración:*

En una cazuela con un chorro de aceite, pon a rehogar las cebollas picadas, los ajos y unas bolas de pimienta negra. Posteriormente, añade el pollo cortado en 8 trozos. Cuando tome color, añade el caldo de carne con el azafrán y las aceitunas. Tapa y deja que cueza suavemente unos 40 minutos.

Mientras tanto, maja en el mortero, con cuidado, los frutos secos y los higadillos y agrega esta mezcla a la cazuela. Transcurrido el tiempo de cocción, sírvelo espolvoreado con perejil picado.

## 645 – POLLO A LA CANELA

*Ingredientes:*
- 1 pollo de 1 ½ kg aprox.
- 1 cuch. de canela en polvo o un trozo de canela en rama
- 4 dientes de ajo
- 1 vaso de vino tinto
- aceite

- agua
- sal
- 1 cucharadita de harina
- pimienta
- perejil

*Elaboración:*

Trocea el pollo, salpiméntalo y sofríelo en aceite. Cuando tome color, añade los dientes de ajo enteros, el perejil picado y la harina, rehoga y cubre con agua. Déjalo cocer a fuego suave unos 20 minutos aproximadamente. Pasado ese tiempo, añade la canela y el vino tinto, y deja cocer alrededor de 10 minutos más hasta que esté hecho.

# 646 – POLLO A LA FLORENTINA

*Ingredientes:*

- 1 pollo de 1 kg
- 60 g de mantequilla
- ½ vaso de vino blanco
- 1 litro de agua
- sal
- ½ kg de espinacas hervidas
- 4 cuch. de parmesano rallado
- perejil
- ½ litro de bechamel
- pimienta

*Elaboración:*

Derrite la mitad de la mantequilla en una cazuela y añade el pollo troceado. Deja que se dore y añade el vino blanco, la sal y el agua. Deja que cueza a fuego lento durante media hora.

Aparte, saltea las espinacas limpias, cocidas y troceadas en una sartén con la mantequilla sobrante. Colócalas en el fondo de una fuente resistente al calor. Sobre ellas coloca el pollo y salséalo con la bechamel. Por último, cubre con queso rallado y gratina en el horno. Retira con cuidado de no quemarte y sirve.

# 647 – POLLO A LA JARDINERA

*Ingredientes:*

- 1 pollo de 1 ½ kg
- 200 g de habas limpias
- 3 zanahorias
- 4 alcachofas
- 100 g de guisantes limpios
- aceite
- agua
- sal
- pimienta
- 3 dientes de ajo
- 2 cuch. de harina

*Elaboración:*

Trocea el pollo, salpiméntalo y dóralo en una cazuela con

aceite junto con el ajo en láminas. Después, agrega la harina y rehoga.

Limpia todas las verduras y trocea la zanahoria y las alcachofas en cuartos. Agrégalas al pollo y cúbrelo todo con agua. Pon a punto de sal y guísalo durante unos 35 minutos.

Por último, desgrasa y sirve.

---

## 648 – POLLO A LA MOSTAZA

*Ingredientes:*
- 1 pollo de 1,300 kg troceado
- 2 cebollas
- 1 tomate
- aceite
- 2 cuch. de mostaza
- pimienta
- caldo o agua
- 1 cuch. de harina
- perejil picado
- sal

*Elaboración:*

Pica la cebolla y el tomate, sazona y póchalo con un poco de aceite. Añade la harina, rehoga bien y, después, agrega el pollo salpimentado, volviendo a rehogar.

Cúbrelo con caldo o agua y deja que se haga unos 25 o 30 minutos a fuego suave. A cinco minutos de finalizar la cocción, añade la mostaza.

Por último, pon a punto de sal y sirve.

---

## 649 – POLLO A LA NARANJA

*Ingredientes:*
- 1 pollo grande
- 3 naranjas
- 3 ajos
- 2 tomates
- 1 cebolla
- caldo de gallina
- vino tinto
- pimienta negra
- sal
- aceite

- 1 zanahoria
- 1 pimiento verde
- harina de maíz refinada

*Elaboración:*

Mete dentro del pollo 2 naranjas troceadas, y coloca sobre él la verdura también troceada.

Coloca el pollo en una tartera con un poco de aceite.

Riega todo con vino, caldo y el zumo de naranja.

Salpimenta y mete el pollo en el horno a 180º durante 45 minutos. Saca el pollo y trocéalo.

Cuela la salsa y lígala con harina de maíz refinada.

Echa la salsa sobre el pollo y sirve.

## 650 – POLLO ADOBADO

*Ingredientes:*
- 800 g de pollo troceado
- 1 vaso de vino de oporto
- 1 vaso de vino tinto
- 1 pizca de tomillo
- 1 pizca de romero
- unas bolas de pimienta negra
- sal
- perejil picado
- harina
- aceite

guarnición:
- patatas fritas

*Elaboración:*

Sazona el pollo y colócalo en un bol con la pimienta, el romero, el tomillo, el vino tinto y el oporto y deja macerar unas 6 horas.

Después, pasa los trozos de pollo escurridos por harina y fríelos en una sartén con aceite.

Sirve el pollo en una fuente espolvoreado con perejil picado y acompáñalo con patatas fritas.

## 651 – POLLO ASADO CON BACON

*Ingredientes:*

- 1 pollo de 1,300-1,500 kg
- 4 lonchas de bacon
- ½ limón
- sal
- tomillo
- ½ vaso de agua
- aceite
- perejil picado
- patatas fritas
- pimienta

*Elaboración:*

Limpia el pollo. Sazónalo por dentro y por fuera y colócalo en una fuente de horno. Introduce dentro las lonchas de bacon enrolladas junto con el tomillo y espolvorea con la pimienta molida. Después, rocía con el zumo de ½ limón y con un chorro de aceite.

Por último, introduce el medio limón dentro del pollo.

Añade ½ vaso de agua a la placa para que no se seque. Mételo en el horno a 170-175º durante 40 minutos aproximadamente.

Sirve el pollo troceado y salsea. Acompáñalo de patatas fritas con sal y espolvoreadas con perejil picado.


## 652 – POLLO ASADO CON PERAS

*Ingredientes:*

- 1 pollo
- 5 peras
- ¼ litro de caldo
- ¼ litro de vino fino
- 2 dientes de ajo
- aceite de oliva y sal
- pimienta molida

para acompañar:
- calabacín frito

*Elaboración:*

Limpia bien el pollo, sálalo y agrega una pizca de pimienta

molida. En su interior coloca el ajo pelado y una pera entera, sin pelar. A continuación, pon el pollo en la placa del horno junto con el resto de las peras colocadas alrededor. Rocíalo con aceite e introdúcelo en horno ya caliente a 200º. A los 20 minutos, añade el caldo y el vino, dándole después la vuelta al pollo para que se haga bien por todos los lados y dejándolo otros 20 minutos a la misma temperatura. Transcurrido este tiempo sácalo y sírvelo troceado, colocando las peras asadas como guarnición y acompañándolo de unas rodajas de calabacín frito.

## 653 – POLLO ASADO CON TOMATES

*Ingredientes:*
- 1 pollo de 1,200 kg
- 4 tomates
- 2 dientes de ajo
- 1 cuch. de mostaza
- orégano
- aceite
- pimienta negra
- vinagre
- 1 vaso de vino blanco
- sal gorda

*Elaboración:*

Prepara primero el majado con la mostaza, 4 granos de pimienta negra, los ajos y el vinagre. Coloca el majado en la placa de horno. Sobre ésta pon el pollo, limpio y salado.

Unta el interior del pollo con mostaza y alrededor del mismo sitúa los tomates, previamente pinchados, para que suelten su jugo y se mezcle con el del pollo.

Mete en el horno durante una hora a 180º. A mitad de asado, añade el vaso de vino blanco y el orégano.

Posteriormente, si ves que el pollo se está quedando seco, puedes agregarle agua o, mejor, caldo de verdura.

Cuando esté asado y para servir, pela los tomates, trocea el pollo y baña con el caldo que hay en la placa.

## 654 – POLLO CON BERROS

*Ingredientes:*
- 1 pollo de 1 kg
- 2 cebollas
- 3 tomates
- 2 dientes de ajo
- 200 g de berros
- pimienta
- aceite
- caldo de verduras
- harina
- sal
- patatas rejilla

*Elaboración:*

Limpia los berros, corta el pollo en trozos y salpiméntalo. En una cazuela con aceite pocha la cebolla y el ajo muy picados junto con el tomate bien troceado. Sazona y agrega 2 cucharadas de harina. Una vez rehogada la harina, echa el pollo y saltéalo. Cubre con el caldo de verduras.

Si lo deseas, añade un vaso grande de vino blanco. Déjalo hacer durante 35 o 40 minutos.

A continuación, desgrasa el guiso y agrégale los berros. Déjalo cocer otros 5 minutos.

Sirve el pollo, salsea y acompáñalo con unas patatas rejilla. También puedes acompañar este plato con arroz blanco.

## 655 – POLLO CON GUISANTES

*Ingredientes:*
- 1 pollo mediano
- 2 cebolletas o cebollas
- 3 dientes de ajo
- 1 zanahoria
- 1 vaso de caldo de carne
- 2 cuch. de harina
- 250 g de guisantes
- aceite
- pimienta
- sal
- perejil picado
- agua

*Elaboración:*

Corta el pollo en trozos no muy pequeños, salpiméntalo y fríelo en aceite con tres dientes de ajo. Cuando esté frito, sácalo y resérvalo.

En otra sartén pocha la cebolla y la zanahoria picadita con un chorro del aceite donde has frito el pollo. Cuando estén bien dorados, añade la harina, rehoga y añade el pollo frito. Vierte el caldo, los guisantes y medio vaso de agua. Deja que se haga durante 30 minutos y pasa la salsa por un chino a una cazuela baja.

Por último, espolvorea con perejil picado y sirve.

## 656 – POLLO CON PASTA

*Ingredientes:*
- 500 g de pollo troceado
- 200 g de fideos
- 1 cebolla
- 2 o 3 tomates maduros
- 2 dientes de ajo
- caldo de pollo
- 1 cucharadita de pimentón (dulce o picante)
- aceite de oliva
- sal
- 150 g de queso rallado (opcional)

*Elaboración:*

En una cazuela con aceite pocha la cebolla y el ajo picados muy finos. Después, incorpora los trozos de pollo sazonados, dejando que se rehogue durante unos minutos, hasta que quede doradito. Añade los tomates, cortados en dados, y deja que se hagan unos 5 minutos. Agrega el pimentón removiendo para que no se queme, echa los fideos y cubre con el caldo.

Guísalo todo a fuego lento durante 15 minutos con la cazuela tapada.

Puedes espolvorear con queso rallado antes de servir.

## 657 – POLLO CON PIMIENTOS ROJOS

*Ingredientes:*

- un pollo de 1,400 kg
- 2 o 3 pimientos morrones
- 1 vaso de vino blanco
- 1 cebolla o cebolleta
- 4 dientes de ajo
- 2 tomates
- 1 hoja de laurel
- 1 cuch. de harina
- aceite
- agua
- sal

*Elaboración:*

Corta el pollo en trozos pequeños. Pica el ajo, la cebolla y el tomate y ponlos a pochar en una cazuela con un poco de aceite, una hoja de laurel y un poco de sal. Antes de que se dore añade el pollo sazonado y el vino, rehógalo con un poco de harina y cubre con agua.

Corta los pimientos en tiras y añádeselos al pollo. Deja que cueza de 30 a 40 minutos y sirve.

## 658 – POLLO CON PIÑA

*Ingredientes:*

- 1,300 kg de pollo troceado
- ½ vaso de vinagre blanco
- ½ vaso de vino dulce
- ½ vaso de vino blanco o verde de racima
- ½ cuch. de azúcar
- sal y pimienta
- perejil picado
- aceite
- 3 dientes de ajo
- ½ piña natural o en conserva

guarnición:
- puré de manzana

*Elaboración:*

Sala el pollo y ponlo a freír en una sartén con aceite junto con los dientes de ajo. Cuando esté frito, pásalo a otra cazuela con un poco de aceite de la fritura y añade la piña en trozos, el vinagre, el azúcar, los vinos y un poco de pimienta, y déjalo cocer hasta que reduzca la salsa y quede ligeramente espesa, unos 25 minutos. Espolvorea con perejil picado.

Sirve el pollo y la salsa en una fuente y acompáñalo con puré de manzana.

## 659 – POLLO CON UVAS

*Ingredientes:*
- 1 pollo troceado
- 1 racimo de uva de mesa embolsada
- 1 vaso de caldo o agua
- ½ vaso de brandy
- aceite
- sal
- 1 cuch. de harina

*Elaboración:*

En una cazuela con un poco de aceite, dora el pollo con sal. Cuando esté dorado, añade la harina y rehoga. Después agrega el brandy, a continuación incorpora el caldo y deja cocer a fuego lento de 30 a 35 minutos. Después, añade los granos de uva y déjalo hacer otros 10 minutos a fuego lento.

Por último, sirve.

## 660 – POLLO CON VERDURAS

*Ingredientes:*
- 16 alitas de pollo
- 1 cebolleta
- 2 zanahorias
- 2 puerros (sólo lo blanco)
- 2 pencas de acelga
- aceite
- sal
- pimienta
- 8 pimientos rojos asados y pelados
- 2 pimientos verdes
- agua

*Elaboración:*

Corta en juliana la zanahoria y las pencas y ponlas a cocer en agua hirviendo con sal durante 5 minutos aproximadamente, hasta que estén tiernas.

Corta en juliana la cebolleta, el puerro y el pimiento verde en tiras y ponlo a pochar con aceite. Sazona.

Limpia las alitas, salpimenta y ponlas a freír con las verduras.

Cubre los platos con las verduras cocidas y escurridas en el fondo y sirve encima las alas. Acompaña con la fritada de puerro, cebolleta y pimiento verde y con los pimientos rojos fritos.

## 661 – POLLO EN ESCABECHE

*Ingredientes:*

- 1 pollo de 1 ½ kg
- 1 vaso de vino blanco
- 1 vaso de vinagre
- 1 cebolla
- 3 dientes de ajo
- 2 hojas de laurel
- 1 cuch. de tomillo

- aceite
- sal
- 15-20 granos de pimienta

para acompañar:
- 2 tomates asados

*Elaboración:*

Limpia, trocea el pollo y sazónalo.

En una sartén con abundante aceite fríe los trozos y colócalos después en una cazuela.

En el aceite que queda, pon la cebolla troceada y los dientes de ajo pelados. Añade el laurel, el tomillo y la pimienta. Una vez pochado, agrégaselo al pollo junto con el vino y el vinagre. Cuécelo todo durante 30 minutos y sirve acompañado con tomates asados, pelados y aliñados con sal y aceite.

Puedes comer este plato frío o caliente.

# 662 – POLLO ESCALFADO A LA SIDRA

*Ingredientes:*

- 1 pollo troceado
- 3 dl de sidra
- 1 cebolleta
- pimienta en grano
- 2 ramitas de estragón
- 2 manzanas en rodajas
- mantequilla
- 2 cucharaditas de fécula de patata
- 2 dl de nata
- sal
- pimienta
- aceite

*Elaboración:*

En una cazuela pon un chorro de aceite, y cuando esté caliente echa el pollo salpimentado para que se dore.

Cuando lo tengas dorado, agrega la cebolleta picada para que se rehogue junto con el pollo.

Después, incorpora la sidra, unos granos de pimienta y el estragón.

Cuando rompa a hervir, tapa la cazuela y deja que cueza a fuego lento durante 30 minutos. Pasado este tiempo, agrega las rodajas de manzana. Reserva 8 rodajas para adornar el plato.

Una vez incorporada la manzana, deja que hierva a fuego lento otros 10 minutos. Transcurrido este tiempo, retira la cazuela del fuego y saca los trozos de pollo y la manzana a la fuente de servir.

En un tazón mezcla la fécula de patata con la nata. Incorpora esta mezcla a la cazuela donde has cocido el pollo. Lleva a ebullición y deja que hierva unos minutos, moviendo para que no se pegue. Una vez que haya espesado la salsa, viértela encima del pollo.

Saltea en una sartén con mantequilla las rodajas de manzana que habías reservado. Adorna con ellas la fuente.

Sirve.

## 663 – POLLO ESTOFADO DE LAS PALMAS

*Ingredientes:*

- 1 pollo
- 2 cebollas o cebolletas
- 1 cabeza de ajo
- 1 hoja de laurel
- 1 cuch. de pimentón dulce
- 1 vaso de vino tinto
- 1 cuch. de manteca
- sal
- pimienta
- patatas fritas en dados

*Elaboración:*

Sofríe en la manteca el pollo troceado y salpimentado. Después, añade las cebollas picadas, los ajos, el laurel, el pimentón y el vino y déjalo cocer todo, tapado, unos 30 minutos aproximadamente. Por último, agrega las patatas fritas y deja que dé un hervor de 5 minutos aproximadamente.

Sirve.

## 664 – POLLO GUISADO CON CERVEZA

*Ingredientes:*

- 1 pollo de 1 ½ kg
- ½ litro de cerveza
- aceite
- sal
- 2 dientes de ajo
- 3 patatas troceadas y fritas
- perejil picado
- pimienta

*Elaboración:*

Limpia y trocea el pollo. Saltea el ajo picado en una cazuela con aceite y a continuación rehoga el pollo salpimentado, durante 8-10 minutos, hasta que se dore. Desgrasa. Añade los trozos de patata frita y la cerveza.

Espolvorea con perejil picado y guísalo durante 15 minutos. Listo para servir.

# 665 – POLLOS TOMATEROS A LA PARRILLA

⚜ ⚜ ⚜ ⚜

*Ingredientes:*

- 2 pollitos tomateros
- 1 dl de aceite
- 2 dientes de ajo
- 1 dl de vinagre
- perejil
- sal gorda

guarnición:
- 3 patatas (para hacer patatas fritas)

*Elaboración:*

Parte por la mitad cada pollito y sálalos. Maja en un mortero el ajo con el perejil y añádeles el aceite y el vinagre.

Después, coloca el pollo en la parrilla y úntalo con el majado según se vaya asando (10 minutos por cada lado).

Fríe las patatas en una sartén con el aceite y ponlas de guarnición. También puedes utilizar pimientos verdes y pimiento morrón frito y cortado en tiras.

# 666 – ROLLITOS DE POLLO

⚜ ⚜ ⚜ ⚜

*Ingredientes:*

- 4 pechugas de pollo
- 2 huevos cocidos
- 2 cebollas
- ¼ kg de champiñones
- 1 vaso grande de caldo
- orégano
- aceite

- pimienta
- sal

guarnición:
- patatas fritas tipo paja

*Elaboración:*

Quita la piel, el huesillo y los gordos a las pechugas, ábrelas por la mitad y aplástalas. Coloca sobre ellas sal, pimienta y los huevos cocidos con algunos champiñones, ambos bien picados. Enróllalo todo y ata las pechugas.

Pela y corta en aros las cebollas, limpia y corta en láminas el resto de los champiñones y colócalos salpimentados en una fuente de horno. Pon encima los rollitos de pechuga. Rocíalo todo con el caldo y espolvorea con orégano. Mételo en el horno a 200º durante 20 minutos.

Pasado ese tiempo, saltea en una sartén con aceite un poco de huevo cocido picado con cebolla y champiñones que tenías en el horno.

Saca los rollitos de pollo a una fuente de servir y córtalos en rodajas, colocándolos encima de la salsa. Sirve el plato acompañado de patatas fritas tipo paja, como guarnición.

## 667 – SALPICÓN DE POLLO Y CERDO

*Ingredientes:*
- 400 g de pechuga de pollo
- 400 g de lomo adobado de cerdo
- sal
- aceite
- 2 dientes de ajo
- patatas fritas en rodajas

vinagreta:
- 1 cebolleta o media cebolla
- 1 pimiento verde
- perejil picado
- 1 vaso de aceite de oliva
- ½ vaso de vinagre
- sal
- 2 huevos cocidos

*Elaboración:*

Sazona la pechuga y pártela junto con el lomo en tacos.

En una sartén con aceite rehoga estos tacos con el ajo partido en láminas, hasta que estén fritos.

Coloca el salpicón sobre una cama de patatas fritas en rodajas y acompaña con la vinagreta que habrás preparado en un bol mezclando todos sus ingredientes bien picados.

Sirve templado el salpicón.

## 668 – SAN JACOBOS DE PAVO

*Ingredientes:*

- 8 filetes de pechuga de pavo
- 4 lonchas de queso de fundir
- 2 o 3 dientes de ajo
- sal
- pimienta
- aceite
- 1 plato de harina
- 1 plato con pan rallado
- huevo batido

guarnición:
- pasta cocida
- 1 pimiento verde
- perejil picado

*Elaboración:*

Aplasta y salpimenta los filetes. Rellénalos con el queso (filete, queso, filete) y pásalos por harina, huevo y pan rallado.

Fríelos en aceite bien caliente a fuego no muy fuerte por ambos lados junto con los ajos aplastados.

Sírvelos en una fuente o en platos individuales.

Para la guarnición, fríe el pimiento troceado y saltea en la misma sartén la pasta cocida, espolvoreando con perejil picado.

## 669 – SUPREMAS DE POLLO CON PLÁTANOS

*Ingredientes:*

- 8 filetes de pechuga de pollo
- 3 huevos
- 3 cuch. de leche
- sal
- pimienta
- pan rallado
- 2 dientes de ajo
- aceite

guarnición:
- 4 plátanos no muy maduros
- harina
- huevo batido con un poco de leche
- aceite

Sazona las pechugas con la sal y la pimienta. Bate los huevos con la leche.

Pasa las pechugas por el huevo, a continuación por el pan rallado y fríelas en aceite caliente hasta que queden doradas por ambos lados, junto con los ajos enteros y con piel. Escúrrelas y reserva.

Para hacer la guarnición, pela los plátanos, rebózalos en harina y huevo y fríelos en aceite muy caliente hasta que estén dorados y crujientes. Escurre, trocea y pon los plátanos como acompañamiento de las pechugas.

## Caza

## 670 – BECADAS AL COSTRÓN

*Ingredientes:*
- 4 becadas
- 1 vaso de vino tinto
- sal
- pimienta
- mantequilla
- 1 vaso de caldo de carne
- 80 g de foie
- 2 patatas
- 4 panes de molde tostados

*Elaboración:*

Despluma las becadas pero no las vacíes. Corta las cabezas y colócaselas a cada becada en el cuello con el pico hacia dentro. Salpimenta.

En una tartera de horno pon mantequilla y un fondo de patatas en rodajas muy finas. Coloca las becadas y rocía con el vino tinto y el vaso de caldo. Métalas en horno fuerte durante 12 minutos aproximadamente.

Reserva las becadas, y en la salsa de la tartera añade el foie y pon al fuego para que reduzca.

Abre las becadas por la mitad (reservando las cabezas) y añade los higaditos a la salsa. Pon las mitades a sofreír en la salsa durante unos minutos.

Coloca los panes en una fuente de servir, y sobre ellos, las becadas. Sirve las patatas y salsea.

Puedes acompañar este plato con puré de patatas, de manzanas o de ciruelas pasas. Por último, adorna con las cabezas.

## 671 – BROCHETA DE PALOMA Y PERDIZ

*Ingredientes:*

- 2 palomas
- 2 perdices
- 2 o 3 pimientos verdes
- 2 dientes de ajo
- sal
- pimienta
- aceite

guarnición:
- puré de castañas

salsa:
- 1 cebolla
- 2 tomates
- huesos y carcasas de palomas y perdices
- ½ vaso de vino tinto
- agua
- sal
- aceite

*Elaboración:*

Limpia las aves, sacando su carne y reservando los huesos y las carcasas.

Para preparar la salsa, pon en una cazuela todos sus ingredientes, cubriendo con el agua, y deja reducir a la mitad. Después, retira los huesos y pasa el resto por un pasapuré. Si deseas que te quede más fino, pásalo por un chino. Reserva.

Monta 4 brochetas alternando la carne de paloma y perdiz con los trozos de pimiento verde.

A continuación, salpimenta y fríelas en un poco de aceite.

Presenta el plato en una fuente cubierta con la salsa de caza caliente colocando encima las brochetas. Acompaña con el puré de castañas.

## 672 – CIVET DE LIEBRE

*Ingredientes:*

- 1 liebre de 2 ½ kg sin limpiar
- 1 cebolla
- 2 dientes de ajo
- 6 cuch. de aceite de oliva
- 3 cuch. de brandy
- 1 hoja de laurel
- sal

- una pizca de tomillo
- una pizca de perejil
- una pizca de orégano
- harina
- ½ litro de vino tinto
- ½ litro de caldo
- pimienta

*Elaboración:*

Pela y limpia bien la liebre. Quítale y reserva el hígado, y recoge lo que puedas de la sangre para hacer la salsa. Trocea la pieza y salpimenta.

En una cazuela pon el aceite, el brandy, los ajos, la cebolla picada y todas las hierbas aromáticas. Después, macera durante 12 horas.

En otra cazuela, cuando ya esté listo el adobo, calienta aceite y pon la harina a dorar. También incorpora la liebre troceada para que se dore. Añade la cebolla picada hasta que se rehogue bien y riega con el vino tinto y el caldo. Remueve cuando hierva y mantenlo todo al fuego unos 20 minutos. Transcurrido este tiempo, añade el adobo y pon la cazuela en el horno 45 minutos.

Calienta aparte, en otra cazuela y con un poco de salsa, la sangre. Añade el hígado machacado en el mortero. Mezcla todo bien e incorpóralo a la cazuela con la liebre. Mete otros 15 minutos más en el horno y listo para servir.

Este plato, al igual que otros muchos de caza, queda muy rico cuando se hace en la víspera.

## 673 – CODORNICES A LA SEGOVIANA

*Ingredientes:*

- 8 codornices
- 2 cebollas
- 4 patatas
- 2 hojas de laurel
- 2 zanahorias
- medio vasito de vinagre
- 1 vaso de vino blanco
- unos granos de pimienta negra
- perejil picado
- aceite de oliva
- sal

*Elaboración:*

En una cazuela con aceite, pon a pochar las cebollas y las zanahorias picadas, con un poco de sal, unos granos de pimienta y las hojas de laurel. A continuación, añade las codornices, bien limpias y sazonadas, rehógalas y moja con el vinagre y el vino.

Deja que se haga de 30 a 35 minutos (si ves que queda seco, añade un poco de agua).

Pela las patatas, córtalas en cuadrados y fríelos en aceite bien caliente. Escurre bien, sazona y espolvorea con perejil picado.

Sirve las codornices en una fuente, con su verdura, y salsea. Acompáñalas con las patatas.

## 674 – CODORNICES CON PIMIENTOS VERDES

*Ingredientes:*

- 8 codornices
- 8 pimientos verdes grandes
- 8 lonchas de bacon finas
- 1 vasito de brandy
- 1 vaso de caldo
- aceite
- sal

para acompañar:
- 300 g de arroz blanco cocido

*Elaboración:*

Despluma bien las codornices y vacíalas. Sazona. Envuelve cada una con una loncha de bacon y mételas dentro del pimiento.

En una cazuela con un poco de aceite, pon los pimientos, rehoga y echa un chorro de aceite por encima. Añade el brandy, flambea y deja que se queme todo el alcohol. Agrega el caldo y deja que cueza hasta que los pimientos estén tiernos, unos 35 o 40 minutos aproximadamente. A los 10 minutos de cocción, dales la vuelta.

Sírvelos en un plato acompañados de arroz blanco salteado en aceite.

Si quieres, puedes ligar el caldo con fécula y salsear.

## 675 – CODORNICES CON TOMATE

*Ingredientes:*
- 8 codornices
- 6 tomates
- 1 cebolla
- 2 dientes de ajo
- 1 pimiento verde
- 1 hoja de laurel
- 1 pizca de tomillo
- aceite de oliva
- sal
- pimienta
- perejil picado
- agua

*Elaboración:*

En una cazuela con aceite pon a pochar la cebolla, el pimiento, los tomates y los ajos, todo bien picado. Añade el laurel y el tomillo y sazona.

Salpimenta las codornices bien limpias y échalas a la cazuela. Cubre con agua y guísalo durante 30 minutos aproximadamente.

Coloca las codornices en otra cazuela y pasa la salsa por un pasapuré. Agrega esta salsa a las codornices, espolvorea con perejil picado, déjalo a fuego suave unos minutos y sirve.

# 676 – CODORNICES CON UVAS

*Ingredientes:*

- 8 codornices
- 8 lonchas de panceta
- ½ cucharada de harina
- 1 vaso de vino blanco
- pimienta
- 60 uvas blancas peladas
- aceite
- perejil picado
- sal

*Elaboración:*

Limpia bien las codornices; después, sazónalas y enróllalas de una en una con su respectiva loncha de panceta, y átalas. En una cazuela con un chorro de aceite dora las codornices. Agrega el vino blanco y mételas en el horno caliente a 180º durante 20 minutos. Transcurrido este tiempo, sácalas del horno y retira las codornices.

Añade la harina, remueve, y cuando espese la salsa incorpora las uvas peladas. Deja al fuego un par de minutos y sirve. Para presentar, pon las codornices en el fondo del plato y adorna con las uvas calientes. Riega todo con la salsa.

# 677 – CODORNICES EN FRITADA

*Ingredientes:*

- 8 codornices
- 1 tomate
- 2 cebollas
- 2 pimientos verdes
- 2 dientes de ajo
- 1 vasito de jerez
- sal
- pimienta
- perejil picado
- aceite

*Elaboración:*

En una cazuela con aceite, pocha la verdura bien picada

durante 10 o 15 minutos. Sazona y agrega el vino de jerez.

En otra cazuela, fríe a fuego fuerte las codornices bien limpias, partidas por la mitad y salpimentadas. A continuación, añádeselas a la fritada y guísalo todo junto a fuego lento durante 10 minutos. Sirve espolvoreado con perejil picado.

## 678 – CODORNICES ESCABECHADAS

*Ingredientes:*
- 8 codornices limpias
- 2 zanahorias
- 2 cebolletas o cebollas
- 2 dientes de ajo
- 1 vaso de vino blanco
- vinagre de vino
- sal
- aceite
- agua
- 2 o 3 hojas de laurel

*Elaboración:*

Pon en un recipiente un chorro de aceite e introduce en él las codornices ya saladas (que puedes atar para asegurarte de que no se rompan). Cuando estén doradas, rehoga las cebolletas y las zanahorias en juliana y los dientes de ajo, y añade después el vino blanco, el laurel, un chorro de vinagre y el agua cubriendo las codornices. Déjalo cocer tapado y a fuego suave durante unos 30 minutos. Sirve las codornices y salsea.

Puedes acompañar el plato con puré de patatas, puré de manzanas y puré de ciruelas pasas.

Este plato se puede comer tanto frío como caliente, y se pueden guardar las codornices en su jugo para usarlas posteriormente.

## 679 – CODORNICES SALTEADAS

*Ingredientes:*
- 8 codornices
- 2 tomates

- 300 g de setas
- sal y aceite
- perejil picado

para macerar:
- 3 o 4 dientes de ajo picados

- 1 vaso de vino blanco
- ½ vaso de aceite de oliva
- tomillo
- sal
- 2 cuch. de vinagre

## Elaboración:

Corta las codornices ya limpias por la mitad y macéralas mezclando los ingredientes correspondientes, durante por lo menos 8 horas. Pasado este tiempo, saca las codornices de la marinada y sazona. Fríelas en aceite de oliva hasta que estén doradas y espolvorea con perejil picado. Sírvelas acompañadas de tomate en rodajas y setas hechos ambos a la plancha con un chorrito de aceite y sal.

Puedes rociar el plato con un poco de jugo de la maceración.

## 680 – ENSALADA DE PERDICES CON GAZPACHO

### Ingredientes:

- 4 perdices
- ½ litro de vino blanco
- 2 hojas de laurel
- 4 clavos
- 8-10 granos de pimienta negra
- 4 dientes de ajo
- 2 huevos cocidos
- sal y aceite
- pimienta
- agua

¾ de litro de gazpacho:
- tomates maduros
- pimiento verde
- pepino
- ajo
- miga de pan
- aceite
- vinagre
- sal
- agua

### Elaboración:

Limpia bien las perdices, salpimenta y fríelas en una cazuela con aceite, hasta que se doren junto con los dientes de ajo.

Añade unos granos de pimienta, el laurel y el clavo, rehógalo todo y después agrega el vino blanco. Déjalo cocer tapado, hasta que las perdices estén tiernas (tardarán aproximadamente una hora). Puedes añadir agua si ves que se queda seco. Una vez cocidas, déjalas enfriar. Prepara un gazpacho espeso, mezclando y batiendo todos sus ingredientes. Si deseas que quede más fino, pásalo por un chino. Para montar el plato, trincha las perdices sacando las pechugas y los muslitos enteros. A continuación, cubre el fondo de la fuente o plato con el gazpacho y coloca encima las pechugas y los muslitos. Por último, adorna con los huevos cocidos y muy picados.

## 681 – JABALÍ ESTOFADO

*Ingredientes:*

- 2 kg de jabalí joven
- 1 kg de cebolla
- 1 tomate maduro
- 1 pimiento verde
- 2 patatas
- 2 ajos
- 1 vaso de vino tinto
- laurel
- perejil
- pimienta negra
- pimentón dulce
- aceite
- sal
- agua

*Elaboración:*

En una cazuela con muy poco aceite haz un sofrito con la cebolla, el ajo, el tomate, el pimiento verde y el perejil, todo muy picadito.

Trocea la carne de jabalí y dórala una vez hecho el sofrito.

Después, agrega el vino y deja cocer a fuego lento durante una hora. Transcurrido este tiempo, añade las patatas peladas, la pimienta negra, el laurel, la sal y agua hasta cubrir.

Deja cocer otros tres cuartos de hora. Si ves que se puede quedar seco, antes de pasado este tiempo echa agua sin temor.

Antes de servir, haz un refrito con una cucharada de pimentón y un poco de caldo de la misma cazuela. Agrégalo a la carne, mezcla todo bien y sirve.

# 682 – LOMO DE JABALÍ MARINADO

*Ingredientes:*

- 1 kg de lomo limpio de jabalí
- 3 o 4 dientes de ajo
- tomillo al gusto
- romero al gusto
- pimienta negra al gusto
- ¼ litro de vino de oporto
- ¼ litro de vino tinto
- sal y aceite

guarnición:
- puré de castañas
- puré de manzanas
- 2 plátanos
- 1 nuez de mantequilla

*Elaboración:*

Coloca el lomo entero en un recipiente y cúbrelo con el vino. Añade las especias y el ajo machacado y déjalo marinar en el frigorífico 24 horas.

Corta el lomo de jabalí en rodajas no muy finas ni muy gruesas y salpimenta. Hazlas a la plancha con un chorrito de aceite vuelta y vuelta para que no se sequen y colócalas en el plato.

Saltea el plátano en trozos con la mantequilla y añade un poco del líquido de marinar.

Por último, acompaña el jabalí con los purés y el plátano salteado.

# 683 – MAGRET DE PATO A LA PARRILLA

*Ingredientes:*

- 2 magret de pato
- 1 patata
- 1 manzana

- sal
- pimienta
- aceite

*Elaboración:*

Sala el magret y ásalo en la parrilla durante 5 minutos por cada lado.

Con la patata se hace una torta en una sartén con un poco de aceite, colocando en el fondo una capa en rodajas muy finas de patatas. Así estará 2 minutos por cada lado.

Asa la manzana en el horno.

En una fuente coloca la torta de patata en el centro, los filetes de magret en forma de abanico, y como guarnición la manzana asada, cortada en filetitos o gajitos.

## 684 – MAGRET DE PATO CON VINO ESPUMOSO

*Ingredientes:*
- 3 magret de pato
- 1 cebolla
- medio vaso de nata líquida
- 1 vaso de vino espumoso rosado o cava rosado
- sal

*Elaboración:*

Salpimenta los magret y dóralos con su propia grasa en una sartén. Sácalos y córtalos en filetes a lo ancho y resérvalos.

En esa misma sartén, pon a dorar la cebolla finamente cortada. Quita casi toda la grasa de la sartén y añade el vaso de vino espumoso rosado. Deja que cueza unos 4 minutos a fuego vivo y añádele ½ vaso de nata líquida. Prueba de sal y deja que reduzca.

Incorpora el magret fileteado para que se caliente un poco y sirve.

Puedes poner de guarnición unas patatas panaderas, champiñones salteados o lo que tengas en ese momento y vaya bien con el plato.

# 685 – PALOMA ASADA

᛭᛭ ᛭᛭ ᛭᛭ ᛭᛭

*Ingredientes:*

- 4 palomas
- 2 manzanas
- 1 vaso de vino tinto
- 1 vaso de agua
- fécula

- sal
- pimienta
- aceite
- puré de manzanas

*Elaboración:*

Limpia bien las palomas, pero sin quitarles el hígado. Salpimenta e introduce media manzana en el interior de cada una.

Coloca las aves en una fuente de horno. Agrégales un chorro de aceite, medio vaso de vino y otro medio de agua. Hornea durante 20 minutos a 200º. Después, sácalas, pártelas por la mitad y separa la carne de las carcasas. Reserva la carne aparte.

Prepara una salsa calentando la fuente del horno con las carcasas y las medias manzanas junto con el resto del vino y del agua. Si fuera necesario, liga la salsa con la fécula.

Por último, sirve la carne de las palomas y salsea. Acompaña el plato con puré de manzanas.

# 686 – PALOMA CON VINAGRE

᛭᛭ ᛭᛭ ᛭᛭ ᛭᛭

*Ingredientes:*

- 6 pechugas de paloma
- 2 cuch. soperas de vinagre
- 50 g de azúcar
- agua
- ½ vaso de caldo de paloma
- ½ vaso de caldo de carne

- 1 nuez de mantequilla
- 12 uvas
- sal
- pimienta
- aceite

*Elaboración:*

Con el azúcar y el agua haz un caramelo claro. Añade luego el vinagre y el caldo de paloma, y agrega después el caldo de carne. Deja reducir unos minutos. Añade después la nuez de mantequilla y liga la salsa.

Si ves que te ha quedado ligera, puedes ligarla con un poco de harina de maíz refinada diluida en agua.

Salpimenta las pechugas y saltéalas en la sartén. Córtalas en lonchitas y sírvelas en una fuente.

Añade las uvas peladas a la salsa y con ella salsea las pechugas.

## 687 – PALOMA RELLENA

*Ingredientes:*

- 4 palomas
- 1 pata (mano) de ternera
- 1 cebolla
- 1 zanahoria
- 1 pimiento verde
- 1 tomate
- 1 vaso de vino tinto
- 12 ciruelas pasas
- perejil picado
- aceite
- sal
- agua

*Elaboración:*

Despluma las palomas y deshuésalas quitando las carcasas. Pon a cocer la mano de ternera, bien limpia, en agua con sal. Una vez cocida deshuésala, trocéala y guarda el caldo.

Rellena las palomas con la carne de la pata, átalas, sazona y dóralas en una sartén con aceite.

Pica fina la verdura y ponla a pochar con el aceite de freír las palomas. Pásala a una olla a presión, añade las palomas, el vino y cúbrelo todo con el caldo de cocer la pata de ternera. Tápalo y deja hacer unos 20 minutos hasta que esté hecho.

Saca las palomas, quítales las cuerdas y reserva. Pasa la salsa por un pasapuré y ponla a calentar. Agrega las ciruelas y las palomas. Caliéntalo a fuego suave durante 10 minutos, espolvorea con perejil picado y sirve.

# 688 – PALOMAS AL VINO TINTO

*Ingredientes:*
- 4 palomas (sólo necesitarás las pechugas)
- 1 zanahoria
- 1 puerro
- 1 cebolla o cebolleta
- pimienta negra en grano
- 1 hoja de laurel
- orégano o tomillo
- sal gorda
- vino tinto
- aceite
- puré de manzanas

*Elaboración:*

Separa las pechugas del caparazón con las palomas en crudo y limpias. En una cazuela, pon las pechugas salpimentadas junto con la zanahoria, lo blanco del puerro y la cebolla –cortados en juliana–, unos granos de pimienta, el orégano o tomillo, el laurel y el vino. Mételo durante 36 horas en el frigorífico para que macere. Transcurrido este tiempo, saca las palomas de la maceración y pon el caldo colado a calentar durante 30 minutos hasta que reduzca ⅓. Si queda muy ligero, puedes añadir un poco de fécula disuelta en agua. Haz las pechugas a la plancha vuelta y vuelta con un chorro de aceite, durante 3 o 4 minutos.

Por último, sirve las pechugas –enteras o en rodajas–, salsea y acompaña con el puré de manzanas.

# 689 – PATO A LA NARANJA

*Ingredientes:*
- 1 pato joven
- 30 cl de vino blanco
- 5 naranjas
- ½ limón
- 30 cl de caldo de ternera o de pato
- 1 pimiento verde
- 1 puerro
- 1 tomate
- 3 dientes de ajo
- aceite
- sal

- 1 patata grande
- 1 cebolla
- 2 zanahorias
- 1 copa de algún licor de naranja

*Elaboración:*

Elimina la grasa del pato, sazona y en su interior mete una de las naranjas partida por la mitad y parte de la verdura picada. Rocía el pato con un chorro de aceite y el zumo de otra de las naranjas. Después, coloca encima el resto de la verdura. Mete en el horno a 175º durante 1 hora u hora y media, hasta que esté hecho.

Cuando el pato empiece a dorarse, añádele el vino y dale la vuelta. Vete agregando el caldo poco a poco a medida que vaya reduciendo el vino.

Durante la cocción, con ayuda de una cuchara, rocía el pato con su jugo y dale vueltas, teniendo cuidado de que no se queme la verdura.

Cuando esté hecho, saca el pato a un plato y haz la salsa con su caldo de cocción, añadiendo el zumo de 1 o 2 naranjas, según el gusto de cada cual, y el zumo de ½ limón junto con un poco de licor de naranja.

Pásalo todo por un colador o pasapuré y vuelve a poner la salsa al fuego para que termine de ligar.

Sirve el pato cortado por la mitad y sin carcasa, previamente calentado en el horno. Nápalo con la salsa y acompáñalo con una guarnición de patatas paja y gajos de naranja, sin piel, salteados en mantequilla.

## 690 – PATO ASADO

*Ingredientes:*
- 2 patos limpios
- 4 patatas medianas
- 2 manzanas
- 4 ciruelas pasas
- puré de castañas
- aceite
- ½ vaso de vino tinto
- 1 vaso de agua
- mantequilla
- perejil
- sal
- harina de maíz

Pon los patos en una fuente de horno. Agrégales el vino, el agua y un chorrito de aceite y sal. Métenlos en el horno caliente a 200° durante 50 minutos.

Corta las manzanas en lonchas de 2 cm. En su centro coloca una nuez de mantequilla y métenlas en el horno hasta que se doren.

Pela y corta en paja las patatas. Fríe, escurre y reserva.

Con el jugo que han soltado los patos al asarlos, haz la salsa. Primero desgrasa y luego ponla en un cazo al fuego, e incorpórale una cucharadita de harina de maíz diluida en agua y perejil picado.

Para servir, calienta los patos, ponlos en el centro del plato y cúbrelos con la salsa.

Adorna con las ciruelas, la manzana asada, el puré de castañas y las patatas paja.

---

## 691 – PECHUGA DE PATO A LA MIEL

*Ingredientes:*

- 2 pechugas de pato de 400 g cada una
- aceite
- sal
- pimienta
- ½ litro de salsa de albóndigas, redondo, lengua, etc.

- 100 g de miel
- ½ vaso de oporto
- 1 cebolleta

guarnición:
- puré de castañas

*Elaboración:*

Salpimenta las pechugas y saltéalas en una cazuela. No deben quedar muy hechas. Córtalas en lonchas finas y colócalas en los platos.

En un cazuelita, con aceite, pocha la cebolleta muy picada y, una vez pochada, añade el oporto, la salsa de carne que tengas hecha en casa y la miel. Pruébala de sal. Deja que hierva unos minutos y pásala por el colador para que quede fina. Salsea las pechugas con ella y acompáñalas con puré de castañas.

## 692 – PERDICES CON CHOCOLATE

*Ingredientes:*

- 3 perdices
- 500 g de cebollitas
- 100 g de chocolate
- 200 g de pan frito
- aceite de oliva
- laurel
- vinagre
- pimienta negra
- sal
- patatas torneadas cocidas
- caldo
- orégano

*Elaboración:*

Esta forma de preparar las perdices es habitual en Navarra y La Rioja.

Limpia las perdices y rehógalas en una cazuela con un poco de aceite. A continuación añade el vinagre, el laurel, la pimienta, y deja cocer 10 minutos a fuego lento. Agrega las cebollitas y el orégano, cubre con caldo y deja cocer una hora a fuego lento. Transcurrido este tiempo, diluye el chocolate en un poco de caldo, agrégalo a las perdices y deja cocer otros 10 minutos.

Saca las perdices y colócalas sobre panes fritos. Rodéalas con las cebollitas y las patatas cocidas y acompaña con salsa ligada. También puedes acompañarlas con puré de castañas o de manzanas.

## 693 – PERDICES RELLENAS

*Ingredientes:*

- 4 perdices
- 1 cebolla

- 1 pimiento verde
- 8 lonchas de jamón serrano
- 1 tomate
- tomillo
- sal
- pimienta
- 2 cuch. de harina
- aceite
- agua

relleno:
- higadillos de las perdices
- 100 g de tocino veteado
- 10 champiñones o setas
- una pizca de tomillo
- sal

*Elaboración:*

Limpia bien las perdices reservando sus higadillos.

Para hacer el relleno, mezcla los higadillos con el tocino y los champiñones, bien limpios y todo picado. Añade una pizca de sal y otra de tomillo y rellena las perdices. Átalas con una cuerda de liz y salpimenta.

En una cazuela con un poco de aceite sofríe la cebolla, el pimiento y el tomate bien picados. Sazona esta verdura y añádele dos ramitas de tomillo. A continuación, agrega las perdices y las dos cucharadas de harina. Rehoga y cúbrelo todo con agua. Deja cocer de una hora a una hora y media, hasta que estén tiernas. Después, sírvelas en una fuente retirando la cuerda y salsea (puedes engordar la salsa añadiendo un poco de harina de maíz refinada, diluida en agua). Por último, en otra sartén con aceite, saltea las lonchas de jamón vuelta y vuelta y colócalas sobre las perdices.

---

## 694 – PERDIZ EN ENSALADA CON ATÚN

*Ingredientes:*
- 1 lechuga
- 6 filetes de pechuga de perdiz
- 2 naranjas
- aceitunas negras
- agua
- aceite
- 1 hoja de laurel
- sal
- 100 g de queso en tacos
- 100 g de atún
- pimienta
- vinagre
- 1 ramita de perejil

*Elaboración:*

Cuece los filetes de perdiz en agua caliente con sal, laurel y un chorrito de aceite. Con 20-30 minutos de cocción es más que suficiente.

Mientras tanto, limpia la lechuga y córtala en juliana. Una vez cortada, colócala en el fondo del plato.

Cuando los filetes de perdiz estén bien cocidos, escúrrelos, córtalos en cuatro trozos cada uno y colócalos en el centro del plato haciendo una montaña. Alrededor pon el atún en tacos hermosos. También alrededor, intercalando con el atún, coloca tacos de queso fresco, y sobre éstos, gajos de naranjas peladas y despepitadas. En el centro, rodea la base de la montaña con las aceitunas negras.

Aliña con aceite de oliva, sal y vinagre. Ramita de perejil y sirve.

## 695 – PERDIZ ESTOFADA

*Ingredientes:*

- 4 perdices
- 6 cebolletas
- 1 cabeza de ajo
- 2 hojas de laurel
- pimienta negra en grano
- tomillo

- perejil picado
- sal
- ½ litro de agua
- ½ litro de vino blanco
- aceite
- 1 manzana

*Elaboración:*

Corta la cebolleta y ponla a rehogar en una sartén con aceite. Añade la cabeza de ajo, las perdices limpias, el tomillo, la pimienta y el laurel. Sazona. Luego agrega el vino y el agua y deja cocer a fuego lento hasta que esté hecho (aproximadamente 1 hora y 30 minutos). Sirve las perdices. Pasa la salsa por el pasapuré, pon a punto de sal y espolvorea con perejil picado. Reduce la salsa unos minutos y, si hace falta, lígala con fécula de patata. Acompaña el plato con unas rodajas de manzana fritas y salsea.

# Pescados y mariscos

## 696 – ALBÓNDIGAS DE BACALAO EN SALSA

*Ingredientes:*

para las albóndigas:
- ½ kg de bacalao fresco o desalado
- pan rallado
- 2 huevos
- perejil picado
- sal
- pimienta
- harina
- aceite

además:
- 1 diente de ajo
- unas hebras de azafrán
- 1 cebolla roja
- ½ vaso de vino blanco
- harina
- 1 vaso de agua
- un puñado de almendras
- aceite de oliva

*Elaboración:*

Pica muy fina la cebolla y dórala en el aceite. Agrega el ajo muy picado y déjalo pochar durante unos minutos a fuego medio. A continuación, rehoga una cucharada de harina y moja con el vino blanco y el agua sin parar de remover. Deja reducir esta salsa unos minutos. Agrega una pizca de azafrán y las almendras machacadas.

Para preparar las albóndigas, retira las espinas del pescado, si

459

las tuviera, y desmígalo muy bien. Mézclalo con el perejil picado, la pimienta, los 2 huevos algo batidos, el pan rallado y una
pizca de sal. Amásalo todo bien y haz las albóndigas pasándolas por harina. Fríelas en aceite hasta que se doren y añádeselas
a la salsa.

Guísalo a fuego lento durante 10 minutos y sirve.

---

## 697 – ALBÓNDIGAS DE VERDEL EN SALSA VERDE

*Ingredientes:*

para las albóndigas:
- 3 verdeles
- 2 huevos
- 2 dientes de ajo
- perejil picado
- pimienta blanca
- 2 cuch. de pan rallado
- harina
- aceite de oliva
- sal

para la salsa verde:
- 1 cebolla o cebolleta
- 2 dientes de ajo
- 1 cuch. de harina
- perejil picado
- aceite de oliva
- agua
- sal

*Elaboración:*

Limpia bien los verdeles y mezcla su carne con los huevos,
los ajos y el perejil picados, el pan rallado y un poco de sal y
pimienta. Amásalo todo y da forma a las albóndigas. Pásalas
por harina y fríelas en aceite.

Para preparar la salsa verde, dora en una cazuela con un poco
de aceite el ajo en láminas y la cebolla o cebolleta picada. Sazona y, una vez pochado, añade una cucharada de harina y rehoga. A continuación, agrega el agua poco a poco y abundante
perejil picado, mezclándolo todo bien hasta que la salsa engorde (añade más o menos agua para conseguir la textura que desees).

Deja que reduzca esta salsa unos minutos e incorpora las albóndigas.

Guísalo durante 10 minutos a fuego lento y sirve.

# 698 – ALMEJAS AL HORNO

*Ingredientes:*
- 40 almejas (10 por persona)
- aceite de oliva virgen
- 2 dientes de ajo
- 8 cebollinos
- agua
- 1 cebolleta tierna
- un puñado de pan rallado
- sal
- perejil

*Elaboración:*

Mezcla el ajo, la cebolleta, el perejil y el cebollino, todo picado muy fino, con el pan rallado y sal. Liga esta mezcla con aceite hasta conseguir una especie de provenzal.

En un cazo con un poco de agua abre las almejas al calor. Guarda el caldo que suelten y coloca las almejas en una fuente de horno. Echa encima de cada almeja un poco de provenzal y gratina durante 3-5 minutos. Aprovecha para calentar el caldo y viértelo sobre las almejas gratinadas antes de servir. Puedes decorar con un poco de cebollino.

# 699 – ALMEJAS CON ESPINACAS

*Ingredientes:*
- 400 g de almejas
- 150 g de espinacas cocidas
- ½ vaso de nata
- ½ vaso de brandy
- sal
- 1 vaso de caldo de pescado
- 1 diente de ajo
- aceite
- huevo

*Elaboración:*

Pica las espinacas y a continuación haz lo mismo con el ajo; dóralo en la sartén con un poco de aceite. Seguidamente, añade las almejas y el brandy. Flambea con el fin de quemar el alcohol y que adquiera el sabor del brandy. Después, añade el caldo, la nata y las espinacas. Deja cocer unos 6 minutos hasta que se abran las almejas. Para ligar la salsa, añade el huevo batido, prueba de sal y sirve.

## 700 – ANCHOAS A LA CAZUELA CON CEBOLLA

*Ingredientes:*
- 4 docenas de anchoas
- 3 o 4 cebollas
- aceite
- 1 cuch. de pimentón dulce
- 3 dientes de ajo
- sal

*Elaboración:*

En una cazuela con aceite pon a pochar la cebolla picada junto con los ajos en láminas. Sazona, añade el pimentón y rehógalo sin que se queme.

Limpia las anchoas y colócalas en la cazuela. Deja que se hagan durante 4 minutos aproximadamente y sirve.

## 701 – ANCHOAS AL PAPILLOTE

*Ingredientes:*
- 600 g de anchoas
- 2 cebolletas
- 2 pimientos verdes
- 2 dientes de ajo
- pimienta
- 1 vaso de sidra o vino blanco
- aceite
- sal

*Elaboración:*

Pon un poco de aceite en la sartén, añadiendo la verdura troceada a pochar con unas láminas de ajo machacado.

Una vez que se ha alcanzado el dorado, 4 minutos, pon las anchoas, ya limpias y saladas. Después, echa el vaso de sidra y un poco de pimienta blanca. Al cabo de 3 minutos, ya están listas para servir.

## 702 – ANCHOAS RELLENAS

*Ingredientes:*

- 1 kg de anchoas
- 200 g de jamón en lonchas
- 3 limones
- 5 pimientos verdes
- huevo para rebozar
- 1 diente de ajo
- harina
- aceite
- sal

*Elaboración:*

Fríe el pimiento y pélalo. Para limpiar las anchoas, quita la cabeza, las tripas y la espina central y macéralas con sal y limón durante 15 minutos. Una vez maceradas, sácalas y coloca encima de cada una de ellas una loncha de jamón, una de pimiento y de nuevo otra anchoa. Vuélvelas a salar, pásalas por harina y huevo y fríelas en aceite con un diente de ajo fileteado. Sírvelas en una fuente y decóralas con un limón.

## 703 – ATÚN AROMÁTICO

*Ingredientes:*

- 600 g de atún o bonito en rodajas
- 1 cebolleta
- 2 tomates maduros
- 1 pizca de tomillo
- 1 pizca de orégano
- unas hojas de albahaca
- 1 hoja de laurel
- ½ vaso de caldo de pescado
- 1 cuch. de harina
- aceite
- sal

*Elaboración:*

Corta las rodajas de atún en cuartos y sazona con sal gorda.

Pica la cebolleta y el tomate y sofríelos en un poco de aceite de oliva. Sazona y añade el tomillo, el orégano y el laurel. Cuando esté todo bien pochado, agrega la harina y rehoga. Moja con el caldo de pescado, echa la albahaca picada y déjalo reducir durante unos minutos.

Fríe el atún en una sartén con aceite caliente e incorpóralo a la cazuela. Deja que se haga un minuto y sírvelo.

## 704 – ATÚN ASADO

*Ingredientes:*

- 2 rodajas de atún de 400 g cada una
- 2 tomates
- 2 cebolletas
- 2 pimientos verdes
- 3 dientes de ajo
- sal
- 1 vaso de txakolí (vino seco)
- caldo de pescado o agua
- aceite
- 3 cuch. de salsa de tomate

*Elaboración:*

Corta la verdura (tomates, cebolletas y pimientos) en juliana y póchala con los tres dientes de ajo y aceite de oliva. En una sartén con aceite, dora el atún salado y sin piel vuelta y vuelta a fuego fuerte. Coloca la mitad de la verdura pochada en el fondo de un recipiente de horno, y sobre ella el atún, encima el resto de la verdura, y baña con el txakolí. Métalo en el horno a 180º durante 15 o 20 minutos, dependiendo del grosor del atún. Riega con un poco de agua o caldo de pescado si fuese necesario. Saca del horno el atún con la verdura y añade la salsa de tomate como guarnición.

# 705 – ATÚN EN FRITADA CON VINAGRE

*Ingredientes:*

- 1 kg de atún
- 1 cebolleta
- 1 pimiento verde
- 1 tomate
- vinagre
- 2 dientes de ajo
- sal
- aceite

*Elaboración:*

Limpia el atún, pártelo en trozos grandes y sazona.

En una sartén, pon la cebolleta picada, los ajos, el pimiento y el tomate troceado. Sazona y póchalo de 10 a 15 minutos. Después, añade los trozos de atún y un chorro de vinagre y deja que se hagan 2 o 3 minutos por cada lado, dependiendo de su grosor.

Por último, déjalo reposar fuera del fuego y sirve.

# 706 – BACALAO AJOARRIERO

*Ingredientes:*

- 1 cebolla
- 1 pimiento verde
- 4 trozos de bacalao
- 3 dientes de ajo
- caldo de bacalao
- 8 cuch. de salsa de tomate
- aceite
- guindilla
- 2 cuch. de pimiento choricero

*Elaboración:*

Corta la cebolla y el pimiento verde en juliana, y los ajos fileteados en láminas. Rehógalos en una sartén con un poco de aceite. Cuando estén suficientemente rehogados, añade la carne del pimiento choricero, la salsa de tomate y la guindilla. Sofríelo todo bien durante 7 minutos.

Aparte, limpia el bacalao quitándole la piel y las espinas y córtalo en trozos pequeños. Agrégalo a la sartén junto a los otros elementos y rehoga. Deja cocer a fuego lento durante 10 minutos, agregando un poco de caldo de bacalao, si fuese necesario.

## 707 – BACALAO AL ALIOLI

*Ingredientes:*
- 4 filetes de bacalao
- 4 huevos
- 2 patatas
- 2 zanahorias
- ½ coliflor
- 200 g de judías verdes

- agua

salsa tipo alioli:
- 2 ajos
- 1 vaso de aceite de oliva
- ½ patata cocida
- sal

*Elaboración:*

Limpia bien las verduras y trocea en bastoncitos las judías y las zanahorias. Separa la coliflor, una vez limpia, en ramilletes. Pon todo en una cazuela con un litro y medio de agua. Deja que hierva durante 10 minutos. Entonces añade los trozos de bacalao perfectamente desalado y espera que cueza durante 8 minutos.

Por otra parte, cuece las patatas sin pelar y los huevos. Cuando esté todo bien cocido, pela y trocea.

Escurre bien las verduras y el bacalao y mézclalos con la patata y los huevos. Rocía todo con la salsa tipo alioli que habrás preparado mezclando sus ingredientes.

## 708 – BACALAO AL PIL-PIL

*Ingredientes:*
- 4 trozos de bacalao desalado
- 1 guindilla

- 4 dientes de ajo • 2 dl de aceite de oliva

*Elaboración:*

Coloca el ajo fileteado y la guindilla en una cazuela, y cuando estén dorados, retíralos a un plato. A continuación, deposita el bacalao con la piel sobre la misma cazuela, y caliéntalo 2 minutos por cada lado (para que suelte la gelatina). Después, déjalo templar y coloca el bacalao en una cazuela de barro, donde irás añadiendo el aceite anterior poco a poco, mientras empiezas a ligar el bacalao moviendo la cazuela en ángulos.

Una vez ligada la salsa, sólo resta añadir el ajo y la guindilla.

---

## 709 – BACALAO CON MIGAS

*Ingredientes:*
- 800 g de bacalao desmigado desalado
- 80 g de migas de pan duras
- 6 dientes de ajo
- agua
- 4 tomates pelados
- aceite
- sal
- ¼ de guindilla
- perejil picado

*Elaboración:*

En una sartén con un chorro de aceite dora el ajo y la guindilla picaditos. Añade las migas, removiendo bien para que no se agarren. Cuando se doren, añade el bacalao desmigado, rehoga un poco y agrega el perejil picado y agua. Deja al fuego hasta que se evapore el agua.

Corta el tomate en rodajas finas y coloca éstas en un plato en forma de arco. En el centro coloca el bacalao con migas.

Sirve.

# 710 – BACALAO CON SALSA DE PIMIENTOS VERDES

*Ingredientes:*

- 4 tajadas de bacalao desaladas
- 2 pimientos rojos asados y pelados
- 4 pimientos verdes
- 1 cebolleta
- 4 dientes de ajo
- ½ guindilla roja
- aceite de oliva

*Elaboración:*

Fríe en una sartén con aceite el ajo fileteado y la guindilla troceada. Después añade las tajadas de bacalao, ya desaladas, y fríelas durante unos 4 minutos por cada lado, poniéndolas primero con la piel hacia abajo.

Aparte, pocha los pimientos verdes y la cebolleta picados y pásalos por una batidora o pasapuré.

Pon la crema de pimientos verdes en el fondo de una fuente o plato, y coloca encima las tajadas de bacalao y los ajos fritos.

Decora con los pimientos rojos asados, pelados y en tiras.

# 711 – BACALAO CON TOMATE

*Ingredientes:*

- 1 kg de bacalao desalado en trozos
- ½ guindilla
- ½ kg de pimientos morrones asados y pelados
- 1 litro de salsa de tomate

*Elaboración:*

En una cazuela pon la salsa de tomate con la guindilla a fuego lento. Cuando empiece a hervir, echa los trozos de bacalao con la piel hacia abajo. Deja cocer 10-15 minutos (dependerá del grosor de las tajadas) a fuego lento.

Transcurrido este tiempo, añade los pimientos en tiras, deja cocer 3 minutos y sirve.

## 712 – BACALAO CON VINAGRETA

*Ingredientes:*

- 4 lomos de bacalao
- 4 pimientos verdes asados y pelados
- 2 ajos
- aceite

para la vinagreta:
- 1 cebolleta
- 1 ajo
- 1 tomate pelado en dados
- aceite
- vinagre
- perejil picado
- sal

*Elaboración:*

En una sartén, fríe los lomos desalados y troceados con aceite y el ajo entero. Una vez fritos, coloca en los platos los pimientos en tiras, y encima de éstos el bacalao. Alíñalo con la vinagreta de cebolleta y ajo bien picados, el tomate en daditos, aceite, sal, perejil y vinagre.

## 713 – BACALAO FRESCO AL HORNO

*Ingredientes:*

- 4 trozos de bacalao sin espinas
- 1 cazo de puré de patatas
- aceite
- sal
- pimienta negra molida
- queso rallado

para la mahonesa:
- ¼ litro de aceite de oliva
- 2 huevos
- vinagre y sal
- 4 dientes de ajo

para acompañar:
- pimientos verdes fritos

*Elaboración:*

En una fuente de horno echa un chorro de aceite, coloca encima los trozos de bacalao salpimentados y riégalos con otro poco de aceite. Hornea a 180º durante 20 minutos aproximadamente, hasta que el bacalao esté medio hecho.

Mientras, haz una mahonesa batiendo en un bol los ajos, el aceite, el huevo, un chorro de vinagre y un poco de sal.

Saca el pescado del horno.

Mezcla el puré con la mahonesa hasta obtener una masa homogénea, y cubre con ella el pescado, retirando previamente el aceite. Espolvoréalo con queso y métalo en el horno durante otros 5 minutos hasta que el bacalao se termine de hacer.

Acompaña el plato con unos pimientos verdes fritos y en tiras.

## 714 – BACALAO FRESCO CON SALSA TÁRTARA

*Ingredientes:*

- 4 filetes de bacalao fresco
- sal
- pimienta
- aceite

salsa tártara:
- ½ litro de mahonesa
- 30 g de alcaparras
- 3 pepinillos en vinagre
- 1 cebolleta

*Elaboración:*

Salpimenta los filetes de bacalao y hazlos al vapor en unos 8 o 10 minutos.

Para hacer la salsa, mezcla la mahonesa con las alcaparras, los pepinillos y la cebolleta, todo bien picado. Bate bien y salsea el bacalao. Riega con un chorrito de aceite.

Puedes adornar el plato con unas medias rodajas de limón y un pepinillo cortado en abanico.

## 715 – BACALAO MECHADO

*Ingredientes:*

- 4 tajadas de bacalao salado
- 300 g de salmón ahumado
- 4 dientes de ajo
- ¼ litro de aceite virgen
- salsa de tomate
- perejil picado

*Elaboración:*

Desala el bacalao y méchalo con el salmón.

En una cazuela de barro con aceite pon a dorar los dientes de ajo enteros. Cuando estén bien doraditos, retíralos y resérvalos.

Fríe a continuación el bacalao 3 minutos por cada lado, en primer lugar con la piel hacia arriba. Retira la cazuela del fuego y, con cuidado de no quemarte, quítale el aceite dejando sólo el bacalao. Espera que el aceite se temple. Ve echando en pequeñas cantidades, varias veces, el aceite a la cazuela fuera del fuego. A la vez, mueve el recipiente constantemente para que la salsa ligue al pil-pil. Necesitarás al menos un cuarto de hora. En caso de que el aceite quedase extremadamente frío, pon la cazuela unos segundos al fuego.

Una vez ligada la salsa, pon cuatro cucharaditas de salsa de tomate encima de cada tajada y un diente de ajo frito.

Espolvorea con perejil picado.

Sirve.

## 716 – BESUGO AL HORNO

*Ingredientes:*

- 1 besugo de 1 ½ kg
- 1 limón
- 2 patatas medianas
- aceite
- 1 diente de ajo
- sal
- agua
- perejil picado

Pela las patatas y córtalas en lonchas de ½ cm de grosor. Colócalas en la placa de horno, y añádeles un chorro de aceite y un vaso de agua.

Métalas en el horno caliente a 180º durante 20 minutos. Transcurrido el tiempo indicado, saca la placa con las patatas del horno y pon encima el besugo con sal.

Si la placa se ha secado, agrega más agua; si no, con ayuda de una cuchara riega el besugo con el caldo de la placa.

Realizada esta operación, métalo en el horno caliente a 180º durante 25 minutos aproximadamente. Cuando el besugo esté perfectamente asado, ábrelo por la mitad y colócalo en una fuente con las patatas.

Aparte, filetea el diente de ajo y ponlo en una sartén con un poco de aceite. Cuando comience a dorarse, retira la sartén del fuego. Deja que se temple, vierte el jugo que ha sobrado en la placa del horno y liga todo removiendo.

Salsea el besugo, espolvorea con perejil y adórnalo con limón.

---

## 717 – BOCADITOS DE ANCHOAS CON TOMATE

*Ingredientes:*

- 1 kg de anchoas
- 4 tomates
- 2 dientes de ajo
- 1 cebolla
- 16 lonchas de queso graso
- ½ vaso de vinagre
- 1 vaso de aceite de oliva
- 1 cuch. de salsa de mostaza
- sal
- unas ramitas de perejil
- harina
- aceite
- agua

*Elaboración:*

Macera los filetes de las anchoas ya limpios con el vinagre, el aceite y dos dientes de ajo y perejil, ambos picados, durante 8 horas o más (en la víspera).

Pela los tomates escaldándolos en agua con sal durante 30 segundos y córtalos en lonchas.

Coloca en una placa de horno una rodaja de tomate, encima unas anchoas, otra rodaja de tomate, más anchoas y, para terminar, tapa con unas lonchas de queso. Monta así todos los bocaditos, reservando algunas anchoas. Mételo en horno fuerte durante 3 o 4 minutos, hasta que se derrita el queso.

Corta la cebolla en aros, enharínalos y fríelos en una sartén con aceite junto con unas ramitas de perejil.

Tritura las anchoas que has reservado con un poco del jugo de la maceración y la salsa de mostaza.

Sirve los bocaditos de anchoas con tomate, acompañados de los aros de cebolla y la salsa de mostaza.

## 718 – BONITO CON PIMIENTO VERDE

*Ingredientes:*

- 3 dientes de ajo
- 4 pimientos verdes
- ½ kg de bonito limpio
- 4 cuch. de salsa de tomate
- 1 cebolleta
- aceite de oliva
- sal
- pimienta

*Elaboración:*

Corta en láminas los dientes de ajo y pon a dorar en una sartén con aceite de oliva. Añade la cebolla picada y acto seguido el pimiento cortado en juliana. Deja hacer a fuego suave hasta que se poche (10 minutos).

En otra sartén, fríe por espacio de 3 o 4 minutos el lomo del bonito cortado a la contra en filetes.

Coloca el pimiento en el plato y encima el bonito. Cubre con un poco de salsa de tomate.

## 719 – BONITO CON SALSA DE CHIPIRÓN

*Ingredientes:*

- 1 kg de bonito (lomo)
- 1 cebolleta o cebolla
- 1 hoja de laurel
- 5 dientes de ajo
- unos granos de pimienta negra
- una ramita de perejil
- ½ litro de salsa de chipirón
- harina
- huevo batido
- aceite de oliva
- agua
- sal

*Elaboración:*

Escalda el lomo limpio y cortado en rodajas (de más o menos un dedo de grosor) en agua hirviendo con la cebolleta en juliana, el laurel, los granos de pimienta, sal, 3 ajos enteros y la ramita de perejil, durante 1-1 ½ minutos aproximadamente. A continuación, escúrrelo bien, rebózalo con harina y huevo y fríelo en aceite bien caliente vuelta y vuelta junto con dos dientes de ajo enteros.

Sirve en un plato o fuente con el fondo cubierto de la salsa de chipirón caliente.

## 720 – BONITO ENCEBOLLADO

*Ingredientes:*

- 1 kg de bonito
- 3 cebollas o cebolletas
- 3 dientes de ajo
- 1 o 2 pimientos verdes
- caldo de pescado
- aceite
- sal

*Elaboración:*

Limpia el bonito, saca los lomos y haz lonchas.

En una sartén con aceite, echa la cebolla y los ajos picados y deja que se pochen a fuego lento. Añade un vaso de caldo de pescado, rehoga y añade también las lonchas de bonito sazonadas. Deja que se hagan unos tres minutos por cada lado.

En otra sartén con aceite, fríe los pimientos verdes en tiras y sazona.

Sirve el bonito con la cebolla y acompaña con los pimientos verdes fritos.

## 721 – BONITO FRESCO AL JEREZ

*Ingredientes:*

- 4 rodajas de bonito
- 1 pimiento verde
- 1 cebolleta
- 1 tomate maduro
- 1 vaso de jerez seco
- harina
- aceite
- sal
- salsa de tomate
- la parte blanca de algunos puerros
- 4 dientes de ajo

*Elaboración:*

Pica las verduras y póchalas con un chorro de aceite a fuego suave, sala y añade la salsa de tomate. Mientras tanto, sala las rodajas de bonito y pásalas por harina. Cuando la verdura esté pochada, coloca encima el bonito y rocíalo todo con el jerez. Deja que hierva despacio hasta que se haga el bonito, unos 3 o 4 minutos aproximadamente por cada lado dependiendo del grosor de las rodajas.

## 722 – BONITO MACERADO

*Ingredientes:*

- 4 rodajas de bonito o atún
- sal
- 3 ramas de perejil
- aceite de oliva

- 2 cebollas o cebolletas
- 2 dientes de ajo
- 2 cuch. de vinagre de sidra

*Elaboración:*

Limpia bien las rodajas de bonito o atún, separando en cuartos. Ponlo en maceración dos horas antes de cocinarlo en una mezcla de aceite con ajo y perejil picados. Después, sazona y hazlo a la plancha o sartén vuelta y vuelta con un chorrito de aceite de la maceración. En una cazuela aparte, pocha la cebolleta o cebolla picada en juliana.

Después, añade los trozos de pescado junto con el vinagre. Cocínalo unos 3 minutos y sirve.

## 723 – BOQUERONES MALAGUEÑOS

*Ingredientes:*
- 1 kg de boquerones
- perejil picado
- 1 huevo cocido
- 4 dientes de ajo
- ¼ litro de vinagre
- aceite de oliva
- sal

*Elaboración:*

Limpia y abre los boquerones. Sazona, colócalos en un bol y cúbrelos con vinagre. Déjalos macerar así durante 30 minutos por lo menos. Pasado este tiempo, sácalos y ponlos en otra fuente. Añade el ajo y el huevo, todo bien picado. Por último, cúbrelo con aceite de oliva y espolvoréalo con perejil picado.

## 724 – BROCHETAS DE PESCADO CON VERDURAS

*Ingredientes:*
- 8 trozos de rape
- aceite de oliva

- 4 champiñones
- 8 trozos de pimiento verde
- 2 tomates pequeños
- sal
- 8 pimientos del piquillo

*Elaboración:*

Coloca en cada palo de la brocheta un trozo de rape, un trozo de pimiento verde, un champiñón, un gajo de tomate, otro trozo de rape y otro de pimiento.

Fríe las brochetas en una sartén (o en una parrilla) hasta que estén doraditas.

Fríe los pimientos del piquillo y sazona.

Sirve las brochetas acompañadas con los pimientos fritos.

## 725 – BUÑUELOS DE BACALAO

*Ingredientes:*
- ½ kg de bacalao desalado y desmigado
- 300 g de harina
- 3 cuch. de aceite de oliva virgen
- 2 claras de huevo
- 1 vaso de cerveza
- perejil
- sal
- aceite de oliva para freír
- ½ litro de salsa de tomate
- 8 pimientos del piquillo

*Elaboración:*

En un cuenco hondo, mezcla la harina, el aceite, un poco de perejil picado, sal y ve añadiendo la cerveza hasta formar una pasta no muy líquida ni muy espesa. Bate las claras de huevo a punto de nieve y añádeselas a la masa. Después agrega el bacalao, que habrás salteado en aceite, y mézclalo todo bien.

En una sartén pon a calentar abundante aceite, con una cuchara coge porciones de bacalao mezclado con la masa y fríelas. Tienen que quedar doraditas. Escurre los buñuelos y sirve. Acompáñalos con salsa de tomate y pimientos fritos.

## 726 – CABALLA EN ADOBO

*Ingredientes:*

- 4 caballas de ración (300 g)
- harina
- huevo batido para rebozar
- sal
- aceite
- ½ limón

adobo:
- 3 o 4 dientes de ajo
- 1 cuch. de pimentón (dulce o picante)
- ½ cuch. de orégano
- ½ vaso de vinagre
- ½ vaso de aceite

*Elaboración:*

Filetea las caballas y quítales la piel. Sazona por los dos lados.

Haz el adobo machacando en un mortero los ajos picados junto con el pimentón y el orégano. Después, añade el vinagre y el aceite.

Baña los filetes de caballa cubriendo con el adobo en un recipiente y déjalo durante 2 o 3 horas. Pasado este tiempo, reboza los filetes con harina y huevo y fríelos en aceite.

Por último, sirve y decora con ½ limón.

## 727 – CABALLA Y MEJILLONES EN VINAGRETA CALIENTE

*Ingredientes:*

- 4 caballas de 400 g cada una
- 16 mejillones
- aceite
- vinagre
- 1 tomate
- ½ vaso de jerez
- 2 dientes de ajo
- 1 cucharadita de pimentón dulce
- sal
- perejil picado
- agua

*Elaboración:*

Pide al pescadero que te filetee las caballas. Sala los filetes.

Haz una mezcla con 8 cucharadas de aceite, 4 cucharadas de vinagre, el jerez, el ajo picado y el pimentón. Rocía con ello las caballas y mételas en el horno a 180º durante 8 minutos.

Corta el tomate en lonchas finas y cubre con ellas el fondo de una fuente. Sazona y pon encima las caballas. Coloca también la carne de los mejillones, que habrás abierto en un poco de agua.

Por último, liga la vinagreta de la placa del horno en una sartén, añadiendo un poco de vinagre y perejil picado, y rocía con ella el pescado.

## 728 – CALAMARES A LA VINAGRETA NEGRA

*Ingredientes:*

- 2 calamares grandes
- 2 cebolletas
- 3 cuch. de aceite de oliva virgen
- 1 cuch. de vinagre
- 1 diente de ajo
- aceite de 0,4 grados
- agua

*Elaboración:*

Limpia los calamares, reservando las tintas; puedes hacer los tentáculos a la plancha, o congelarlos para hacer algún otro día.

Por otra parte, corta la cebolleta en juliana y ponla a rehogar en aceite. Cuando veas que está en su punto, incorpora la tinta con un poco de agua y deja reducir al fuego 5 minutos. Después, escurre bien y pon en el plato.

En una sartén pon aceite, y cuando esté bien caliente echa con cuidado los calamares cortados en tiras. Cuando ya estén fritos, retira y pasa al plato. Rocía con vinagre.

Con el aceite sobrante de freír los calamares haz un refrito con el ajo fileteado. Antes de presentar a la mesa, echa el sofrito por encima y el ajo frito adornando.

## 729 – CALAMARES AL VINO BLANCO

*Ingredientes:*

- 4 calamares limpios

relleno:
- 1 cebolleta
- 1 diente de ajo
- aceite
- 1 vaso de vino blanco

- 100 g de jamón cocido
- 4 rebanadas de pan de molde
- 1 huevo
- sal
- pimienta
- 1 ½ vaso de salsa de tomate

*Elaboración:*

Limpia los calamares y reserva.

Para preparar el relleno, pica en juliana la cebolleta y el ajo y póchalos en una sartén. Añade los tentáculos y las alas de los calamares picados y rehoga durante unos minutos.

A continuación, agrega el jamón y las rebanadas de pan, todo picado, y saltéalo durante 2 o 3 minutos. Retíralo del fuego y añade un huevo, mezclándolo todo bien.

Rellena con esta mezcla los calamares y colócalos, salpimentados, en una fuente resistente en el horno. Riégalos con la salsa de tomate y el vino blanco. Cubre con papel de aluminio y hornea durante 45 minutos a 180º.

*Nota.* También se pueden saltear los calamares rellenos en aceite de oliva para dorarlos un poco antes de ponerlos en la placa de horno.

## 730 – CALAMARES CON PATATAS

*Ingredientes:*

- 12 calamares
- 3 patatas

- 1 vaso de vino blanco
- sal

- 1 cebolla o 2 cebolletas
- 1 hoja de laurel
- unas hebras de azafrán
- aceite
- agua

*Elaboración:*

Limpia bien los calamares y rellena cada uno con sus patas.

Pocha la cebolleta o cebolla picada en una cazuela con aceite. Sazona. Añade después los calamares, rehogándolos lentamente para que se vayan haciendo poco a poco junto con el laurel y el azafrán. Agrega el vino blanco y agua casi hasta cubrir. Guísalo 25 minutos aproximadamente (los calamares estarán casi hechos) y agrega las patatas troceadas. Déjalo hacer otros 20 minutos a fuego suave y sirve.

## 731 – CALAMARES EN SU TINTA

*Ingredientes:*
- 1 kg de calamares limpios
- tinta de los calamares
- 4 o 5 cebollas
- 2 dientes de ajo
- perejil picado
- aceite de oliva
- sal
- agua

guarnición:
- arroz blanco cocido
- triángulos de pan tostado o frito

*Elaboración:*

Corta toda la cebolla en juliana, sazona y ponla a sofreír, junto con los ajos picados, en una cazuela con aceite. Sazona, y cuando esté todo bien pochado, añade la tinta disuelta con un poquito de agua y sal gorda. Mézclalo todo bien y pásalo por la batidora. Coloca la salsa en una cazuela y añade los calamares troceados. Guísalos durante 35 minutos aproximadamente, hasta que estén tiernos, y sírvelos acompañados de arroz blanco y unos costrones de pan frito o tostado. Por último, espolvorea con perejil picado.

# 732 – CALAMARES FRITOS

🌿 🌿 🌿 🌿

*Ingredientes:*

- 1 kg de calamares
- 3 o 4 dientes de ajo
- perejil picado
- 1 plato de harina
- sal

- aceite
- ¼ vaso de vinagre

guarnición:
- 1 tomate

*Elaboración:*

Limpia bien los calamares, córtalos en aros. Sazona, pásalos por harina y fríelos en una sartén ancha con aceite bien caliente. Cuando estén dorados, añade el ajo fileteado, y antes de que se queme agrega el vinagre y tapa en seguida la sartén porque saltará el aceite. Deja que se hagan 1 minuto aproximadamente y sírvelos espolvoreados con perejil.

Por último, acompaña el plato con rodajas de tomate.

# 733 – CARPA AL AZAFRÁN CON ALMEJAS

🌿 🌿 🌿 🌿

*Ingredientes:*

- 2 carpas
- 1 cebolla
- unas hebras de azafrán
- 1 tomate
- 1 vaso y medio de caldo
  de pescado

- 16 almejas
- 1 diente de ajo
- perejil picado
- 1 cuch. de harina
- sal
- aceite

*Elaboración:*

Limpia el pescado y haz tajadas.

En una cazuela con aceite y un diente de ajo fileteado, pocha la cebolla picada y el tomate en dados. Después, añade la harina rehogando y moja con el caldo de pescado. Agrega las almejas y espera que se abran. Sazona las tajadas de pescado y añádeselas a la cazuela junto con unas hebras de azafrán. Guísalas 4 minutos por cada lado, espolvorea con perejil picado y sirve.

## 734 – CARPACCIO DE ATÚN FRESCO

*Ingredientes:*

- 1 lomo de atún
- aceite de oliva virgen
- zumo de 1 limón o vinagre de sidra
- pimienta
- un poco de hinojo o eneldo
- 1 cebolleta
- sal

*Elaboración:*

Corta el lomo del atún en lonchas muy finas, colócalas extendidas en una fuente, salpiméntalas y rocíalas con el aceite y el zumo del limón. Espolvorea con hinojo y añade un poco de cebolleta cortada en juliana. Deja el atún macerando durante 15 minutos y listo.

## 735 – CARRILLERAS DE RAPE CON CALABACÍN

*Ingredientes:*

- 800 g de carrilleras de rape
- 4 obleas de pasta brick
- 1 vaso de aceite de oliva virgen
- el zumo de 1 limón
- 2 dientes de ajo
- perejil picado
- sal
- pimienta
- aceite para freír

crema de calabacín:
- 1 calabacín
- ½ litro de agua
- sal
- aceite
- 1 patata

Corta el rape en tiras gorditas, salpiméntalo y marínalo durante 1 hora en el aceite de oliva, el zumo de limón, el perejil y el ajo machacado.

Corta las obleas de brick en tiras largas y anchas. Enrolla el rape con la oblea y fríelo en aceite caliente.

Para hacer la crema, pon a cocer el calabacín (si está muy tierno no hace falta pelarlo) y la patata pelada y troceada. Cuando esté tierno, pásalo por la batidora y añade un chorro de aceite. Vierte la crema en el fondo de una fuente y coloca encima los rollos de rape.

## 736 – CAZÓN CON TOCINETA

*Ingredientes:*

- cazón de 1,200 kg en rodajas
- 100 g de tocineta fresca
- 1 vaso de vino blanco
- pimiento verde
- 2 tomates maduros
- aceite
- agua
- 1 cebolla
- 2 dientes de ajo
- harina
- sal
- pimienta
- perejil

*Elaboración:*

En una cazuela con aceite pon a rehogar el ajo, la cebolla y el pimiento, todo bien picado. Rehoga bien y añade el tomate picado y la tocineta cortada en tacos. Incorpora una cucharada de harina y mezcla bien.

Riega con el vino blanco y un poco de agua.

Aparte, salpimenta las rodajas de cazón. Pon el pescado en la cazuela y déjalo cocer 5 minutos.

Espolvorea con perejil picado y sirve.

# 737 – CAZUELA DE FIDEOS

*Ingredientes:*

- 400 g de caballa limpia y en filetes
- 200 g de fideos
- 200 g de patata
- 1 cebolla
- 2 dientes de ajo
- perejil

- 2 pimientos verdes
- 1 hoja de laurel
- unas hebras de azafrán
- pimienta
- 1 litro de agua
- sal
- aceite

*Elaboración:*

Pon en una cazuela el aceite con la cebolla, el ajo y los pimientos verdes a pochar. Sazona y añade el laurel y las hebras de azafrán tostadas y desleídas en agua. Deja rehogar y cubre con un litro de agua. Después, echa las patatas cortadas en cuartos y deja cocer durante 15 minutos. A los 10 minutos de cocción, agrega los fideos y después las caballas troceadas y el perejil picado, dejando que cueza 5 minutos más. Espera un rato para que repose y sirve.

# 738 – CAZUELA DEL PESCADOR

*Ingredientes:*

- ½ kg de patatas
- 50 g de arroz
- 50 g de gambas peladas
- 4 ijadas (egachas) de merluza
- 1 cebolleta
- 2 dientes de ajo

- perejil picado
- ½ vaso de agua de vino blanco
- sal
- caldo de pescado o agua
- aceite

*Elaboración:*

Pica menudita la cebolleta y el ajo. Rehógalos con aceite en una cazuela. Cuando estén doraditos, añade la patata cortada en lonchas de ½ cm de grosor. Deja rehogar un par de minutos e incorpora el vino. Cubre con el caldo. Cuando rompa a hervir, añade el arroz, la sal y el perejil. Deja cocer todo durante 20 minutos a fuego lento. Entonces echa las gambas y la merluza. Si hace falta más caldo, ponlo en ese momento y deja cocer 3 minutos más. Prueba de sal, espolvorea con perejil picado y sirve.

También puedes adornar con unos huevos cocidos partidos en cuatro trozos.

## 739 – CHICHARRO A LA MOSTAZA

*Ingredientes:*

- 2 chicharros o jureles
- ½ litro de leche
- 1 cuch. de harina
- 3 cuch. de mostaza
- un trozo de mantequilla
- perejil picado
- sal
- aceite

*Elaboración:*

Limpia los chicharros y filetéalos.

Dispón los filetes sazonados sobre una fuente de horno untada con un poco de aceite.

Para la bechamel, rehoga la harina con un trocito de mantequilla derretida en una sartén. Después, añade la leche poco a poco y sin parar de remover, y deja cocer a fuego medio hasta que espese. Sazona y agrega la mostaza y perejil picado, mezclándolo todo bien. Echa esta salsa sobre el pescado y mételo en el horno a 180º durante 10 minutos.

Sirve.

# 740 – CHICHARRO BELLAVISTA

🍴🍴🍴🍴

*Ingredientes:*

- 4 chicharros de ración o 2 grandes
- 1 cebolla
- 1 zanahoria
- ½ litro de mahonesa
- 5 cuch. de tomate

- 1 pimiento morrón en conserva
- 2 endibias
- sal
- agua
- 1 limón

*Elaboración:*

Corta la verdura (cebolla y zanahoria) en juliana y ponla a cocer en una cazuela con agua y sal. Limpia los chicharros de escamas y tripas y cuécelos en el caldo anterior. Cuando empiecen a hervir, a fuego muy suave durante 10 o 15 minutos, sácalos y deja que enfríen (guarda el caldo para otra ocasión).

Quita con cuidado la piel al pescado y coloca éste en una fuente. Ábrelo por la mitad y quita las espinas.

Añade a la mitad de la mahonesa el tomate y mézclalo bien. Coloca las dos mahonesas encima del pescado: medio chicharro con mahonesa y el otro medio con mahonesa y tomate.

Por último, decora el pescado con el pimiento morrón cortado en tiras y el plato con las endibias y el limón.

# 741 – CHICHARRO CON TOMATE AL HORNO

🍴🍴🍴🍴

*Ingredientes:*

- 4 chicharros de ración
- 2 tomates
- 1 patata
- 1 cebolla o cebolleta

- perejil picado
- aceite de oliva
- sal
- pimienta

Pela la patata, fríela en rodajas y colócala sobre una fuente de horno o tartera.

En una sartén con aceite, pocha la cebolla o cebolleta troceada a fuego muy lento. Una vez hecha, agrega el tomate muy picado (mejor si está pelado) y rehoga durante 5 minutos aproximadamente.

Limpia, filetea el chicharro y colócalo salpimentado sobre las patatas. Cúbrelo con la fritada de cebolla y tomate y espolvorea con perejil picado. Cocínalo a horno fuerte durante 10 minutos aproximadamente. Sirve.

## 742 – COGOTE DE SALMÓN AL HORNO

*Ingredientes:*
- 1 cogote de 1 kg
- 2 patatas
- 1 tomate
- aceite de oliva
- sal
- agua o caldo de pescado
- perejil
- pimienta

*Elaboración:*

Parte las patatas en rodajas y colócalas en una bandeja de horno. Sobre éstas, el tomate en lonchas y encima el cogote de salmón regado con aceite de oliva. Cubre las patatas con agua o caldo de pescado. Deja en el horno unos 20 minutos. Saca y liga un poco la salsa con la misma patata y rocía el cogote. Añade un poco de perejil.

## 743 – COLAS DE RAPE ASADAS CON VINAGRE

*Ingredientes:*
- 4 colas de rape (de ración)
- 3 dientes de ajo

- sal y 1 vaso de aceite
- perejil
- ½ vaso de vinagre
- pimentón dulce

- agua

guarnición:
- 2 brécoles

*Elaboración:*

En un mortero maja los ajos con la sal y un poco de perejil picado. A continuación añade medio vaso de vinagre, un vaso de aceite y una pizca de pimentón. (Si no entra todo en el mortero, puedes hacer la mezcla en un recipiente mayor.)

Sala las 4 colas de rape que estarán limpias pero con espina. Colócalas en la placa del horno y rocíalas con el majado. Mete el rape en el horno durante 20 minutos a 180º, dando la vuelta a las colas cada 5 minutos (si ves que se están quedando secas, puedes agregar un poco de agua). Por otra parte, en un cazo con agua hirviendo y un poco de sal, cuece 2 brécoles durante 10 minutos y escúrrelos. Por último, coloca el rape en el plato, echa la salsa sin ligar por encima y pon el brécol de guarnición.

## 744 – CONGRIO A LA SIDRA

*Ingredientes:*
- 1 kg de congrio
- 1 pimiento verde
- 2 cebolletas
- 1 cuch. de harina
- aceite

- ½ litro de sidra
- sal
- perejil picado
- ½ vaso de agua

*Elaboración:*

Corta el congrio en rodajas. Sofríe la cebolleta picada en una tartera de horno con aceite. Añade también el pimiento picado y dora los trozos de congrio sazonados. Agrega la harina, rehoga bien, añade la sidra y deja que hierva durante 3 minutos. Pasado este tiempo, echa ½ vaso de agua, el perejil picado y mételo en el horno durante 10 minutos a 200º.

Liga durante unos segundos la salsa sobre el fuego y sirve en la misma tartera.

---

## 745 – CONGRIO AL AZAFRÁN

*Ingredientes:*

- ½ kg de congrio
- 1 pimiento verde
- 1 cebolleta
- 1 tomate
- 2 dientes de ajo
- 1 vaso de txakolí o vino blanco
- harina
- unas hebras de azafrán
- aceite de oliva
- sal
- perejil picado
- caldo de pescado o agua

*Elaboración:*

En una cazuela con aceite pocha el ajo en láminas y el pimiento troceado. Sazona y añade, rehogando, una cucharada de harina. Agrega también la cebolleta picada y el tomate en dados.

Sazona el congrio partido en rodajas, pásalo por harina y colócalo sobre la verdura pochada. Espolvoréalo con el azafrán y moja con el txakolí y un chorro de caldo o agua. Deja que se haga 4 o 5 minutos por cada lado, espolvorea con perejil picado y sirve.

---

## 746 – CONGRIO AL PIMENTÓN

*Ingredientes:*

- 1 kg de congrio o anguila en rodajas
- 2 rebanadas de pan
- aceite de oliva
- 1 cuch. de harina
- 1 cebolla o cebolleta
- 1 vaso de caldo de pescado o agua
- 3 dientes de ajo
- sal

- 1 cucharadita de pimentón
  dulce o picante
- perejil picado

*Elaboración:*

Fríe el pan en una sartén con aceite y reserva. Rehoga en ese aceite la cebolla picada, sala, y luego añade la harina rehogándola también. Agrega el pimentón dulce o picante y remuévelo bien; a continuación, añade el vaso de caldo o agua y las tajadas sazonadas de congrio. Tápalo y deja que el pescado cueza 5 minutos por cada lado. Puedes añadir más caldo si se queda seco.

Mientras tanto, haz un majado con los ajos fileteados, el pan frito y el perejil picado. Cuando falten un par de minutos para acabar la cocción, añade el majado. Por último, sirve las rodajas y salsea. Puedes decorar el plato con medio limón.

## 747 – CONGRIO CON PATATAS Y ALMEJAS

*Ingredientes:*
- 8 rodajas de congrio
- 4 patatas en bolitas
- 300 g de almejas
- aceite
- 1 cuch. sopera de harina
- agua
- perejil picado
- 2 dientes de ajo
- pimiento rojo
- ½ vaso de ribeiro blanco
- sal

*Elaboración:*

Las rodajas de congrio deben ser de la parte ancha del pez.

Pica el ajo y el pimiento y póchalos con un poco de aceite (2 o 3 minutos), sazona. Cuando estén pochados, añade la harina, rehoga y agrega el ribeiro, las almejas y un poco de agua. Espera que se abran las almejas, 3 minutos. Sazona las rodajas de congrio y échalas a la cazuela. Espolvorea con perejil picado. Deja hacer unos 4 minutos por cada lado. Coloca las rodajas de pescado y las almejas y adorna con las bolitas de patatas fritas. Salsea. Listo para sacar a la mesa.

# 748 – CONGRIO CON TOMATE

*Ingredientes:*

- 4 trozos de congrio
- 6 tomates
- 2 pimientos verdes
- 2 cebollas
- 2 dientes de ajo

- 1 copa de vino blanco
- aceite de oliva virgen
- sal
- harina

*Elaboración:*

Sala los trozos de congrio y dejálos escurrir mientras avanzas con la receta.

Pica muy fina la cebolla, y el ajo y el pimiento en tiras estrechas, poniéndolos en una cazuela ancha a fuego lento con dos o tres cucharadas de aceite de oliva. Mientras se rehoga, sin que llegue a coger color, corta los tomates por la mitad y pásalos por el rallador, obteniendo una pulpa fina y suelta, y separa la piel.

Cuando la cebolla esté transparente, sube un poco el fuego hasta que empiece a coger color, añadiendo el tomate. Baja nuevamente el fuego y deja que cueza a fuego lento cinco minutos. Fríe los trozos de congrio vuelta y vuelta pasados por harina en una sartén. Añade los filetes de pescado, sazona la salsa, rocía con la copa de vino blanco y deja que cueza durante siete u ocho minutos más.

Sirve inmediatamente.

# 749 – CONGRIO DE PRIMAVERA

*Ingredientes:*

- 1 kg de congrio (de la parte abierta)
- 2 dientes de ajo
- 1 kg de mejillones

- 1 ½ vaso de vino blanco
- 1 pimiento morrón asado
- aceite
- sal

- 100 g de guisantes
- 1 cebolleta
- harina
- perejil picado
- pimienta

*Elaboración:*

Abre los mejillones rehogándolos con ½ vaso de vino blanco. Saca la carne y reserva. Reserva, también, el caldo colado.

Pocha en una cazuela con aceite el ajo y la cebolleta picados. Añade la harina, rehoga, y agrega después el congrio en rodajas y salpimentado. Mójalo con el vaso de vino blanco, rehoga unos minutos y añade los guisantes, la carne de los mejillones y un poco de caldo colado. Déjalo a fuego no muy fuerte durante 8 minutos aproximadamente.

Por último, añade los pimientos pelados y en tiras, pon a punto de sal, espolvorea con perejil picado y sirve.

## 750 – CROQUETAS DE ATÚN

*Ingredientes:*
- ½ kg de atún en conserva
- 1 cebolla
- 1 pimiento verde
- 150 g de mantequilla o margarina
- 150 g de harina
- 1 litro de leche
- 1 plato con harina
- 1 plato con pan rallado
- 3 huevos batidos
- sal
- aceite

para acompañar:
- 8 pimientos del piquillo
- 4 tomates pequeños asados

*Elaboración:*

Pica muy fina la cebolla y el pimiento verde y ponlos a pochar con la mantequilla o margarina, a fuego muy suave. Añade el atún desmigado y la harina, y remueve bien para que no se hagan grumos. Echa la leche hervida y bien caliente; lígalo muy bien a fuego suave unos 15 minutos y prueba de sal.

Deja enfriar la masa en un recipiente y da forma a las croquetas. Pásalas por harina, huevo y pan rallado y fríelas en aceite caliente.

Cólocalas en una fuente acompañándolas con los pimientos del piquillo fritos y los tomates asados.

## 751 – DELICIAS DE BONITO

*Ingredientes:*

- 1 kg de bonito
- unas ramitas de perejil
- agua
- sal

para la fritada:
- cebolla
- tomate
- ajo
- pimiento rojo y verde
- aceite de oliva
- sal

*Elaboración:*

Prepara una fritada con cebolla, tomate, ajo y pimiento, todo bien troceado. Sazona. Escalda el bonito limpio y fileteado en agua hirviendo con unas ramitas de perejil y sal de 2 a 4 minutos. Escurre y reserva.

Cuando la verdura esté bien pochada, añade el bonito. Deja hacer unos 2 minutos por cada lado y sirve.

## 752 – EMPANADA DE ATÚN

*Ingredientes:*

- 300 g de hojaldre
- 250 g de atún en aceite
- 2 dientes de ajo
- 3 cebolletas
- 1 huevo
- 250 g de salsa de tomate
- harina
- aceite
- sal
- 4 pimientos verdes asados

Pica la cebolleta y ponla a pochar junto con el ajo fileteado. Cuando empiece a dorarse, añade el tomate. Rehoga y agrega el atún desmenuzado. Sigue rehogando y removiendo con una cuchara.

Estira dos rectángulos de hojaldre finos sobre una superficie enharinada. Pon uno de ellos en la placa del horno y vierte encima la mezcla que ha de estar fría y los pimientos asados y pelados. Tápalo con el otro rectángulo y adorna con unas tiras de hojaldre. Unta toda la superficie con huevo batido y hornea de 35 a 40 minutos a 160-170º.

Lo puedes acompañar con una salsa de tomate o una bechamel fina.

## 753 – ENSALADA DE BACALAO

*Ingredientes:*

- 300 g de bacalao
- 2 pimientos verdes
- 2 pimientos morrones
- 2 champiñones
- 1 cebolleta
- ½ pepino
- aceite de oliva
- vinagre
- sal
- leche

*Elaboración:*

Desala el bacalao dejándolo en agua (cámbiala 3 o 4 veces) durante 24 o 36 horas. Después, introdúcelo en un recipiente con igual cantidad de agua que de leche y calienta, pero sin dejar que llegue a hervir. Esto te permitirá sacar el bacalao en láminas.

Corta el pimiento verde en juliana, los champiñones en láminas y el pepino en lonchas. Coloca primero el bacalao desmigado salteado con el pimiento y la cebolleta. El pepino irá en rodajas alrededor del plato. Después añade el champiñón fileteado, y encima de todo ello, el bacalao en láminas cubriendo la ensalada.

Por último, adorna con tiras de pimiento morrón y aliña con aceite de oliva y vinagre.

## 754 – ENSALADA DE BONITO FRESCO CON ANCHOAS Y QUESO

*Ingredientes:*

- 400 g de bonito cocido
- 100 g de queso idiazábal
- 8 anchoas troceadas
- 1 tomate
- hojas de lechuga rizada
- 1 endibia

vinagreta:
- aceite
- sal
- perejil
- cebolla picadita
- ajo

*Elaboración:*

Deposita las lonchas de tomate en el fondo de un plato. Después, las hojas de endibia, y sobre éstas, las hojas de lechuga rizada. A continuación, coloca las láminas de bonito, el queso cortado en tiras y las anchoas. Aliña todo esto con una vinagreta mezclando aceite, vinagre, sal, picadito de cebolla, ajo y perejil.

## 755 – ENSALADA DE CHIPIRONES Y ATÚN

*Ingredientes:*

- 8 chipirones medianos
- 8 hojas de lechuga cortadas en juliana
- 4 tomates
- 12 anchoas en salazón
- 100 g de atún en conserva
- sal
- agua

vinagreta:
- 1 huevo cocido picado
- 2 dientes de ajo picados fino
- ½ pimiento verde picado fino
- 1 vaso de aceite
- ¼ vaso de vinagre de sidra
- sal

Limpia los chipirones, córtalos en aros finos y dales un hervor de unos 2 minutos en agua con sal para que no se pongan duros.

Corta la lechuga en juliana y colócala en el fondo de 4 platos. Corta el tomate en forma de corona sin romper sus picos, vaciando parte de su interior, donde deberás colocar el atún. Coloca los chipirones sobre la lechuga, y encima las anchoas.

Por último, haz una vinagreta mezclando todos los ingredientes en un bol, con la que aliñarás este plato.

## 756 – ENSALADA DE PULPO

*Ingredientes:*

- 1 kg de pulpo
- 1 pimiento rojo
- 1 pimiento verde
- 1 cebolleta
- 8 cuch. de aceite de oliva
- 3 cuch. de vinagre de vino
- ½ cuch. de pimentón dulce o picante
- sal
- agua
- 2 o 3 dientes de ajo

*Elaboración:*

Cuece el pulpo en agua con sal y unos dientes de ajo hasta que esté tierno. Una vez cocido, tardará unos 30 minutos aproximadamente, escúrrelo y córtalo en trozos pequeños.

Corta la verdura en cuadraditos o en juliana muy fina. Ponla en el fondo de una fuente y aliña con sal, aceite y vinagre.

Pon a calentar aceite. Cuando esté caliente, retíralo del fuego y rehoga el pimentón. Salsea con este sofrito la ensalada y sirve.

## 757 – ENSALADA DE TOMATE CON BONITO MARINADO

🌿🌿🌿🌿

*Ingredientes:*

- 500 g de bonito (lomos)
- 4 tomates
- 8 cuch. de puré de tomate
- unas hojas de albahaca
- 4 cuch. de puré de pimientos verdes
- 1 cebolleta
- 1 pimiento verde
- sal

para el marinado:
- unas gotas de limón
- aceite de oliva
- vinagre de sidra
- sal

aliño:
- aceite de oliva
- vinagre de jerez
- albahaca picada

*Elaboración:*

Corta el lomo del bonito en filetes muy finos. Marina éstos en una mezcla elaborada con un poco de zumo de limón, vinagre de sidra, aceite de oliva y sal. Déjalo macerar durante al menos 4 horas.

Pica las hojas de albahaca y añádeselas al puré de tomate.

Para montar la ensalada, coloca en cada plato o fuente unas rodajas de tomate muy finas, sazonadas con sal. Rocíalas con unas cucharadas de puré de tomate. Dispón encima el bonito ya marinado y otro poco de puré de tomate. Decora con el puré de pimientos verdes y con la cebolleta cortada en juliana y el pimiento verde en aros.

Por último, aliña con una mezcla de aceite de oliva, vinagre de jerez y albahaca picada, y sirve.

## 758 – ENSALADA TEMPLADA DE RAPE

🌿🌿🌿🌿

*Ingredientes:*

- 800 g de rape limpio
- aceite virgen

- ½ kg de vainas
- 2 tomates
- 2 huevos cocidos
- 1 cucharadita de pimentón
- sal
- vinagre
- agua
- pimienta negra

*Elaboración:*

En primer lugar, pela los tomates y córtalos en lonchas finas colocándolas en el fondo del plato. Sobre el tomate dispón las vainas cocidas. Sazona y reserva.

En una cazuela con agua, sal y unos granos de pimienta pon los filetes, cuando esté hirviendo, y mantenlos en la cazuela 2 minutos. Saca el rape con cuidado de no romperlo y ponlo sobre la verdura.

Haz la vinagreta, a la que añadirás un poquito de pimentón, y pica los huevos cocidos en trozos no muy pequeños.

Vierte todo por encima del rape.

Sirve.

## 759 – ENSALADA TIBIA DE VIEIRAS

*Ingredientes:*
- 200 g de hierba de los canónigos o macho fraile
- 400 g de vieiras sin concha
- 4 tomates
- 2 endibias
- 1 nuez de mantequilla

vinagreta:
- 1 manojo pequeño de perejil
- 1 chorro de aceite de oliva
- 1 cuch. de vinagre de jerez
- 3 cuch. de nata
- sal

*Elaboración:*

Lava las hierbas y sécalas. Limpia las endibias con un trapo, porque si se mojan se ponen amargas.

Limpia las vieiras y separa la parte blanca de la roja.

Corta la parte blanca en dos y sálalas, reservándolas en el frigorífico.

Corta dos de los tomates sin semillas en daditos pequeños, y vacía los otros porque en su interior tendrás que colocar la vinagreta. Pica perejil fino y reserva algunas hojas para decorar.

En el fondo de un plato coloca las endibias, la hierba de los canónigos y el tomate en daditos.

Rehoga con mantequilla las vieiras durante 2 o 3 minutos y colócalas en el plato con la verdura, añadiéndoles la vinagreta por encima.

## 760 – ESCALIVADA CON BACALAO

*Ingredientes:*

- 300 g de bacalao desalado y desmigado
- 3 patatas cocidas
- 1 berenjena
- 4 pimientos verdes asados y pelados
- 16 aceitunas rellenas
- 2 dientes de ajo
- perejil picado
- aceite

para la salsa:
- 1 cuch. de almendras
- 1 tomate
- 1 diente de ajo
- aceite de oliva
- una pizca de orégano
- sal

*Elaboración:*

Saltea el bacalao desalado y desmigado en una sartén con aceite junto con el ajo fileteado. Espolvorea con perejil picado.

Pela las patatas y córtalas en rodajas. Colócalas bien planas encima de una bandeja y dispón sobre ellas el salteado de bacalao. Después, pon los pimientos en tiras, las aceitunas y la berenjena frita en rodajas cubriendo.

Para preparar la salsa, coloca en un bol las almendras, el ajo, el tomate pelado y troceado, el orégano, un buen chorro de aceite y sal. Tritura y salsea la escalivada.

Sirve.

# 761 – ESCALOPES DE MERO AL TOMILLO

*Ingredientes:*

- 8 rodajas de mero
- 2 tomates maduros
- una pizca de tomillo
- aceite
- sal
- pimienta
- 2 dientes de ajo
- 1 cebolla
- 1 vasito de vino blanco
- perejil picado

*Elaboración:*

La primera operación que debes realizar es escaldar los tomates; a continuación, pélalos y quítales las pepitas. Filetea los ajos y rehógalos en una sartén con aceite. Agrega la cebolla picada, el tomillo y el tomate picado.

Agrega el vino blanco y deja cocer 10 minutos.

En otra sartén, con muy poco aceite, fríe, vuelta y vuelta, los escalopes de mero salpimentado y pásalos a la sartén con la salsa, 3 minutos. Para servir, pon la salsa en el plato y a los lados el mero. Espolvorea con perejil picado y saca a la mesa.

# 762 – ESCALOPES DE SALMÓN CON CREMA DE JUDÍAS VERDES

*Ingredientes:*

- 12 filetes de salmón
- 200 g de judías verdes
- 1 cebolleta
- pimienta
- 2 patatas
- agua
- sal

*Elaboración:*

Sazona con sal y pimienta el salmón, y en una sartén muy caliente fríelo sin aceite 30 segundos por cada lado.

En un cazo con agua y un poco de sal cuece las vainas, las

patatas y la cebolleta. Cocidos estos ingredientes, pásalos por la batidora y coloca la crema resultante en una fuente. Por último, sobre la crema coloca los filetes de salmón frito.

## 763 – ESPUMA DE LANGOSTINOS

*Ingredientes:*
- 400 g de langostinos cocidos y pelados
- 150 g de queso de untar
- 2 o 3 cuch. de mahonesa
- 1 cucharadita de mostaza
- sal
- 2 huevos cocidos picados
- ½ vasito de agua
- 1 naranja
- 1 limón

*Elaboración:*

Reserva las 4 colas de langostinos más grandes y el resto pícalas. Pasa por la batidora el queso, la mahonesa, la mostaza, la sal y el chorrito de agua. Bate todo bien hasta obtener la espuma. Añade después los langostinos picados y mezcla. Sírvelo en copas colocando encima las colas de langostinos abiertas por la mitad. Espolvorea con huevo picado y adorna con rodajas de naranja y limón.

## 764 – FANECA CON CREMA DE MEJILLONES

*Ingredientes:*
- 8 filetes de faneca
- 1 kg de mejillones
- 2 puerros
- 1 vaso de nata
- aceite
- sal
- pimienta negra
- ½ vaso de vino blanco

*Elaboración:*

Abre los mejillones en una cazuela con ½ vaso de vino blanco. Quítales la carne y guarda el caldo. Pica el puerro y saltéalo en una sartén con aceite. Añade los mejillones picados, el caldo y la nata, deja que cueza todo 4 minutos. Tritura y pasa por el pasapuré.

Por otra parte, cuece al vapor la faneca en filetes.

Para servir, pon la crema en el fondo del plato y coloca encima los filetes.

Como guarnición puedes incorporar un puerro frito cortado en juliana.

---

## 765 – FANECA CON SETAS Y ALCACHOFAS

*Ingredientes:*
- 8 filetes de faneca
- 8 cogollos de alcachofa
- 300 g de setas
- 1 vaso de vino oloroso
- sal
- harina
- aceite
- 2 dientes de ajo
- perejil picado
- agua

*Elaboración:*

Cuece los cogollos de alcachofa en agua hirviendo con sal y un poco de harina, hasta que estén tiernos. Escurre y reserva.

Corta las setas en tiras. Sazona los filetes de pescado y pásalos por harina.

Fríe los filetes de faneca por ambos lados, primero con la piel hacia arriba. En otra sartén con aceite, fríe las setas a fuego vivo, y cuando empiecen a dorarse agrega las alcachofas en cuartos y sazona. Espera hasta que esté todo bien dorado.

Coloca en los platos el pescado junto con las setas y las alcachofas. Liga el aceite de la sartén de las verduras, rehogando un poco de harina y mojando con el vino.

Por último, espolvorea esta salsa con perejil picado y añádesela a la faneca.

## 766 – FANECA EN SALSA

*Ingredientes:*
- 1 kg de faneca
- 16 almejas
- 12 cebolletas
- 1 diente de ajo picado
- 1 pimiento verde
- aceite
- caldo de pescado
- sal
- perejil picado
- harina
- agua

*Elaboración:*

Limpia bien la faneca y filetéala. Con los restos más la cabeza haz caldo en una cazuela con agua.

En otra cazuela ancha, pon un poco de aceite y sofríe el ajo, la cebolleta y el pimiento bien picado. Cuando esté doradito el refrito, añade una cucharadita de harina y remueve bien. A continuación, echa las almejas lavadas, vuelve a remover bien y pon un cuarto de litro de caldo más o menos. Deja que empiece a hervir. Entonces agrega el perejil picado y los filetes de faneca con sal. Deja a fuego suave 3 minutos de un lado y otros 2 minutos del otro lado. Prueba de sal y sirve espolvoreando con perejil picado.

Este plato también admite unos guisantes cocidos.

## 767 – FILETES DE GALLO A LA FLORENTINA

*Ingredientes:*
- 16 filetes de gallo
- 100 g de espinacas
- 300 g de mantequilla
- 3 yemas
- ½ limón en zumo
- ramita de perejil
- sal
- 1 puerro
- 1 cebolla
- 1 pimiento verde
- agua

504

*Elaboración:*

---

En primer lugar cuece las espinacas bien lavadas, escúrrelas y pícalas.

Seguidamente, en una cazuela pon agua, sal, un puerro en juliana, ½ cebolla y el pimiento verde también en juliana.

Deja que hierva, y cuando lleve 5 minutos en ebullición incorpora los filetes de gallo doblados. Cuece otros 5 minutos el pescado y retíralo.

Mientras tanto, prepara la salsa holandesa: derrite la mantequilla y déjala que repose para que tanto las impurezas como el suero, que no utilizarás, se posen en el fondo. Monta las yemas al calor con unas gotas de agua (pero no al fuego, porque se cuajarían). Ve añadiendo la mantequilla derretida poco a poco. Cuando tengas una especie de mahonesa, añádele el zumo del limón y sal al gusto. Luego le incorporas las espinacas picadas y mezclas bien.

Con esta salsa holandesa napa (cubre) los filetes de pescado y gratina en el horno un par de minutos.

Ramita de perejil y a la mesa.

## 768 – FILETES DE GALLO AL HINOJO

*Ingredientes:*

- 4 gallos de ración
- 2 puerros
- 2 zanahorias
- 1 cebolla o cebolleta
- hinojo fresco

- sal y aceite
- 1 vasito de vino blanco

para acompañar:
- 200 g de judías verdes cocidas

*Elaboración:*

---

Limpia los gallos y saca los filetes. Limpia la verdura y córtala en juliana y póchala.

En una tartera coloca la verdura pochada y pon encima los filetes de gallo. Sazona y rocía los filetes con un chorrito de aceite, espolvoréalos con el hinojo picado y riega con el vaso de vino blanco. Mét1o todo en el horno a 200° durante 8 minutos. Pasado este tiempo, coloca los filetes sobre una cama de verduras y acompáñalos con unas judías verdes salteadas en aceite bien caliente.

## 769 – FILETES DE GALLO AL VINO BLANCO

*Ingredientes:*

- 8 filetes grandes de gallo
- 1 cuch. de aceite
- ¼ litro de caldo de pescado
- 1 vaso de vino blanco
- 1 cuch. de harina
- 2 cuch. de nata líquida
- 1 limón
- 12 mejillones
- 12 langostinos
- sal
- pimienta

*Elaboración:*

Sazona los filetes de pescado, dóblalos en tres, colócalos en una fuente y rocíalos con caldo, y mételos en el horno caliente a 180° durante 10 minutos.

En una cazuela cuece los mejillones y separa la carne de la concha, guardando el caldo que resulta de su cocción.

Saca los filetes y resérvalos. Echa el caldo a una cazuela, incorpórale un poco del caldo de los mejillones y déjalo reducir al fuego.

En un bol, mezcla la harina con el vino blanco y añádelo a la cazuela donde está el caldo reducido. Agrega los langostinos pelados, los mejillones y el zumo de medio limón. Deja cocer un minuto.

Después, agrega la nata, remueve y deja cocer otros 5 minutos.

Transcurrido ese tiempo, echa las popietas (filetes doblados en 3) y deja 1 minuto al fuego.

Saca las popietas y ponlas en el plato. Coloca los langostinos en el centro y los mejillones en el contorno.

Salsea y sirve.

## 770 – FILETES DE GALLO RELLENOS DE ESPÁRRAGOS

*Ingredientes:*
- 16 filetes de gallo
- 32 espárragos verdes
- 2 patatas
- aceite
- sal
- 4 nueces de mantequilla
- caldo de pescado
- agua
- 2 zanahorias cocidas

*Elaboración:*

Separa la parte dura de los espárragos y el resto cuécelo en agua con un poco de sal y un chorro de aceite. Cuando lleve unos minutos cociendo, retira las yemas para rellenar los filetes y lo demás déjalo cocer hasta que esté bien tierno. Una vez cocido, prepara una crema, junto con las patatas, cocidas y peladas.

Sala los filetes y coloca encima dos yemas de espárrago por filete. Enróllalos y métolos en el horno con un trozo de mantequilla y casi cubiertos con caldo de pescado o agua. Hornéalos unos 10 minutos.

Pasa la crema de espárragos, hecha anteriormente, por un chino y baña con ella el fondo de una fuente. Coloca encima los filetes de gallo y acompáñalos con rodajas de zanahoria cocidas.

## 771 – FILETES DE PESCADILLA RELLENOS

*Ingredientes:*
- 1 pescadilla en filetes
- 4 lonchas de queso de nata
- 4 lonchas de jamón cocido
- ½ litro de leche
- sal
- limón
- aceite
- ½ pepino
- harina
- huevo para rebozar

Primero, pon los filetes en leche durante 15 minutos aproximadamente. A continuación sácalos, escurre y sazona. La siguiente operación consiste en poner un filete de pescadilla, y sobre éste una loncha de queso y otra de jamón, y encima otro filete de pescado.

Reboza en harina y huevo y fríe en abundante aceite caliente, y reserva.

Corta el pepino en rodajas y rebózalo como el pescado para a continuación freírlo. Escurre y colócalo adornando el pescado. También decora con el limón.

## 772 – FILETES DE VERDEL AL VINO BLANCO

*Ingredientes:*
- 2 verdeles fileteados
- 3 trozos de blanco de puerros
- 1 cuch. de carne de pimiento choricero
- pimienta
- 1 vaso de vino blanco
- 2 patatas cocidas
- sal
- aceite
- perejil picado

*Elaboración:*

Limpia los puerros, córtalos en juliana y póchalos en una sartén con aceite. Sazona. Cuando comience a dorarse, agrega la carne de pimiento choricero y el vino blanco y deja que reduzca a fuego suave durante 5 minutos.

Salpimenta los filetes de verdel y fríelos en otra sartén con aceite.

Por último, sirve los verdeles, coloca encima la salsa de puerros y espolvorea con perejil picado.

# 773 – FRITO MIXTO DEL MAR

*Ingredientes:*

- 4 salmonetes pequeños
- 4 cariocas
- 200 g de calamares pequeños
- 250 g de gambas
- harina
- aceite
- sal
- 1 limón
- perejil
- 1 diente de ajo

*Elaboración:*

Limpia bien los pescados, las gambas y los calamares.

Corta los tentáculos de los calamares, y trocea el cuerpo en anillas. Sazona y pasa por harina. Efectúa esta misma operación con los pescados.

En una sartén con aceite muy caliente fríe los calamares, las cariocas y los salmonetes. Escúrrelos bien y coloca en una fuente.

Sazona las gambas, una vez limpias, y con un ajo fríelas en la sartén.

Escurre y pon en la fuente junto a los otros pescados. Antes de servir, adorna con perejil picado y un poco de limón.

# 774 – GALLINETA CON PATATAS

*Ingredientes:*

- 4 gallinetas de ración
- 3 patatas
- 2 dientes de ajo
- 1 cebolleta o cebolla
- aceite
- sal
- agua
- perejil
- carne de pimientos choriceros

Filetea las gallinetas, sazona y reserva las cabezas y las espinas.

En un recipiente, con un poco de aceite, sofríe las cabezas y las espinas dorándolas un poco. Después, cúbrelas de agua, añade un manojo de perejil y sala.

Déjalo cocer durante unos 15 minutos aproximadamente, para hacer un caldo.

Corta las patatas en lonchas de medio centímetro. Pocha en una cazuela con un poco de aceite los ajos fileteados y la cebolleta picada.

Añade las patatas, rehoga bien y cubre con el caldo colado, agrega la carne de pimientos choriceros y perejil picado. Después de 25 minutos aproximadamente, cuando las patatas estén casi hechas, pon los filetes de gallineta y deja que se haga todo durante unos 8 minutos. Pruébalos de sal y sirve los filetes y las patatas.

## 775 – GALLO A LA PARRILLA

*Ingredientes:*
- 4 gallos
- sal
- aceite

salsa:
- 1 vaso de fumet
- vino blanco
- 2 yemas
- 150 g de mantequilla

*Elaboración:*

Para elaborar este plato basta con que peles y sales los gallos, y, después de rociarlos con aceite, con que los coloques sobre la parrilla durante 5 minutos por cada lado.

Acompaña con una salsa preparada del siguiente modo: reduce ⅓ el caldo, deja templar y añade las yemas. Pon al baño maría durante 8 minutos, deja que cuajen y ve incorporando la mantequilla, sin dejar de batir.

## 776 – GALLO CON SETAS

牡 牡 牡 牡

*Ingredientes:*
- 4 gallos
- 1 cebolla picada
- 1 puerro picado (sólo la parte blanca)
- 1 kg de setas (silvestres, de invernadero, champiñones)
- 1 vaso de caldo de pescado
- 1 vaso de nata
- sal
- aceite
- 1 plato de harina
- 2 dientes de ajo
- perejil picado

*Elaboración:*

Limpia los gallos de escamas y demás. Sazónalos. Pon a pochar la cebolla y el puerro con un poco de aceite. En cuanto se dore ligeramente, añade las setas limpias y fileteadas, déjalo hasta que se poche y añade el caldo y la nata, y déjalo cocer a fuego suave hasta que espese. Pasa por harina los gallos y fríelos en una sartén con aceite caliente y dos dientes de ajo. Coloca los gallos en una fuente y salséalos con la salsa de setas.

Por último, espolvorea con perejil picado.

## 777 – GALLOS A LA MOLINERA

牡 牡 牡 牡

*Ingredientes:*
- 4 gallos
- 75 g de mantequilla
- aceite y sal
- leche
- harina
- perejil picado

para el adorno:
- 8 tomates enanos
- 3 limones

*Elaboración:*

Quita la piel a los gallos y también las cabezas.

Salpimenta y pásalos primeramente por leche y después por harina.

En una sartén, con un buen chorro de aceite y 25 g de mantequilla, fríe los gallos hasta que se doren bien por los dos lados. Retira y coloca en la fuente de servir.

En otra sartén, pon el resto de la mantequilla. Cuando esté derretida, agrega perejil picado y vierte todo por encima de los gallos fritos.

Para servir, adorna con limón y unos tomatitos enanos y echa por encima de los gallos zumo de limón.

## 778 – GALLOS CON SALSA DE ALMEJAS

*Ingredientes:*
- 4 gallos de ración
- 1 cebolleta
- 2 dientes de ajo
- 300 g de almejas
- aceite
- sal marina
- harina
- perejil
- 1 vaso de txacolí o vino blanco

*Elaboración:*

Sala los gallos y cólocalos sobre la parrilla no más de 3 minutos por cada lado.

Pocha el ajo y la cebolleta en una sartén con aceite. Añade las almejas y la harina, mezcla bien y añade el vino blanco y el perejil. Deja cocer a fuego suave hasta que se hagan las almejas.

Coloca un gallo por plato y las almejas alrededor.

## 779 – GAMBAS AL AJILLO

*Ingredientes:*
- 600 g de gambas
- aceite

- 4 dientes de ajo
- ½ guindilla picante
- sal
- perejil picado

*Elaboración:*

Pela las gambas en crudo. Calienta el aceite y fríe los ajos en láminas y la guindilla cortada en aros. Después, agrega las gambas, sazona y deja que se hagan unos minutos dándoles vueltas en la sartén.

Espolvorea con perejil y sirve.

## 780 – GUISO DE BACALAO

*Ingredientes:*
- 1 kg de bacalao desalado
- 1 cebolla
- 3 dientes de ajo
- 1 pimiento verde
- ½ kg de patatas
- caldo de pescado o agua
- ½ vaso de vino blanco
- perejil picado
- huevo batido
- harina
- sal
- aceite

*Elaboración:*

Pica finos la cebolla y el pimiento, y el ajo en láminas, y ponlos a pochar en una cazuela ancha. En cuanto cojan color añade las patatas peladas y en trozos y el vino. Rehógalo unos minutos y cúbrelo con el caldo o agua. Déjalo cocer unos 25–30 minutos.

Si ves que se queda seco puedes añadir más caldo.

Trocea el bacalo, pásalo por harina y huevo y fríelo sin hacerlo del todo. Pon el bacalao en una cazuela y deja que cueza a fuego suave durante 5 minutos para que se termine de hacer. Pruébalo de sal, espolvorea con perejil y sirve.

## 781 – GUISO DE MEJILLONES

*Ingredientes:*

- 2 kg de mejillones
- 4 tomates
- 2 dientes de ajo
- 1 cebolla
- 2 manojos de ajos tiernos
- 1 cuch. de pan rallado
- perejil
- 1 copita de jerez
- aceite de oliva
- sal

*Elaboración:*

En una cazuela pon a pochar la cebolla, el ajo y el tomate, todo picado. Déjalo a fuego suave durante 15 o 20 minutos, con una pizca de sal y removiendo de vez en cuando. A continuación, pásalo por el pasapuré.

Abre los mejillones, calentándolos con el vino de jerez, y reserva, también, el caldo colado. Coloca la salsa en una cazuela y añade los mejillones con una valva, el pan rallado y un poco del caldo. Rehógalo todo junto durante unos minutos.

En otra sartén fríe los ajos tiernos y sazónalos con sal gorda.

Por último, sirve los mejillones y acompaña con los ajos fritos.

## 782 – HOJALDRE DE SALMÓN

*Ingredientes:*

- 500 g de salmón en limpio
- 100 g de gambas peladas
- 1 cebolleta picada fina
- 1 tomate picado fino
- ¼ litro de bechamel
- 500 g de hojaldre
- sal
- pimienta
- 1 huevo batido
- salsa de tomate
- aceite

*Elaboración:*

En una sartén con un chorro de aceite rehoga la cebolleta y

el tomate. Pasados 10 minutos, añade el salmón troceado y las gambas enteras, salpimentadas, y deja rehogar unos minutos. Agrega la bechamel, mezcla bien y retíralo del fuego.

Aparte, extiende el hojaldre y forra con él un molde desmontable.

Rellena con la mezcla o farsa y cubre con una lámina de hojaldre como si fuese una empanada.

Pinta con huevo y métalo en el horno caliente a 180º durante 30 minutos.

Desmolda con cuidado de no quemarte, y para servir acompaña con salsa de tomate.

## 783 – ITXASKABRA AL AROMA DE PIMENTÓN

*Ingredientes:*

- 1 gallineta de 600 g en lomos
- 2 dientes de ajo
- aceite de oliva
- 1 cuch. de pimentón dulce
- un poco de harina
- sal
- perejil picado
- fumet de pescado

*Elaboración:*

En una cazuela de barro o sartén pon el ajo fileteado con el aceite, y cuando empiece a dorarse añade la harina, la gallineta en lomo y el pimentón. Cubre de fumet casi por completo y deja durante 3 minutos por cada lado. Al final espolvorea con perejil. También queda muy bien con patatas.

## 784 – JUREL CON ANCHOAS

*Ingredientes:*

- 4 jureles de ración
- 1 cebolla
- 2 dientes de ajo
- 1 tomate
- vino blanco
- 8 anchoas en conserva

- perejil picado
- pan rallado
- azafrán

- 4 almendras tostadas
- aceite
- sal

*Elaboración:*

En una cazuela con aceite, pocha la cebolla y 2 ajos picados y el tomate pelado y troceado. Con este pochado haz una cama en una fuente de horno y coloca encima los jureles limpios y sazonados.

Machaca las almendras con el azafrán, un poco de vino blanco y las anchoas y agrega este majado sobre los jureles. Espolvoréalos con pan rallado y perejil y hornéalos a 160º durante 12 o 15 minutos.

## 785 – KOKOTXAS CLUB RANERO

*Ingredientes:*
- 1 kg de kokotxas de bacalao
- 4 dientes de ajo
- 2 cebollas o cebolletas
- ½ litro de aceite de oliva

- ½ guindilla
- 1 tomate
- 2 pimientos verdes
- sal

*Elaboración:*

Pela los dientes de ajo y dóralos, sin que lleguen a quemarse, en una cazuela con abundante aceite de oliva y la guindilla. Después, incorpora las kokotxas de bacalao desaladas durante 48 horas y mantenlas a fuego lento durante 10 minutos. Pasado este tiempo, retíralas del fuego y deja que enfríen.

Mientras tanto, prepara la fritada, pochando en un poco de aceite los pimientos cortados finos, el tomate pelado y picado y las cebollas cortadas en juliana. Sazona y deja al fuego durante cinco o seis minutos, removiendo de vez en cuando.

Pasa las kokotxas a una cazuela de barro y liga la salsa añadiendo el aceite poco a poco y sin parar de remover, fuera del fuego, durante 8 o 10 minutos. Añade la fritada sin parar de mover, durante 2 minutos.

Sirve este plato caliente.

## 786 – KOKOTXAS CON REFRITO PICANTE

*Ingredientes:*
- 800 g de kokotxas de bacalao
- 3 dientes de ajo
- ½ vaso de vino blanco
- perejil picado
- 2 o 3 guindillitas secas
- aceite

*Elaboración:*

Coloca en una placa de horno las kokotxas frescas o desaladas con un chorro de aceite y vino blanco. Cocínalas en horno fuerte durante 10 minutos aproximadamente.

En una sartén con aceite pon el ajo cortado en láminas junto con las guindillas y un poco de perejil, y cuando esté dorado, rocíalo con el jugo de la placa.

Coloca las kokotxas en un plato o fuente y salséalas con este refrito.

## 787 – KOKOTXAS DE BACALAO CON GUISANTES

*Ingredientes:*
- ½ kg de kokotxas de bacalao desaladas
- 3 patatas
- 100 g de guisantes cocidos
- 2 dientes de ajo
- 1 cebolleta
- harina
- huevo
- sal
- aceite
- agua
- caldo de guisantes cocidos
- perejil picado

517

En una cazuela pocha la cebolleta con un diente de ajo picado, añade las patatas peladas y en lonchas no muy gruesas y rehoga. Después, añade un vaso de agua y un vaso del caldo de
guisantes y deja que se hagan durante 20 minutos a fuego lento.

Mientras, reboza las kokotxas en harina y huevo y fríelas
vuelta y vuelta con un ajo.

Por último, echa en la cazuela los guisantes y las kokotxas y
déjalo a fuego lento durante 5 minutos. Espolvorea con perejil
picado y sirve.

---

## 788 – LANGOSTINOS AL HORNO

---

*Ingredientes:*
- 24 langostinos (congelados)
- 3 ajos picados
- 1 vaso de aceite
- 1 limón
- 1 copa de brandy
- ½ guindilla
- perejil picado

*Elaboración:*

Una vez que los langostinos estén descongelados por completo, ábrelos por la mitad y colócalos en una fuente de horno
con la cáscara hacia abajo. Sazónalos y riégalos con una salsa
que habrás hecho anteriormente mezclando ajo picado, guindilla, también picada, y aceite.

Mete en el horno caliente a 125º durante 10 minutos y saca.

Riega los langostinos con su propio jugo, que han soltado al
asarse en el horno.

Aparte, flambea el brandy y agrégale perejil picado.

Con esta mezcla rocía los langostinos y sirve.

## 789 – LASAÑA DE ANCHOAS Y TOMATE

*Ingredientes:*

- 4 tomates
- 1 kg de anchoas
- 2 dientes de ajo
- ½ vaso de vinagre de sidra
- 1 vaso de aceite de oliva
- sal
- tomillo
- 1 cebolleta
- harina
- aceite
- agua

*Elaboración:*

Macera los filetes de las anchoas ya limpios con el vinagre, el aceite y dos dientes de ajo picados durante 8 horas o más (en la víspera).

Escalda los tomates en agua con sal. Pélalos y despepítalos. Córtalos por la mitad y aplástalos.

Fríe la cebolleta en aros pasados por harina. Monta el plato con una base de tomate, encima los filetes de anchoas con las colas hacia fuera, encima otra capa de tomate. Decora el plato con los aros de cebolleta y aliña con un poco de la maceración.

## 790 – LENGUADO AL HORNO

*Ingredientes:*

- 4 lenguados
- 20 g de orégano
- 15 g de queso rallado
- 15 g de pan rallado
- perejil
- ajo
- aceite
- sal
- 1 limón

*Elaboración:*

Limpia los lenguados dejándoles cola y cabeza.

Pica el ajo y el perejil y mézclalos. Sazona los pescados y rebózalos en la mezcla de ajo y perejil. A continuación, coloca los lenguados en una placa de horno, espolvoréalos con pan rallado y queso también rallado y riégalos con un chorrito de aceite. Mete la placa en el horno caliente a 180º durante 15 minutos.

Saca del horno y pasa los lenguados a la fuente de servir.

Espolvorea con orégano, riega con el jugo que han soltado en la placa del horno y adorna con limón.

Listo para servir.

## 791 – LENGUADO EN SU JUGO

*Ingredientes:*
- 4 lenguados de ración
- 4 patatas medianas
- 4 cebolletas
- 2 zanahorias pequeñas
- 4 puerros pequeños
- sal
- aceite

*Elaboración:*

Pela la patata y córtala en lonchas muy finas. Corta toda la verdura en juliana.

Limpia los lenguados de piel y espinas exteriores y sálalos.

Extiende el papel de aluminio y pon en el centro un montón de verdura formando una cama, cúbrela con las lonchas de patata, sazona y coloca encima el lenguado, añade un poco de aceite y cierra muy bien por los bordes, haciendo una especie de sobre de papel de aluminio. Mete en el horno a 180º durante 20 minutos aproximadamente.

Sirve el lenguado con su jugo y acompañado con las verduras.

## 792 – LOCHA AL VAPOR CON CREMA DE VERDURAS

*Ingredientes:*
- 400 g de pescado

crema de verduras:
- espinacas
- vainas
- acelgas

para cocer:
- agua
- pimienta en grano
- 1 puerro
- 1 pimiento morrón
- sal
- 1 diente de ajo

*Elaboración:*

Corta la locha en rodajas. En la parte inferior de la vaporera pon agua, el pimiento morrón cortado en aros, unos granos de pimienta negra, un diente de ajo y un puerro. Sazona el pescado y coloca las tajadas en la parte superior de la vaporera. Pon a cocer durante 10 minutos. Transcurrido este tiempo, pon en el fondo del plato la crema de verduras, y sobre ésta las tajadas de locha.

Por último, adorna con los aros de pimiento cocido.

Sirve.

## 793 – LUBINA DEL NORTE

*Ingredientes:*
- 1 kg de lubina
- ½ kg de patatas
- 1 pimiento verde
- ½ tomate
- 1 cebolla o cebolleta

- 2 dientes de ajo
- 1 vaso de sidra o vino blanco
- 1 vaso de caldo
- sal
- aceite

Corta la patata en rodajas finas, y en rodajas algo más gruesas la cebolla, el tomate y el pimiento verde. Ponlo todo en una fuente de horno con un chorro de aceite y sazona. Añade el ajo en láminas y el vaso de caldo. Déjalo hacer a horno medio durante 20-25 minutos.

Sala la lubina ya limpia de escamas y espinas, entera o en rodajas, y colócala encima de la verdura. Añade la sidra y mete todo en el horno a 180º durante 8 o 10 minutos.

Sirve el pescado acompañado de las patatas y las verduras.

Por último, salsea con el jugo de la placa.

## 794 – MARMITAKO DE BONITO

*Ingredientes:*
- 1 kg de bonito
- 1 kg de patatas
- 2 tomates
- 2 cebollas
- 2 dientes de ajo
- 1 pimiento verde
- perejil picado
- caldo de pescado
- aceite de oliva
- sal

*Elaboración:*

En una cazuela con un buen chorro de aceite rehoga las cebollas, el pimiento, los ajos y los tomates pelados, todo picado. Sazona.

A continuación, agrega las patatas peladas y cortadas en trozos. Rehoga bien e incorpora el caldo de pescado caliente. Deja cocer unos 20 minutos aproximadamente.

Después, añade el bonito cortado en dados, sin piel ni espinas y sazonado. Deja cocer de 3 a 5 minutos.

Por último, espolvorea con perejil picado y ponlo a punto de sal antes de servir.

## 795 – MEJILLONES A LA MARINERA

*Ingredientes:*
- 2 kg de mejillones
- 3 cebolletas
- ½ hoja de laurel
- ½ vaso de vino blanco
- 1 diente de ajo
- perejil picado
- aceite

*Elaboración:*

Comienza lavando bien los mejillones, y raspa con energía las conchas para quitarles todas las impurezas.

Por otra parte, pica la cebolleta y el diente de ajo y ponlos a sofreír en una cazuela con aceite a fuego suave. Rocía con el vino y añade el laurel cuando la cebolleta esté suficientemente rehogada.

Deja cocer dos minutos. Entonces coloca los mejillones en la cazuela y deja que continúe la cocción por espacio de 8 minutos más, hasta que estén completamente abiertos. Es recomendable remover los mejillones un par de veces.

Antes de servir, comprueba la espesura del caldo; si está ligero, puedes ligarlo con un poco de fécula.

Por último, espolvorea con perejil picado y sírvelos con su propia salsa.

## 796 – MEJILLONES A LA PIMIENTA VERDE

*Ingredientes:*
- 1 ½ kg de mejillones
- 1 cebolla
- 1 puerro
- 1 cuch. de bolas de pimienta verde
- 1 pizca de pimienta verde molida
- ½ litro de nata
- 1 litro de agua
- sal

*Elaboración:*

Pica fino la cebolla y el puerro, y ponlos a rehogar.

Limpia los mejillones y ábrelos en el agua hirviendo. Sácalos y separa la carne de la concha.

Añade a la cebolla y al puerro un chorro del agua de cocer los mejillones, la nata y unas 30 bolas de pimienta verde. Deja reducir hasta que tome consistencia la salsa.

Pon en un plato los mejillones sin cáscara y cúbrelos con la salsa. Listo para servir.

---

## 797 – MEJILLONES AL HORNO

*Ingredientes:*

- 1 kg de mejillones
- 200 g de pescado
- 20 gambas
- sal
- 4 cuch. de salsa de tomate
- pan rallado

- mantequilla
- 3 dientes de ajo
- aceite
- perejil picado
- agua

*Elaboración:*

---

Abre los mejillones al vapor. Reserva la carne por un lado y las conchas por otro. Trocea las gambas peladas y el pescado sazonado y saltéalos en aceite, junto con los dientes de ajo. Añade los mejillones troceados y la salsa de tomate. Mezcla bien, espolvorea con perejil picado y pon a punto de sal. Rellena las conchas de los mejillones y espolvorea con pan rallado, colocando después un trocito de mantequilla encima de cada concha. Gratina durante 1 minuto y sirve.

# 798 – MEJILLONES AL JEREZ

*Ingredientes:*
- 2 kg de mejillones
- ¼ kg de tomates maduros
- 2 cebollas
- 3 dientes de ajo
- guindilla
- 1 vaso de jerez seco
- ½ vaso de vino blanco
- aceite de oliva
- sal

*Elaboración:*

Primero, abre los mejillones limpios con el vino blanco retirándoles la valva. Reserva el jugo.

Pica la cebolla, el ajo y el tomate y póchalo todo en una cazuela con aceite junto con ½ guindilla y sal. Añade el jerez y el caldo colado de los mejillones, mézclalo bien y déjalo cocer todo junto alrededor de 15 minutos, hasta que reduzca. Por último, sirve los mejillones y acompáñalos con el refrito.


# 799 – MEJILLONES CON PATATAS

*Ingredientes:*
- 800 g de patatas
- 24 mejillones
- 1 o 2 cebollas
- 3 dientes de ajo
- aceite
- ½ vaso de salsa de tomate
- 1 copa de vino blanco
- 1 pedacito de guindilla
- sal
- perejil picado
- pimentón dulce
- agua

*Elaboración:*

Limpia los mejillones y ábrelos calentándolos en una cazuela con un vaso de vino blanco. Reserva la carne y el caldo colado. Pela las patatas y córtalas en trozos haciendo «crac».

En una cazuela con aceite dora la cebolla picada y los ajos en láminas. Sazona. Después, añade las patatas revolviendo bien y a continuación agrega la guindilla y el pimentón y rehoga. Echa el caldo colado y el tomate y cúbrelo con agua. Déjalo cocer 20 o 25 minutos. Añade los mejillones y espolvorea con perejil picado. Pruébalo de sal y deja reposar unos minutos antes de servir.

## 800 – MEJILLONES CON QUESO GRATINADOS

*Ingredientes:*
- 2 kg de mejillones
- 1 vaso de vino blanco
- 150 g de queso rallado
- 150 g de salsa de tomate
- sal
- 1 limón

para la velouté:
- 1 cuch. de mantequilla
- 1 cuch. de harina
- 1 vaso del caldo de los mejillones

*Elaboración:*

Abre los mejillones al vapor con el vino blanco y un poco de sal. Separa la carne de las valvas y reserva.

Haz una velouté rehogando la mantequilla con la harina y el caldo colado de los mejillones, sin parar de remover.

En una bandeja de horno coloca la mitad de las valvas con un poco de salsa de tomate en cada una. Después, pon la carne de los mejillones, la velouté y el queso rallado.

Por último, gratina en el horno durante unos minutos y sirve adornado con un limón.

## 801 – MEJILLONES CONCASSÉ

*Ingredientes:*
- 1 kg de mejillones
- sal

- 3 tomates maduros
- 2 cebolletas
- 2 dientes de ajo
- pimienta

- 1 vaso de vino blanco
- perejil picado
- aceite

*Elaboración:*

Escalda los tomates en agua un minuto y pélalos. Quita las pepitas y trocea. Pica el ajo y la cebolleta. Sofríe el ajo, la cebolleta y el tomate con sal despacio, a fuego lento, durante 10 minutos en una sartén con aceite. Aparte, abre los mejillones con el vaso de vino blanco. Guarda el caldo. Separa la carne de la valva y añade el caldo colado al tomate. Agrega los mejillones y deja unos minutos a fuego lento. Salpimenta a gusto y espolvorea con perejil picado. Si quieres que quede más fina la salsa, puedes pasarla por el chino o pasapuré.

## 802 – MEJILLONES EN FRITADA

*Ingredientes:*
- 1 kg de mejillones
- 2 tomates
- 1 cebolla
- 1 pimiento verde
- sal

- 2 dientes de ajo
- 1 copa de brandy
- pimienta negra
- aceite

*Elaboración:*

En una sartén con un poco de aceite pon a rehogar la cebolla picada, los tomates pelados y picados en dados, los pimientos verdes cortados en tiras, los ajos picados y unos granos de pimienta. Deja al fuego 5 minutos. Cuando esté rehogado, añade la copa de brandy y flambea con cuidado. En una cazuela al fuego, pon los mejillones para que se abran. Una vez abiertos, quítales la cáscara que no tiene carne.

En una fuente, pon en el fondo la fritada, alrededor los mejillones, adornados con perejil, y sirve.

## 803 – MEJILLONES RELLENOS

*Ingredientes:*
- 1 kg de mejillones
- 1 cebolla mediana
- 2 dientes de ajo
- guindilla picante al gusto
- 50 g de mantequilla
- ½ litro de leche
- aceite

- 40 g de harina
- salsa de tomate

para empanar:
- harina
- huevo
- pan rallado

*Elaboración:*

Abre los mejillones en una cazuela. Quítales la carne y pícala. Guarda las conchas.

En una cazuela pon a sofreír la cebolla y el ajo picados finamente. Cuando estén dorados, añade el mejillón y la guindilla. Después de unos 3 o 4 minutos, echa la harina y mézclalo bien. Agrega la leche poco a poco hasta que quede una fina bechamel.

Pon la mezcla en un cazo y deja enfriar.

Con la masa fría rellena las conchas de los mejillones y pásalas por huevo y pan rallado. Fríelas en aceite muy caliente y sirve. Acompaña estos fritos con salsa de tomate.

## 804 – MERLUZA AL CURRY

*Ingredientes:*
- 4 rodajas de merluza
- 1 vaso de caldo de pescado
- 1 cucharadita (de café) de curry
- 2 cebolletas o 1 cebolla
- 1 cuch. de harina
- aceite

- perejil picado
- 2 dientes de ajo
- 4 espárragos cocidos
- ½ vaso del caldo de los espárragos
- sal

En una cazuela con aceite, rehoga 2 dientes de ajo en láminas y la cebolleta o cebolla troceada. Después, añade una cucharada de harina y rehoga. Sazona las rodajas de pescado y añádelas a la cazuela. Agrega el caldo de pescado, el de los espárragos y el curry. Espolvorea con perejil picado y haz las rodajas 4 o 5 minutos por cada lado. Por último, agrega los espárragos y sirve.

## 805 – MERLUZA AL HORNO

*Ingredientes:*

- 4 lomos de merluza
- 200 g de cebolla
- 4 cebollinos
- queso rallado
- 50 g de mantequilla o margarina
- aceite
- ½ cuch. de harina de maíz refinada
- 1 vaso de caldo de pescado o agua
- sal
- perejil picado

*Elaboración:*

Pon la merluza en la placa del horno con un poco de mantequilla, sal y queso, añade ½ vaso de caldo y métela en el horno durante 8 minutos a 200º. Pasado ese tiempo, saca la merluza y colócala en el plato.

Aparte, pocha la cebolla muy picada en una sartén con un poco de aceite, sala y añade el caldo de la placa raspando el fondo junto con el resto del caldo de pescado. Liga luego la salsa con la harina de maíz refinada, espolvorea con el perejil picado y por último salsea la merluza. Antes de servir, decora el plato con el cebollino troceado.

# 806 – MERLUZA BELLAVISTA

≥ళ ≥ళ ≥ళ ≥ళ

*Ingredientes:*

- 1 cola de merluza (1 kg)
- 1 zanahoria
- 1 cebolla
- 1 puerro
- 1 pimiento rojo asado
  y pelado
- 1 patata cocida

- huevos de codorniz cocidos
- pepinillos
- perejil
- salsa alioli
- agua
- tomatitos enanos
- sal

*Elaboración:*

Cuece la merluza en agua fría durante 30 minutos junto con un puerro, una cebolla, una zanahoria, una rama de perejil y sal. Transcurrido ese tiempo, retírala del fuego y déjala tapada media hora. Una vez cocida, tira de la espina central de la merluza y ésta saldrá entera. A continuación, limpia el pescado de pieles y espinas.

Este plato se sirve frío y se decora colocando las rodajas de zanahoria en forma de abanico en la zona de la cola, la patata cocida y en rodajitas y los tomates enanos en la parte delantera de la merluza, y los pepinillos en los laterales. Sobre la merluza dispón las tiras de pimiento rojo, alternándolas con una cucharadita de alioli, y encima del alioli los huevos de codorniz abiertos.

# 807 – MERLUZA CON MARISCO

≥ళ ≥ళ ≥ళ ≥ళ

*Ingredientes:*

- 4 rodajas de merluza
- 4 langostinos o cigalas
- 4 carabineros
- aceite

- agua
- 1 diente de ajo
- harina
- sal

530

- 8 almejas
- vino blanco

- perejil picado

*Elaboración:*

---

Fríe en una cazuela con aceite el diente de ajo picado, y cuando comience a dorarse pon un poco de harina, rehoga y añade la merluza sazonada y también pasada por harina. Dale vuelta y vuelta y agrega un chorro de vino blanco y agua hasta cubrir la merluza por la mitad. Añade los langostinos o cigalas, los carabineros, las almejas y el perejil picado. Déjalo a fuego lento unos 10 minutos y sirve.

---

## 808 – MERLUZA EN AJADA A LA GALLEGA

*Ingredientes:*
- 4 rodajas de merluza
- 2 patatas medianas
- 1 chorro de aceite
- 1 rama de perejil
- granos de pimienta
- sal

salsa:
- ½ cucharadita de pimentón dulce
- ½ cucharadita de pimentón picante
- 6 cuch. de aceite
- 3 dientes de ajo
- 1 cuch. de vinagre
- 1 cuch. de caldo
- sal

*Elaboración:*

---

En una cacerola pon las patatas peladas y cortadas en rodajas de medio centímetro, el perejil, los granos de pimienta, la sal y un chorro de aceite. Cubre de agua y deja hervir durante 15 minutos. Cuando la patata esté cocida, introduce la merluza y con la cacerola tapada espera que cueza unos 5 minutos aproximadamente.

Posteriormente, retira del fuego y deja reposar 10 minutos.

Por otra parte, en una sartén pon aceite y fríe los ajos. Una vez que estén bien dorados, añade el pimentón y una cucharada de caldo. Remueve bien y añade el vinagre y la sal.

Para servir, coloca la merluza en una fuente, rocíala con la salsa y acompáñala adornando con las patatas.

## 809 – MERLUZA EN SALSA ROJA

*Ingredientes:*

- 4 rodajas de merluza
- 300 g de almejas
- 4 dientes de ajo
- 1 cebolla
- perejil picado
- un chorro de vino blanco
- caldo de pescado
- 3 cuch. de carne de pimiento choricero
- aceite
- harina

*Elaboración:*

En una cazuela de barro rehoga el ajo y la cebolla, y cuando estén hechos añade las rodajas de merluza, previamente pasadas por harina. Echa un poco de harina en la cazuela y deja que se hagan un poco. Da la vuelta a las rodajas. Cuando la merluza comience a soltar su gelatina, mueve la cazuela con un suave vaivén y añade entonces el vino blanco poco a poco, sigue moviendo y agrega lentamente el caldo de pescado. Cuando la salsa espese un poco, añade las almejas y la carne (o salsa) de pimiento choricero. Cuece todo a fuego lento durante 8 minutos. Espolvorea con perejil picado y sirve.

## 810 – MERO A LA NARANJA

*Ingredientes:*

- 4 rodajas de mero
- zumo de 2 naranjas
- agua
- sal
- pimienta
- unas hebras de azafrán

- zumo de ½ limón
- 3 dientes de ajo
- aceite de oliva
- 2 cucharaditas de harina de maíz refinada

*Elaboración:*

En una cazuela con aceite bien caliente, salpimenta las rodajas de mero y dóralas durante 4 minutos por cada lado junto con los ajos fileteados. Agrega las hebras de azafrán y el zumo de naranja y limón, dejándolo hacer durante unos 8 minutos. Pasado este tiempo, añade la harina de maíz refinada diluida en un poquito de agua. Dale un hervor para que espese la salsa y sirve.

## 811 – MERO AL ESTILO CANARIO

*Ingredientes:*
- 1 kg de mero
- 3 dientes de ajo
- ½ kg de patatas
- 2 huevos cocidos
- 75 g de nueces peladas
- 2 pimientos morrones asados y pelados
- 1 cucharadita de pimentón dulce
- aceite
- perejil picado
- sal
- agua

*Elaboración:*

Parte el mero, ya limpio, en trozos, fríelo en una sartén con aceite hasta que se dore y pásalo a una cazuela.

Tritura con la batidora en un bol el ajo, las nueces, el pimiento, el pimentón y un poco de agua y agrégalo a la cazuela del mero. Añade también la patata troceada y frita, y un vaso de agua. Pon a punto de sal y déjalo cocer a fuego suave de 5 a 7 minutos aproximadamente.

Por último, pon encima el huevo cocido cortado en cuartos y espolvorea con perejil picado. Sirve el mero y salsea.

# 812 – MERO AL VINO BLANCO

*Ingredientes:*

- 4 lonchas de mero de 200 g cada una
- 4 chalotas o cebolletas
- 1 vaso de vino blanco
- sal
- 1 vaso de nata líquida
- 1 vaso de caldo de pescado
- aceite

*Elaboración:*

Sala el mero. Pica la chalota o cebolleta y rehoga con un poco de aceite. Añade el vino blanco, deja reducir y después incorpora la nata y el caldo, dejando que reduzca hasta que espese al gusto y poniéndolo a punto de sal.

Haz el mero a la plancha o a la parrilla con un chorrito de aceite, y una vez hecho, aproximadamente 4 minutos por cada lado, baña con la salsa el plato y pon encima las tajadas de mero.

# 813 – MERO CON SOFRITO DE TOMATE

*Ingredientes:*

- 1 trozo de mero de 800 g limpio
- 4 tomates maduros
- 2 dientes de ajo
- aceite de oliva
- una pizca de romero
- sal
- pimienta
- perejil picado

*Elaboración:*

En una sartén con aceite, pon los dientes de ajo picados a sofreír con el romero. Cuando estén un poco dorados, añade los tomates pelados y sin pepitas en dados y déjalo hacer a fuego muy lento durante unos 25 minutos aproximadamente. Cuando esté el tomate a punto, agrega el perejil picado y pon a punto de sal.

Después, corta el mero en lonchas de 1 cm de grosor, salpiméntalo y hazlo a la plancha vuelta y vuelta con un poquito de aceite. Por último, coloca el tomate en el fondo de una fuente y las rodajas de mero encima.

## 814 – MERO EN PAPILLOTE

*Ingredientes:*
- 4 rodajas de mero de 200 g
- 2 patatas
- 2 zanahorias
- 2 cebolletas o 1 cebolla
- 2 puerros
- 4 champiñones
- ½ vaso de vino blanco (opcional)
- sal
- aceite de oliva

*Elaboración:*

Corta las verduras (puerro, cebolleta y zanahoria) en juliana y colócalas encima de un papel de aluminio que habrás extendido en una placa de horno. Sobre la verdura dispón la patata cortada en láminas finas y las rodajas de mero y decora con los champiñones. Aderézalo todo con un poco de aceite y vino blanco y cierra el papel sobre sí mismo, doblando bien los bordes para que no pierda aire. Mételo en el horno a 200º durante 15 o 20 minutos hasta que se hinche el papel.

Por último, sirve el mero con las verduras y salsea.

## 815 – MOJARRA EN ADOBO

*Ingredientes:*
- 1 vaso de aceite
- 1 kg de mojarra en filetes
- 2 cuch. de vinagre
- sal

- 3 dientes de ajo
- 1 hoja de laurel
- pimienta negra en grano
- una pizca de orégano
- harina
- aceite
- perejil

*Elaboración:*

Cubre los filetes de mojarra con aceite, vinagre, laurel, pimienta en grano, orégano y sal. Deja en adobo unas cuatro o cinco horas. Pasado este tiempo, saca la mojarra y pásala por harina.

En una sartén con aceite fríe 2 dientes de ajo y, después, los filetes de mojarra. Primero fríelos por la parte sin piel, y después por la zona con piel. Esto se hace para que no quede el filete encogido.

Por último, fríe una rama de perejil y ponla encima de la mojarra antes de servir, rociando con un poco de adobo bien mezclado.

## 816 – MOJARRA EN SALSA A LA RIOJANA

*Ingredientes:*

- 2 mojarras
- 1 plato de harina
- sal
- aceite de oliva
- 1 pimiento rojo
- 4 dientes de ajo
- ½ vaso de salsa de tomate
- perejil picado
- agua o caldo de pescado
- pimienta

*Elaboración:*

Corta la mojarra limpia en rodajas. Pon un chorro de aceite en una cazuela y fríe en ella el pimiento picado y dos dientes de ajo. En cuanto se doren ligeramente, añade una cucharada rasa de harina, rehoga, y un vaso de caldo de pescado o agua, junto con el tomate.

Salpimenta las rodajas de mojarra, pásalas por harina y fríelas en aceite con un par de dientes de ajo enteros. Una vez fritas, colócalas en la cazuela donde has preparado la salsa y déjalo cocer durante 3 o 4 minutos. Antes de servir, pruébalo de sal y espolvoréalo con perejil picado.

## 817 – MOUSSE DE PESCADO Y PIMIENTOS

*Ingredientes:*

- ½ kg de pescado
- 1 pimiento rojo asado y pelado
- 2 huevos
- 1 vaso de nata líquida
- 3 cuch. de mahonesa
- un chorro de leche
- sal
- un poco de mantequilla
- pimienta

*Elaboración:*

Pasa por la batidora hasta conseguir una masa uniforme el pimiento, asado y pelado (reserva un trozo) junto con el pescado, limpio y sin espinas (también puedes utilizar algo de marisco), los huevos, la nata, una pizca de sal y otra de pimienta.

Unta unos moldes de ración con la mantequilla y agrega esta mezcla. Cuécelo al baño maría en el horno a 180º durante 20 minutos. Pasado este tiempo, sácalo, déjalo enfriar y desmolda.

Para acompañar, prepara una salsa batiendo el trozo de pimiento rojo asado, un chorro de leche y la mahonesa.

Cubre con esta salsa una fuente y coloca encima los pastelitos. Puedes decorar con tiras de pimiento.

## 818 – PASTEL DE GAMBAS Y MEJILLONES

*Ingredientes:*

- 300 g de hojaldre
- 1 kg de mejillones
- 300 g de gambas peladas
- 1,5 dl de nata
- 3 huevos
- sal

- 1 cebolleta
- 1 diente de ajo
- 100 g de queso fresco

- pimienta negra molida
- agua

*Elaboración:*

Extiende el hojaldre, colócalo en un molde rectangular de 3 cm de altura y mételo en el horno a 200º durante 15 minutos.

Limpia bien los mejillones y ponlos a cocer en una cazuela con un poco de agua a fuego vivo hasta que se abran, y después separa la carne de sus valvas.

Coloca en el hojaldre los mejillones alternando con las gambas.

En un bol pica muy finos la cebolleta y el ajo, y mézclalos con los huevos batidos, el queso fresco en trocitos y la nata. Ponlo a punto de sal y pimienta y vierte todo en la pasta horneada, metiéndolo luego en el horno durante 30–35 minutos a unos 100º de temperatura. Una vez en la mesa, puedes acompañar el plato con salsa de tomate.

## 819 – PASTEL DE PESCADO

*Ingredientes:*

- 1 kg de pescado desmigado limpio
- ¼ litro de salsa de tomate
- ¼ litro de nata
- sal
- 6 huevos y 2 claras
- mantequilla
- pan rallado de molde
- 12 langostinos pelados
- pimienta

- huevos de caviar (sucedáneo)
- mahonesa

salsa rosa:
- salsa picante
- ketchup
- mostaza
- pimienta molida
- brandy

*Elaboración:*

Bate los huevos enteros con sal y pimienta. Después, añade

con cuidado las claras montadas. Incorpora el tomate y bate con energía. A continuación, echa la nata, el pescado cocido y parte de los langostinos.

En un molde engrasado con la mantequilla, pon el pan rallado para que se impregne bien. Realizada esta operación, agrega la mezcla al molde y pon éste en el horno caliente a 175º durante 40 minutos aproximadamente, al baño maría.

Saca y deja enfriar. Desmolda y adorna con salsa rosa, sucedáneo de caviar y unos langostinos.

## 820 – PASTELITOS DE BONITO Y PIMIENTOS

*Ingredientes:*
- 8 volovanes
- 4 pimientos del piquillo
- 1 o 2 pimientos verdes
- 300 g de bonito en aceite
- 3 dientes de ajo
- 4 huevos
- salsa de tomate
- sal
- aceite

*Elaboración:*

Haz los volovanes al horno a 175º durante 15 minutos. Después sácalos, quita la tapa y reserva.

Saltea el ajo en una sartén con aceite y añade el pimiento (verde y rojo) picado. Rehoga. Cuando esté todo hecho, agrega el bonito desmigado y saltéalo. Una vez que esté a punto, agrega los huevos batidos con sal y haz un revuelto que quede jugoso. Rellena los volovanes con este revuelto y colócales la tapa encima.

Sírvelos en un plato o fuente con la salsa de tomate caliente cubriendo el fondo.

## 821 – PERLÓN COCIDO EN SALSA

*Ingredientes:*

- 3 perlones
- 1 cebolla
- 1 zanahoria
- sal
- agua
- aceite
- 1 ramita de perejil

salsa vinagreta:
- pimiento rojo
- cebolla roja
- perejil picado
- aceite de oliva
- sal
- zumo de limón

para acompañar:
- trocitos de patata y zanahoria cocidos
- aceite
- sal
- perejil picado

*Elaboración:*

Limpia los perlones retirando también las espinas y cuécelos en agua fría con sal, cebolla en juliana, perejil, zanahoria en rodajas y un poco de aceite.

Una vez cocido, escúrrelo y reserva.

Para preparar la vinagreta, mezcla en un bol todos los ingredientes bien picados.

Por último, saltea los trozos de patata y zanahoria cocida en una sartén con aceite, sazona y espolvorea con perejil picado.

Sirve el perlón con el salteado y la salsa vinagreta.

## 822 – PERLÓN EN SALSA VERDE

*Ingredientes:*

- 8 filetes de perlón

- 20 almejas

- 1 cebolleta
- 1 diente de ajo
- 4 espárragos cocidos
- caldo de espárragos
- 2 huevos cocidos
- harina
- aceite
- ½ vaso de vino blanco
- sal
- perejil picado

*Elaboración:*

Pica finos el ajo y la cebolleta y ponlos a pochar en una cazuela con aceite. Sazona. En cuanto se dore, añade una cucharada de harina, rehoga y agrega el vino, el caldo de espárragos y las almejas. Añade, también, el pescado sazonado y pasado por harina. Déjalo hacer 3 o 4 minutos por cada lado a fuego suave y espolvorea con perejil picado. Añade los espárragos y los huevos cortados en cuartos. Prueba de sal, déjalo cocer unos minutos y sirve.

## 823 – PESCADILLA A LA RABIOSA

*Ingredientes:*
- 4 pescadillas de ración
- 2 huevos
- harina
- 100 g de pan rallado
- aceite
- 1 nuez de mantequilla
- aceite
- sal
- pimienta
- 4 zanahorias cocidas

para la mantequilla al limón
- 10 g de mantequilla
- 1 zumo de ½ limón
- 1 ramito de perejil picado

*Elaboración:*

Para preparar la mantequilla al limón: bate la mantequilla en un cuenco con el perejil picado, añade zumo de limón y mezcla hasta obtener una pasta homogénea. Mete en el frigorífico para su uso posterior. Para la elaboración de la pescadilla: practica un corte sobre el dorso de cada pescado, ábrelo, lávalo y sécalo. Salpimenta. A continuación, enharina las pescadillas y pásalas por huevo y pan rallado. Pon una sarten con aceite y cuando esté bien caliente, fríe las pescadillas por ambos lados, hasta dorarlas ligeramente. En el momento de servirlas, acompaña cada pescadilla con la mantequilla al limón y las zanahorias cocidas salteadas con una nuez de mantequilla.

## 824 – PESCADILLA ASADA

*Ingredientes:*
- 1 pescadilla de 1 kg
- 4 cebolletas
- 1 vaso de vino blanco
- 2 dientes de ajo
- aceite
- sal
- perejil picado
- 1 limón

*Elaboración:*

Limpia la pescadilla, filetéala y sazona.

Corta en juliana la cebolleta y póchala con los dientes de ajo cortados en láminas. Sazona. Cuando esté casi pochado, añade el vino blanco y deja reducir 10 minutos a fuego lento. Coloca la pescadilla en la bandeja del horno, cúbrela con la cebolleta pochada y espolvoréala con perejil picado y un chorro de aceite crudo. Hornea a 180º, unos 10 o 12 minutos, hasta que la pescadilla esté hecha.

Por último, sirve el pescado, salsea y decora con el limón.

## 825 – PESCADILLA CON PISTO

*Ingredientes:*
- 1 pescadilla de 1 ½ kg aprox. en filetes
- sal
- 1 plato de harina
- 1 sobre de levadura

pisto:

- 1 cebolla troceada
- 1 pimiento morrón troceado
- 1 pimiento verde troceado
- 2 calabacines pelados y troceados
- 2 tomates troceados
- 2 dientes de ajo
- aceite
- sal

*Elaboración:*

Pon toda la verdura del pisto en una cazuela con aceite a pochar a fuego no muy fuerte. Añade la sal.

Una vez salado y pasado por la levadura, fríe el pescado.

Cuando el pisto esté bien pochado, sírvelo en un plato y coloca encima el pescado frito.

## 826 – PESCADILLA CON SETAS

*Ingredientes:*

- 1 pescadilla grande de 1 kg
- ½ kg de setas
- 50 g de jamón
- 4 ajos
- sal
- aceite
- 1 limón
- 1 vaso de vino blanco
- zanahorias y patatas torneadas y cocidas
- perejil picado

*Elaboración:*

Quítale la cabeza a la pescadilla, ábrela a lo largo, sácale la espina y sala. En una sartén con aceite fríe dos ajos, añade el jamón picado y luego las setas en láminas, manteniéndolo todo en el fuego hasta que el agua que suelten las setas se evapore. Rellena la pescadilla con esta fritura, ciérrala y después colócala en una placa de horno engrasada con aceite.

Mete la pescadilla en horno medio durante 15 o 20 minutos, previamente rociada con un chorro de aceite de oliva y el jugo del limón. Rocía con el vino blanco, y si ves que se seca puedes añadirle algo de agua o caldo de pescado. Mientras tanto, fríe los otros ajos, cortados en láminas, y saltea en este aceite las zanahorias y las patatas y espolvorea esto con perejil picado.

Sirve la pescadilla, salsea con el jugo de la placa de horno y acompaña con el salteado.

## 827 – PESCADILLA ENCEBOLLADA

*Ingredientes:*
- 2 pescadillas de 1 kg cada una
- 3 o 4 cebollas o cebolletas
- perejil picado
- 1 vaso de vino blanco
- 4 patatas medianas
- sal
- aceite

*Elaboración:*

Lava y envuelve las patatas en papel de aluminio con un poco de aceite y sal y mételas en el horno a 200º durante 40 minutos aproximadamente. Limpia las pescadillas y sazona.

Pica la cebolla en juliana y ponla a pochar en una sartén con aceite a fuego lento durante 8 o 10 minutos. Cuando esté blanda añade el vino blanco, sazona y déjalo cocer unos minutos, removiendo.

Coloca las pescadillas en una fuente de horno untada con aceite y échales encima la salsa de cebolla, y espolvorea con perejil picado. Hornéalas a 200º durante 10-15 minutos, dependiendo del tamaño. Sirve las pescadillas y liga la salsa calentando ligeramente la placa del horno. Por último, salsea el pescado y acompáñalo con las patatas asadas.

## 828 – PESCADILLA RELLENA

*Ingredientes:*
- 1 pescadilla
- 200 g de gambas peladas
- sal
- aceite

- 15 hojas de espinacas grandes
- 2 zanahorias
- agua
- ¼ vaso de vino blanco
- ¼ vaso de agua
- ½ kg de patatas
- perejil

*Elaboración:*

Que el pescadero le quite la espina a la pescadilla, sin filetearla y sin quitarle la cabeza. Abre la pescadilla y sálala. Pon encima las hojas de espinacas: escáldalas; y también la zanahoria cortada en tiras finas con el pelador. En medio pon las gambas. Cierra la pescadilla y átala. Ponla en la fuente de horno, échale por encima un chorro de aceite, el vino y el agua y mete en el horno a 180º durante 25 minutos. Por otra parte, y como acompañamiento, pon patatas en rodajas en una fuente del horno con caldo de pescado durante ½ hora. También haz una salsa, machacando unas patatas de las ya asadas con perejil picadito y un chorro de aceite.

La pescadilla se sirve quitándole la cuerda y poniéndole la salsa por encima.

## 829 – PESCADILLAS CON CREMA DE QUESO

*Ingredientes:*

- 4 pescadillas de ración
- ½ vaso de vino blanco seco
- 2 o 3 cebollas
- ½ limón
- sal
- perejil picado
- aceite

para la crema de queso:
- 1 vaso de nata líquida
- ½ vaso de vino blanco
- 2 cuch. de queso rallado
- 1 tomate picado

*Elaboración:*

Pocha la cebolla picada en aceite, sazona y pásala a una cazuela o fuente resistente al horno. Coloca encima las pescadillas limpias y sin cabezas y rocíalas con medio vaso de vino blanco y zumo de limón. Métalo todo en el horno hasta que esté a punto, unos 15 minutos aproximadamente. Pon a reducir los ingredientes de la crema de queso a fuego suave durante un cuarto de hora.

Sirve las pescadillas con la cebolla, y añade el jugo que haya soltado el pescado a la salsa de queso.

Por último, salsea y espolvorea con perejil picado.

## 830 – PESCADITO FRITO

*Ingredientes:*
- 1 kg de de pescado variado (boquerones, sardinas, gallos, pescadilla, calamares, etc.)
- 1 plato de harina
- 1 sobre de levadura
- 5 dientes de ajo
- aceite de oliva
- 1 limón
- perejil
- sal

*Elaboración:*

Limpia el pescado, trocéalo y aderézalo con sal y limón.

Pasa los trozos por harina, a la que habrás añadido un sobre de levadura.

En una sartén, pon a calentar abundante aceite de oliva y añade los ajos enteros. Cuando el aceite esté bien caliente, fríe el pescado en cantidades pequeñas para que el aceite no baje su temperatura, hasta que adquiera un color dorado.

Por último, sírvelo en una fuente encima de una servilleta de papel o blonda espolvoreado con perejil y decorado con limón.

## 831 – PESCADO EN HOJALDRE

*Ingredientes:*
- 1 lubina mediana
- 1 pimiento rojo
- 300 g de hojaldre
- sal
- salsa de pimientos
- 1 huevo

Estira el hojaldre y coloca el pescado salpimentado encima. Adorna con tiras de hojaldre haciendo unas marcas que imiten las escamas del pescado. Con el pincel, baña con yema de huevo el hojaldre para darle color y métalo en el horno a 200º durante 25 minutos. Acompaña con una salsa de pimientos rojos.

## 832 – PIMIENTOS DEL PIQUILLO ROJOS RELLE-NOS DE CHIPIRONES

*Ingredientes:*

- 300 g de chipirones pequeños
- ¼ litro de bechamel
- 8 pimientos del piquillo rojos
- sal
- pimienta negra
- fumet
- la tinta de los chipirones

salsa:
- 3 cebollas
- 2 pimientos verdes
- 3 tomates maduros
- 2 dientes de ajo
- aceite

*Elaboración:*

Limpia los chipirones con cuidado para que no se rompan las tintas y resérvalos.

Para la salsa, pon en una cazuela a sudar toda la verdura cortada en dados o juliana, hasta que coja color. Una vez que esté pochada, pásala por el pasapuré. Añade los chipirones a la salsa junto con el fumet hasta cubrirlos y luego cuécelos durante ¾ de hora más o menos. Separa los chipirones de la salsa y añade la tinta, dejando hervir 15 minutos aproximadamente.

Mientras, haz la bechamel y añádele los chipirones en trocitos pequeños. Pon el punto de sal y pimienta, deja enfriar y rellena. Pon la salsa debajo para que resalte. Esta receta admite una variante con pimientos verdes del piquillo y un relleno de bacalao. En este caso, utiliza ½ litro de fumet de bacalao y una lata de pimientos rojos para confeccionar la salsa.

## 833 – PIMIENTOS RELLENOS DE PESCADILLA

*Ingredientes:*

- 4 filetes de pescadilla limpios
- 8 pimientos del piquillo grandes
- 1 plato de pan rallado
- 1 plato de harina
- ½ sobre de levadura
- huevo batido
- sal
- aceite
- 2 dientes de ajo
- 2 pimientos verdes
- 2 limones

*Elaboración:*

Abre los pimientos a lo ancho. Sala la pescadilla y cúbrela con los pimientos por ambos lados. Después sálalos y empánalos con harina, levadura, huevo y pan rallado. En una sartén con aceite caliente y dos dientes de ajo enteros fríe los pimientos rellenos. Por último, sírvelos acompañados con tiras de pimiento verde frito y decora el plato con limón.

## 834 – PINCHO DE PESCADO CON REFRITO

*Ingredientes:*

- 8 trozos de salmón
- 8 trozos de rape
- 12 trozos de pimiento verde
- sal gorda
- vinagre de vino
- vinagre de sidra
- vinagre de jerez
- aceite

refrito:
- 2 dientes de ajo
- 100 g de tocineta
- 50 g de pasas
- 100 g de colas de langostinos peladas
- aceite
- perejil picado

*Elaboración:*

Monta las brochetas con un trozo de salmón, pimiento, rape, pimiento, rape, pimiento y salmón. Sazona y hazlas a la plancha o en una sartén con un poco de aceite. Cuando estén hechas, rocíalas con un poco de vinagre y haz el refrito con los ajos picados, la tocineta en trozos, las pasas y las colas peladas, con un poco de aceite. Sazona y espolvorea con perejil picado, y cuando esté dorado añade este refrito a las brochetas junto con un chorrito de vinagre.

## 835 – PINTARROJA A LA CASERA

*Ingredientes:*
- 1 kg de pintarroja
- 1 cebolleta
- 1 puerro
- 2 tomates
- 2 dientes de ajo
- 1 hoja de laurel
- unas hebras de azafrán
- sal
- 4 cuch. de pan rallado
- perejil picado
- aceite
- caldo de pescado o agua
- 1 cucharadita de harina

*Elaboración:*

Quita la piel, corta la pintarroja en tajadas y después trocea éstas. Sazona.

Pica la verdura y el ajo, sazona y ponlo a rehogar con un poco de aceite. Una vez pochado, echa el laurel y el azafrán. Agrega la harina, rehoga y añade también las rodajas de pescado. Mójalo con un poco de agua o caldo de pescado y deja que cueza durante 5 minutos. Después, espolvoréalo con una mezcla de pan rallado y perejil picado.

Por último, gratina 3 minutos y sirve.

# 836 – PUDÍN DE PESCADO

*Ingredientes:*

- 1 kg de pescado cocido y desmigado
- ¼ litro de nata líquida
- ¼ litro de salsa de tomate
- 7 huevos
- mantequilla
- sal
- pimienta negra
- pan rallado

salsa rosa:
- mahonesa
- mostaza
- tabasco
- salsa perrins
- ketchup
- zumo de naranja
- brandy

*Elaboración:*

Unta el molde (antiadherente) con mantequilla y pan rallado. Bate los huevos bien como si fueras a hacer un bizcocho, pero que no se monten. Añade la nata y sigue batiendo junto con el tomate. Al final, añade el pescado y la sal y la pimienta. Echa en el molde y mete en baño maría en el horno a 170º durante 1 hora más o menos. Finalmente, acompáñalo con la salsa rosa.

# 837 – PULPO GUISADO

*Ingredientes:*

- 600 g de pulpo
- 1 cebolla
- 2 o 3 dientes de ajo
- perejil picado
- 1 cuch. de pimentón
- 1 cuch. de harina
- 1 vaso de vino blanco
- 3 patatas (fritas en dados)
- 2 pimientos asados en tiras
- aceite
- agua
- sal

*Elaboración:*

Cuece el pulpo de 1 hora y cuarto a 1 hora y media en abundante agua con sal. Una vez cocido, déjalo reposar y pártelo en trozos pequeños. En una cazuela con aceite, pocha la cebolla y el ajo bien picados. Después, añade el pimentón, rehoga; agrega a continuación la harina y sigue rehogando.

Moja con el vino blanco y 2 cazos de agua, agrega el pulpo cocido, las patatas y los pimientos. Espolvorea con perejil picado y guísalo durante 5 minutos aproximadamente.

## 838 – RAGOUT DE PESCADO

*Ingredientes:*

- 250 g de pasta
- 100 g de almejas
- 50 g de gambas peladas
- 100 g de rape
- 100 g de salmón
- aceite
- mantequilla
- sal
- 1 pizca de orégano
- 1 diente de ajo
- agua
- perejil picado

*Elaboración:*

Cuece la pasta en abundante agua con un chorrito de aceite. Refréscala para cortarle la cocción y reserva. Corta el pescado en tiras. Pica el ajo muy fino y dóralo en una sartén con mantequilla. Añade las almejas y las gambas. Cuando las almejas estén abiertas, incorpora el pescado y la sal. Saltea a fuego fuerte y a los 3 minutos echa la pasta, una pizca de orégano y otra de perejil picado. Prueba de sal, deja que la pasta se caliente y sirve.

## 839 – RAPE A LA AMERICANA

*Ingredientes:*

- 800 g de rape limpio
- 1 kg de tomates maduros
- 12 carabineros
- 8 langostinos
- 1 vaso de caldo de pescado
- 2 nueces de mantequilla

- 1 vaso de brandy
- 1 rama de estragón fresco
- 3 cebollas
- 3 o 4 dientes de ajo
- aceite
- sal

*Elaboración:*

Pocha la cebolla, el tomate y el ajo bien picados en una cazuela con aceite. Sazona, espolvorea con el estragón fresco y rehoga.

Trocea 2 carabineros con cabeza y añádeselos a la cazuela con las cabezas de los langostinos. Vuelve a rehogar bien. Añade medio vaso de brandy y flambea. Cuando se apague, agrega el caldo de pescado y déjalo hacer 30 minutos a fuego lento.

Después, tritúralo todo con la batidora y pásalo por el colador o chino. En otra cazuela, con un poco de mantequilla saltea las colas del resto de los carabineros y los langostinos, pelados y sazonados. Parte en trozos el rape, sazona y rehógalo en esta cazuela. Añade el resto del brandy y vuelve a flambear.

Por último, agrega la salsa americana y guísalo todo junto 10 minutos a fuego lento. Sirve el rape y salsea.

## 840 – RAPE ALANGOSTADO

*Ingredientes:*
- 1,5 kg de rape de la parte ancha
- 100 g de pimentón dulce
- papel de aluminio
- agua

salsa vinagreta:
- aceite
- sal
- vinagre
- ajo
- perejil picado
- ½ huevo cocido

salsa rosa:
- mahonesa
- tabasco
- ketchup
- mostaza
- brandy
- zumo de naranja o limón

adorno:
- 8 langostinos pelados y cocidos
- tomate
- huevos cocidos
- salsa mahonesa

*Elaboración:*

___

Sazona el rape limpio y sin espinas. Pásalo por pimentón para que se impregne bien. Envuélvelo en papel aluminio y cuécelo en agua salada durante 10 minutos. Retira y corta en rodajas de ½ cm de grosor.

Para servir, en una fuente pon unas hojas de lechuga cortada en juliana. Alrededor, coloca las rodajas de rape y finalmente los langostinos abiertos por la mitad sobre la lechuga.

---

## 841 – RAPE CON ALMENDRAS

*Ingredientes:*

- 8 trozos de rape
- ¼ litro de fumet de pescado
- 100 g de almendras tostadas
- pimienta
- 1 nuez de mantequilla
- perejil picado
- sal
- 1 vaso de nata líquida

*Elaboración:*

___

Salpimenta los filetes de rape y saltéalos en una sartén con un poco de mantequilla. Agrégales el fumet de pescado y déjalos cocer durante 5 minutos.

Saca los trozos de rape ya cocidos y añade la almendra picada, dejando que el caldo reduzca a ⅓ de su volumen. Entonces, añade la nata líquida. Para servir, baña los trozos de rape, previamente calentados y espolvoreados con perejil, con la salsa. Para decorar puedes ponerle almendras tostadas.

---

## 842 – RAPE EN SALSA

*Ingredientes:*

- 1 kg de rape limpio
- 1 cuch. de harina

- 1 cebolleta
- 2 dientes de ajo
- ½ vaso de vino blanco
- 4 pimientos rojos asados y pelados

- 8 espárragos cocidos
- agua
- aceite
- perejil picado
- sal

*Elaboración:*

Sofríe en una cazuela con aceite el ajo y la cebolleta picados. Añade la harina, rehoga y acto seguido agrega el pescado troceado y sazonado. Moja con el vino y la misma cantidad de agua y espolvorea con perejil picado. Fríe los trozos moviendo la cazuela y dándoles la vuelta de vez en cuando.

Adorna con los espárragos y los pimientos en tiras. Guísalo todo durante 5 minutos y sirve.

## 843 – RAPE RELLENO DE GAMBAS

*Ingredientes:*
- 8 lonchas de rape finas
- 100 g de gambas
- bechamel
- crema de gambas o mariscos
- 2 dientes de ajo
- sal

- harina
- huevo
- pan rallado
- aceite
- pimienta

*Elaboración:*

Haz una bechamel con las gambas troceadas. Aparte, estira de forma que queden bien finas las lonchas de rape y salpiméntalas.

Cuando esté fría la bechamel, rellena un filete de rape y cubre con otro. Después, pásalos con cuidado por harina, huevo y pan rallado y fríelos a fuego no muy fuerte en aceite caliente, donde previamente habrás dorado ligeramente los dientes de ajo.

Para acompañar este plato, haz una crema de mariscos con las cabezas de gambas y verdura, todo ello muy bien pasado.

## 844 – RAYA A LA SIDRA

*Ingredientes:*

- 1 kg de raya en trozos
- ½ vaso de sidra
- 1 cebolla picada
- ½ vaso de aceite de oliva
- perejil picado
- 2 patatas en lonchas
- sal
- agua
- pimienta

*Elaboración:*

En una cazuela pon un chorro de aceite, agrega la cebolla picada y rehoga. A continuación, incorpora las patatas cortadas en lonchas de ½ cm. Transcurrido un cuarto de hora, agrega la raya en trozos, salpimentada, y la sidra. Deja que cueza 3 minutos por cada lado, probando de sal y moviendo de vez en cuando para que no se pegue. Espolvorea con perejil picado y sirve.

## 845 – RAYA CON SALSA DE CEBOLLA

*Ingredientes:*

- 1 kg de raya en limpio
- 4 cebollas
- 1 diente de ajo
- unas hebras de azafrán
- 1 cuch. de pan rallado
- perejil picado
- aceite
- 1 litro de agua
- ½ vasito de vinagre
- sal

*Elaboración:*

Pon la verdura picada y unas hebras de azafrán en una cazuela con aceite y sal a fuego muy suave. Cuando esté todo bien pochado, pasa por el pasapuré y reserva.

Pon el agua con el vinagre y sal a hervir, añade la raya troceada y deja cocer 20 minutos a fuego muy suave.

Escurre la raya y colócala en una placa de horno cubriéndola con el puré de cebolla y espolvoreándola con el pan rallado y el perejil. Mete la placa en el horno caliente a 200º durante 10 minutos. Retira y sirve caliente.

## 846 – RAYA CON SALSA DE FRAMBUESA

*Ingredientes:*

- 1 kg de raya
- 4 huevos cocidos
- agua
- 1 cebolla o 2 cebolletas
- 1 hoja de laurel
- sal

para la vinagreta:
- 1 puñado de frambuesas
- ½ vaso de vinagre de frambuesas
- 1 vaso de aceite de oliva
- sal
- perejil picado

*Elaboración:*

Limpia y cuece la raya troceada en agua hirviendo con sal, cebolla y laurel durante 10 minutos aproximadamente. Escurre la raya y colócala en una fuente. Dispón alrededor los huevos cortados. En un bol mezcla el vinagre, el aceite, las frambuesas, sal y perejil picado, batiendo hasta que ligue.

Por último, aliña la raya con esta vinagreta.

## 847 – RAYA CON SETAS Y GUISANTES

*Ingredientes:*

- ½ kg de raya
- 200 g de setas
- 200 g de guisantes
- 2 cebolletas
- 1 tomate picado
- aceite

- agua
- sal
- 1 cuch. de harina
- 1 vaso de vino blanco o txakolí

Limpia la raya, pártela en trozos grandes y sazona.

Cuece los guisantes en agua con sal y resérvalos.

Pica las cebolletas y el tomate, saltéalos con un poco de aceite y sazona. Añade la harina, rehoga bien y agrega el vino blanco. Deja reducir un par de minutos y echa las setas limpias y troceadas junto con un vaso de agua. Cuando las setas estén listas, añade los trozos de raya y guísalos 5 minutos por cada lado. Por último, agrega los guisantes, dejándolo hacer todo junto durante unos minutos. Pon a punto de sal y sirve.

## 848 – RODABALLO A LA GALLEGA

*Ingredientes:*

- 1 rodaballo de 2 kg en filetes
- 1 cebolla o cebolleta
- 3 zanahorias
- 1 puerro
- 10 granos de pimienta negra
- 3 clavos
- ¼ litro de vino blanco
- ramillete de hierbas aromáticas (laurel, romero)
- sal
- agua

salsa gallega:
- ¼ litro de aceite de oliva
- 6 dientes de ajo
- 1 cebolla
- 1 hoja de laurel
- 1 cuch. de pimentón
- zumo de ½ limón
- sal

*Elaboración:*

Con la verdura, las hierbas aromáticas, las especias, el vino blanco y el agua haz un caldo. Saca las verduras y cuela el caldo.

Salpimenta los filetes de rodaballo e incorpóralos al caldo corto. Deja hacer 5-10 minutos aproximadamente.

Para hacer la salsa, pon en el aceite la cebolla cortada en aros, el ajo en láminas y el laurel. Sazona.

Cuando estén pochados, a fuego lento, retira del fuego. Añade el pimentón, el zumo de limón y un poco de caldo corto (un par de cucharadas).

Rehoga y cuela la salsa.

Sirve el rodaballo y salsea. Puedes acompañarlo con unas puntas de espárragos.

## 849 – RODABALLO AL HORNO

*Ingredientes:*
- 1 rodaballo de 1½ kg aproximadamente
- 2 patatas medianas
- sal
- aceite
- 1 vaso de agua
- perejil picado
- 2 dientes de ajo
- 1 vaso de agua o caldo de pescado

*Elaboración:*

Limpia el rodaballo y sazónalo. Pela las patatas y córtalas en rodajas finas.

Extiende las lonchas de patata en el fondo de la placa del horno, que habrás untado con aceite. Sazónalas y coloca el rodaballo encima. Añade el vaso de agua o caldo y los ajos enteros y aplastados.

Hornea a 170º durante 35 o 40 minutos más o menos.

Sirve el rodaballo en una fuente con las rodajas de patata.

Por último, calienta el jugo de la placa del horno, espolvorea con perejil picado y salsea el rodaballo.

## 850 – RODABALLO MEDITERRÁNEO

*Ingredientes:*
- 4 rodaballos de ración
- 1 cebolla
- ½ vaso de vino blanco
- sal
- 1 pizca de azafrán
- aceite

- ¼ litro de salsa de tomate
- 1 tomate

salsa de alcaparras:
- 50 g de mantequilla
- zumo de 1 limón
- 1 ajo
- 1 cuch. de alcaparras

*Elaboración:*

Cocina el rodaballo sazonado a la plancha con un chorrito de aceite durante 4 o 5 minutos por cada lado y resérvalo.

Pica la cebolla fina en gajos y el tomate. Ponlo a rehogar con aceite y añade luego el azafrán, la salsa de tomate y el vino blanco. Pruébalo de sal y déjalo cocer unos minutos. Coloca esta salsa en los platos, encima el rodaballo, y salsea por último con la salsa de alcaparras hecha de la siguiente forma: derrite la mantequilla, añade el zumo del limón, las alcaparras y el ajo picado. Puedes espolvorear con un poco de perejil.

## 851 – RODAJAS DE MERLUZA AL AZAFRÁN

*Ingredientes:*
- 4 rodajas de merluza
- 2 o 3 cebolletas
- 4 rodajas de pan frito
- 2 dientes de ajo
- 1 pellizco de azafrán
- harina
- aceite
- sal
- caldo de pescado
- perejil picado

*Elaboración:*

Pon a pochar en aceite un diente de ajo y las cebolletas picadas y sazona.

Machaca bien en un mortero un diente de ajo, el pan frito y el azafrán y añade un poco de caldo.

Pasa las rodajas de merluza ya sazonadas por harina y fríelas vuelta y vuelta en el aceite donde previamente has frito el ajo y la cebolleta. Añade después el majado del mortero junto con ½ vaso de caldo de pescado. Prueba de sal, espolvorea con perejil picado y deja que cueza durante 8 minutos aproximadamente a fuego lento hasta que la merluza esté en su punto.

## 852 – ROLLITOS DE GALLO

*Ingredientes:*
- 8 filetes de gallo
- 16 gambas o langostinos pequeños
- 8 pimientos del piquillo
- 2 huevos
- harina
- aceite
- sal
- perejil

salsa:
- 1 bote de pimientos en trozos
- aceite
- agua o caldo (fumet)
- fécula
- sal

*Elaboración:*

Sala los filetes de gallo y rellénalos con los pimientos y las gambas. Pásalos por harina y huevo y fríelos con cuidado de no romperlos. Échalos en la salsa preparada de la siguiente forma: en una cazuela con un poco de aceite haz los pimientos. Una vez rehogados, añade agua o caldo de pescado y sólo cubre. Deja cocer a fuego muy suave durante 10 minutos. Prueba de sal y pásalo por la batidora. Si queda ligero, lígalo con fécula.

Añade el pescado y déjalo cocer a fuego muy suave 5 minutos más. Sirve en los platos y adorna con perejil.

## 853 – SALMÓN A LA JARDINERA

*Ingredientes:*
- 4 lonchas de salmón de 250 g
- 1 cebolla
- aceite
- sal

- 2 zanahorias
- 100 g de guisantes cocidos
- 1 vaso de caldo de pescado
- 1 cuch. de harina
- patatas cocidas y torneadas
- pimienta
- 100 g de habas cocidas

*Elaboración:*

Corta la cebolla y la zanahoria en juliana y ponlas a pochar en aceite y sazona. Añade un poco de harina, rehoga y, después, agrega el salmón, volviendo a rehogar.

Deja que se haga el salmón unos minutos por cada lado. Agrega el caldo, las habas y los guisantes y déjalo hacer durante 5 o 6 minutos.

Sírvelo acompañado de las patatas torneadas que habrás salteado en un poco de aceite.

---

## 854 – SALMÓN A LA PLANCHA CON VERDURAS

*Ingredientes:*
- 800 g de salmón
- 200 g de guisantes
- 2 patatas
- agua
- pimienta
- sal
- perejil picado
- zanahorias y patatas cocidas y torneadas

*Elaboración:*

Sazona con sal y pimienta el salmón, en rodajas o filetes.

En una sartén muy caliente fríelo, sin aceite, por los dos lados.

Cuece los guisantes y las patatas troceadas en agua con sal. Una vez cocidos, pásalos por la batidora y coloca el puré en una fuente. Por último, coloca encima el salmón frito.

Acompaña con las verduras cocidas y torneadas, que habrás salteado en la sartén donde has frito el salmón.

Por último, espolvorea con perejil picado.

## 855 – SALMÓN AL VAPOR

*Ingredientes:*
- 1 cola de salmón
- 1 cebolla
- 1 pimiento verde
- 4 patatas no muy grandes
- ½ vaso de aceite
- ½ vaso de vino blanco
- 18 gambas
- perejil
- sal

*Elaboración:*

Corta la cebolla y el pimiento en juliana. Después, pon la verdura sobre el papel de aluminio como si fuera una cama, y seguidamente cúbrela con la patata cortada en rodajas y sazonada. Acto seguido, coloca la cola de salmón. Adorna el plato con las gambas peladas y espolvoréalo con perejil. A continuación rocíalo con el aceite y el vino blanco.

Cierra muy bien el papel y mete el salmón en el horno durante aproximadamente 12 minutos a 190-200º (por regla general, estará hecho cuando se hinche el papel de aluminio, pero depende del horno y del pescado en cuestión). En caso de que no esté hecho pasado este tiempo, ciérralo y mételo otra vez en el horno.

## 856 – SALMÓN CON CREMA DE PUERROS

*Ingredientes:*
- 4 lonchas de salmón fresco
- sal
- pimienta negra molida
- aceite

crema:
- 2 puerros
- 2 patatas
- agua
- sal
- 3 cuch. de aceite de oliva

*Elaboración:*

Limpia y corta los puerros y ponlos a cocer durante 20 minutos aproximadamente junto con las patatas en una cazuela con agua y sal. Después sácalo y tritúralo, agregando caldo de la cocción hasta que quede una crema; si quieres dejarla más fina, puedes pasarla por el chino. Échale un chorrito de aceite de oliva y mézclalo bien.

Salpimenta el salmón y hazlo a la plancha con un poco de aceite. Cuando esté a punto (no hay que hacerlo demasiado), coloca la crema en el fondo del plato y el salmón encima.

## 857 – SALMÓN CON PATATAS AL HORNO

*Ingredientes:*
- 1 cogote de salmón de 1 kg aproximadamente
- 2 patatas
- 1 tomate
- pimienta
- aceite de oliva
- sal
- agua o caldo de pescado
- perejil picado

*Elaboración:*

Pela y parte las patatas en rodajas y colócalas en una bandeja de horno, untada con aceite. Sazona y moja con un vaso de agua o caldo de pescado. Hornea durante 10 o 15 minutos a 200 grados. A continuación, coloca sobre las patatas el tomate en lonchas y encima el cogote de salmón salpimentado (también puedes utilizar otra parte). Riega con un chorro de aceite de oliva y hornea durante 15 minutos a 200º.

Sirve el cogote y liga un poco la salsa aplastando algunas rodajas de patata y de tomate.

Por último, sirve el resto de las patatas, salsea y espolvorea con perejil picado.

# 858 – SALMÓN CON SALSA DE LIMÓN

*Ingredientes:*

- 4 rodajas de salmón
- 1 puerro
- 1 taza de caldo concentrado de pescado
- aceite
- 1 zanahoria
- 2 limones
- sal
- pimienta

*Elaboración:*

Limpia y pica el puerro y la zanahoria. Rehoga con aceite a fuego suave estas verduras, y cuando estén ya listas, añade el zumo de limón y el caldo de pescado. Deja cocer a fuego lento 15 minutos y después pasa todo por la batidora. Cuela y comprueba que la salsa tiene una buena consistencia; si no, tendrás que engordarla. Reserva la salsa.

Salpimenta el salmón y ponlo a la plancha con dos gotas de aceite. Dóralo por los dos lados y colócalo en una fuente, napa con la salsa y sírvelo adornado con una rodaja de limón.

# 859 – SALMÓN EN ESCABECHE

*Ingredientes:*

- 4 rodajas de salmón
- 1 zanahoria
- 1 puerro
- 2 dientes de ajo
- sal y pimienta
- apio
- 1 hoja de laurel
- 2 clavos
- 2 vasos de aceite de oliva
- unos granitos de pimienta
- 1 vaso de vinagre de vino blanco
- 1 vaso de caldo de pescado

para decorar:
- tiras de zanahoria y cebollino

*Elaboración:*

Corta la zanahoria y el puerro en juliana y mézclalos en una cacerola junto con el apio, un diente de ajo sin pelar, el laurel, los clavos, el aceite, la pimienta, el vinagre y el caldo. Caliéntalo todo hasta que hierva durante 5 minutos y después añade el salmón. Cuando éste comience a hervir, baja el fuego y déjalo otros 5 minutos. Después, retira y déjalo enfriar.

Sírvelo adornando con tiras de zanahoria y cebollino y regado con unas cucharadas de caldo.

## 860 – SALMÓN FRESCO CON REFRITO DE SIDRA

*Ingredientes:*
- 4 lonchas de salmón
- 3 dientes de ajo
- sal
- 2 cuch. de vinagre de sidra
- 3 cuch. de aceite de oliva
- pimienta

*Elaboración:*

Salpimenta las lonchas de salmón y ponlas en una sartén antiadherente con tres gotas de aceite. Cuando el salmón esté doradito por los dos lados, retira a un plato y rocía con vinagre de sidra. En la misma sartén, pon aceite a calentar y dora los ajos fileteados. Rocía con este refrito el salmón y sirve.

## 861 – SALMONETES A LA MANTEQUILLA

*Ingredientes:*
- 4 salmonetes de ración
- 100 g de mantequilla
- ½ vaso de txakolí u otro vino blanco
- aceite
- 3 dientes de ajo
- sal
- perejil picado
- 1 limón en zumo

*Elaboración:*

Limpia los salmonetes, filetéalos y sazona. Fríelos en una sartén con aceite y un diente de ajo, con la piel hacia abajo primero. En otra sartén, aparte, deshaz la mantequilla y fríe en ella dos dientes de ajo fileteados. Añade el txakolí o vino blanco y deja que reduzca unos minutos.

Por último, agrega el zumo de limón y espolvorea con perejil picado.

Sirve los salmonetes y salsea con el refrito de mantequilla.

## 862 – SALMONETES AL AZAFRÁN

*Ingredientes:*
- 4 salmonetes de 200 g
- 2 tomates
- azafrán
- sal
- ¼ litro de agua
- aceite

*Elaboración:*

Filetea los salmonetes quitando bien las espinas. Con las cabezas y las espinas haz un caldo. Para esto sofríe cabezas y espinas en un poco de aceite, cubre de agua y deja hervir, esperando a que reduzca a la mitad.

En otra sartén, pon aceite y sofríe el tomate pelado y cortado en cuadraditos. Añade el azafrán y espera 10 minutos a que se rehogue perfectamente. Después, agrega el caldo de pescado.

Sazona los filetes de salmonete y ponlos en la sartén. Deja que se hagan un par de minutos por cada lado y sirve.

## 863 – SALMONETES AL HORNO

*Ingredientes:*

- 4 salmonetes
- 100 g de jamón serrano
- 2 puerros
- 1 cebolleta
- 1 pimiento verde
- 2 dientes de ajo
- sal
- 1 vaso de vino blanco
- 1 cuch. de pimentón dulce o picante
- laurel
- aceite
- caldo de pescado o agua
- harina

*Elaboración:*

Pica toda la verdura y sofríela unos minutos en un poco de aceite. Añade una hoja de laurel y jamón en tiras y rehoga bien. Cuando empiece a tomar color, agrega el vino blanco y deja cocer un par de minutos aproximadamente a fuego lento. Añade el pimentón y retíralo todo del fuego. En una sartén aparte, fríe los salmonetes salados y pasados por harina. Por último, pon en un recipiente de horno la verdura, encima los salmonetes y rocía con el caldo de pescado o con agua. Déjalo hacer en el horno durante 5 minutos aproximadamente a unos 200º y sírvelo.

## 864 – SALMONETES CON FRITADA DE CEBOLLA

*Ingredientes:*

- 4 salmonetes de ración
- 2 cebollas o 4 cebolletas
- aceite
- sal
- un trozo de guindilla

*Elaboración:*

Limpia los salmonetes, filetéalos y sazona.
En una sartén con aceite pocha la cebolla o cebolleta, bien pi-

cada, con un trozo de guindilla. En otra sartén, fríe los filetes de salmonete durante 3 o 4 minutos por cada lado.

Sirve los salmonetes con su aceite y agrega por encima la fritada de cebolla, bien escurrida.

## 865 – SALMONETES CON TOMATE

*Ingredientes:*
- 6 salmonetes
- 4 tomates pelados y sin pepitas
- 2 cuch. de pan rallado
- 1 vaso de vino blanco
- 1 limón
- 2 dientes de ajo
- 2 cuch. de perejil
- 1 cuch. de albahaca
- sal
- aceite

*Elaboración:*

Pon en una fuente de horno el tomate en dados con sal.

Coloca los salmonetes limpios, secos y sazonados sobre la cama de tomate y rocía con el vino blanco.

Pica el ajo y mézclalo con el pan rallado, el perejil picado y la albahaca. Con esta mezcla espolvorea los salmonetes, echa por encima un chorro de aceite y hornea 10-15 minutos en horno caliente a 180º.

Retira del horno y sirve bañando los salmonetes con su propio jugo.

## 866 – SALMONETES MARINADOS AL HORNO

*Ingredientes:*
- 4 salmonetes de 250 g cada uno
- 1 tomate
- 2 cebolletas
- una pizca de tomillo
- 2 limones
- sal
- aceite

- 1 vaso de vino blanco
- 2 dientes de ajo
- pan rallado
- perejil picado

*Elaboración:*

Limpia los salmonetes de escamas y tripas, sálalos y ponlos a macerar durante ½ hora con el zumo de un limón en el frigorífico.

Pica el tomate, el ajo y la cebolleta y póchalo en un poco de aceite. Cuando se haya pochado, añade el tomillo y el vino blanco, déjalo cocer unos 8 minutos y espolvorea con perejil picado. Coloca los salmonetes en una placa de horno y cúbrelos con la salsa, espolvorea con pan rallado y mételos en el horno a 180º unos 10 o 15 minutos. Pasado este tiempo, sácalos y sírvelos acompañados de la salsa de la placa y adornados con un limón.

---

## 867 – SALMONETES SOBRE CREMA DE GUISANTES

*Ingredientes:*
- 8 salmonetes de 200 g
- triángulos de pan de molde
- aceite
- sal

crema de guisantes:
- ½ kg de guisantes
- agua
- 1 cebolleta
- 1 chorro de aceite
- 1 patata
- sal

*Elaboración:*

Filetea los salmonetes limpios y sazona.

Cuece los guisantes, la cebolleta y la patata en agua con sal con un chorro de aceite. Cuando esté todo cocido, pásalo por el triturador y por el chino y coloca la crema en el fondo del plato.

Pasa los filetes de pescado por la sartén con muy poco aceite a fuego no muy fuerte, y cuando estén hechos colócalos encima de la crema de guisantes con la piel hacia arriba y decóralos con costrones de pan fritos en el mismo aceite de los salmonetes.

## 868 – SALPICÓN DE MEJILLONES

*Ingredientes:*
- 20 mejillones cocidos
- 200 g de rape cocido
- 2 filetes de gallo cocido
- 2 patatas cocidas
- 12 gambas cocidas
- ½ lechuga
- 1 tomate
- sal gorda
- aceite
- vinagre
- 1 huevo cocido
- perejil picado

*Elaboración:*

Limpia la lechuga y córtala en juliana. Colócala en el centro de una fuente, alrededor el tomate en rodajas, y sazona.

En un bol, mezcla la patata pelada y en daditos, las gambas cocidas y peladas, el rape y el gallo cortados en trocitos, y el huevo duro picado. Sálalo con sal gorda y espolvorea con perejil picado. Agrega también el vinagre y el aceite, mezclándolo todo bien.

Coloca la mezcla del bol sobre la fuente. Por último, pon la carne de los mejillones encima.

## 869 – SAN JACOBOS DE ANCHOAS ALBARDADOS

*Ingredientes:*
- 16 anchoas un poco grandes
- 8 pimientos del piquillo
- aceite
- sal

para rebozar:
- 1 sobre de levadura
- 2 huevos
- ½ vaso de leche templada
- 1 vaso de harina
- 4 cuch. de aceite

Prepara la masa de rebozar mezclando el aceite con las yemas de huevo, agrega la leche y la harina y, por último, incorpora la levadura.

Cuando la masa esté bien mezclada, añade las claras a punto de nieve, mezclando con cuidado y sin batir. Deja que la masa repose media hora.

Limpia las anchoas y déjalas abiertas sin la espina central.

Para rellenarlas, coloca ½ pimiento del piquillo entre dos anchoas, sazona y espera media hora. Pasa las anchoas rellenas por la masa de rebozar y fríelas en abundante aceite caliente. Escurre y sirve.

## 870 – SAN JACOBOS DE RAPE

*Ingredientes:*
- 4 carrilleras de rape
- 200 g de txangurro limpio
- 1 cebolla
- 1 diente de ajo
- sal
- aceite
- 2 huevos
- harina
- pan rallado
- salsa de tomate

*Elaboración:*

Limpia las carrilleras, córtalas por la mitad y aplasta cada filete. Sofríe la cebolla con el diente de ajo y añade el txangurro cocido y desmigado. Saltea.

Sazona los filetes de rape y rellénalos con el sofrito anterior, construyendo así el san jacobo. Fríe en otra sartén los san jacobos previamente pasados por harina, huevo y pan rallado.

Acompaña el plato con salsa de tomate.

# 871 – SARDINAS AL HORNO

*Ingredientes:*
- 24 sardinas
- 1 limón
- hinojo
- aceite
- agua
- sal y pimienta

para acompañar:
- patatas cocidas al vapor

*Elaboración:*

Limpia las sardinas, vacía y quita la cabeza.

Colócalas en una fuente con una cama de hinojo, sal y pimienta, el zumo de limón, aceite y un chorrito de agua, y en el horno fuerte durante 10 minutos, mojándolas para que no se sequen. Sirve caliente con lonchas de limón y patatas al vapor salteadas.

# 872 – SARDINAS CON TOMATE

*Ingredientes:*
- 20 sardinas
- 100 g de jamón en taquitos
- 1 cebolleta
- 200 g de salsa de tomate
- 1 diente de ajo
- 1 hoja de albahaca
- aceite
- vinagre de sidra
- sal
- perejil picado

*Elaboración:*

Limpia las sardinas de cabeza y espinas y sazónalas.

Pon a pochar la cebolleta y el ajo troceados junto con el jamón, en una sartén con un poco de aceite. Después, añade las sardinas y un chorro de vinagre de sidra. Fríelas unos minutos por cada lado, sin que queden muy hechas. Añade la salsa de tomate caliente con la albahaca. Deja reposar 3 o 4 minutos y sírvelas. Puedes espolvorearlas con perejil picado.

# 873 – SARDINAS FRITAS

🎣 🎣 🎣 🎣

*Ingredientes:*

- 16 sardinas
- 2 huevos
- pan rallado
- harina
- sal

- 2 cebolletas
- 1 huevo cocido
- 1 pimiento verde
- aceite

*Elaboración:*

Limpia las sardinas y ábrelas por la mitad. Lávalas, y una vez escurridas, sazónalas.

Rebózalas en este orden: primero por harina, luego en huevo batido y por último en pan rallado.

A continuación, fríelas en abundante aceite muy caliente. Una vez fritas todas las sardinas y escurridas, coloca, encima de cada una, una cucharadita de aliño.

Para hacer el aliño, pica muy fino el pimiento verde, el huevo cocido y las cebolletas. Mezcla en un bol con aceite y cubre con él las sardinas una a una.

# 874 – SARDINAS GUISADAS

🎣 🎣 🎣 🎣

*Ingredientes:*

- 1 kilo de sardinas
- 4 tomates
- 2 pimientos verdes
- 1 cebolla

- aceite
- 1 diente de ajo
- perejil
- sal

*Elaboración:*

Limpia las sardinas quitándoles las espinas, tripa y cabeza. Déjalas abiertas en forma de abanico y sazónalas.

Aparte, pica la cebolla, el ajo, los pimientos y el tomate. En una cazuela con un chorro de aceite rehoga toda la verdura picada. Cuando esté bien pochada, retira del fuego.

En una cazuela de horno pon una fina capa de verdura rehogada. Encima, haciendo una vuelta, las sardinas abiertas. Cubre las sardinas con los restos de la verdura pochada. Pon un chorrito de aceite y mete en el horno caliente a 180º durante 10 minutos. Retira, espolvorea con perejil y listo para servir.

---

## 875 – SARDINAS REBOZADAS

*Ingredientes:*

- 24 sardinas
- 200 g de queso de untar
- 12 anchoíllas en aceite
- 3 dientes de ajo
- sal
- puré de guisantes
- harina
- huevo batido
- aceite de oliva

*Elaboración:*

Limpia las sardinas abriéndolas por la mitad y sazona.

Coloca entre dos sardinas un poco de queso y una anchoílla. Una vez rellenas todas las sardinas, rebózalas con harina y huevo batido y fríelas en abundante aceite caliente con 3 dientes de ajo enteros y con piel. Por último, sirve las sardinas en una fuente cubierta con puré de guisantes.

---

## 876 – SARDINAS RELLENAS

*Ingredientes:*

- 16 sardinas
- 200 g de queso roquefort
- 1 chorrito de leche o de nata
- pan rallado
- ajo
- perejil
- aceite
- sal

*Elaboración:*

Quita la espina central de las sardinas, pero dejando la cola. Después, mezclando un poco de leche y queso, haz una pasta con la que llenarás las sardinas envolviéndolas sobre sí mismas.

Luego, colócalas en una cazuela y cúbrelas con provenzal (pan rallado, ajo, perejil y unas gotitas de aceite). Echa un chorrito de aceite por encima y hornéalas durante 4 minutos.

Este plato se puede acompañar con unos gajos de tomate pasados por la provenzal fritos.

## 877 – SARGO ASADO CON PATATAS PANADERA

*Ingredientes:*
- 2 sargos de 200 g cada uno
- 3 patatas
- 1 pimiento verde
- 1 cebolleta
- 4 cuch. de vinagre
- aceite
- sal
- 4 dientes de ajo
- 3 guindillas
- perejil picado

*Elaboración:*

Pide al pescadero que te limpie y abra los sargos por la mitad.

Corta las patatas peladas en rodajas de ½ cm y póchalas en abundante aceite, con el pimiento y la cebolleta cortados en juliana y 2 ajos. En una sartén caliente con un poco de aceite dora por ambos lados los sargos sazonados.

Cuando estén listas las patatas, colócalas en la bandeja del horno y al lado los sargos. Mételo en el horno a 200º durante 15 minutos para que se termine de hacer el pescado, y pasado este tiempo, sácalo. Rocíalo con vinagre.

Sirve en una fuente los sargos y las patatas junto con la verdura. Haz un refrito con los dos ajos, las guindillas y el aceite. Añade un poco de caldo de la bandeja y perejil picado.

Por último, salsea el pescado con el refrito.

# 878 – TERRINA DE SALMÓN CON HABAS

## Ingredientes:

- 400 g de salmón
- 3 huevos
- 1 vaso de nata
- ½ vaso de vino blanco
- 100 g de habas peladas
- salsa mahonesa
- 3 dientes de ajo
- sal
- agua
- unas hojas de lechuga

## Elaboración:

Corta el salmón en filetes finos y macéralo en el vino con un poco de sal durante 2 horas aproximadamente.

Bate los huevos con la nata y sazona.

Escalda las habas y, si su piel es muy gruesa, pélalas.

En un molde recubierto con papel de estraza o untado con mantequilla ve colocando la crema, los trozos de salmón y las habas, y así sucesivamente hasta rellenar el molde. Hornéalo al baño maría durante 20 o 25 minutos a 170º. Deja enfriar la terrina y desmolda.

Bate los ajos pelados y troceados con un chorrito de agua, y ve añadiendo la mahonesa poco a poco, sin dejar de batir con la batidora.

Coloca las hojas de lechuga partidas en juliana sobre un plato o fuente y pon encima el pastel en rodajas.

Sirve con la salsa mahonesa con ajo.

# 879 – TOLLA CON CEBOLLITAS

## Ingredientes:

- 1 kg de tolla de la parte abierta
- 2 docenas de cebollitas tiernas
- 1 pimiento verde
- 1 tomate
- fumet de pescado o agua
- sal

- 1 cebolla
- 1 cuch. de harina
- una pizca de azafrán
- aceite

*Elaboración:*

Pela las cebollitas y cuécelas en agua por espacio de 10 minutos. Escurre.

Pica la cebolla, el pimiento verde y el tomate y saltéalo todo en una sartén con aceite. Una vez salteado, añade la harina y deja rehogar.

Posteriormente, agrega los trozos de tolla y sofríelos por ambos lados. Realizada esta tarea, cubre con caldo y echa las cebollitas y azafrán al gusto. Deja cocer 10 minutos poniendo a punto de sal.

## 880 – TRUCHAS A LA CAZUELA

*Ingredientes:*
- 4 truchas
- 3 dientes de ajo
- 2 patatas
- 1 cebolla
- 1 hoja de laurel
- perejil picado
- unas hebras de azafrán
- 1 vaso de vino blanco
- aceite
- sal

*Elaboración:*

Limpia las truchas y sazona.

Dora los ajos en láminas en una sartén y pásalos después a una cazuela.

Corta las patatas en trozos y fríelas en la misma sartén, echándolas a continuación en la cazuela.

Fríe también en la sartén la cebolla picada, una hoja de laurel y el azafrán, e incorpóralos a la cazuela.

Por último, repite esta operación con la trucha troceada, y cuando estén ya todos los ingredientes en la cazuela, mójalos con el vino blanco y déjalo hacer durante 5 minutos.

Pon a punto de sal, espolvorea con perejil picado y sirve.

# 881 – TRUCHAS A LA NARANJA

*Ingredientes:*

- 4 truchas
- 100 g de almendras fileteadas
- 2 naranjas de zumo
- sal
- 2 dientes de ajo
- 100 g de pan rallado
- aceite
- pimienta

*Elaboración:*

Riega el fondo de la placa de horno con un chorro de aceite. Coloca las truchas, una vez limpias y salpimentadas, sobre la placa. Pica muy finos dos dientes de ajo y espárcelos por encima de las truchas. A continuación, espolvorea con pan rallado y almendra picada. Seguidamente, rocíalas con el zumo de naranja y, por último, riégalas con un chorrito de aceite.

Mete la placa en el horno caliente a 170º de 15 a 20 minutos. Saca y sirve rociando las truchas con su propio jugo, que han soltado en la placa.

Como adorno queda perfecto una naranja cortada en dientes de sierra o de otra bonita forma.

# 882 – TRUCHAS AL HORNO

*Ingredientes:*

- 4 truchas de ración
- limón
- pimienta blanca
- pimientos del piquillo
- aceite
- vinagre
- sal

provenzal:
- pan rallado
- 2 ajos picados
- perejil picado

*Elaboración:*

Salpimenta las truchas bien limpias y secas y colócalas en una placa de horno. Riégalas con un chorrito de aceite y unas gotas de vinagre. Cúbrelas con la mezcla provenzal y mételas en el horno caliente a 180º durante 10 minutos. Mientras tanto, fríe con unas gotas de aceite y a fuego lento unos pimientos del piquillo. Cuando las truchas estén bien asadas, sírvelas en una fuente con los pimientos del piquillo. Si te sientes artista, también puedes decorar con un limón trabajado.

## 883 – TRUCHAS AL JEREZ

*Ingredientes:*
- 4 truchas de ración
- 100 g de tocineta o bacon
- 1 puñado de almendras
- 2 dientes de ajo
- ½ vaso de jerez
- ½ cuch. de pimentón dulce
- harina
- 1 limón
- perejil picado
- aceite de oliva
- sal

*Elaboración:*

Limpia las truchas y sazona. Pásalas por harina y fríelas en una sartén con abundante aceite. Una vez fritas, colócalas en una fuente. Fríe los dientes de ajo picados, las almendras fileteadas y la tocineta troceada. Cuando esté dorado, añade el pimentón, el jerez y el zumo de medio limón. Rehoga durante unos minutos y espolvorea con perejil picado. Vierte esta salsa sobre las truchas y decora con medio limón.

## 884 – TRUCHAS CON CREMA DE BERROS

*Ingredientes:*
- 4 truchas
- ½ vaso de nata líquida

- sal
- 1 manojo de berros
- aceite de oliva

- 1½ vaso de caldo de pescado
- 1 limón

*Elaboración:*

Limpia y lava las truchas, sazona y ponlas en una fuente de horno con un chorrito de aceite de oliva. Añade medio vaso de caldo de pescado, tapa con una hoja de papel de aluminio y ásalas en el horno durante 10 minutos a 200º aproximadamente.

Pon en un cazo el resto del caldo de pescado junto con la nata y añade los berros lavados y escurridos. Deja reducir durante unos 15 minutos removiendo constantemente. Pruébalo de sal.

Saca las truchas del horno, disponlas sobre una fuente con la crema de berros en el fondo y  decora  con un limón pelado y en tacos y la piel cortada en juliana por encima.

## 885 – TRUCHAS ESCABECHADAS

*Ingredientes:*
- 4 truchas
- 4 dientes de ajo
- 1 zanahoria
- 2 hojas de laurel
- orégano

- harina
- 1 vaso de vinagre
- 1 vaso de agua
- aceite
- sal

*Elaboración:*

Limpia bien las truchas y fríelas a fuego no muy fuerte en aceite, previamente sazonadas y pasadas por harina.

En abundante aceite, rehoga los ajos pelados y en láminas, la zanahoria cortada en rodajas, el laurel y el orégano, hasta que tomen color. Deja templar y añade el vinagre y el agua. Reduce esta salsa durante 5 minutos aproximadamente. Luego, echa todo sobre las truchas y deja que maceren hasta el día siguiente.

## 886 – TRUCHAS SEGOVIANAS

*Ingredientes:*

- 4 truchas de 300 g cada una
- harina
- 100 g de jamón en trozos
- 100 g de tocineta veteada
- 100 g de chorizo
- aceite
- sal
- 3 patatas
- 3 dientes de ajo
- perejil picado

*Elaboración:*

Corta las patatas en lonchas y fríelas en aceite. Resérvalas.

Fríe las truchas limpias y sazonadas en aceite, previamente pasadas por harina junto con 3 dientes de ajo. Colócalas en una fuente.

Saltea el tocino, el jamón y el chorizo. Después, añade las patatas fritas y espolvorea con perejil picado. Rehógalo todo junto durante unos minutos y acompaña las truchas con este salteado.

## 887 – TXANGURRO AL HORNO

*Ingredientes:*

- 2 txangurros (centollos) de 800 g
- 2 cebollas
- 1 ajo
- 1 copa de brandy
- ½ vaso de tomate
- mantequilla
- pan rallado
- perejil
- aceite
- sal
- lechuga

*Elaboración:*

Cuece los txangurros en agua hirviendo con sal. Saca la carne del caparazón y las patas.

Saltea la verdura y añade la carne con el tomate y, por último, el brandy. Flambea y rellena los caparazones con esta mezcla. Después, echa encima pan rallado y mantequilla, y pon a gratinar con perejil durante 2 o 3 minutos.

En una fuente coloca unas hojas de lechuga y, sobre ellas, las patas y el txangurro gratinado.

## 888 – VENTRESCA DE BONITO AL ESTRAGÓN

*Ingredientes:*
- 1 ventresca de 250 g
- salsa de tomate
- pimienta
- 1 rama de estragón
- sal

*Elaboración:*

Salpimenta la ventresca y colócala sobre la parrilla (4 minutos por cada lado). Paralelamente, cuece la salsa de tomate junto con las hojas de estragón hasta llegar al punto justo de sabor. Cuando la ventresca esté lista, coloca la salsa en el plato y encima la ventresca.

## 889 – VERDEL Y CHICHARRO CON CERVEZA

*Ingredientes:*
- 2 verdeles de ración
- 2 chicharros de ración
- 1 cebolleta
- pimienta en grano
- 2 dientes de ajo
- sal
- perejil picado
- ½ litro de cerveza
- aceite
- patatas y zanahorias cocidas y torneadas

*Elaboración:*

En una cazuela con aceite, pocha a fuego lento cebolleta en

juliana y dos dientes de ajo en láminas junto con unos granos de pimienta.

Mientras tanto, limpia, filetea el pescado y sazónalo.

Una vez pochada la verdura, añade la cerveza y deja reducir la salsa durante 8 o 10 minutos. Después, agrega los filetes con la piel hacia arriba y déjalos hacer unos 3 minutos por cada lado.

Saltea las verduras cocidas en una sartén con aceite y espolvoréalas con perejil picado.

Por último, sirve el pescado en una fuente, acompañado de las verduras, y salsea.

## 890 – VIEIRAS A LA GALLEGA

*Ingredientes:*
- 16 vieiras
- 2 cebollas
- 2 ajos
- 1 vaso de albariño
- caldo de pescado
- sal
- harina
- pan rallado
- perejil
- pimienta blanca
- aceite

*Elaboración:*

Lava las vieiras. Ponlas al vapor para que se abran. Quita una de las conchas, la que no tiene carne. A la otra le sacas la vulva, que pondrás en el agua unos minutos. La escurres y la fríes en aceite muy caliente. Reserva.

Pocha la cebolla picada y el ajo. Añade un poco de harina, el vino y dos cucharadas de caldo. Deja que se reduzca y rectifica de sal.

Coloca nuevamente la vulva en la concha, cubre con la salsa, espolvorea con pan rallado y ponle unas gotas de aceite.

Mete las vieiras en el horno a gratinar unos minutos hasta que se doren.

# 891 – VIEIRAS CON COSTRA DE HOJALDRE

*Ingredientes:*
- 8 vieiras
- 4 puerros
- 16 gambas
- 8 cuch. de salsa de tomate
- sal fina y gorda
- 100 g de pescado blanco
- 200 g de hojaldre
- huevo batido
- aceite

*Elaboración:*

Corta los puerros en juliana y póchalos con un poco de acei-te. Cuando estén pochados, coloca las conchas hondas de la vieira en una placa de horno (pon montoncitos de sal gorda para que no bailen). Rellena cada concha con el puerro y la vieira en láminas, 2 gambas y unos trocitos de pescado. Sazona, pon una cucharada de salsa de tomate y cúbrelo todo con el hojaldre cor-tado con la forma de la vieira. Úntalo con huevo batido y méte-lo en el horno a 200º durante 10 o 15 minutos. Sirve.

# 892 – VIEIRAS CON QUESO

*Ingredientes:*
- 8 vieiras con concha
- 2 trozos de blanco de puerro
- 1 cebolleta
- pimienta negra
- 2 dientes de ajo
- ½ copita de brandy
- queso rallado
- sal
- aceite
- puré de pimiento choricero
- unas hojas de achicoria

*Elaboración:*

Limpia bien las vieiras, saca la carne y el coral y reserva las conchas.

Pica en juliana muy fina la cebolleta y el blanco de puerro y póchalo junto con un diente de ajo en láminas. Rellena las conchas con esta verdura y pon encima un poco de puré de pimiento choricero.

Salpimenta las vieiras y saltéalas en un poco de aceite con un ajo. Añade el brandy y flambea. Después, colócalas en su concha, sobre el puré, y espolvorea con un poco de queso rallado. Por último, gratina 2 minutos y sírvelas en una fuente adornadas con unas hojas de achicoria.

## 893 – VIEIRAS RELLENAS

*Ingredientes:*
- 8 vieiras
- ½ cuch. de pimentón dulce o picante
- 3 cebolletas
- aceite
- sal
- 1 limón

puré de patatas:
- 2 patatas
- agua
- sal
- chorro de aceite de oliva

*Elaboración:*

Haz un puré de patatas cociendo sus ingredientes y pásalo por el chino para que quede fino.

Limpia las vieiras y resérvalas.

Pocha la cebolleta picada o cortada en juliana. Sazona, y cuando esté pochada añade el pimentón apartándolo del fuego para que no se queme.

Coloca un poco de puré de patatas en el fondo de la concha limpia de la vieira; encima, su carne, y cubre con un poco de cebolleta y pimentón. Hornea las vieiras durante 8 minutos a 180-190º y sirve.

Puedes presentarlas en una fuente con sal gorda en el fondo para que no bailen.

Decora con un limón.

# 894 – VOLOVANES DE MARISCO

*Ingredientes:*
- 8 volovanes
- 4 puerros
- 12 gambas
- 12 mejillones
- ½ copa de brandy
- 3 cuch. de tomate
- aceite
- sal
- perejil picado

*Elaboración:*

Cuece los volovanes en el horno a 180º durante un cuarto de hora. Abre los mejillones, quítales la carne y guarda el caldo. Pica el puerro y rehógalo. Añade las gambas peladas y, después, que se hagan junto con el puerro. Cuando las gambas estén en su punto, echa el brandy y flambea (quema el alcohol). Incorpora el tomate, el caldo de los mejillones, los mejillones y el perejil picado. Deja que reduzca un poco.

Rellena los volovanes y sirve con un poco de salsa de la mezcla.

# 895 – ZARZUELA DE PESCADOS Y MARISCOS

*Ingredientes:*
- 300 g de rape limpio
- 2 salmonetes
- 400 g de pescadilla
- 16 almejas
- 8 colas de langostinos
- 1 calamar
- 4 carabineros
- ½ vaso de vino blanco
- unas hebras de azafrán
- 1 cebolleta
- 2 dientes de ajo
- 3 cuch. de salsa de tomate
- 1 cuch. de harina
- perejil picado
- aceite de oliva
- sal

*Elaboración:*

Limpia los salmonetes y trocéalos. Trocea también la pescadilla, corta el calamar en tiras y parte el rape en lonchas. Sazona.

En una cazuela con aceite, rehoga la cebolleta y los dientes de ajo, todo picado. Añade el calamar y el rape y saltéalos. Echa la harina y rehoga. Acto seguido, añade los salmonetes, las colas de langostinos y los carabineros pelados.

Incorpora también las almejas y la pescadilla. Una vez todo bien rehogado, agrega la salsa de tomate, el vino, el azafrán y el perejil picado.

Déjalo hacer a fuego lento de 8 a 10 minutos, moviendo de vez en cuando (si queda seco, puedes añadir un poco de caldo de pescado o agua). Sirve.

# Postres

---

**896 – ARROZ CON LECHE GRATINADO**

Para 4-6 personas

---

*Ingredientes:*
- 1 litro de leche
- 150 g de arroz
- 200 g de azúcar

- 4 huevos
- canela en rama
- 2 cortezas de limón

*Elaboración:*

---

Pon la leche a hervir (reserva medio vaso) con la canela, las cortezas de limón y la mitad del azúcar. Cuando la leche empiece a hervir, añade el arroz sin dejar de remover y deja que hierva despacio unos 20 o 25 minutos. Pasado este tiempo, saca la rama de canela y el limón y retíralo del fuego. Diluye las yemas en un poco de leche fría e incorpóralas al arroz sin dejar de remover hasta que espese. Monta las claras a punto de nieve y añádeles el resto del azúcar.

Coloca el arroz en una fuente resistente al horno y cúbrelo con las claras.

Por último, gratínalo durante un minuto y sirve.

## 897 – ARROZ DULCE AL AZAFRÁN

*Ingredientes:*

- 2 vasos grandes de zumo de naranja
- ralladura de una naranja
- ½ vaso de arroz
- 4 hebras de azafrán
- 1 puñado de almendras fileteadas y tostadas
- gajos de naranja sin piel
- 3 cuch. de azúcar o miel (al gusto)

*Elaboración:*

Cuece el arroz con el zumo y la ralladura y remueve a fuego suave. Cuando esté casi cocido, unos 15 minutos, añade la miel o el azúcar con el azafrán y deja unos 5 minutos más al fuego hasta que esté a punto.

Reparte en cazuelitas individuales, y cuando esté frío, decora con la almendra tostada y unos gajos de naranja sin piel.

## 898 – BATIDO DE CHOCOLATE

*Ingredientes:*

- ¾ de litro de leche
- ¼ litro de nata
- 4 cuch. de cacao molido
- 300 g de helado de chocolate
- canela
- hojas de menta

*Elaboración:*

Bate la leche con 3 cucharadas de cacao y el helado. Viértelo todo en 4 copas de batido. Cubre con nata montada. Espolvorea con canela y un poco de cacao molido. Por último, y como adorno, pon unas hojas de menta.

## 899 – BATIDO DE MACEDONIA

*Ingredientes:*

- 2 melocotones en almíbar
- 2 plátanos
- 2 kiwis
- 1 cuch. de miel

- 1 taza de frambuesas
- 1 taza de grosellas
- unos cubitos de hielo
- 1 vaso de agua

*Elaboración:*

Pela los plátanos y los kiwis y córtalos junto con los melocotones en trozos. Colócalos en un bol y añade las frambuesas y las grosellas (reserva alguna grosella y rodaja de kiwi para decorar). Tritúralo todo bien con ayuda de una batidora. Añade el agua, la miel y 2 o 3 cubitos de hielo y sigue batiendo.

Colócalo en unas copas o vasos, decorándolo con unas rodajas de kiwi y alguna grosella. Sírvelo acompañado de una pajita.

## 900 – BATIDO DE PERAS

*Ingredientes:*

- 3 peras maduras
- 1 vaso de leche
- 5 bolas de helado de vainilla o de nata

- 4 cuch. de azúcar
- un puñado de pasas
- 1 ramita de canela
- canela en polvo

*Elaboración:*

Pela y quita las pepitas a las peras y pártelas en trozos pequeños. Calienta y hierve la leche con la ramita de canela, las pasas y el azúcar. Deja enfriar la leche, échala en un bol y retira el palo de canela. Después, añade las peras y el helado. Bate todo bien y coloca el batido en unas copas decorándolas con la canela en polvo.

591

# 901 – BATIDO DE PLÁTANO

*Ingredientes:*
- ½ litro de leche
- 4 plátanos
- 2 cuch. de azúcar
- canela
- sal
- hielo picado

*Elaboración:*

Pon en una jarra la leche, el plátano en trozos con dos cucharadas de azúcar, una pizca de sal y el hielo picado. Bate todo y sirve en unas copas espolvoreando canela en polvo y adornando con una rodajita de plátano.

# 902 – BATIDO DE PLÁTANO CHOCOLATEADO
### Para 6-8 personas

*Ingredientes:*
- 300 g de plátanos pelados
- 1 copita de brandy
- 100 g de azúcar
- 100 g de chocolate a la taza
- 4 huevos
- 1 vaso de nata líquida
- zumo de 2 limones
- nata montada
- menta
- un poco de aceite

*Elaboración:*

Macera los plátanos pelados y cortados en rodajas en el zumo de limón. Haz un jarabe calentando el brandy y el azúcar, añade el plátano y el chocolate y deja que éste se deshaga.

Colócalo para batir, añade los huevos uno a uno y el vaso de nata líquida.

Cuájalo en el horno durante 30 minutos a 160-170º, metiéndolo previamente en un molde aceitado. Por último, desmolda y sírvelo adornado con nata montada y menta.

## 903 – BATIDO DE VERANO

*Ingredientes:*

- 4 yogures naturales
- 1 vaso de azúcar
- 2 vasos de agua
- 16 fresas
- unas gotas de limón

para decorar:
- granadina
- unas hojas de menta
- corteza de un limón
- azúcar

*Elaboración:*

Prepara un almíbar calentando, durante 10 minutos aproximadamente, el agua con el azúcar y unas gotas de limón. Déjalo templar.

En una jarra, echa el yogur, el almíbar y las fresas y mézclalo todo con ayuda de una batidora.

Unta el borde de cada vaso o copa con un poco de granadina y después con el azúcar.

Sirve el batido decorado con unas hojas de menta y corteza de limón.

## 904 – BIENMELLEVO

Para 4-6 personas

*Ingredientes:*

- 2 naranjas
- 2 o 3 plátanos
- 200 g de crema pastelera
- 1 plancha de bizcocho

- almendras fileteadas
- 300 g de chocolate hecho
- canela molida

*Elaboración:*

Coloca el bizcocho en un plato y extiende sobre él la crema pastelera.

Pela las naranjas y los plátanos y pártelo todo en rodajas. Coloca estas rodajas sobre la crema pastelera. Por último, extiende encima el chocolate hecho (ya frío) y espolvorea con las almendras y la canela en polvo.

## 905 – BISCUIT DE FRAMBUESAS

*Ingredientes:*
- 250 g de frambuesas
- 4 claras
- 200 g de azúcar glas
- 3 dl de nata
- 3 plátanos

crema:
- 200 g de frambuesas
- 2 dl de nata
- ½ copa de licor de naranja
- azúcar al gusto

*Elaboración:*

Bate las claras a punto de nieve y añade el azúcar glas. Luego, agrega las frambuesas trituradas y pasadas por el chino o colador. Echa la nata montada, mezcla bien y pasa a un molde. Después, mét-elo en el congelador unas 4 horas.

Para hacer la crema, tritura las frambuesas con el azúcar y el licor de naranja y añade la nata.

Para servir, acompaña el biscuit con la crema y adórnalo con los plátanos cortados en rodajas.

## 906 – BIZCOCHO 1-2-3

Para 6-7 personas

*Ingredientes:*
- 1 yogur de limón
- 1 bote de yogur de aceite
- 2 botes de yogur de azúcar
- 3 botes de yogur de harina
- 3 huevos
- 1 sobre de levadura

- 3 manzanas
- mantequilla
- harina
- azúcar glas
- guindas verdes

*Elaboración:*

En un bol bate los 3 huevos con el azúcar. Añade la harina con la levadura y mézclalo todo con ayuda de la batidora. Agrega, también, el yogur y el aceite batiéndolo todo muy bien.

Vierte la mezcla en un molde untado con mantequilla y harina e introduce después las manzanas peladas y troceadas. Mete el molde en el horno a 170º durante 30 o 35 minutos. Una vez hecho, desmóldalo y decóralo con las guindas y azúcar glas.

---

## 907 – BIZCOCHO CON DULCE DE LECHE

*Ingredientes:*

- 150 g de piñones
- 1 bote de leche condensada azucarada
- 50 g de mantequilla
- 30 g de azúcar glas
- 200 g de virutas de chocolate

ingredientes bizcocho:
- 100 g de harina
- 1 cuch. de levadura
- 100 g de azúcar
- 4 huevos

*Elaboración:*

---

Haz un bizcocho normal, con la harina, los huevos, la levadura y el azúcar, y cuécelo en el horno a 170º durante 25 minutos.

En una cazuela con agua fría pon la lata de leche condensada y deja hervir despacio durante 3 horas (si es olla a presión, durante 1 hora). Deja enfriar en la misma agua y retira.

Corta el bizcocho en dos discos, extiende una capa de dulce de leche y cubre la olla con la otra mitad del bizcocho, reconstruyéndolo. Unta los costados con dulce de leche y cubre con los piñones tostados. Espolvorea con azúcar glas y las virutas de chocolate.

# 908 – BIZCOCHO DE ALMENDRA

*Ingredientes:*

- 6 huevos
- 200 g de azúcar
- 250 g de almendra molida
- ralladura de 1 limón
- 1 taza de natillas mezcladas con café
- ½ cuch. de canela
- mantequilla
- almendra fileteada tostada
- azúcar glas

*Elaboración:*

Separa las claras de las yemas. Mezcla las yemas con la mitad del azúcar, la almendra molida, la canela y la ralladura de limón. Aparte, monta las claras mezcladas con el resto del azúcar. Mezcla las dos cremas con ayuda de la batidora a velocidad lenta.

Unta un molde con mantequilla, vierte la mezcla y mete en el horno a 160º unos 20 minutos. Desmolda y deja enfriar.

Para servir, en el fondo del plato pon una crema hecha con unas natillas mezcladas con café. Encima pon el bizcocho, y espolvoréalo con azúcar glas y almendra fileteada.

# 909 – BIZCOCHO DE CAFÉ CON SALSA DE NARANJA
### Para 6-8 personas

*Ingredientes:*

- 250 g de harina
- 250 g de azúcar glas
- 125 g de mantequilla
- 5 huevos
- 1 cuch. de café soluble
- 1 sobre de levadura
- 2 cuch. de azúcar de colores
- unos granos de café
- 1 hoja de menta

salsa:
- 4 naranjas
- 200 g de azúcar
- 1 cuch. de harina de maíz refinada

*Elaboración:*

Bate la mantequilla (que deberá estar blandita) con el azúcar glas. Añade los 5 huevos uno a uno y mezclando. Después, agrega el café soluble y la harina previamente mezclada con la levadura. Ponlo en un molde untado con mantequilla y enharinado. Mét-elo en el horno a 180º durante 30 minutos, y pasado este tiempo desmóldalo.

Para hacer la salsa de naranja, pon a calentar el zumo de las naranjas con el azúcar y la harina de maíz, y llévalo hasta la ebullición.

Por último, decora el bizcocho con unos granos de café tostado, la hoja de menta y el azúcar de colores.

## 910 – BIZCOCHO DE FRUTOS SECOS Y CAFÉ

*Ingredientes:*

- 150 g de harina
- 125 g de mantequilla
- 75 g de nueces
- 75 g de dátiles
- 125 g de azúcar
- 4 huevos
- 1 sobre de levadura
- 1 sobre de café soluble
- nata montada

*Elaboración:*

Lo primero es que trabajes la mantequilla derretida con el azúcar hasta punto de pomada. Entonces añade el café, los huevos y la levadura con la harina. Mezcla todo bien batiéndolo con garbo. Incorpora las nueces y los dátiles en trozos.

En un molde forrado deposita toda la mezcla y mét-elo en horno caliente a 200º. A esta temperatura, mantenlo 10 minutos. Después, baja la temperatura a 150º y lo mantienes por espacio de media hora más.

Una vez cocido el bizcocho, retíralo del horno y desmolda sobre una fuente. Deja que se enfríe y sírvelo adornándolo con nata montada por encima.

# 911 – BIZCOCHO DE PERA CON ALMENDRAS

*Ingredientes:*

- 1 kg de peras
- 4 huevos
- 100 g de azúcar
- 100 g de harina
- 1 cuch. de levadura

- ralladura de limón
- 1 yogur natural
- 200 g de chocolate hecho
- 1 chorro de aceite

*Elaboración:*

En un bol bate los huevos con el azúcar. Añade la ralladura de limón y las peras troceadas. También pon el yogur, la harina y la levadura. Mezcla todo bien y con cuidado. En un molde de bizcocho pon un chorro de aceite y úntalo todo bien; después, enharínalo. Concluida esta tarea, llena el molde con la mezcla anterior. Mete en horno caliente a 160º durante 30 minutos. Pasado este tiempo saca del horno, desmolda y baña con chocolate hecho. Se puede adornar con las boinas de las peras.

# 912 – BIZCOCHO DE YOGUR

*Ingredientes:*

- 1 yogur natural
- 3 medidas de yogur de harina
- 2 medidas de yogur de azúcar
- 1 cuch. de aceite

- 1 sobre de levadura
- 3 huevos
- ralladura de limón
- nata montada
- guindas

*Elaboración:*

Monta 3 huevos. Con cuidado, agrega el azúcar y mezcla. Después, el yogur, poco a poco, y mezcla bien. A continuación, echa la harina, la ralladura de limón y una cucharada de aceite. Mezcla todo con fundamento. Por último, agrega la levadura en polvo.

Unta un molde con mantequilla y vierte en él la mezcla para el bizcocho. Mete en el horno caliente a 160º, durante 1 hora aproximadamente. Saca y deja enfriar.

Desmolda en frío y adorna el bizcocho con nata montada y unas guindas.

## 913 – BIZCOCHO DE YOGUR Y CHOCOLATE
### Para 6-8 personas

*Ingredientes:*
- 3 huevos
- 1 yogur natural
- la misma medida de azúcar
- la misma medida de harina
- ½ medida de aceite
- ralladura de limón
- 1 sobre de levadura
- 50 g de cacao en polvo
- mantequilla
- azúcar glas

*Elaboración:*

En un bol bate, con la ayuda de una varilla, los huevos, el yogur, el azúcar, el cacao, el aceite y la ralladura de limón. Después agrega la harina con la levadura, mézclalo todo bien y vierte la masa en un molde untado con mantequilla. Métdelo en horno medio (160-170º) de 25 a 30 minutos. Pasado este tiempo, saca el molde del horno, deja que enfríe y desmolda el bizcocho. Espolvorea con azúcar glas y sirve.

Puedes acompañarlo con chocolate hecho.

## 914 – BOMBA HELADA

*Ingredientes:*
- 1 litro de nata
- 100 g de azúcar en polvo
- 1 bizcocho de 500 g
- 100 g de avellanas molidas

- piñones
- 150 g de chocolate fondant rallado

para decorar:
- cacao y azúcar en polvo

*Elaboración:*

El primer paso es montar la nata. Cuando la tengas a punto, incorpórale con cuidado el azúcar, los piñones, las avellanas y el chocolate.

Forra un molde en forma de cúpula con una capa de bizcocho (se puede emborrachar a gusto). Vierte dentro la crema de la nata montada. Cubre con otra capa de bizcocho. Mételo una hora en el congelador. Pasado este tiempo, sácalo y dale la vuelta al molde sobre una fuente de servicio, con el fin de sacar la bomba. Adorna cubriendo la mitad con azúcar y la otra mitad con cacao.

## 915 – BRAZO DE GITANO

Para 6-8 personas

*Ingredientes:*

para el bizcocho:
- 4 huevos
- 100 g de azúcar
- 100 g de harina
- 1 sobre de levadura

- azúcar glas

para el relleno:
- 200 g de crema pastelera

*Elaboración:*

Bate las yemas con la mitad del azúcar hasta que estén espumosas. Monta las claras a punto de nieve, y cuando estén casi montadas, añade el resto del azúcar y agrégaselo a las yemas. Bate bien la mezcla.

Añade después la harina con la levadura mezclando con una espátula.

Coloca un papel de cebolla en una placa de horno y extiende sobre él la masa. Hornea a temperatura media (160-170º) hasta que el bizcocho esté hecho. Tardará unos 10 o 12 minutos.

Después, colócalo sobre la mesa de trabajo y ya frío cúbrelo con la crema pastelera. Enróllalo poco a poco y con cuidado para que no se rompa. Espolvorea con azúcar glas y sirve.

## 916 – BROCHETA DE FRUTAS

*Ingredientes:*

- 1 plátano
- ¼ de piña
- 1 kiwi
- 1 manzana
- ½ mango
- 8 fresas
- 1 ciruela
- 1 copa de brandy
- 200 g de azúcar

*Elaboración:*

Trocea la fruta y ponla a macerar con el azúcar y el brandy por espacio de 30 minutos. Ensarta la fruta y colócala en la barbacoa (4 minutos por cada lado), espolvoreándola con azúcar hasta que ésta empiece a caramelizarse. Acompaña las brochetas con el brandy azucarado reducido.

## 917 – BUÑUELOS DE MANZANA

*Ingredientes:*

- 4 manzanas
- 2 copas de anís y azúcar para macerar
- aceite
- azúcar glas o normal
- natillas
- canela en polvo

para la pasta:
- 50 g de azúcar
- 2 huevos
- 150 cc de leche
- una pizca de sal
- 1 sobre de levadura en polvo
- 150 g de harina

601

*Elaboración:*

Pela y corta las manzanas en trozos no muy grandes sin corazón y ponlas a macerar con el anís y el azúcar. Para preparar la pasta: mezcla bien la harina, el azúcar y el sobre de levadura. Añade después la leche hasta obtener una pasta sin grumos. Agrega una pizca de sal y los huevos. Bátelo todo muy bien. Después, pasa los trozos de manzana por la pasta y fríelos en abundante aceite caliente hasta que se doren. Por último, escúrrelos de aceite y sírvelos. Acompaña el postre con unas natillas en el fondo de la fuente y espolvorea con azúcar glas o normal y una pizca de canela.

---

## 918 – BUÑUELOS DE PLÁTANO

### Para 4-6 personas

*Ingredientes:*
- 4 o 5 plátanos
- 1 copa de brandy
- azúcar glas
- aceite

masa de buñuelos:
- 125 g de harina
- 1 yema de huevo
- 1 clara a punto de nieve
- 1 cuch. de brandy
- 2 dl de leche tibia
- 1 cuch. de aceite de 0,4º

*Elaboración:*

Macera los plátanos pelados y troceados en el brandy. Mientras tanto, prepara la masa de los buñuelos mezclando bien todos sus ingredientes y añadiendo la clara montada al final. Pasa los trozos de plátano por la masa y fríelos en abundante aceite caliente hasta que estén bien dorados.

Por último, sirve los buñuelos escurridos y espolvoreados con azúcar glas.

# 919 – CARAMELO DE MIEL CON QUESO FRESCO

*Ingredientes:*
- 150 g de queso fresco
- 120 g de frambuesas
- 2 plátanos

caramelo:
- 150 g de azúcar
- 100 g de miel
- 100 ml de agua
- unas gotas de limón

*Elaboración:*

Haz un caramelo claro con sus ingredientes: en un recipiente pon el azúcar, la miel y el agua con unas gotas de limón. Caliéntalo hasta que caramelice. Aparta del fuego y déjalo reposar para que baje la espuma.

Pon el caramelo entre dos papeles de horno, y con un rodillo estíralo lo más fino que puedas. Déjalo enfriar hasta que se endurezca. Después, retira el papel.

Mientras tanto, pela los plátanos y haz lonchas.

Monta el plato alternando capas de plátano y frambuesas con el queso en láminas y trozos de caramelo.


# 920 – CÍTRICOS A LA MENTA

*Ingredientes:*
- 2 naranjas
- 1 pomelo
- 1 limón
- 1 cuch. de azúcar

- menta fresca
- ½ copa de licor
- 1 kiwi

*Elaboración:*

Pela la fruta y trocéala. La naranja, el limón y el pomelo en gajos, y el kiwi en rodajas.

Coloca los gajos de naranja en forma de círculo en un plato. Intercala gajos de pomelo entre los de naranja. En el centro del círculo pon el limón y cúbrelo con el kiwi en rodajas. Espolvorea azúcar por encima.

Con una naranja haz zumo y mézclalo con un poco de licor. Con esta mezcla rocía toda la fruta y adórnala con unas hojitas de menta fresca.

## 921 – COMPOTA

*Ingredientes:*

- 8 manzanas
- 8 higos
- 4 orejones de melocotón
- 4 orejones de albaricoque
- un puñado de pasas de corinto
- 4 ciruelas pasas
- ½ litro de vino tinto
- ¼ litro de agua
- 4 cuch. de azúcar
- 1 rama de canela

*Elaboración:*

En una cazuela pon ¼ litro de vino y un vaso grande de agua, y llévalo al fuego. Cuando esté a punto de hervir, incorpora toda la fruta bien limpia, pelada y troceada. También pon el azúcar y la rama de canela. A las manzanas, además de pelarlas, les habrás quitado el corazón y las habrás partido en trozos. Deja la cazuela al fuego para que hierva durante ½ hora. Transcurrido este tiempo, agrega el resto del vino y de agua y deja otros 5 minutos al fuego. Después, pásalo todo a una fuente y sirve.

## 922 – COPA DE ESPUMA DE REQUESÓN

*Ingredientes:*

- 2 yogures naturales
- 3 claras montadas con azúcar

- ½ kg de requesón
  fresco
- 4 cuch. de miel

- ralladura de limón
- canela en polvo

*Elaboración:*

Para la realización de este postre frío, comienza mezclando bien los yogures con el requesón y la miel. Cuando tengas a punto la mezcla, agrega un poco de canela en polvo y bate bien.

Aparte, monta 3 claras de huevo con azúcar a punto de nieve. Terminada esta operación, mezcla con cuidado las claras montadas y la mezcla de yogures con requesón.

Reparte la mezcla en copas de postre y adorna con ralladura de limón y una pizca de canela en polvo. Mete en el frigorífico y listo para servir.

## 923 – COPA DE LA CASA

Para 4-6 personas

*Ingredientes:*
- ½ brazo de gitano relleno de crema
- 4-6 bolas de helado
- 2 puñados de almendras garrapiñadas

- un puñado de fresas (silvestres)
- 16-24 cerezas
- 300 g de chocolate hecho

*Elaboración:*

Corta el brazo de gitano en rodajas y repártelas en el fondo de los platos o copas. Coloca en el centro las bolas de helado y vierte por encima el chocolate.

Espolvorea con trocitos de almendras garrapiñadas y, por último, decora este postre con las cerezas y las fresas.

## 924 – COPA DE MELOCOTÓN

### Ingredientes:

- 1 bote de melocotón en almíbar
- 250 g de nata montada
- 4 bolas de helado de fresa
- 1 hoja de menta
- 1 puñado de almendras garrapiñadas
- canela en polvo
- guindas
- 4 cuch. de azúcar

### Elaboración:

Llena las copas con la bola de helado respectiva. Encima pon unas cucharadas de nata montada y azucarada. A continuación, corta el melocotón en gajos y coloca éstos montados sobre el borde de la copa.

Adorna con la almendra tostada fileteada, un poco de canela en polvo y una hoja de menta.

## 925 – COPAS DE GALLETA Y MELOCOTÓN

### Ingredientes:

- 12 galletas tostadas
- 400 g de melocotón en almíbar
- 12 fresas
- canela molida
- 250 g de nata líquida
- 2 cuch. de leche condensada
- 3 cuch. de azúcar
- 4 hojas de menta

### Elaboración:

Desmenuza las galletas metiéndolas en una bolsa y aplastándolas con un rodillo.

Corta los melocotones en trocitos, pica las fresas y monta la nata con el azúcar.

Coloca en unas copas el melocotón en el fondo, unos trocitos de fresa, unas galletas molidas y moja con un chorro del caldo de almíbar y un poquito de leche condensada. Repite la operación hasta llenar la copa (melocotón, fresas y galletas) decorando por encima con la nata montada.

Termina espolvoreando las copas con canela en polvo y adornando con unas hojas de menta.

---

## 926 – CORONA DE FRESAS

Para 6-8 personas

---

*Ingredientes:*

bizcocho:
- 3 huevos
- 100 g de azúcar
- ½ cucharadita de esencia de vainilla
- ralladura de ½ limón
- 75 g de harina
- 1 cuch. de agua
- ½ sobre de levadura
- virutas de chocolate negro
- virutas de chocolate blanco

relleno:
- ½ litro de nata montada con azúcar
- ½ kg de fresas (cortadas en 4; deja alguna entera)

además:
- mantequilla para untar el molde

*Elaboración:*

Calienta el horno a 180º. Engrasa ligeramente los lados y el fondo de un molde de 20 cm. Forra el fondo y los lados con papel untado en aceite.

Pon las yemas de huevo y el azúcar en un cuenco, añade una cucharada de agua y bátelo todo bien hasta que la mezcla esté espesa y casi blanca. Después, añade la esencia de vainilla y la ralladura de limón.

Tamiza la harina con la levadura e incorpórala al cuenco de las yemas.

Bate las claras a punto de nieve y añádelas a la mezcla de huevos, azúcar y harina. Bátelo todo junto y vierte esta mezcla en el molde. A continuación, métalo en el horno durante 20 o 25 minutos. Deja enfriar unos minutos antes de sacar.

Con un cuchillo corta por la mitad y a lo largo el bizcocho y rellénalo con la nata y las fresas. Por último, adórnalo con unas fresas y las virutas de chocolate.

## 927 – CORONA DE LIMÓN CON PURÉ DE PLÁTANO

Para 6-8 personas

*Ingredientes:*

- 3 huevos
- 2 limones
- 300 cc de leche
- 175 g de azúcar
- 1 cuch. de harina de maíz refinada
- ½ litro de nata montada
- 20 g de gelatina
- 2 cuch. de ron

- guindas rojas y verdes
- piñones tostados

puré de plátanos:
- 2 o 3 plátanos
- 1 vaso de leche
- 1 ramita de canela

*Elaboración:*

Pon en remojo la gelatina. Ralla la corteza de un limón y resérvala. Exprime ambos limones.

Calienta la leche y resérvala.

En un bol, bate los huevos con el azúcar, incorpora la harina y poco a poco la leche templada. Añade también el ron, la gelatina remojada, la ralladura y el zumo de los limones. Pon esta mezcla a fuego suave en una cazuela y lígala, pero sin dejar que hierva. Déjalo enfriar. Mezcla la crema fría con la nata montada y vierte todo en el molde. Refrigéralo durante 6 u 8 horas hasta que cuaje.

Para preparar el puré de plátanos, cuece los plátanos con la leche y la canela y tritúralo.

Por último, desmolda la corona, acompáñala con puré de plátanos en el centro y decora con las guindas y los piñones tostados.

## 928 – CREMA A LA CATALANA

*Ingredientes:*

- 1 litro de leche
- 6 yemas de huevo
- 150 g de azúcar
- 4 cuch. de harina de maíz refinada
- 1 palo de canela
- 1 corteza de limón
- aceite para untar

para el caramelo:
- azúcar
- agua
- unas gotas de zumo de limón

*Elaboración:*

Hierve la leche, reservando un poco, con la canela y la corteza de limón. En un bol, pon las yemas, un poco de leche fría y bate. A continuación, agrega el azúcar y la harina de maíz refinada, mezclándolo todo bien. Echa sobre la leche (sin canela y sin limón) la mezcla de las yemas y retira del fuego. Remueve sin parar hasta que espese. Después, sírvelo en cuencos individuales o platos y deja que enfríe.

Prepara un caramelo espeso, calentando el agua con el azúcar y unas gotas de zumo de limón. Unta con aceite una hoja de papel antiadherente, echa sobre ella 2 o 3 cucharadas de caramelo, dobla la hoja por la mitad y estíralo con ayuda de un rodillo. Déjalo enfriar y despega el caramelo. Por último, coloca encima de la crema trocitos de caramelo y sirve.

## 929 – CREMA CATALANA CON FRAMBUESAS

*Ingredientes:*

- 1 litro de leche
- 8 yemas de huevo
- 250 g de azúcar
- 1 cáscara de naranja
- 1 palo de canela
- 50 g de harina de maíz refinada
- frambuesas

*Elaboración:*

---

Mezcla las yemas de huevo, el azúcar y la harina de maíz refinada en un recipiente. A continuación, agrega la mezcla a otro recipiente donde previamente habrás puesto a hervir la leche con un palo de canela y la cáscara de naranja.

Deja cocer durante 4 minutos removiendo continuamente. Por último, sirve la crema fría y adornada con frambuesas.

---

## 930 – CREMA DE AGUACATE

*Ingredientes:*
- 4 aguacates
- 100 g de nata líquida
- 2 cucharadas de azúcar
- canela en polvo
- 1 limón
- 100 g de nata montada
- 12 fresas

*Elaboración:*

---

Pela los aguacates, córtalos en trozos y añade el azúcar, la canela, el zumo de limón y la nata líquida. Haz un puré y colócalo en 4 copas decorándolo con la nata montada y las fresas.

Espolvorea con canela y sirve.

---

## 931 – CREPES DE NARANJA Y CREPES DE PASAS

*Ingredientes:*
- 130 g de harina
- 50 g de azúcar
- 5 g de sal fina
- 3 huevos
- 40 g de mantequilla
- 350 g de leche
- 6 cuch. de Grand Marnier

relleno de naranja:
- 2 naranjas
- 1 cucharadita de azúcar
- 20 g de mantequilla
- 1 copa de brandy

relleno de pasas:
- 50 g de mantequilla
- 100 g de pasas
- ½ vaso de brandy
- 100 g de azúcar
- zumo de naranja

*Elaboración:*

Crepes (pasta):
Bate los huevos con el azúcar, la sal y la leche. Luego, añade a la mezcla poco a poco la harina y bate con cuidado de que
no se formen grumos.

Unta con un poco de mantequilla una sartén de unos 18 cm
de diámetro. Vierte pasta suficiente para cubrir el fondo. Mueve el crepe para que no se pegue. Cuando esté dorado de un
lado, dale la vuelta para que se dore del otro.

Crepe de naranja:
Pela las naranjas y córtalas en lonchas. Con ello rellena el
crepe. En una sartén con mantequilla flambea el brandy y
posteriormente incorpora el crepe.

Crepe de pasas:
Ten las pasas un par de horas en remojo con el brandy; sácalas y con ellas rellena el crepe. Sobre las pasas pon azúcar y
mantequilla y cierra el crepe. Seguidamente ponlo en una sartén con zumo de naranja. Unos cinco minutos.

## 932 – CUAJADO DE NUEZ

*Ingredientes:*
- 250 g de nuez molida
- 6 huevos
- 250 g de azúcar
- harina
- aceite
- ½ vaso de chocolate en polvo
- azúcar glas
- miel
- 1 nuez entera

611

*Elaboración:*

Mezcla la nuez, el azúcar y el chocolate en un recipiente. A continuación, ve incorporando los huevos enteros uno a uno y mezcla todo muy bien. Unta un molde con aceite y espolvorea con harina para que no se pegue. Echa la mezcla y mete en el horno caliente a 170º durante 40 minutos. Para saber si está hecho, pincha con una aguja, y si ésta sale seca, está listo.

Deja enfriar y desmolda.

Para servir, pon miel en el fondo del plato, espolvorea con azúcar glas y adorna con nuez.

## 933 – CUP DE FRUTAS

*Ingredientes:*

- ¾ de litro de vino de sauternes dulce u otro vino afrutado
- 2 plátanos
- 100 g de grosellas y frambuesas
- 1 melocotón en almíbar
- 10 guindas en dulce de azúcar (verdes y rojas)
- azúcar
- hielo picado

*Elaboración:*

Pela el plátano y córtalo en rodajas finas, y parte las guindas en cuartos y el melocotón en trozos pequeños.

En un bol echa el vino y el azúcar al gusto de forma que la mezcla quede bien dulce. A continuación, añade las frutas y guárdalo en el frigorífico durante 2 o 3 horas.

Al servir en las copas añade un poco de hielo picado.

## 934 – CUP DE VINO

*Ingredientes:*

- 1 sandía pequeña
- cubitos de hielo

- 2 botellas de vino tinto
- ½ zumo de limón
- guindas con brandy

- 1 melón
- rodajas de limón
- 4 cuch. de azúcar

*Elaboración:*

Saca las bolas del melón y de la sandía.

Pon el vino en una ponchera con los hielos, el zumo de limón, el azúcar, las rodajas de limón y, por último, las bolitas de fruta.

## 935– EMPANADILLAS DE FRUTAS

*Ingredientes:*
- 200 g de hojaldre
- 4-6 manzanas
- 20 frambuesas
- 100 g de crema pastelera
- canela en polvo
- 1 ramita de canela
- huevo batido

- agua
- aceite
- azúcar

para acompañar:
- crema de frambuesas
- natillas

*Elaboración:*

Estira el hojaldre y corta círculos del tamaño de la palma de la mano.

Cuece las manzanas peladas y cortadas en cuartos con un poco de agua, azúcar y canela en rama como para hacer compota.

Coloca en cada trozo de hojaldre una cuchara de crema pastelera junto con un trozo de manzana y 2 o 3 frambuesas. Cierra y sella con un tenedor los bordes del hojaldre, que habrás untado con huevo batido.

En una sartén con abundante aceite caliente fríe las empanadillas vuelta y vuelta.

Por último, espolvorea con azúcar y canela en polvo y sírvelas acompañadas de las cremas.

# 936 – ENSALADA DE FRUTAS CON MIEL

*Ingredientes:*
- 1 piña
- ½ limón
- 1 pomelo
- 1 manzana
- 4 cuch. de miel
- unas grosellas
- unas hojas de menta

*Elaboración:*

Corta los extremos de la piña, pártela a lo largo y vacíala sin romperla. Reserva la pulpa después de haber retirado la parte leñosa. Pela y corta en trocitos el pomelo y la manzana. Colócalos en un bol y añade la pulpa de piña troceada y las grosellas. Añade el zumo de medio limón, mézclalo todo bien y rellena con esta ensalada las medias piñas. Adereza con la miel y sirve adornado con unas hojas de menta.

# 937 – ESPUMA DE PLÁTANO

*Ingredientes:*
- 2 o 3 plátanos
- el zumo de una naranja
- 2 claras de huevo
- 3 cuch. de azúcar
- canela en polvo
- una ramita de menta

*Elaboración:*

Pon en un bol los plátanos pelados y troceados junto con el zumo de naranja. Con una batidora haz un puré.

Aparte, monta las claras a punto de nieve, añade el azúcar, y agrégaselo al puré de plátano. Mézclalo todo bien. Coloca la espuma en copas individuales y refrigéralo. Sirve muy frío, espolvoreado con canela y adornado con una ramita de menta.

Puedes acompañarlo con salsa de chocolate.

## 938 – EUSKALGOXO

*Ingredientes:*

- 1 litro de leche de oveja
- un poco de cuajo
- 3 manzanas reinetas
- 1 cuch. de mantequilla
- 2 copas de vino blanco seco
- 2 cuch. de azúcar
- 150 g de nata montada
- una ramita de canela
- láminas de manzana para decorar

*Elaboración:*

En un molde de boca ancha prepara una cuajada con la leche hervida y templada y el cuajo y resérvala.

Pela, quita el corazón de las manzanas y trocea, colocándolas en una cazuela con el vino blanco, el azúcar, la canela y la mantequilla. Haz una compota a fuego bajo y con la cazuela bien tapada. Una vez hecha, deja que enfríe.

Echa la cuajada en una fuente y coloca alrededor la compota de manzana.

Decora con montoncitos de nata y acompaña con unas láminas de manzana.

## 939 – FILLOAS

*Ingredientes* (5 o 6 obleas):

- 3 huevos
- 50 g de harina
- 50 g de mantequilla
- ½ vaso de leche
- azúcar glas
- canela en polvo

*Elaboración:*

Bate los huevos y añade la harina, la mantequilla y la leche, mezclándolo todo bien con la ayuda de una batidora. Engrasa una sartén con un poco de mantequilla y añade una o dos cucharadas de la mezcla. Fríelo como una tortilla, cuanto más fina mejor, dándole la vuelta para que se dore por los dos lados. Sirve las filloas dobladas o en rollos, espolvoreadas con azúcar glas y canela.

Las puedes rellenar de puré de plátanos y acompañar con chocolate derretido.

## 940 – FLAN DE CAFÉ

*Ingredientes:*
- ½ litro de leche
- 4 huevos
- 4 cuch. de azúcar
- 2 cuch. de café soluble
- caramelo
- nata montada
- nueces

*Elaboración:*

Pon la leche al fuego hasta que hierva, y después déjala templar.

Bate los huevos con el azúcar y el café soluble, añade la leche y vierte esta mezcla sobre un molde caramelizado. Pon el molde al baño maría a 175° durante 1 hora y 15 minutos (depende del tamaño de la flanera). Pasado este tiempo, deja que enfríe y saca el flan del molde y adórnalo con nata montada y nueces.

## 941 – FLAN DE CHOCOLATE CON CHANTILLY

*Ingredientes:*
- ½ litro de leche
- 5 huevos
- 25 g de cacao
- 175 g de azúcar
- 300 g de nata
- 50 g de azúcar glas
- mantequilla para untar el molde

*Elaboración:*

En un cazo pon a hervir la leche y agrega el cacao, mezclando bien.

Unta de mantequilla un molde en forma de corna con el hueco en el centro.

En un recipiente, mezcla los huevos y el azúcar. A continuación agrega, poco a poco, la leche hervida con el cacao que habrás dejado templar. Mezcla todo bien y viértelo en el molde.

Mete en el horno caliente a 180º durante 40 minutos al baño maría. Transcurrido este tiempo, deja enfriar en el mismo molde. Desmolda y pásalo a una fuente.

Monta la nata con el azúcar glas, adorna con la mezcla el flan y sirve.

## 942 – FLAN DE COCO

*Ingredientes:*
- 6 huevos
- ¾ de litro de leche
- 200 g de coco rallado
- 100 g de azúcar

caramelo líquido:
- 50 g de azúcar
- 2 cuch. de agua

crema de frambuesas:
- 100 g de frambuesas
- vaso de leche
- 2 cuch. de azúcar

*Elaboración:*

Hierve la leche, retírala y déjala templar; mezcla los huevos con el coco y el azúcar e incorpora la leche batiendo todo bien.

Para hacer el caramelo, calienta en un recipiente el azúcar con el agua hasta que tome color dorado. Unta con el caramelo un molde grande o varios individuales, vierte en ellos la mezcla e introdúcelo en el horno al baño maría a unos 180º:

si es un molde grande, 45 minutos aproximadamente, y si lo haces en varios moldes pequeños, alrededor de 30 minutos. Los dejas enfriar y mientras tanto prepara la crema triturando las frambuesas con la leche y el azúcar y pasando por el chino.

Una vez desmoldados los flanes, acompáñalos con la crema de frambuesas.

## 943 – FLAN DE DULCE DE LECHE

*Ingredientes:*
- ½ litro de leche
- 200 g de leche condensada
- 150 g de azúcar
- 7 huevos
- azúcar y agua para el caramelo
- guindas rojas (opcional)

*Elaboración:*

Bate los huevos con el azúcar y añade la leche condensada. Sigue batiendo y agrega el ½ litro de leche templada. Mézclalo bien y colócalo en unos moldes caramelizados. Ponlo en el horno al baño maría durante 30 minutos aproximadamente (si lo haces en olla a presión, 15 minutos). Déjalo enfriar y desmolda. Puedes decorarlo con unas guindas.

## 944 – FLAN DE GUINDAS

Para 6-8 personas

*Ingredientes:*
- 1 litro de leche
- 200 g de macedonia de frutas
- ½ copa de licor de frutas o brandy
- 6 huevos
- 3 bizcochos de soletilla
- 4 cuch. de azúcar
- 200 g de guindas rojas y verdes

*Elaboración:*

En un molde caramelizado empapa con el licor los bizcochos junto con las guindas, todo ello troceado durante un rato. Aparte, en un bol mezcla los huevos y el azúcar. Bate muy bien y añade la leche hervida. Vuelca la mezcla en el molde y ponlo al baño maría en el horno a 160º durante unos 40 minutos aproximadamente.

Una vez hecho, déjalo enfriar y desmolda. Acompaña este flan con la macedonia de frutas.

---

## 945 – FLAN DE MANZANA

Para 8 personas

---

*Ingredientes:*
- 4 manzanas hermosas
- 4 cuch. de azúcar
- 8 huevos
- 1 litro de leche
- una pizca de canela o vainilla
- un poco de caramelo

para decorar:
- unas frutas rojas (grosellas, fresas, frambuesas...)
- leche
- nata líquida

*Elaboración:*

Hornea las manzanas peladas, descorazonadas y cortadas en gajos de un dedo de grosor aproximadamente. Espolvoréalas con azúcar (como una cucharada) y deja que se hagan hasta que estén doradas.

En bol, bate los huevos, añade 3 cucharadas de azúcar y sigue batiendo. Después, agrega la leche hervida con una pizca de canela o vainilla. Mézclalo todo bien.

Extiende el caramelo en un molde y coloca las manzanas en el fondo. A continuación, agrega la crema anterior.

Hornea el molde al baño maría a 180º durante 40 minutos. Tardará más o menos tiempo dependiendo del tamaño del molde.

Bate las frutas rojas con un poco de leche. Reserva algunas para decorar.

Sirve el flan cortado en raciones con la salsa de frutas y adornado con un chorrito de nata líquida y unas frutas rojas.

## 946 – FLAN DE NARANJA

*Ingredientes:*
- 1 vaso de azúcar
- 1 vaso de zumo de naranja
- 6 huevos
- 200 g de azúcar para el caramelo
- 1 naranja
- nata montada
- cacao en polvo

*Elaboración:*

Mezcla bien el vaso de azúcar con el zumo de naranja y los huevos batidos hasta que se disuelva el azúcar.

Carameliza un molde con azúcar y vierte la mezcla en el mismo.

Mete en el horno, al baño maría, a 180º durante 40 minutos. Retira y deja enfriar. Desmolda y pon el flan en un plato.

Para servir, adorna con gajos de naranja y bolitas de nata montada alrededor. Por encima del flan pon cacao en polvo.

## 947 – FLAN DE PAN A LA CANELA

*Ingredientes:*
- 7 huevos
- 250 g de azúcar
- 1 litro de leche
- una rama de canela
- 3 tazas de migas de pan

*Elaboración:*

Hierve la leche con canela.

Aparte, bate los huevos con el azúcar (200 g). Con cuidado, coloca la leche e incorpórala a los huevos batidos. Con el resto del azúcar haz el caramelo y échalo en el molde.

Mezcla las migas de pan con la crema de leche, huevos y azúcar. Rellena el molde caramelizado con esta mezcla y ponlo en el horno caliente a 180º durante una hora al baño maría.

Deja enfriar y saca el flan del molde.

Puedes espolvorearlo con canela o bien acompañarlo con crema de caramelo.

---

## 948 – FLAN DE PAN CON MERMELADA

Para 6-8 personas

*Ingredientes:*

- ½ barra de pan
- 1,5 litros de leche
- 4 huevos
- 6 cuch. de azúcar
- un puñado de pasas

- mantequilla para untar el molde
- canela en polvo
- mermelada de ciruela

*Elaboración:*

El día anterior, pon a remojar en leche el pan cortado en trozos junto con las pasas y espolvoréalo con azúcar.

Al día siguiente, mezcla el pan con los 4 huevos batidos. Unta el molde con mantequilla, echa la mezcla y métela en el horno al baño maría durante 30 o 40 minutos a 170º, hasta que cuaje (puedes comprobarlo metiendo la punta de un cuchillo; si éste sale seco, el pastel estará listo).

Una vez fuera del horno, deja templar y desmóldalo.

Sírvelo acompañado de mermelada de ciruela o de otro sabor y espolvoreado con canela en polvo.

# 949 – FLAN DE TOCINO DE MELOCOTÓN

*Ingredientes:*

- 6 yemas
- nata montada
- 150 g de azúcar
- ½ melocotón en almíbar
- ½ copa de brandy
- 125 g de soletilla (bizcochos)
- 1 cajita de frambuesas

*Elaboración:*

Carameliza un molde para flanes, con 2 cucharadas de azúcar. Mezcla en un recipiente las yemas con el azúcar y bate con energía.

Después, agrega el almíbar del melocotón, el melocotón troceado, el brandy y las soletillas desmenuzadas. Mezcla bien y vierte en la flanera. Mete ésta en el horno caliente a 160º durante 30 minutos al baño maría.

Sácalo y déjalo enfriar. Una vez frío, desmolda y adórnalo con la nata montada y las frambuesas.

# 950 – FRITOS DULCES

*Ingredientes:*

- ½ barra de pan del día anterior
- 2 o 3 huevos
- 1 litro de leche aproximadamente
- 8 cuch. grandes de azúcar
- 1 cuch. de canela
- aceite
- 1 vaso de agua

para decorar:

- nata montada
- unas hojitas de menta

*Elaboración:*

Remoja el pan desmigado en la leche, y cuando esté bien

empapado agrega los huevos mezclándolo todo bien. Si la masa queda demasiado blanda, añádele más pan duro.

En una sartén con aceite caliente, fríe montoncitos de la masa hasta que se doren, dándoles la vuelta para que se hagan bien por todos lados.

En una cazuela aparte, tuesta el azúcar y después agrégale el agua y la canela.

Por último, incorpora los fritos y deja que cuezan a fuego lento durante unos minutos hasta que estén tiernos.

Sírvelos en cuencos acompañados con el caramelo, un poco de nata montada y unas hojitas de menta.

---

## 951 – FRUTA EN PAPILLOTE

*Ingredientes:*

- 3 naranjas
- 3 manzanas reinetas
- 6 rebanadas de pan
- 100 g de mantequilla
- canela en polvo
- 200 g de crema pastelera
- 1 yema de huevo
- azúcar

*Elaboración:*

Dora en mantequilla las rebanadas de pan. Pela las manzanas y vacíales el corazón. Pela las naranjas hasta la pulpa y coloca cada fruta en una rebanada de pan sobre una hoja de papel de estraza.

Introduce una nuez de mantequilla en los huecos de las manzanas y espolvorea las naranjas con azúcar y canela.

Envuelve bien las frutas y hornea a 180º durante veinte minutos.

Para servir las frutas, basta con abrir las bolsas de papel y presentarlas en una fuente. Este plato se puede acompañar con alguna crema de frutas.

## 952 – FRUTAS CON YOGUR

*Ingredientes:*

- 2 manzanas
- ½ piña
- 1 puñado de pasas
- 100 g de azúcar
- canela

- 1 yogur de frutas
- 1 yogur natural
- 1 cuch. de miel
- hierbabuena

*Elaboración:*

Trocea la fruta en láminas. Cuécela en un poco de agua con azúcar y canela. Transcurridos 15 minutos de cocción, saca las frutas y escúrrelas. En un bol, mezcla los 2 yogures y una cucharada de miel. Vierte en el plato, y encima pon las frutas cocidas y escurridas.

Echa por encima las pasas y adorna con unas hojas de hierbabuena antes de servir.


## 953 – FRUTAS ESCONDIDAS

*Ingredientes:*

- 1 o 2 manzanas
- 1 mango
- 10 frambuesas
- 1 plátano
- agua

para la pasta quebrada
(sobrará):
- 250 g de harina
- 125 g de mantequilla
- 1 huevo
- 1 ½ cuch. de agua

*Elaboración:*

Para preparar la pasta quebrada trabaja la mantequilla hasta dejarla a punto pomada. Después, añade el huevo, el agua y mezcla hasta conseguir una masa uniforme. Por último, echa la harina y amasa hasta que ésta sea totalmente absorbida.

Haz una especie de rollo y envuélvelo en una hoja de plástico. Déjalo reposar en el frigorífico durante 24 horas, antes de su utilización.

Pela las manzanas y el mango, pártelos por la mitad y córtalos en filetes. Colócalos intercalados en un molde de repostería y cubre con un círculo de pasta quebrada, lo más estirada posible. Hornea durante 20 minutos aproximadamente a 180º.

Tritura el plátano con las frambuesas y un poco de agua y pasa esta crema por un colador o un chino.

Por último, desmolda en un plato o fuente y acompaña con la crema de plátano y frambuesas.

## 954 – GALLETAS DE CALABAZA

*Ingredientes:*

- 100 g de mantequilla
- 250 g de azúcar moreno
- 300 g de harina
- 3 huevos
- 200 g de puré de calabaza amarilla
- 1 pizca de sal
- 100 g de pasas

*Elaboración:*

Bate la mantequilla hasta dejarla en pomada, y sin dejar de remover añade el azúcar, los huevos, la harina y el puré de calabaza. Mézclalo todo bien y agrega una pizca de sal y las pasas.

En una placa de horno untada con mantequilla extiende, con ayuda de una cuchara y dándoles forma, porciones de la mezcla. Hornéalas durante unos 20 minutos a 160º.

Son muy ricas para tomar con café.

## 955 – GALLETAS DE MAÍZ

*Ingredientes* (para ½ kg de
   galletas):
- ¼ kg de mantequilla
- 200 g de azúcar glas
- 1 huevo
- 450 g de harina de maíz

para adornar:
- huevo batido
- azúcar
- ralladura de piel de
  mandarina
- limón

*Elaboración:*

Derrite la mantequilla a temperatura ambiente y trabájala hasta conseguir una textura de punto de pomada.

A continuación, agrega el azúcar y mezcla hasta conseguir una masa uniforme. Después, añade el huevo y mézclalo nuevamente. Por último, echa la harina de maíz y vuelve a mezclar hasta que esté totalmente absorbida. Amásalo bien y extiende, dando forma a las galletas. Colócalas en una placa de horno untadas con huevo batido y adorna con el azúcar o la ralladura a tu gusto.

Hornea a 180º unos 12 o 15 minutos aproximadamente, según su grosor.

Puedes tomarlas untadas en el desayuno o como postre después de una comida.

*Nota.* Los ingredientes utilizados en esta receta serán de las marcas permitidas por la lista difundida por la Federación Española de Asociaciones de Celíacos.

## 956 – HELADO DE BIZCOCHO Y AVELLANAS

*Ingredientes:*
- ¾ de litro de leche
- 5 yemas de huevo

- 300 g de nata montada con
  azúcar al gusto

- 200 g de bizcocho de soletilla
- 1 guinda
- 50 g de avellanas tostadas
- 200 g de azúcar
- 1 limón

## *Elaboración:*

Coloca los bizcochos en un lugar caliente para que se sequen. Una vez secos, pulverízalos o desmígalos.

En un recipiente mezcla las yemas con el azúcar y la leche previamente hervida con la cáscara de limón. Pon la mezcla a fuego lento y remueve constantemente hasta que empiece a ligar. Entonces retira del fuego, no debes dejar que llegue a hervir.

Añade el bizcocho en polvo y las avellanas molidas. Llena las copas con el helado y adorna con la nata montada y la guinda. Mete en el congelador entre 1 y 2 horas y sirve muy frío.

# 957 – HELADO DE PLÁTANO CON CHOCOLATE

## *Ingredientes:*
- 3-4 plátanos
- 50 g de azúcar
- ¼ litro de nata líquida
- ½ limón
- chocolate hecho

## *Elaboración:*

Con ayuda de una batidora, haz un puré con los plátanos pelados y troceados, el azúcar y el zumo de medio limón.

Añade poco a poco este batido sobre la nata semimontada y mezcla cuidadosamente hasta obtener una pasta cremosa. Repártela en unas copas y ponlas en la parte más fría de la nevera durante 3 o 4 horas.

A la hora de servir, adorna el helado de plátano con un buen chorro de chocolate hecho.

## 958 – HOJALDRE DE CREMA

Para 4-6 personas

*Ingredientes:*

- 300 g de hojaldre
- un puñado de pasas de corinto
- un puñado de frambuesas o grosellas
- 1 vaso de vino dulce
- 2 plátanos
- huevo batido
- 300 g de crema pastelera

para acompañar:
- natillas

*Elaboración:*

Estira el hojaldre y córtalo en dos láminas iguales, de forma rectangular.

Coloca una de ellas en una placa de horno y pon la crema pastelera en el centro, esparciéndola. Añade luego las pasas, que habrás puesto en remojo en vino dulce, las frambuesas o grosellas y los plátanos pelados y troceados. Tapa con la otra lámina de hojaldre y sella los bordes con un tenedor. Puedes decorarlo con trocitos de hojaldre. Úntalo con huevo batido y hornea a 170º durante 20 minutos.

Acompáñalo con natillas tibias.

## 959 – HOJALDRE DE FRUTAS

*Ingredientes:*

- 300 g de hojaldre
- 1 manzana
- 250 g de crema pastelera
- 1 plátano
- 1 cajita de frambuesas
- 1 huevo batido
- azúcar glas

*Elaboración:*

Estira dos planchas de hojaldre. Coloca una de las planchas

sobre la placa de horno; encima extiende la crema pastelera, y sobre ésta la manzana pelada, descorazonada y cortada en láminas finas. Seguidamente pon lonchas finas de plátano y las frambuesas salteadas. Tapa todo con la otra plancha de hojaldre y sella los bordes presionando con el tenedor. Antes de meter en el horno caliente a 150º durante 40 minutos aproximadamente, píntalo con huevo batido.

Saca, adorna con azúcar glas y sirve.

## 960 – HOJALDRE DE PASAS Y ALBARICOQUES

*Ingredientes:*

- 200 g de pasta de hojaldre
- 140 g de pasas de corinto
- 2 cuch. de almendras picadas
- 8 cuch. de crema pastelera
- 8 orejones de albaricoque
- ½ litro de brandy
- 1 huevo batido
- un poco de agua
- azúcar glas

*Elaboración:*

Pon las pasas y los orejones en remojo en el brandy. Al cabo de una hora escúrrelo bien.

Extiende la pasta y divídela en dos rectángulos largos y estrechos, dejando uno un poco más grande que el otro. Coloca el rectángulo de hojaldre más pequeño en la placa del horno y encima el relleno obtenido mezclando la crema con las pasas, los orejones y la almendra tostada y picada. Unta con agua los bordes que habrán quedado libres, cúbrelo con el rectángulo grande y adhiérelo al primero con la yema de los dedos. Puedes decorarlo con tiras de hojaldre. Unta toda la superficie con huevo batido y mete el hojaldre en el horno ya caliente a 170º o 180º durante 30 o 35 minutos. Antes de servir, déjalo enfriar. Decóralo espolvoreando con azúcar glas ayudándote de un colador.

# 961 – HOJALDRE FRUTADO

🗡️ 🗡️ 🗡️ 🗡️

*Ingredientes:*

- 300 g de hojaldre
- 250 g de nata montada
- 1 plátano
- 1 naranja

- 1 pera
- 200 g de chocolate de cobertura

*Elaboración:*

Estira y corta el hojaldre en rectángulos de 8 por 10 cm aproximadamente y pínchalos para que no se hinchen. Después hornéalos hasta que estén hechos. Coloca encima la nata, luego la fruta limpia y cortada combinándola como más te guste, y por último coloca una red de chocolate adornando.

Para hacer la red de chocolate: llena una manguerita de repostería con chocolate, haz los dibujos que quieras sobre un trozo grande de hielo. El chocolate quedará duro y podrás colocarlo sobre el hojaldre.

Si te apetece, puedes acompañar este postre con natillas.

# 962 – KIWIS GRATINADOS

🗡️ 🗡️ 🗡️ 🗡️

*Ingredientes:*

- 3 kiwis
- 1 mango
- 1 vaso de nata líquida

- 3 yemas de huevo
- 4 cuch. de azúcar
- 1 copita de brandy

*Elaboración:*

Pela los kiwis y córtalos en rodajas. Pela el mango y pártelo también en lonchas. Colócalo todo en una fuente de horno.

En un bol, mezcla las yemas, el azúcar, el brandy y la nata. Rocía con esta crema la fruta, gratínalo durante 3 o 4 minutos y sirve.

# 963 – LECHE ASADA CANARIA

*Ingredientes:*
- ½ litro de leche
- 4 huevos
- ralladura de 1 limón
- ½ cucharadita de canela
- 4 cuch. de azúcar
- 1 pizca de sal
- miel
- mantequilla

*Elaboración:*

Bate los huevos con el azúcar y añade la leche, la ralladura de limón, la canela y la pizca de sal. Mezcla todo bien y vierte en un molde untado con mantequilla. Mete en el horno caliente al baño maría durante 30 minutos a 170º.

Retira y deja enfriar. Desmolda en frío.

Para servir, pon miel en el fondo del plato y encima el flan de leche asada. Puedes adornar con guindas.

# 964 – LECHE CUAJADA

Para 4-6 personas

*Ingredientes:*
- ½ litro de leche
- 4 quesitos
- 1 cuajada
- 4 o 5 bizcochos de soletilla
- 4 cuch. de azúcar
- azúcar y agua para el caramelo

para decorar:
- mermelada de grosellas
- miel

*Elaboración:*

Prepara el caramelo en una cazuelita con el azúcar y el agua. Hierve la leche y deja templar. Añádele los quesitos, la cuajada y el azúcar. Bátelo bien y agrega también los bizcochos de soletilla troceados. Mézclalo todo bien y viértelo en un molde que habrás untado con el caramelo. Deja que enfríe en la nevera durante 4 horas (quedará como una natilla). Por último, decora con la mermelada en el centro y con la miel en el borde.

## 965 – LECHE FRITA

*Ingredientes:*
- ½ litro de leche
- 90 g de azúcar
- 60 g de harina
- 2 huevos
- ½ ramita de canela
- aceite

- una pizca de vainilla
- 2 cortezas de limón
- harina
- huevo para rebozar
- azúcar con canela en polvo

*Elaboración:*

En un bol mezcla bien el azúcar, la harina y parte de la leche. Cuando esté todo disuelto, añade los 2 huevos y sigue mezclando. Mientras tanto, pon a calentar el resto de la leche con la vainilla, la canela y una cáscara de limón. Junta la mezcla del bol con la leche caliente y ponlo todo a calentar para que espese, sin parar de remover evitando que se pegue. A continuación, deja enfriar la crema en una fuente, retirando la canela y el limón.

Corta la masa en cuadros, pásalos por harina y huevo y fríelos en aceite bien caliente con una cáscara de limón.

Sirve la leche frita espolvoreada con azúcar aromatizada con canela.

## 966 – LECHE FRITA CON NATILLAS

*Ingredientes:*
natillas:
- ½ litro de leche
- 75 g de azúcar

- 6 yemas de huevo
- 1 palo de canela

*Elaboración:*

Hierve la leche en la cazuela y espera que se temple.

Mezcla las yemas con el azúcar y añade la leche tibia.

Pon al fuego 5 minutos para que espese lentamente, sin que hierva. Retira y remueve.

Deja enfriar.

*Ingredientes:*
leche frita:

- 1 litro de leche
- 1 palo de canela
- 200 g de azúcar
- 100 g de harina de maíz
- aceite
- 6 yemas de huevos
- 1 naranja (ralladura)
- 3 huevos
- harina

*Elaboración:*

Hierve la leche con la canela y la ralladura de naranja. Añade el azúcar y la harina de maíz.

Pon al fuego hasta que espese, y después deposítalo todo en una placa para que enfríe.

Cuando esté frío, haz trozos, reboza en harina y huevo, fríe en aceite bien caliente. Escurre y espolvorea con azúcar y canela.

## 967 – LIMONES RELLENOS

*Ingredientes:*

- 4 limones gordos
- 6 cuch. de leche condensada
- 4 huevos
- 1 copita de anís dulce

*Elaboración:*

Haz una base a los limones. Corta la parte superior y vacíalos con cuidado de no romperlos.

Separa las claras de las yemas de los 4 huevos y bate las yemas junto con la pulpa de los limones y la leche condensada. Posteriormente, monta las claras a punto de nieve y añádeles el batido, mezclándolo todo bien y agregando un poquito de anís dulce. Rellena los limones con la crema y mételos en el frigorífico unas dos horas antes de servir.

## 968 – MACEDONIA DE PLÁTANOS

*Ingredientes:*
- 4 plátanos
- el zumo de 2 naranjas
- el zumo de 2 limones
- 4 cuch. de azúcar
- 200 g de nata montada
- 3 bolitas de helado de moka

*Elaboración:*

Pon en una fuente los plátanos pelados y cortados en tiras. Añade el azúcar y los zumos. Sirve bien frío con el helado y la nata montada. También puedes adornarlo con gajos de naranja y limón.

## 969 – MANZANAS A LA CREMA

*Ingredientes:*
- 4 manzanas golden
- 4 cuch. de azúcar glas
- 2 cuch. de mantequilla
- un chorro de vino blanco seco
- 10 cuch. de nata líquida
- 30 g de almendra fileteada

*Elaboración:*

Pela, quita el corazón y parte en cuatro rodajas las manzanas. Colócalas en una fuente refractaria, espolvorea con azúcar glas y pon encima nueces de mantequilla. Mete en el horno poniéndole un chorrito de vino y espera que se ablanden (10 minutos a 170º). Saca, pon la nata, las almendras, el azúcar glas, y al horno (gratina 2-3 minutos), hasta que se dore. Sirve en la misma fuente.

## 970 – MANZANAS AL CARAMELO

*Ingredientes:*
- 6 manzanas grandes
- 200 g de azúcar
- mantequilla
- 1 copa de ron o brandy
- agua
- 1 vaso de nata

*Elaboración:*

Quita el corazón a las manzanas. Ponlas en una placa de horno rellenando el centro con la mantequilla y azúcar. Rocíalas con licor y, por último, añade un poco de agua. Mete en el horno hasta que estén tiernas, unos 25 minutos.

Mientras, haz el caramelo con 8 cucharadas de azúcar y un poco de agua. Cuando esté dorado, pero no demasiado, añade la nata y deja hervir hasta que tenga la textura adecuada de una crema.

Baña las manzanas o colócalas encima.

## 971 – MANZANAS AL VINO TINTO

*Ingredientes:*
- 8 manzanas un poco grandes
- 1 o 2 limones
- 50 g de mantequilla
- 4 cuch. de avellanas picadas
- 4 cuch. de azúcar
- 1 yogur natural
- 1 puñado de pasas
- ¼ litro de vino tinto
- 4 cuch. de mermelada de ciruela

*Elaboración:*

Vacía las manzanas con un descorazonador y haz el hueco un

poco más grande con ayuda de un cuchillo. Colócalas en una fuente resistente al horno.

Mezcla el zumo de los limones, las avellanas, el azúcar, el yogur, las pasas y el vino tinto. Rellena las manzanas con esta mezcla. Espolvorea cada manzana con un poco de azúcar y coloca una nuez de mantequilla encima. Introdúcelas en el horno a 170-180º durante 20-25 minutos dependiendo del tamaño de las manzanas. Puedes añadir un poco de agua si ves que se quedan secas.

Una vez horneadas, reduce el jugo de la fuente en una sartén durante un par de minutos junto con la mermelada. Por último, salsea las manzanas.

Puedes adornarlas con hojas de menta.

## 972 – MANZANAS ASADAS CON SALSA DE VINO

*Ingredientes:*

- 8 manzanas reinetas
- 100 g de frutos secos (avellanas, pistachos...)
- 2 cuch. de azúcar
- 30 g de margarina o mantequilla
- ½ vaso de agua

salsa:
- 1 huevo
- 1 yema
- ½ sobre de levadura
- zumo de ½ limón
- 2 cuch. de azúcar
- 1 vaso de vino blanco

*Elaboración:*

Pica los frutos secos y mézclalos con el azúcar y la margarina. Limpia las manzanas, hazles un corte longitudinal en la piel y quítales el corazón. Rellénalas con la mezcla y espolvorea con un poco de azúcar.

Mete en el horno con ½ vaso de agua durante 20-30 minutos a 160º.

Salsa: bate el huevo, la yema y la levadura hasta que monte un poco con el zumo de limón y el azúcar. Cuando esté montado, y sin parar de mover, añade el vino despacio, y ponlo al fuego para calentarlo batiendo.

Sirve las manzanas y rocía con la salsa. Puedes decorar con unas hojitas de menta y cáscara de naranja en juliana.

## 973 – MANZANAS HORNEADAS

*Ingredientes:*
- 4 manzanas reinetas
- 4 cuch. de avellanas picadas
- 4 cuch. de azúcar
- 2 cuch. de yogur natural
- 2 cuch. de pasas de corinto
- el zumo de 1 naranja
- 8 frambuesas
- nata a medio montar
- un poco de agua

*Elaboración:*

Limpia las manzanas, vacíales el corazón, haciéndoles un agujero grande, y colócalas en una fuente. Para que al ser horneadas no revienten con el calor, hazles un corte longitudinal.

Aparte, mezcla las avellanas, el yogur, el azúcar y las pasas. Después rellena con esta mezcla las manzanas, poniendo en el interior 2 frambuesas; por último, rocíalas con el zumo y echa en el fondo de la fuente un chorrito de agua para que no se sequen. Mételas en el horno durante 20 o 30 minutos a 175° aproximadamente.

Una vez en la mesa, acompáñalas con la nata en el fondo y las frambuesas que te hayan sobrado. También puedes adornarlo con grosellas.

## 974 – MELOCOTONES CON CREMA

*Ingredientes:*
- 8 bizcochos de soletilla
- 8 mitades de melocotón en almíbar
- 1 cuch. de harina de maíz refinada
- 1 ramita de vainilla

- 100 g de azúcar
- 2 yemas de huevo
- ½ litro de leche
- canela en polvo
- 2 ramitas de hierbabuena

*Elaboración:*

Haz la crema poniendo la leche al fuego con la vainilla. Reserva un poquito de leche fría.

En un bol, mezcla la harina de maíz con las yemas, el azúcar y la leche fría que has reservado.

Cuando la leche haya cocido, ve incorporándola poco a poco a la mezcla. Ponlo todo al baño maría o a fuego muy suave, moviéndolo para que espese. Déjala enfriar, y, si queda muy espesa, aligérala con un poco de almíbar del melocotón.

Coloca los bizcochos troceados de base en un molde y encima los melocotones en lonchas (reserva medio melocotón). Cubre con la crema.

Sirve espolvoreado con canela y adornado con medio melocotón y las ramitas de hierbabuena.

## 975 – MELOCOTONES CON CUAJADA

*Ingredientes:*
- 4 melocotones
- 4 cuch. de miel
- ½ cuch. de canela en polvo
- 4 cuajadas
- 4 cuch. de azúcar glas
- 4 cuch. de almendras fileteadas

*Elaboración:*

Si los melocotones son frescos, escalda, pela y deshuésalos.

Mezcla las cuajadas con la miel y la canela, y coloca los melocotones cortados por la mitad en platos resistentes. Cúbrelos con cuajada, espolvoréalos con las almendras y con el azúcar y mételos en el gratinador un par de minutos hasta que tomen color.

## 976 – MELOCOTONES RELLENOS

Para 4-5 personas

*Ingredientes:*

- 8-10 mitades de melocotón en almíbar
- 200 g de queso de untar
- 1 copita de licor de melocotón
- 3 cuch. de azúcar
- 4 o 5 cuch. de almíbar de melocotón
- 100 g de grosellas
- unas hojas de menta
- canela en polvo

*Elaboración:*

Con ayuda de una batidora, bate el queso con el azúcar, el almíbar y el licor hasta que quede una mezcla esponjosa. Rellena los melocotones con ayuda de una cuchara.

Coloca las mitades de los melocotones en una fuente y rellénalas con esta crema. Coloca encima de cada una unos granos de grosella y espolvorea con la canela en polvo.

Por último, adorna con unas hojas de menta.


## 977 – MELÓN CON CANELA

*Ingredientes:*

- 1 melón
- 10 guindas en licor
- menta
- canela en polvo
- ½ vaso de Grand Marnier

*Elaboración:*

Parte el melón por la mitad y haz bolitas con la carne de dentro. Rellena con las bolas y las guindas y baña con el licor. Por último, espolvorea con canela y decora con hojas de menta.

## 978 – MELÓN CON PLÁTANO

❧❧ ❧❧ ❧❧ ❧❧

*Ingredientes:*
- 1 melón grande y maduro
- 4 plátanos
- 200 g de nata montada
- licor de plátano o melón
- guindas

*Elaboración:*

Corta el melón en rebanadas separando la corteza. Corta la pulpa en dados pequeños.

Pela los plátanos y córtalos en rebanadas al bies.

Mezcla las dos frutas, añade un chorro de licor de plátano o melón y adorna con nata montada y guindas. Mete en el frigorífico y sírvelo muy frío.

## 979 – MONA DE PASCUA

Para 6-8 personas

*Ingredientes:*
- 6 huevos
- 6 cuch. de azúcar
- 5-6 cuch. de harina
- ralladura de 1 limón
- mantequilla
- azúcar glas
- agua
- 6-8 huevos pequeños de chocolate

*Elaboración:*

Bate las 6 claras de huevo junto con parte del azúcar a punto de nieve, y aparte las yemas con la ralladura de limón y el resto del azúcar. Añade las claras a las yemas y mézclalas bien. Después, agrega la harina moviendo la masa con una espátula de madera. En un molde untado con mantequilla, pon la masa y métela en el horno tapada con un papel de barba untado en mantequilla a 175º durante 25 minutos. Cuando haya subido el bizcocho, quita el papel y desmóldalo. Por último, diluye el azúcar glas en agua removiendo, y cubre con esta mezcla el bizcocho, adórnalo con los huevos de chocolate y sirve.

## 980 – MOUSSE DE CHOCOLATE

*Ingredientes:*
- 175 g de chocolate negro
- 30 g de mantequilla
- 4 huevos
- 80 g de azúcar
- 1 copita de licor de cerezas, ron o brandy
- virutas de chocolate

*Elaboración:*

Deshaz el chocolate y la mantequilla al baño maría removiendo con cuidado. Una vez deshecho, añade el azúcar y las yemas batidas poco a poco sin dejar de remover. Después, agrega el licor. Deja enfriar y, mientras tanto, monta las claras a punto de nieve y añádelas al chocolate, mezclándolo bien. Reparte el mousse en copas individuales y métalas en la nevera durante 2 horas, por lo menos.

Por último, adorna con las virutas de chocolate y, si quieres, con unas hojas de menta.

## 981 – MOUSSE DE LIMÓN

*Ingredientes:*
- 4 yogures de limón
- ½ litro de nata montada
- ralladura de 1 limón
- 100 g de azúcar
- grosellas
- menta

*Elaboración:*

Añade a la nata el azúcar, los yogures y la ralladura de limón y mezcla bien con una varilla. Ponlo en copas y adorna con las grosellas y unas hojas de menta.

Sirve muy frío.

## 982 – MOUSSE DE NARANJA

*Ingredientes:*
- el zumo de 4 naranjas
- 2 huevos
- 150 g de azúcar
- 1 cuch. de harina de maíz refinado
- ¼ litro de agua
- 2 vasos de nata montada
- 200 g de chocolate hecho
- 4 palitos de canela

*Elaboración:*

En un recipiente, mezcla bien el zumo de naranja, el azúcar, la harina de maíz, 2 yemas de huevo y el agua, calentándolo hasta que espese. Deja que enfríe y añade las claras montadas mezclando bien. Sirve este mousse en copas, adornando con la nata montada, el chocolate hecho y los palitos de canela.

## 983 – MOUSSE DE TURRÓN

*Ingredientes:*
- 1 tableta de turrón
- 3 huevos
- 250 g de nata montada
- ramitas de menta
- salsa de frambuesas

*Elaboración:*

En un recipiente pon las yemas, el turrón troceado, o mejor picado, y la nata. Bate hasta que quede una crema uniforme. Monta las claras a punto de nieve e incorpóralas con cuidado.

Mezcla con suavidad.

Vierte el mousse en copas individuales y mete éstas en el frigorífico un par de horas.

Sirve frío y acompañado por una salsa de frambuesas y unas hojitas de menta.

---

## 984 – MOUSSE FÁCIL DE LIMÓN

*Ingredientes:*
- 200 g de leche condensada
- zumo de 3 limones
- 2 huevos
- ¼ litro de leche
- 1 yogur natural
- unas hojas de menta

*Elaboración:*

Separa las yemas y las claras de los huevos. Pon todos los ingredientes, excepto las claras, en una batidora y bátelos hasta obtener una crema homogénea. Después, añade con cuidado las claras que habrás montado a punto de nieve. Mete el mousse en la nevera y sírvelo muy frío en copas individuales. Decora con unas hojas de menta.

---

## 985 – NARANJAS CARAMELIZADAS

*Ingredientes:*
- 5 naranjas
- 1 vaso de azúcar
- 3 claras
- 4 cuch. de azúcar
- 1 copa de ron
- chocolate hecho frío

*Elaboración:*

Exprime una naranja y reserva el zumo.

Pela las otras 4 y corta en rodajas.

En la mitad del zumo agrega el vaso de azúcar y haz el caramelo. Pasa las rodajas de naranja por el caramelo y colócalas sobre una fuente de horno.

Añade al caramelo sobrante el resto del zumo, y vierte esta mezcla sobre las naranjas.

Para finalizar, bate las claras con las cuatro cucharadas de azúcar y haz el merengue. Coloca una corona de esto sobre las naranjas y ponlas en el horno a gratinar.

Se puede acompañar de chocolate hecho caliente o frío.

## 986 – NARANJAS CON ACEITE DE OLIVA

*Ingredientes:*
- 4 naranjas
- 1 chorro de aceite
- hojas de menta
- miel o 4 cuch. de azúcar

*Elaboración:*

Pela las naranjas y córtalas en rodajas a la contra. Rocíalas con un chorrito de aceite de oliva y miel o azúcar y decóralas con hojitas de menta. Esta es una receta cordobesa.

## 987 – NARANJAS CON CREMA Y PLÁTANO

*Ingredientes:*
- 4 naranjas un poco grandes
- 2 plátanos
- 50 g de pasas de corinto
- ½ vaso de ron o brandy
- 3 cuch. de azúcar
- 1 vaso de nata montada
- 3 cuch. de leche condensada
- canela molida
- unas hojas de menta

*Elaboración:*

Pon las pasas en remojo con el ron o brandy.

Pela las naranjas y los plátanos y trocéalos. Colócalos en un bol y añade el azúcar y las pasas escurridas, mezclándolo todo muy bien. Agrega la leche condensada a la nata y remueve.

Sirve la macedonia en cuencos colocando la crema encima. Espolvorea con canela en polvo y adorna con una hoja de menta.

Enfríalo una hora en la nevera.

## 988 – NARANJAS CON MIEL

Para 8 personas

*Ingredientes:*
- 8 naranjas
- 40 nueces
- ½ litro de nata montada
- 150 g de miel caliente

*Elaboración:*

Pela con cuidado las naranjas procurando quitar la parte blanca que las cubre. Después, córtalas en ruedas y colócalas en una fuente, bien repartidas. En el centro de la fuente pon la nata y esparce las nueces partidas y limpias. Por último, echa la miel por encima.

## 989 – NARANJAS NEVADAS

*Ingredientes:*
- 2 o 3 naranjas
- ½ bote de mermelada de melocotón
- 1 copita de brandy
- 200 g de helado de naranja
- 4 cuch. de mermelada de fresa, grosella o frambuesa

*Elaboración:*

Pela las naranjas y córtalas en gajos.

Coloca la mermelada de melocotón en un plato, pon encima los gajos de naranja y rocía con el brandy (si te sobra algún trozo de naranja, aprovecha su zumo para rociar por encima). Decora el postre con unos trozos de helado y unas cucharadas de mermelada de fresa, grosella o frambuesa por encima.

## 990 – NARANJAS RELLENAS

*Ingredientes:*
- 6 naranjas iguales
- 200 g de nata montada
- 3 cuch. de azúcar o miel
- 2 yemas de huevo
- 1 cuch. de corteza de naranja rallada
- 2 hojas de gelatina (cola de pescado)

*Elaboración:*

Comienza cortando la parte superior de las naranjas. Vacíalas con cuidado de que no se rompa la cáscara y saca el zumo.

Rellena una naranja y guarda la ralladura.

A continuación, bate las yemas con el azúcar. Disuelve la gelatina, primero en un poco de agua fría, y después en un poco de zumo de naranja caliente.

Mezcla las yemas batidas con la gelatina disuelta, el zumo de naranja colado, la ralladura y la mitad de la nata montada. Con esta mezcla rellena las naranjas, y termina decorándolas con la otra mitad de la nata montada. Pon la boina a cada naranja y métalas en el congelador 1 hora. Transcurrido este tiempo, sírvelas.

## 991 – NARANJAS Y PLÁTANOS GRATINADOS

*Ingredientes:*
- 3 naranjas
- 250 g de azúcar
- licor de naranja
- 2 cuch. de coco rallado
- 1 nuez de mantequilla o margarina

- 1 puñado de almendras fileteadas sin tostar
- menta para decorar
- 2 plátanos

## Elaboración:

Comienza cortando las naranjas, una vez peladas, en rodajas gruesas. A continuación, pela y corta en rodajas los plátanos.

Coloca toda la fruta troceada en una fuente. Espolvorea con las almendras, el coco rallado y el azúcar. Rocía con el licor de naranja y pon encima una nuez de mantequilla.

Gratina en el horno durante cinco minutos aproximadamente.

A continuación, reduce el jugo que suelte al hornear y rocía antes de servir. También puedes adornar con una ramita de menta.

---

# 992 – NATILLAS CON SUSPIROS

## Ingredientes:

- 1 litro de leche
- 350 g de azúcar
- 12 yemas
- 1 palo de canela
- canela en polvo
- 6 claras
- lenguas de gato o galletas

## Elaboración:

Pon al fuego la leche con el palo de canela; cuando haya hervido, retírala.

Aparte, mezcla dos cazos de la leche hervida con 150 g de azúcar y las 12 yemas. Vierte esta mezcla en la leche hervida y ponla a fuego lento, removiendo hasta que espese (unos 5 minutos aproximadamente) y cuidando que no hierva. Después, retírala del fuego y déjala enfriar apartando el palo de canela.

Monta las claras; cuando estén blancas y duras, añade el resto del azúcar y sigue batiendo.

Sirve las natillas en un bol grande o en cuencos individuales colocando encima las galletas untadas con las claras (suspiros). Finalmente, adorna con la canela en polvo.

## 993 – NÍSPEROS ASADOS

*Ingredientes:*
- 12 nísperos
- 100 g de pasas
- 4 cuch. de brandy
- azúcar glas
- 100 g de almendras tostadas
- 200 g de nata montada
- canela en polvo

*Elaboración:*

Coloca los nísperos en una bandeja de horno y hornéalos 15 minutos a 180º. Después, pélalos, quítales la semilla y ábrelos por la mitad.

Pon los nísperos en el fondo de una fuente o plato. Espolvorea con la almendra picada, las pasas que habrás tenido en remojo en brandy durante 2 horas y azúcar glas. Por último, cubre con nata montada y espolvorea con canela en polvo.

También puedes adornarlo con hojas de menta.

## 994 – OREJAS

*Ingredientes:*
- 1 huevo
- aceite
- harina
- 2 nueces de mantequilla
- 1 pizca de sal
- 1 chorrito de anís
- azúcar glas

*Elaboración:*

Derrite la mantequilla, añade la harina que admita y una pizca de sal. Agrega luego el huevo batido, y después el anís y un chorrito de aceite. Mezcla todo bien y deja enfriar. Estira la masa con un rodillo y córtala en láminas pequeñas. Fríe estas láminas en abundante aceite dándoles la forma que te apetezca. Una vez fritas, espolvoréalas con azúcar glas.

## 995 – PANECILLOS DE ÁVILA

*Ingredientes:*

- 1 huevo
- 200 g de harina
- 2 cuch. de azúcar
- 1 cuch. de levadura en polvo
- 4 cuch. de anís seco
- 4 cuch. de aceite de 0,3º
- azúcar para espolvorear (glas)
- aceite para freír

*Elaboración:*

Mezcla el huevo con el anís, el azúcar y el aceite.

En otro recipiente, mezcla la harina con la levadura. Poco a poco ve agregando la otra mezcla y remueve con una espátula hasta conseguir una masa compacta. Deja reposar 30 minutos para que fermente.

En una sartén calienta el aceite, y cuando esté templado echa los panecillos. Éstos los habrás hecho cogiendo bolas de masa y dándoles forma de panes. Fríelos a fuego lento para que se hagan bien por dentro. Cuando estén dorados, escúrrelos bien y sácalos. Espolvoréalos con azúcar y sirve.

Es un acompañamiento formidable para chocolate, cafés, etc.

## 996 – PAPARAJOTES

*Ingredientes:*

- 100 g de harina
- 1 vaso de agua
- 1 cucharadita de canela
- aceite

- 100 g de azúcar
- 4 huevos
- 1 vaso de leche
- ralladura de un limón

- 20 o 30 hojas de limonero de las más tiernas
- azúcar glas o normal

*Elaboración:*

Hierve la leche y deja que enfríe.

Separa las claras de huevo de las yemas y levanta las claras a punto de nieve.

En un recipiente mezcla la leche con el agua, el azúcar y las yemas de los huevos. Bate bien e incorpora lentamente la harina sin dejar de batir, añade la ralladura de limón, la canela y las claras a punto de nieve. Deja reposar 1 hora.

Moja las hojas de limonero, bien limpias, en la masa y fríelas «rebozadas» en abundante aceite caliente hasta que queden doradas. Después, pásalas a una fuente con papel absorbente para que suelten el aceite. Por último, espolvorea con azúcar por encima.

A la hora de comer los paparajotes, sólo debes comer la masa, dejando la hoja.

## 997 – PASTEL DE BIZCOCHO Y PISTACHOS

*Ingredientes:*
- 4 huevos
- 100 g de azúcar
- 100 g de harina
- 1 chorro de licor
- 200 g de nata montada

- 1 pera en almíbar
- 1 plátano
- 150 g de pistachos
- guindas rojas y verdes

*Elaboración:*

Para hacer el bizcocho:

Bate las yemas con el azúcar y las claras a punto de nieve, mézclalo bien, y después añade la harina. Ponlo en una bandeja con un papel engrasado y mét'elo en horno fuerte. Una vez hecho el bizcocho –lo sabrás introduciendo una aguja en el centro, que saldrá limpia–, sácalo del horno y espera que baje. También puedes comprar el bizcocho ya hecho.

Con ayuda de una brocha, emborracha el bizcocho de licor. Después, extiende por encima la nata montada. Corta la pera en lonchas finas y cada rodaja en laminitas haciendo una especie de abanico. Corta también el plátano pelado en rodajas. Adorna el bizcocho con las frutas y las guindas en el centro. Por último, espolvorea con los pistachos pelados y troceados.

---

## 998 – PASTEL DE CHOCOLATE Y FRAMBUESAS

*Ingredientes:*

bizcocho:
- 4 huevos
- 100 g de harina
- 100 g de azúcar
- 2 cuch. de harina de maíz
- ½ limón rallado
- 2 cuch. de mantequilla

además:
- ½ kg de frambuesas
- 4 cuch. de jerez
- ½ litro de nata montada
- ralladura de chocolate

*Elaboración:*

Monta los huevos con la ralladura de limón y el azúcar. Añade la mantequilla fundida y la harina y hornea a 200º durante 35 minutos. Abre el bizcocho, emborráchalo y colócale un poco de nata y algunas frambuesas. Vuelve a construir el bizcocho y decora la parte superior con más nata (ayudado por una manga). Finalmente, añade el resto de las frambuesas y la ralladura de chocolate.

---

## 999 – PASTEL DE GALLETAS

*Ingredientes:*
- 18 galletas
- 200 g de crema pastelera

- 1 naranja
- el zumo de una naranja
- 1 plátano
- 8 fresas
- ½ litro de nata
- 2 copas de brandy

*Elaboración:*

Fabrica una primera capa de 6 galletas y emborráchalas con brandy y un poco de zumo de naranja. A continuación, cubre las galletas con una pasta de crema pastelera. Después, coloca una segunda capa con rodajas de naranja, y sobre éstas otra capa de galletas emborrachadas y cubiertas finalmente por crema pastelera.

Por último, coloca una capa de plátano cortado en rodajas en el perímetro del pastel.

Para adornar el pastel, utiliza nata y fresas.

## 1.000 – PASTEL DE NUECES

Para 4-6 personas

*Ingredientes:*
- 300 g de nueces picadas
- 2 huevos
- 1 vaso de leche
- 200 g de azúcar
- un poco de mantequilla
- unas nueces para decorar

*Elaboración:*

Unta con la mantequilla un papel antiadherente del tamaño del fondo del molde y colócalo sobre él.

Para preparar la masa, bate hasta montar los 2 huevos, añade las nueces picadas, mézclalo todo bien y a continuación agrega 2 cucharadas de azúcar y moja con la leche. Remueve para repartir todos los ingredientes y vierte esta masa sobre el molde.

Hornéalo durante 25 minutos a 170º.

Calienta el resto del azúcar en una cazuela para preparar un caramelo y viértelo por encima del pastel ya desmoldado.

Por último, decóralo con las nueces partidas por la mitad.

## 1.001 – PASTEL DE PERAS

*Ingredientes:*

- 500 g de peras
- 100 g de harina
- 150 g de azúcar
- 50 g de mantequilla
- 1 cuch. de levadura
- 2 huevos
- ¼ litro de leche
- 2 cuch. soperas de ron

*Elaboración:*

Primero mezcla la harina con el azúcar y la levadura. A continuación, añade las yemas y una parte de la leche. Calienta el resto de la leche con la mantequilla, y cuando esté tibia incorpórala a la masa, removiendo bien. Añade el ron y, por último, las claras batidas a punto de nieve firme.

Vierte la masa en una fuente untada con mantequilla. Cubre con trozos de peras y hornea durante 45 minutos a 180º. Sirve tibio o frío.

## 1.002 – PASTEL DE QUESO CON KIWI Y PLÁTANO

*Ingredientes:*

- ½ kg de requesón
- 1 vaso de leche
- ¼ kg de azúcar
- 1 cuch. de harina de maíz refinada
- 3 huevos
- unas pasas de corinto en licor
- 2 kiwis
- 2 plátanos
- mantequilla y harina para el molde

*Elaboración:*

Echa en un recipiente el requesón, la leche, la harina de maíz refinada, el azúcar y los huevos. Bate todo con la batidora.

Unta el molde con la mantequilla y la harina y echa la mezcla con las pasas. Mételo en el horno a 160-170º durante 20 minutos. Después, desmolda el pastel y déjalo enfriar. Por último, decóralo con rodajas de kiwi y plátano.

## 1.003 – PASTEL DE QUESO CON MELOCOTÓN

*Ingredientes:*

- 300 g de queso fresco (sin sal)
- 1 bote pequeño de leche condensada
- 3 huevos
- 100 g de galletas
- 1 melocotón en almíbar
- 2 plátanos
- un trocito de mantequilla

*Elaboración:*

Desmenuza las galletas y forra con ellas la base de un molde que habrás untado con un poco de mantequilla.

En un bol mezcla con la batidora el queso troceado, los huevos y la leche condensada. Vierte la masa sobre el molde y hornea a 180º durante 20 minutos, hasta que cuaje. Deja enfriar y desmolda.

Cubre el pastel con rodajas de melocotón y plátano.

## 1.004 – PASTEL DE UVA

*Ingredientes:*

- 1 kg de uvas
- 175 g de harina
- 175 g de azúcar
- 3 huevos
- chorrito de aceite
- 1 pizca de levadura
- 1 pizca de sal
- chorro de ron
- ½ vaso de agua templada
- azúcar glas
- crema de grosellas

Bate bien los huevos y mezcla con la harina y el azúcar. Agrega un chorrito de aceite y sigue mezclando con la levadura. Por último, agrega un poquito de ron y poco a poco el agua templada hasta conseguir hacer una masa. Una pizca de sal y vierte en un molde untado. Coloca las uvas encima y mete en el horno durante 40 minutos a 180º. Saca y espera que se enfríe; desmolda.

Para servir, rocíalo con azúcar glas y acompáñalo con una crema de grosellas.

## 1.005 – PERAS A LA CREMA

*Ingredientes:*
- 4 o 6 peras
- ½ limón
- 200 g de azúcar
- ½ litro de natillas
- 1 nuez de mantequilla
- canela en polvo
- hojas de menta
- agua
- un puñado de grosellas

*Elaboración:*

Cuece las peras en agua con azúcar, la mantequilla y el ½ limón a fuego lento unos 20 minutos. Cuando estén tiernas, escúrrelas y deja que enfríen. Cubre el fondo del plato con natillas, coloca las peras en forma de abanico, pon en el centro las grosellas, espolvorea con canela y adorna el postre con las hojas de menta.

## 1.006 – PERAS AL VAPOR DE MENTA

*Ingredientes:*
- 8 peras
- 2 palos de canela

- 1 manojo de menta
- ¼ kg de azúcar
- 1 vaina de vainilla
- el zumo de 2 limones
- 100 g de frambuesas

*Elaboración:*

En el recipiente inferior de una vaporera, pon la vainilla, el azúcar y la menta (reserva unas hojas). Cubre con agua. Dispón encima el recipiente superior y en su interior coloca las peras peladas, pero con rabo y mojadas con el zumo de limón. Tapa y deja cocer al vapor durante 15 o 20 minutos hasta que estén tiernas.

A continuación, saca las peras y deja que el caldo de cocción se reduzca hasta convertirse en jarabe. Sirve las peras frías con el jarabe caliente y adorna con unas hojas de menta y las frambuesas. Este postre también se puede acompañar con mermeladas o salsas de fruta.

## 1.007 – PERAS CON CREMA AL CAFÉ

*Ingredientes:*
- 4 peras grandes
- 1 vaso de leche
- 100 g de azúcar
- agua
- 1 cuch. de café soluble
- 1 cuch. de harina de maíz
- 2 yemas de huevo
- 1 limón
- 1 copita de ron

*Elaboración:*

Ralla las peras y ponlas en un recipiente cubriéndolas de agua con la mitad de azúcar y el zumo de limón. Pon a cocer hasta que estén tiernas. Aparte, pon un cazo al fuego y echa la leche con el café y el azúcar.

En el vaso de ron añade las yemas y mezcla bien, y agrega el cazo de la leche.

Mezcla un poco de jugo de cocer las peras con un poco de harina de maíz e incorpóralo también al cazo. Espera que la crema espese; agrega un poco más de agua de cocer las peras para hacer una crema fluida. Coloca las peras en forma de círculo en un plato y riégalas con la crema.

## 1.008 – PERAS DULCES CON NATA

Para 6-8 personas

*Ingredientes:*
- 8 peras
- 150 g de azúcar
- 1 vaso de agua
- 1 copa de brandy
- zumo de 1 limón

- 1 círculo de bizcocho
- 2 naranjas en zumo
- ½ litro de nata montada
  con azúcar al gusto

*Elaboración:*

Pela las peras y cuécelas partidas por la mitad y sin corazón junto con el vaso de agua, el brandy, el azúcar y el zumo de limón. Deja que hierva a fuego muy suave hasta que espese y llegue casi a caramelo. Pon en una fuente el círculo de bizcocho y báñalo con el zumo de naranja. Extiende la nata montada encima del bizcocho y cúbrelo con las peras. Por último, vierte el caramelo templado por encima y sírvelo.

## 1.009 – PINCHOS DE FRUTAS

*Ingredientes:*
- 2 plátanos
- 2 manzanas
- 2 peras
- un trozo de melón

- 2 naranjas
- 200 g de chocolate de hacer
- 1 vaso de nata líquida
- unas grosellas

*Elaboración:*

Pela y trocea las frutas. Después, ensarta los trocitos en los pinchos.

Pon un cazo a fuego suave y derrite el chocolate. Cuando esté derretido, echa un chorro de nata líquida y mézclalo bien.

Con el chocolate aún caliente cubre los pinchos de frutas y adórnalos con unas grosellas. También puedes espolvorearlos con azúcar y gratinar.

Puedes saborear este postre frío o caliente.

## 1.010 – PIÑA RELLENA

Para 6-8 personas

*Ingredientes:*

- 1 piña
- una copita de brandy
- 150 g de turrón blando
- 3 claras
- azúcar
- 8 bizcochos

*Elaboración:*

Monta las claras a punto de nieve, y cuando estén casi listas añade el azúcar al gusto.

Abre la piña por la mitad a lo largo y retira la parte central. Vacíala lo más entera posible y trocea la pulpa.

Coloca los bizcochos troceados en la piña ya vacía y mójalos con el brandy. Coloca encima el turrón en laminitas y, por último, pon los cachos de piña. Tapa con las claras montadas y gratina durante un minuto aproximadamente.

## 1.011 – PLÁTANOS CON GALLETAS

*Ingredientes:*

- 3 plátanos (maduros)
- 8 galletas tostadas
- un chorrito de leche condensada
- zumo de un limón
- 4 fresas
- unas hojas de menta
- 1 copita de licor de manzana

*Elaboración:*

En un bol o jarra echa las galletas muy troceadas y los plátanos pelados y en rodajas. Mézclalo y añade el zumo de limón, la leche condensada y el licor de manzana. Tritúralo todo con una batidora hasta conseguir una masa homogénea. Sirve este puré en copas y enfríalas hasta el momento de servir. Decora con trocitos de fresa y unas hojas de menta.

## 1.012 – PLÁTANOS CON NARANJA AL HORNO

*Ingredientes:*
- 8 plátanos
- 1 naranja
- 1 limón
- 6 nueces de mantequilla
- 4 cuch. de azúcar
- 3 cuch. de vino dulce
- 1 copita de brandy

para acompañar:
- nata montada
- canela en polvo

*Elaboración:*

Pela los plátanos y colócalos en una fuente de horno. Espolvorea con el azúcar y añade la mantequilla y el vino dulce. Mójalo con el zumo de la naranja y del limón. Hornea durante 8 o 10 minutos a 160º. Cuando los plátanos estén hechos, espolvorea con canela. Flambea el brandy, que habrás calentado previamente, y échalo sobre los plátanos. Acompaña este postre con nata montada y espolvoreada con canela.

## 1.013 – PLÁTANOS FLAMBEADOS

*Ingredientes:*
- 4 plátanos
- 50 g de azúcar
- 1 copa de ron
- mantequilla
- 50 g de almendras

659

Dora los plátanos en una sartén con mantequilla a fuego lento. Después, colócalos sobre una fuente y espolvoréalos con el azúcar y las almendras fileteadas. Recupera el jugo restante de la sartén, añade una copa de ron y flambéalo.

Por último, vierte el contenido de la sartén sobre los plátanos.

## 1.014 – PROFITEROLES CON CARAMELO Y CHOCOLATE
### Para 6-8 personas

*Ingredientes:*
- ¼ litro de agua
- 125 g de harina
- 100 g de mantequilla
- una pizca de azúcar
- una pizca de sal
- 3 o 4 huevos
- crema pastelera
- chocolate fundido

caramelo:
- agua
- azúcar
- zumo de limón

*Elaboración:*

Haz la masa deshaciendo la mantequilla en el agua caliente; a continuación añade la harina, una pizca de sal y otra de azúcar.

Retíralo del fuego y empieza a incorporar los huevos (que te admita la masa), mezclándolos uno a uno y ayudándote con una varilla. Deja reposar la masa unos 10 o 15 minutos.

Sobre una fuente de horno previamente untada con mantequilla coloca pequeños montones de la masa, con la ayuda de una manga pastelera. Hornéalo durante unos 20 minutos a 160º aproximadamente.

Saca del horno los profiteroles, hazles un agujerito y rellénalos con la crema pastelera. También los puedes rellenar con nata o cualquier otro tipo de crema.

Para hacer el caramelo, calienta un poco de agua con azúcar y unas gotas de zumo de limón hasta que se dore.

Baña la mitad de los profiteroles con caramelo y el resto con chocolate fundido.

## 1.015 – PUDÍN DE FRESAS

*Ingredientes:*

- ½ kg de fresas
- 3 cuch. de azúcar
- 150 g de nata líquida
- 2 huevos y 1 yema
- 5 g de gelatina neutra
- agua

para decorar:
- unas fresas
- mermelada de fresa
- hojas de menta

*Elaboración:*

Haz un puré triturando las fresas ya limpias (también puedes pasarlo por un chino).

En un bol, echa los dos huevos enteros y la yema de otro y 3 cucharadas de azúcar, mezclándolo bien, al baño maría. A continuación, añade el puré de fresas y la gelatina, previamente remojada en agua. Mézclalo todo bien, hasta conseguir una masa homogénea.

Monta la nata y añádesela al bol, removiéndolo bien con una varilla. Echa la masa en un molde y deja que enfríe en el frigorífico durante 6 horas aproximadamente.

Desmolda y decora el pudín con unas hojas de menta, mermelada y unas fresas partidas en cuartos.

## 1.016 – PUDÍN DE FRUTAS DEL BOSQUE

Para 4-6 personas

*Ingredientes:*

- 500 g de frutos limpios (moras, grosellas, frambuesas, higos...)
- 100 g de azúcar
- 100 g de harina
- zumo de limón

- 75 g de mantequilla
- 100 g de azúcar con
  vainilla

para adornar:
- nata montada
- grosellas

*Elaboración:*

Coloca las frutas en una fuente de hornear (si son grandes, como los higos, pelados y troceados) y vierte sobre ellas el azúcar de vainilla y el zumo de limón.

Aparte, en un recipiente mezcla el azúcar con la mantequilla blanda; después, echa la harina y trabaja la mezcla hasta que quede cremosa.

Cubre las frutas con esta mezcla cremosa y hornéalo durante 40 minutos y poniendo el termostato del horno a 180º.

Por último, adórnalo con nata montada y unas grosellas.

Puedes comer este pudín frío o caliente

## 1.017 – PUDÍN DE MANZANA

*Ingredientes:*
- 8 manzanas
- 150 g de azúcar
- 6 huevos
- 2 yemas
- 500 g de mantequilla
- 1 palo de canela
- 1 litro de leche

crema de fresas:
- 500 g de fresas
- 200 g de azúcar
- 250 g de nata líquida

*Elaboración:*

Pela y corta la manzana, saltéala con la mantequilla y deja escurrir. Hierve la leche (1 litro) con la canela, y cuando esté templada, mézclala con los huevos, yemas y azúcar en un molde al baño maría 45 minutos a 175º.

Para elaborar la crema de fresas, bate éstas con un vaso de nata líquida y azúcar. Realiza la decoración con las fresas sobrantes.

## 1.018 – PUDÍN DE MANZANA Y PLÁTANO
### Para 6-8 personas

*Ingredientes:*
- 4 o 6 manzanas
- ½ kg de plátanos
- 50 g de mantequilla
- ½ palo de canela
- 1 copa de anís
- ¼ litro de nata
- 6 huevos
- 200 g de azúcar
- caramelo para untar el molde
- puré de fresas, grosellas o mermelada ligera

*Elaboración:*

Pela las manzanas y córtalas; saltéalas en una sartén con la mantequilla, y a media cocción añade el anís.

Bate los huevos en un bol y añade el azúcar y la nata, mezclándolo todo bien.

Pela los plátanos y haz lonchitas. Con las lonchas de plátano cubre el fondo de un molde caramelizado. Añade también las manzanas salteadas y escurridas y la mezcla del bol. Repártelo bien y en el horno al baño maría a 160º durante 60 minutos aproximadamente.

Transcurrido este tiempo, enfría el pudín y desmolda. Extiende un puré de fresas o grosellas, o una mermelada ligera en el fondo de una fuente, y coloca encima el pudín partido en raciones. Decora con el palo de canela.

## 1.019 – QUESADA PASIEGA

*Ingredientes:*
- 1 kg de requesón
- 300 g de azúcar
- mantequilla o margarina para untar el molde
- 2 huevos
- ½ copa de brandy
- ralladura de limón
- canela en polvo
- azúcar glas
- 250 g de harina

Mezcla todos los ingredientes menos la harina y el azúcar glas. Cuando esté hecha la crema, tamiza sobre ella la harina y mezcla con cuidado. Después, ponla en un molde redondo, bajo y untado en mantequilla.

Mete en el horno durante 15-20 minutos aproximadamente a 170º. Cuando esté cuajado y con un ligero tono tostado, saca y espolvorea con azúcar glas.

## 1.020 – ROSA DE PIÑA Y MANDARINA

*Ingredientes:*
- 1 piña
- jarabe de azúcar y agua
- 1 copa de granadina
- 10 frambuesas
- 10 guindas verdes
- 2 copas de licor de mandarina (opcional)
- 2 o 3 mandarinas
- azúcar

*Elaboración:*

Pela la piña y quítale el corazón. Córtala en lonchas finas y ponlas a macerar con el jarabe y la copa de granadina durante ½ hora.

Pela las mandarinas y hazlas gajos.

En un plato coloca las lonchas de piña sobreponiéndolas hasta conseguir formar una flor. Coloca los gajos de mandarina en el centro. Adorna la flor con frambuesas y guindas y espolvorea con el azúcar al gusto. Riégalo todo con las copas de licor y con algo del jarabe de la maceración.

Puedes tomar este postre frío, o puedes flambear el licor calentándolo en una sartén y echándolo sobre el postre.

# 1.021 – ROSADA DE PLÁTANOS

*Ingredientes:*

- 7 plátanos
- el zumo de 1 naranja y el de 1 limón mezclados
- ¼ litro de vino rosado
- 200 g de azúcar
- canela
- aceite

*Elaboración:*

Coloca 6 plátanos formando una estrella en una fuente de horno redonda, engrasada con aceite.

En el centro de la estrella coloca el séptimo plátano cortado en rodajas, y rocía con los zumos de naranja y limón mezclados.

Haz un jarabe con el vino, el azúcar y la canela, y con él baña los plátanos.

Mete la fuente en el horno caliente a 150º durante 10-15 minutos aproximadamente. Transcurrido este tiempo, saca del horno y sirve echándole el jugo que está en el fondo de la fuente por encima de los plátanos.

# 1.022 – ROSCÓN DE REYES

*Ingredientes:*

- 1 kg de harina
- 30 g de levadura
- 6 huevos
- 5 g de sal
- ralladura de limón
- ralladura de naranja
- agua de azahar
- 250 g de azúcar
- 300 g de mantequilla
- huevo batido
- 4 guindas

*Elaboración:*

Mezcla en un recipiente la harina con la levadura y el agua. Después añade las ralladuras de limón y naranja. A continuación, incorpora los huevos y la sal y bate todo bien. Poco a poco ve echando la mantequilla derretida y amasa a mano hasta conseguir una bola compacta. Envuelve la bola con un paño húmedo y déjala en el frigorífico durante 5 horas para que fermente.

Transcurrido el tiempo de fermentación, dale forma de rosco a la masa, introdúcele la sorpresa y úntalo con huevo batido. Adorna con las guindas y mét'elo en el horno a 120º durante 40 minutos. Sácalo, y a la hora de servir puedes adornarlo con azúcar glas y crema de arándanos o cualquier tipo de mermelada.

## 1.023 – ROSQUILLAS DE ANÍS

*Ingredientes:*
- 1 vaso de aguardiente de anís
- 1 vaso de aceite
- 250 g de azúcar
- harina
- anises verdes

para espolvorear:
- azúcar y canela

*Elaboración:*

Mezcla el aceite, el aguardiente y el azúcar. Ve añadiendo la harina hasta que la masa se suelte de las paredes del recipiente. Unta con aceite y enharina una placa de horno, y coloca en ella la masa formando rosquillas pequeñas; espolvoréalas con azúcar y canela y métlas en el horno durante 30 minutos a 180º aproximadamente.

Por último, adórnalas con unos anises.

Las puedes tomar con moscatel, anís, café, chocolate...

## 1.024 – ROSQUILLAS FRITAS

Para 6-8 personas

*Ingredientes:*
- 1 taza de leche
- ½ taza de aceite
- una corteza de naranja
- ½ taza de anís
- ½ taza de azúcar
- 1 huevo

- 1 sobre de levadura
- harina (la que admita)
- aceite de oliva para freír

para adornar:
- azúcar con canela en polvo

*Elaboración:*

Hierve la leche con el aceite, el anís y la corteza de naranja. Después, añade el azúcar y deja templar.

En un bol pon 2 tazas de harina junto con la levadura y ve incorporando la leche templada con el resto de los ingredientes, más el huevo batido.

Cuando esté todo bien mezclado, añade más harina, poco a poco, hasta que la masa quede bien dura. Ve dándole forma de rosquillas y fríelas en abundante aceite, no muy caliente (resulta mejor el de 0,4º).

Por último, sirve las rosquillas y espolvoréalas con azúcar mezclada con canela en polvo.

## 1.025 – SANDÍA RELLENA

*Ingredientes:*
- 1 sandía
- 2 melocotones
- 1 naranja
- 12 fresas
- 12 cerezas

- 1 pera
- 1 vaso pequeño de ron
- 50 g de azúcar
- zumo de 2 naranjas

Corta la sandía por la mitad o algo menos. Vacíala con un torneador o con una cucharilla y forma bolitas con su relleno, quitándole previamente las pepitas.

Pon las bolas de sandía en un bol.

Pela y limpia el resto de la fruta. Córtala y ponla también en el mismo recipiente. Añade el ron, el azúcar y el zumo de naranja. Mézclalo y déjalo que macere una hora, y luego pásalo todo a la sandía vaciada y sirve.

## 1.026 – SOPA DE FRUTAS

*Ingredientes:*
- 350 g de fruta variada (kiwis, plátanos, piña, pera, uva)
- zumo de 2 naranjas
- 200 g de hojaldre
- 1 vaso de vino afrutado
- 6 cuch. de azúcar
- canela
- 1 huevo
- 1 limón

*Elaboración:*

Limpia y trocea la fruta. Repártela en tazones resistentes al horno. Espolvorea con azúcar, echa el vino, el zumo de naranja y parte de la corteza en tiras. Tapa el tazón con una lámina de hojaldre, báñalo con huevo y mételo en el horno unos 15 minutos hasta que se dore el hojaldre. En ese momento sabrás que está listo para servir.

## 1.027 – SOPA DE LECHE Y NUECES

*Ingredientes:*
- 1 litro de leche
- ½ palo de canela
- 100 g de nueces picadas
- corteza de naranja

- 200 g de azúcar
- ¼ barra de pan del día anterior
- 100 g de nueces caramelizadas

*Elaboración:*

En una cazuela mezcla la leche con azúcar, canela y las nueces picadas. Pon a fuego y añade el pan troceado. Deja hervir a fuego lento hasta que la leche engorde, pero no demasiado.

Vierte en los tazones de servir y adorna con tiras de cáscara de naranja y las nueces caramelizadas.

# 1.028 – SORBETE DE CHIRIMOYA

*Ingredientes:*
- 1 kg de chirimoyas maduras
- 400 g de azúcar y agua (jarabe)
- 2 limones
- 1 rama de canela
- menta
- grosellas

*Elaboración:*

Mezcla el azúcar con el agua en caliente y la canela hasta tener un jarabe un poco espeso. Deja enfriar. Mientras tanto, pela las chirimoyas y córtalas. En un bol mezcla la pulpa de las chirimoyas, el zumo y las ralladuras de los limones. Bátelo todo bien con ayuda de una batidora hasta obtener una pasta espesa. Una vez frío el jarabe, añádeselo al bol mezclándolo todo bien. Pásalo todo por el chino para retirar las pepitas. Ponlo en moldes y mete éstos en el congelador durante 20 minutos. Puedes decorarlos con hojas de menta y ramitas de grosellas.

# 1.029 – SOUFFLÉ CASERO

*Ingredientes:*
- 3 plátanos
- 16 bizcochos de espuma
  o soletilla
- 1 vasito de ron
- 3 claras de huevo
- 4 cuch. de azúcar

*Elaboración:*

Pon los bizcochos troceados en remojo con el ron.

Pela los plátanos y córtalos en rodajas.

Coloca en unos moldes individuales, de forma alternativa, varias capas de bizcocho y plátano.

Monta a punto de nieve las claras, añadiendo el azúcar cuando estén casi montadas, y cubre con ellas los moldes. Por último, mételos en el horno, calentado anteriormente, y gratínalos durante un minuto aproximadamente, hasta que estén dorados.

# 1.030 – SOUFFLÉ DE MANGO

*Ingredientes:*
- 1 o 2 mangos
- 200 ml de leche
- ½ cuch. de harina
- 125 g de azúcar glas
- 25 g de mantequilla
- 3 yemas
- 4 claras
- mantequilla y harina para
  untar el molde

*Elaboración:*

Unta un molde con mantequilla y espolvoréalo con un poco de harina.

Mezcla 100 g de azúcar glas, media cucharada de harina y leche. Ponlo al fuego, y cuando esté bien caliente retíralo y agrega la mantequilla y las yemas batidas, mezclándolo todo bien.

Pela el mango, retira el hueso, trocea y tritúralo con una batidora. Después, pásalo por un chino y añade este zumo al resto.

Por último, agrégalo poco a poco sobre las claras que habrás montado previamente, intentando que el resultado sea una masa esponjosa y uniforme.

Échalo al molde y hornéalo durante 30 minutos aproximadamente a 180º.

Sirve este soufflé espolvoreado con el resto del azúcar glas.

## 1.031 – SOUFFLÉ DE MELÓN

*Ingredientes:*

- 1 melón vacío
- ¼ kg de helado al gusto
- 100 g de fresas
- el melón en trozos
- 1 copa de licor de melón
- 2 claras montadas

*Elaboración:*

Hazle una base al melón y por el otro lado quítale la chapela; con una cuchara, con cuidado, vacía el melón. Rellena con el helado, el melón en trozos y las fresas, y la copa de licor de melón (puede ser cualquier otro licor). Cubre todo con las claras montadas y gratina en el horno. Sirve.

## 1.032 – SOUFFLÉ DE NARANJA

*Ingredientes:*

- 50 g de mantequilla
- 50 g de harina
- ¼ litro de leche
- 75 g de azúcar glas
- 4 yemas
- 5 claras
- chorrito de licor de naranja
- canela en polvo
- 1 naranja rallada

*Elaboración:*

Comienza haciendo una salsa bechamel con los ingredientes típicos, la mantequilla, la harina y la leche. Deja enfriar y agrega 4 yemas, azúcar glas, una pizca de canela en polvo, ralladura de naranja y un chorrito de licor de naranja o parecido. Mezcla todo bien.

Aparte, monta las claras y mezcla con cuidado con lo anterior. Unta un molde con mantequilla y espolvoréalo con harina. Vierte la mezcla de antes en este molde y mételo en el horno a 180º durante 30 minutos.

Saca del horno, desmolda en frío y espolvorea con azúcar glas.

Puedes servir decorado con gelatina de naranja amarga o con tiras de cáscara de naranja.

---

## 1.033 – TARTA DE ALMENDRAS

*Ingredientes:*
- 5 huevos
- 170 g de azúcar
- 170 g de almendra molida
- ralladura de un limón
- un poco de mantequilla
- un poco de canela en polvo
- azúcar glas

*Elaboración:*

Unta un molde con mantequilla. Separadas las claras de las yemas, bate éstas con el azúcar hasta que se disuelva. Después, añade la ralladura del limón, la almendra molida y la canela. Mézclalo bien. Luego monta las claras a punto de nieve y agrégalas a la mezcla poco a poco. Vierte la mezcla en el molde y hornéala a 170º durante media hora aproximadamente. Pincha con una aguja hacia el final del tiempo para verificar si está a punto, lo cual sucederá cuando la aguja salga seca. Por último, vuelca la tarta sobre un plato y espolvorea con azúcar glas cuando esté fría.

# 1.034 – TARTA DE ÁNGEL

*Ingredientes:*

- 6 huevos
- 4 yemas
- 100 g de azúcar
- 100 g de harina de maíz
- 150 g de cabello de ángel
- azúcar glas
- chocolate de cobertura
- licor de naranja con agua
  y azúcar
- mermelada al gusto

*Elaboración:*

Bate las yemas y los huevos con el azúcar. Cuando esté bien montado, añade la harina de maíz, despacito, y mezcla con mucho cuidado.

Forra un molde de tarta con papel de estraza y unta bien con mantequilla. Vierte la mezcla con delicadeza y ponla a cocer al baño maría a fuego muy lento 40 minutos más o menos.

Comprueba si está cocida con la ayuda de una aguja de punto o similar. Si se pega, es que aún no está hecha. Si está cocida, retírala del fuego y déjala enfriar en el mismo baño.

Cuando esté fría, desmolda y corta por la mitad, obteniendo dos discos.

Extiende en el disco de abajo el cabello de ángel, y el de arriba emborráchalo con el licor de naranja, rebajado con agua y azúcar.

Coloca nuevamente un disco sobre otro y adorna cubriendo la tarta con azúcar glas y virutas de chocolate.

La puedes servir acompañada de mermelada al gusto.

# 1.035 – TARTA DE ARROZ CON MACEDONIA

*Ingredientes:*

- 2 puñados de arroz
- ½ litro de leche
- 2 huevos
- 1 rama de canela

673

- ½ vaso de nata
- 100 g de azúcar
- 200 g de macedonia de frutas
- mermelada de melocotón
- 250 g de hojaldre

*Elaboración:*

Pon a cocer la leche con el arroz, la canela y el azúcar.

Mientras tanto, hornea el hojaldre y monta por separado las claras y las yemas. Añade la nata a las yemas, y también las claras. Mezcla con cuidado.

Añade el arroz ya cocido y la macedonia de frutas escurrida. Mezcla suavemente y extiéndelo todo sobre la capa de hojaldre ya horneada, y métela en el horno durante 25 minutos a 180º. Sácalo del molde y dale brillo con la mermelada de melocotón.

# 1.036 – TARTA DE ARROZ CON PASAS

*Ingredientes:*
- 2 puñados de arroz
- ½ litro de leche
- 100 g de azúcar
- 2 huevos
- hojaldre
- ½ vaso de nata
- 100 g de pasas
- canela en rama
- mermelada de melocotón

*Elaboración:*

Pon a cocer el arroz en la leche junto a una rama de canela, las pasas y el azúcar.

Hornea una capa fina de hojaldre.

Monta las yemas de huevo y las claras. A las yemas échales la nata, seguidamente agrega las claras y mézclalo todo con suavidad. Incorpora el arroz cocido, que habrás dejado enfriar, y pon toda la mezcla sobre la capa de hojaldre.

Hornea a 175º durante 25 minutos. Antes de servir, dale brillo a la tarta con un poco de mermelada.

674

# 1.037 – TARTA DE COCO

## Ingredientes:

- 200 g de coco rallado
- 1 bote pequeño de leche condensada
- igual medida de leche normal
- 2 huevos

caramelo:
- agua
- azúcar

para acompañar:
- nata montada
- 12 fresas

## Elaboración:

Bate los huevos y añade el coco rallado. Agrega la leche condensada y la normal mezclándolo todo bien. Echa la mezcla en un molde caramelizado y mételo en el horno caliente a 160-170º durante 30 minutos, hasta que cuaje.

Cuando esté hecho, desmóldalo en templado y deja que se enfríe en el frigorífico. Sírvelo bien frío y acompaña la tarta con nata montada y fresas.

# 1.038 – TARTA DE FRESAS

## Ingredientes:

- ½ kg de fresas
- mermelada
- pasta quebrada

- ¼ litro de crema pastelera
- 200 g de nueces peladas

## Elaboración:

Sobre un fondo de pasta quebrada, coloca una capa de crema pastelera y pon sobre ella una fila de fresas y otra de nueces alternativamente. Por último, unta con mermelada.

# 1.039 – TARTA DE FRESAS CON CREMA

*Ingredientes:*

- 250 g de pasta quebrada
- una docena de fresones
- una cestita de fresas del bosque
- 2 cuch. de licor de fresas
- 3 yemas

- 3 dl de leche
- 3 cuch. rasas de azúcar
- media barrita de vainilla
- 2 cuch. de nata
- 20 g de azúcar glas
- ½ limón de ralladura
- harina para estirar la pasta

*Elaboración:*

Extiende la pasta (en una superficie espolvoreada con harina) y colócala en la tartera; métela en el horno a 180º durante 15 o 20 minutos. Calienta la leche con la barrita de vainilla hasta que llegue a ebullición y deja que se enfríe un poco. Con la batidora, monta las 3 yemas con 3 cucharadas de azúcar. Cuando estén blancas y espumosas, dilúyelas con la leche pasada por el colador y pon la crema al baño maría. Déjala en el fuego y mézclala continuamente hasta que adquiera la consistencia suficiente como para cubrir uniformemente el dorso de la cuchara. Sácala del fuego. Perfúmala con el licor de fresas y mézclala con la nata y la ralladura de limón. Llena la costra de pasta con la crema bien fría y decora con un círculo de fresones cortados por la mitad, llenando el centro del mismo con fresitas del bosque. Espolvorea las fresitas con azúcar justo antes de servir.

# 1.040 – TARTA DE FRESAS Y FRUTOS SECOS

Para 6-8 personas

*Ingredientes:*

- varios bizcochitos pequeños de soletilla
- ½ litro de nata montada con azúcar

- un chorrito de licor
- 100 g de frutos secos tostados (nueces, avellanas, piñones...)
- ½ kg de fresas
- 4 cuch. de leche condensada
- jarabe (azúcar y agua)

*Elaboración:*

Forra el fondo de un molde con los bizcochitos de soletilla. Después, mójalos bien con el jarabe y el licor. Coloca encima los frutos secos, tostados y molidos (reservando algún piñón para decorar). Tapa con nata montada y coloca encima otra capa de bizcocho. Mójala también con el jarabe y añade la leche condensada. Cúbrelo todo con nata montada y, por último, decora poniendo las fresas por encima y espolvoreando con unos piñones tostados.

---

## 1.041 – TARTA DE FRUTAS PASAS

Para 4-6 personas

*Ingredientes:*
- ½ litro de nata líquida
- 3 huevos
- 4 cuch. de azúcar
- un chorrito de brandy
- 200 g de pasta quebrada
- azúcar glas

- mermelada de melocotón

frutas pasas:
- 8 orejones de melocotón
- 8 higos secos
- un puñado de pasas

*Elaboración:*

Estira la pasta quebrada muy fina con un rodillo y colócala sobre un molde.

Hornea a 175º unos 30 minutos, hasta que la pasta esté tostada como una galleta.

Mientras, macera las frutas pasas en el brandy, moviendo de vez en cuando para que todas se impregnen bien.

Aparte, en un bol, bate ligeramente los huevos con el azúcar, cuidando de que no monten. Después, añade la nata y mézclalo todo bien.

Sobre la tartaleta, previamente horneada, coloca las frutas pasas troceadas y cubre con la mezcla de nata y huevos.

Vuelve a hornear otros 30 minutos aproximadamente, a 175°, hasta que la tarta esté cuajada.

Una vez horneada, deja enfriar y desmolda.

Por último, dale brillo con mermelada aligerada con un poco de agua o brandy.

## 1.042 – TARTA DE GALLETAS

*Ingredientes:*

- 20 galletas rectangulares aproximadamente
- 200 g de crema de cacao
- 2 cuch. de chocolate en polvo
- 1 vaso de leche
- 3 cuch. de mermelada
- 100 g de nata montada
- 200 g de chocolate de cobertura

*Elaboración:*

Unta las galletas, sin que se reblandezcan del todo, con leche a la que habrás añadido chocolate en polvo, y ve colocándolas en una bandeja rectangular. Después, úntalas con crema de cacao y sigue formando varias capas con las galletas, alternando, al untar, mermelada y crema de cacao.

Con el chocolate de cobertura, prepara un chocolate espeso y cubre con él la tarta.

Enfría la tarta en la nevera durante 8 o 10 horas. Pasado este tiempo, decórala con la nata y sirve.

## 1.043 – TARTA DE HIGOS

Para 6-8 personas

*Ingredientes:*

- 200 g de pasta quebrada
- 200 g de crema pastelera
- un puñado de frambuesas y grosellas

- 12 higos
- 4 cuch. de nata montada
- canela en polvo
- unas hojitas de menta

*Elaboración:*

Forra un molde con la pasta quebrada bien estirada. Hornéalo hasta que quede como una galleta y déjalo enfriar. A continuación, extiende en el fondo la crema pastelera. Coloca sobre ella los higos pelados y abiertos por la mitad. Hornea la tarta durante 3 minutos a horno fuerte.

Por último, desmóldala y decora con la nata montada, las frambuesas y las grosellas. Espolvorea con canela en polvo y sirve con unas hojitas de menta.

## 1.044 – TARTA DE KIWI

### Para 4-6 personas

*Ingredientes:*
- 4 o 5 kiwis
- 200 g de crema pastelera
- 200 g de pasta quebrada
- 100 g de almendra tostada y fileteada
- unas cuch. de miel

*Elaboración:*

Hornea una tartaleta de pasta quebrada, bien estirada, hasta que esté crujiente. Después, colócala en una bandeja sobre una blonda.

Extiende la crema pastelera sobre la pasta y coloca encima los kiwis pelados y cortados en rodajas. Espolvorea con la almendra fileteada y, por último, baña la tarta con la miel templada.

## 1.045 – TARTA DE LA ABUELA

*Ingredientes:*
- 6 manzanas reinetas
- 2 cuch. de azúcar

- 20 g de mantequilla
- 50 g de mermelada de melocotón

- 200 g de hojaldre

*Elaboración:*

---

Estira el hojaldre muy fino, que no sea más grueso de 10 mm.

Con el hojaldre cubre el fondo de la tartaleta. Sobre ésta coloca las manzanas cortadas en lonchas finas, cubriendo toda la superficie del hojaldre. Sobre éstas pon, de forma salteada, un poco de mantequilla, finamente cortada, y espolvorea toda la superficie con azúcar en grano. Ya tienes la tarta lista para meter en el horno.

Tenla en el horno hasta que se dore, mirando que no esté muy alto (unos 175º de temperatura), para que le dé tiempo a hacerse a la manzana.

Depende de la manzana el tiempo en el horno. La golden tardaría mucho menos que la reineta.

Una vez sacada del horno, dale un baño de mermelada y ya está lista para servir.

Puede comerse fría y caliente.

## 1.046 – TARTA DE LIMÓN

*Ingredientes:*
- ¼ kg de pasta quebrada
- 450 g de azúcar

- 4 limones
- 8 huevos

*Elaboración:*

---

Con la pasta quebrada horneada, procede a hacer una crema de limón. Para ello utiliza la raspadura y el zumo de cuatro limones, cuatro yemas de huevo, cuatro huevos enteros y cuatro cucharadas de azúcar. Pon todo ello al fuego para que se espese, sin dejar que llegue a hervir. A continuación, pon la crema sobre la pasta quebrada. Luego, monta las cuatro claras restantes con cuatro cucharadas de azúcar y aplícalas sobre la crema.

Hecho esto, sólo te faltará gratinar y servir.

## 1.047 – TARTA DE MANZANA

Para 6-8 personas

*Ingredientes:*

- 250 g de harina con una pizca de sal
- 150 g de mantequilla
- 1 vaso de nata
- 1 kg de manzanas
- 150 g de azúcar
- 3 huevos
- almíbar de melocotón en conserva con un poco de azúcar.

*Elaboración:*

Amasa la harina con la mantequilla (puedes añadir dos cucharadas de agua para ayudarte). Haz una bola y déjala reposar 2 horas. Pasado este tiempo, estira la masa en un molde y métela en el horno durante 15 minutos aproximadamente para hacer una tartaleta.

Después, haz una crema con la nata, los huevos y el azúcar. Trocea dos o tres manzanas peladas y añádeselas a la masa. Vierte la mezcla por encima de la tartaleta. Haz rodajas con el resto de las manzanas peladas y adorna la tarta. Métela en el horno a 160-180º durante 30 minutos aproximadamente.

Por último, desmolda y adorna con el almíbar de melocotón para darle brillo.

## 1.048 – TARTA DE MELOCOTÓN

*Ingredientes:*

- pasta quebrada
- 4 melocotones
- 4 cuch. de almendra molida
- 3 yemas
- 1 vaso de nata líquida
- ralladura de limón

- 4 cuch. de azúcar • mermelada de melocotón

*Elaboración:*

Ante todo, hornea el molde con la pasta quebrada. Entre tanto, añade el azúcar a las yemas y mezcla bien. Hecho esto, echa la almendra, la nata, la ralladura de limón y mezcla de nuevo. Cuando haya salido del horno, pon la pasta en el molde, coloca encima los melocotones cortados en trocitos y cúbrelo todo con crema.

Seguidamente, hornea durante 25 minutos a una temperatura de 180º.

Pasado este tiempo, deja que enfríe, desmolda y, finalmente, unta con mermelada de melocotón.

## 1.049 – TARTA DE MELOCOTÓN CON ALMENDRAS

*Ingredientes:*
- 450 g de pasta quebrada
- 8 o 10 melocotones
- 20 almendras sin cáscara ni hollejo
- 200 g de almendras trituradas
- 1 ½ cuch. de harina de maíz refinada
- 150 g de azúcar de caña
- 4 huevos
- 200 g de mantequilla
- extracto de almendras amargas
- mantequilla para untar el molde

*Elaboración:*

Unta con mantequilla una tartera rectangular y fórrala con una hoja de papel para horno. Extiende la pasta quebrada en una capa delgada y reviste con ella la tartera. Agujerea el fondo de la pasta con un tenedor y cuécela a 200º unos 20 minutos.

En un cuenco, monta la mantequilla y mézclala con 130 g de azúcar. Después, incorpora los huevos de uno en uno, previamente batidos ligeramente.

Incorpora la harina de maíz refinada pasada por el cedazo,

las almendras trituradas y unas gotas de extracto de almendras amargas.

Lava los melocotones, córtalos por la mitad y retira el hueso. Espolvoréalos con el azúcar restante.

Extiende la crema de las almendras por la tarta igualándola con una espátula. Pon encima los melocotones (con la parte cortada hacia arriba), en hileras regulares. En cada melocotón coloca una cucharada de crema de almendras y una almendra entera. Por último, hornea la tarta a 180º durante 40 minutos.

## 1.050 – TARTA DE NATA Y CHOCOLATE

*Ingredientes:*
- bizcocho
- 300 g de nata montada con azúcar
- 4 cucharadas de crema pastelera
- 1 cuch. de chocolate hecho
- frutas para decorar (fresas, kiwi...)
- licor para emborrachar el bizcocho (kirsh, jarabe...)

*Elaboración:*

Corta el bizcocho por la mitad; también puedes partirlo en más capas, dependiendo del grosor del mismo.

Rellena con la crema pastelera y el chocolate mezclado (también puedes agregar algunas frutas picadas). Cubre todo el bizcocho con la nata montada y las frutas que más te gusten decorando.

*Ingredientes* para el bizcocho:
- 5 huevos
- 5 cuch. de azúcar
- 5 cuch. de harina
- 1 sobre de levadura

*Elaboración:*

Pon en un cuenco grande los huevos y el azúcar y bate con insistencia. Agrega la levadura y la harina y continúa batiendo con fuerza. Pon la masa en un molde untado con mantequilla y harina. Mete en el horno caliente a 180º durante 20-25 minutos y listo. Deja enfriar y desmolda. También puedes emborracharlo con cualquier licor.

## 1.051 – TARTA DE PASAS Y NUECES

Para 6-8 personas

*Ingredientes:*

- 1 huevo
- 200 g de azúcar
- 30 g de mantequilla
- ½ litro de leche
- 1 chorrito de anís dulce
- 350 g de harina
- 1 sobre de levadura

- 100 g de nueces peladas
- 100 g de pasas de corinto
- mantequilla para untar el molde
- azúcar glas
- mermelada de frutas

*Elaboración:*

Mezcla el huevo, el azúcar y la mantequilla, que deberá estar a temperatura ambiente, hasta hacer una crema; añade después la harina con la levadura, mézclalo, y añade la leche poco a poco. Vierte el anís, y bate todo bien hasta que no tenga grumos. Entonces, añade las pasas y las nueces un poco picadas y pasadas por harina. Vierte la mezcla en un molde untado con mantequilla y mételo en el horno unos 40 minutos a 180º. Pasado este tiempo, desmolda la tarta y espolvoréala con azúcar glas. Una vez en la mesa, puedes acompañarla de una mermelada de frutas.

## 1.052 – TARTA DE PERA CARAMELIZADA

*Ingredientes:*

- 4 cuadrados de hojaldre horneado (10 × 10 cm)
- 4 cuch. de crema pastelera

- 4 peras confitadas
- azúcar glas o normal
- mermelada

- yogur de fresa
- 1 guinda

crema pastelera:
- 5 yemas
- 2 huevos enteros
- 150 g de azúcar
- 75 g de harina

*Elaboración:*

En primer lugar haz la crema pastelera. A continuación, hornea los hojaldres y coloca la crema pastelera encima de cada uno de ellos. Corta la pera en lonchas y dispón éstas en forma de abanico sobre la crema. Espolvorea con azúcar y gratina 5 minutos. Saca del horno, pon en plato y adorna con una guinda y dos cucharaditas de mermelada y yogur de fresa.

---

## 1.053 – TARTA DE PERAS

### Para 4-6 personas

*Ingredientes:*

para la pasta quebrada:
- 200 g de harina
- 100 g de mantequilla
- 1 cuch. de azúcar
- 1 cuch. de agua
- 1 pizca de sal

además:
- 4 yemas de huevo
- 150 g de azúcar
- 50 g de mantequilla

- ½ vaso de leche
- 1 copita de vino dulce
- 100 g de almendras molidas
- 4 peras
- 2 cuch. de mermelada

para adornar:
- 25 g de almendras tostadas y trituradas
- unas hojas de menta

*Elaboración:*

Mezcla los ingredientes de la pasta quebrada, haz una bola y déjala reposar 30 minutos. Estira la pasta en un molde y hornéala a horno fuerte durante 8 minutos aproximadamente hasta que esté tostada. En un bol y con ayuda de la batidora bate las yemas de huevo con el azúcar, la mantequilla derretida, el vino dulce y las almendras molidas. Ve añadiendo la leche poco a poco y sigue mezclando.

Rellena con esta masa el molde de la tarta forrado con la pasta quebrada. Pela las peras y pártelas por la mitad, quitando el corazón y las pepitas. Coloca los trozos sobre la masa y mételo todo en el horno a 170º durante 20 minutos. Por último, desmolda la tarta, extiende la mermelada por encima y adorna con unas almendras y hojas de menta.

## 1.054 – TARTA DE PIÑA CON ALMENDRAS

*Ingredientes:*
- 1 piña en dados o rodajas
- pasta quebrada
- mermelada de melocotón

crema de almendras:
- 200 g de almendra molida
- 2 huevos
- 1 vaso de nata
- 3 cuch. de ron
- 3 cuch. de azúcar

*Elaboración:*

Corta las rodajas de piña en dados y coloca éstos en el interior de una tartaleta de pasta quebrada.

En un bol hermoso mezcla con la batidora el vaso de nata, la almendra molida, los huevos, el azúcar y el ron. Cuando hayas obtenido una buena crema, viértela sobre la piña. Hornea a 180º durante 30 minutos y retira. Antes de servir, baña la tarta con mermelada y adórnala con 2 o 3 rodajas de piña.

## 1.055 – TARTA DE PIÑA CON CREMA

*Ingredientes:*
- 1 lata de piña de 1 kg
- 200 g de pasta quebrada
- 100 g de almendras o piñones tostados

- mermelada de albaricoque
- 1 puñado de pasas de corinto
- ½ copita de ron

crema pastelera:
- 100 g de harina
- 2 yemas de huevo

- 100 g de harina de maíz refinada
- 1 vaso grande de jugo de piña
- 1 vaso grande de leche
- 100 g de azúcar
- ¼ palo de vainilla
- 100 g de mantequilla o margarina

*Elaboración:*

Pon la leche con la vainilla y la mantequilla a hervir. Aparte, mezcla la harina, la harina de maíz, el azúcar y las yemas.

Agrega el zumo de piña y remuévelo todo hasta que quede una crema ligera.

Después, añade la leche hervida y pon al fuego hasta que cuaje como una crema pastelera.

Extiende esta crema sobre una tartaleta de pasta ya horneada, y coloca en ella la piña en rodajas. Baña con mermelada de albaricoque y las pasas maceradas en ron, y adorna por encima con almendras fileteadas o piñones tostados. Por último, métela todo en el horno aproximadamente durante 3 minutos a 180º.

## 1.056 – TARTA DE PLÁTANOS

Para 4-6 personas

*Ingredientes:*
- 150 g de hojaldre
- 5-6 plátanos
- 1 pera
- unas gotas de limón

- 200 g de azúcar
- 1 vaso de agua
- unas grosellas
- unas hojitas de menta

*Elaboración:*

Prepara un caramelo con el azúcar, el vaso de agua y unas gotas de limón, diluyéndolos a fuego lento. Unta con él un molde.

Pela los plátanos, córtalos en trozos de la altura del molde y distribúyelos sobre el caramelo cubriendo todo el fondo.

Pela la pera, pártela en rodajas y colócalas encima.

Tápalo todo con una capa de hojaldre fina introduciéndola también por los bordes. Hornea durante 30 minutos a unos 160º.

Retira la tarta del horno, vuélcala sobre un plato y quita el molde. Decora con unas grosellas u otras frutas rojas y unas hojitas de menta.

---

## 1.057 – TARTA DE QUESO

Para 4-6 personas

*Ingredientes:*
- 300 g de queso fresco
- 100 cc de leche
- 100 g de azúcar
- 100 g de mantequilla
- 50 g de harina
- 1 huevo
- pasta quebrada
- mermelada de melocotón

*Elaboración:*

Bate en un bol la mantequilla, el huevo y el azúcar, ayudándote con una varilla. Añade después, mezclando, el queso fresco, y, por último, la harina y la leche. Bate bien la masa con ayuda de la batidora.

Forra el fondo de un molde con pasta quebrada y hornéala. Coloca la masa encima y vuelve a hornear durante 30 minutos aproximadamente a 180º.

Desmolda la tarta y báñala con mermelada de melocotón.

También puedes adornar la tarta con mermeladas de diferentes sabores (frambuesa, melocotón, arándanos, fresas, etc.).

---

## 1.058 – TARTA DE QUESO Y FRUTAS

Para 6-8 personas

*Ingredientes:*
- 3 huevos
- 1 kiwi

- un molde forrado de pasta quebrada
- 1 bote pequeño de leche condensada
- 250 g de crema de queso (de untar)
- 2 plátanos
- 1 manzana
- unas uvas negras
- mermelada

*Elaboración:*

Hornea el molde con la pasta quebrada hasta que esté hecha. Bate el queso con la leche condensada y los huevos, viértelo en el molde y métalo en el horno, previamente calentado a 170º, durante unos 30 minutos.

Después, sácalo y deja que enfríe. Cúbrelo con la fruta pelada y troceada (excepto las uvas) y báñalo con un poco de mermelada.

Por último, desmolda y sirve.

## 1.059 – TARTA DE SANTIAGO

*Ingredientes:*
masa:
- 1 huevo
- 125 g de azúcar
- harina
- canela
- agua

relleno:
- 4 huevos
- 250 g de azúcar
- 250 g de almendras
- ralladura de limón
- canela
- azúcar glas

*Elaboración:*

Masa: amasa el huevo con 1 cucharada de agua, el azúcar y la canela. Añade harina poco a poco hasta que no admita más.

Relleno: bate los huevos con el azúcar y la ralladura de limón, y cuando empiece a espumar, añade la almendra molida y la canela.

Estira la masa y forra un molde previamente engrasado. Rellena el molde con la masa y hornea a 180º hasta que se cueza y esté ligeramente dorado (25-30 minutos aproximadamente). Espolvorea con azúcar glas.

## 1.060 – TARTA DE UVAS Y PLÁTANOS

Para 6-8 personas

*Ingredientes:*

- 250 g de pasta quebrada
- 200 g de crema pastelera
- 1 o 2 plátanos
- mermelada de albaricoque
- 1 racimo hermoso de uvas
- 3 claras
- 150 g de azúcar
- almendras fileteadas
- guindas en licor (opcional)

*Elaboración:*

Estira la pasta quebrada y hornéala unos 10 minutos a 180º. Saca la pasta del horno y coloca sobre ella la crema pastelera, el plátano en rodajas y encima las uvas peladas hasta cubrirlo todo. Extiende la mermelada por encima y mete la tarta en el horno a 160º unos 20 minutos.

Mientras, haz merengue montando las claras y añadiendo el azúcar, y decora con él la tarta una vez fuera del horno.

Por último, gratínala un minuto y adorna con las guindas y las almendras fileteadas.

## 1.061 – TARTA FÁCIL DE FRUTAS

Para 6-8 personas

*Ingredientes:*

- 1 pera
- 1 manzana
- 2 plátanos
- ralladura de 1 limón
- ralladura de 1 naranja
- 100 g de mantequilla
- 100 g de harina
- 1 sobre de levadura
- 2 cuch. de leche
- 3 huevos

- 4 cuch. de nueces picadas
- 5 cuch. de azúcar
- azúcar glas

*Elaboración:*

Unta con mantequilla una fuente de horno redonda y coloca las frutas mezcladas y cortadas en aros, y espolvorea con la ralladura de naranja y limón y 2 cucharadas de azúcar. Esparce por encima las nueces picadas, tapa con papel de plata y mételo en el horno unos 10 o 15 minutos a 200º.

Aparte, bate los huevos, añade 3 cucharadas de azúcar, la mantequilla y vuelve a batirlo despacio durante 5 minutos. Bien. Después agrega la leche, y por último la harina en forma de lluvia con la levadura y mézclalo bien con la batidora. Viértelo sobre la fruta y vuelve a taparlo con el papel de plata. Mételo en el horno durante 20 minutos a 180º. Sirve el postre en el mismo molde espolvoreando la superficie con azúcar glas.

---

## 1.062 – TARTA FÁCIL DE PIÑA

Para 6-8 personas

---

*Ingredientes:*
- 10-12 magdalenas cuadradas
- 3 cuch. soperas de harina de maíz refinada
- 1 lata de piña de 1 kg
- 3 huevos
- 6 cuch. de azúcar
- 1 ½ vaso de agua

*Elaboración:*

Forra un molde de tarta con las magdalenas cortadas por la mitad. Escurre la piña y reserva el jugo. Tritúrala con la batidora y extiéndela sobre las magdalenas. Calienta en un cazo un vaso y medio del jugo junto con un vaso y medio de agua. Mientras, bate 3 yemas con 3 cucharadas de azúcar, la harina de maíz refinada y medio vaso de jugo de piña. Añade este batido poco a poco al cazo, hasta que tengas una mezcla espesa. Vierte la mezcla encima de la piña triturada.

Con las claras y 2 o 3 cucharadas de azúcar haz un merengue

y échalo por encima de la tarta. Gratínala lo justo para dorar el merengue. Por último, desmolda y sirve.

---

## 1.063 – TARTA FRÍA DE LIMÓN

Para 4-6 personas

*Ingredientes:*

- una base de bizcocho
- un bote pequeño de leche condensada
- 2 limones
- ¼ litro de nata montada
- mermelada ligera

para adornar:
- unas hojas de menta
- gajos de limones y naranjas

*Elaboración:*

Mezcla en un bol la leche condensada, el zumo de los limones y la ralladura de uno de ellos. Cuando esté bien mezclado, añade con cuidado la nata montada y remueve hasta obtener una masa homogénea.

Coloca la base de bizcocho en un molde alto (unos cm más que el bizcocho) y cúbrelo con la masa hasta el borde. Enfríalo, al menos durante 2 horas, en la nevera y desmolda.

Por último, unta la tarta con la mermelada y decora con gajos de limón y naranja y unas hojas de menta.

---

## 1.064 – TARTA HELADA

Para 6-8 personas

*Ingredientes:*

- 4 huevos
- 200 g de nata montada
- 200 g de avellanas o almendras molidas
- 4 cuch. de azúcar
- 1 chorrito de brandy
- lenguas de gato y virutas de chocolate

caramelo:
- agua
- azúcar

En un bol, monta las claras a punto de nieve. Una vez montadas, añade la mitad del azúcar, las avellanas, la nata y las yemas, también montadas, con el resto del azúcar. Mézclalo todo bien y añade el brandy. Vuelve a mezclar y colócalo en un molde untado de caramelo que habrás preparado calentando azúcar con un poco de agua. Mételo en el congelador.

Por último, desmolda y acompaña la tarta con lenguas de gato y virutas de chocolate por encima.

## 1.065 – TARTA TATÍN

*Ingredientes:*
- 1 kg de manzanas reinetas
- 250 g de hojaldre
- zumo de ½ limón
- 500 g de azúcar
- agua

*Elaboración:*

En una sartén haz el caramelo con el azúcar.

Carameliza el fondo de la tartera. Coloca encima las manzanas peladas, sin corazón y troceadas.

Una vez dispuestas las manzanas en la tartera, tapa todo con la masa de hojaldre y mete en el horno durante más o menos 1 hora a 150º.

Saca del horno, coloca la tarta sobre una fuente y baña con el caramelo restante en la sartén, al que habrás añadido el zumo de medio limón para que no cristalice.

## 1.066 – TATÍN DE PLÁTANOS

*Ingredientes:*
- 150 g de hojaldre
- unas gotas de limón

- 1 vaso de agua
- 5 plátanos
- 200 g de azúcar

*Elaboración:*

Prepara un caramelo oscuro con el azúcar, el vaso de agua y unas gotas de limón, diluyéndolos a fuego lento en un molde de tarta.

Pela los plátanos, cortándolos en trozos de 3 o 4 cm de grosor. Distribúyelos en el molde sobre el caramelo, hasta que cubran el fondo del molde.

Tapa los plátanos con una capa de hojaldre muy fina, que también debe cubrir los laterales de la tarta.

Hornea durante 30 minutos a unos 160º, hasta que suba el hojaldre y se dore.

Retira del horno, vuelca la tarta sobre un plato de servicio y quita el molde. Sirve caliente.

# 1.067 – TORRIJAS AL VINO TINTO

*Ingredientes:*

- 12 rodajas de pan
- 2 vasos de vino tinto
- 200 g de azúcar
- ralladura de una naranja
- canela en polvo
- harina

- huevos
- aceite

para acompañar:
- mermelada de grosellas o de fresa

*Elaboración:*

Pon a macerar las rodajas de pan con el vino tinto y la mitad de azúcar. Bate los huevos con la ralladura de la naranja.

Cuando el pan esté bien empapado de vino, saca y reboza en harina y después en el huevo batido. Fríe en aceite muy caliente.

Retira, escurre y rocía con azúcar y canela en polvo. Puedes servir adornando el fondo del plato con una mermelada de grosellas o de fresa.

## 1.068 – TORTILLA ALASKA

*Ingredientes:*

- bizcocho
- 1 litro de helado
- 1 copa de brandy o de otro licor
- 10 claras de huevo
- macedonia de frutas de temporada
- azúcar

*Elaboración:*

Sobre el bizcocho coloca la macedonia, echa su jugo y distribuye el helado.

Cúbrelo todo con merengue, esto es, las claras montadas a punto de nieve con un poco de azúcar, y flambea con el brandy.

## 1.069 – TRUFAS DE CHOCOLATE

Para 6-8 personas

*Ingredientes:*

- 300 g de chocolate negro
- 200 g de chocolate blanco
- 1 bote de leche condensada
- 100 g de mantequilla
- 1 chorrito de brandy
- fideos de chocolate
- azúcar glas
- chocolate en polvo

*Elaboración:*

Deshaz al baño maría el chocolate, y cuando comience a derretirse añade la mantequilla y mézclalo todo bien. Después, agrega el chorrito de licor poco a poco y la leche condensada, removiendo hasta obtener una masa homogénea. Deja que enfríe la masa dentro de la nevera durante 4 horas aproximadamente para que quede dura (si tienes prisa, la puedes meter en el congelador menos tiempo). Pasado este tiempo, coge porciones de masa con ayuda de una cuchara y con las manos dales forma redondeada. Por último, cubre las trufas con fideos de chocolate, azúcar glas o lo que hayas elegido para la cobertura.

# Breve vocabulario de cocina

**Abocado.** Es un vino de sabor ligeramente dulce.

**Abrillantar.** Dar brillo con jalea o grasa a un preparado.

**Acanalar.** Hacer canales o estrías en el exterior de un género crudo.

**Aderezar.** Acción de agregar sal, aceite, vinagre, especias, etc., a ensaladas u otras preparaciones frías. Dar su justo sabor a una comida, con la adición de sal u otras especias.

**Adobar.** Colocar un género entero o troceado crudo dentro de un preparado llamado «adobo» con objeto de darle un aroma especial, ablandarlo o simplemente conservarlo.

**Adobo.** Preparación que admite ingredientes diversos (especias, vinagre, vinos, aceite, sal, etc.).

**Afrutado.** Vino que tiene un sabor o aroma que recuerda a la fruta. Es un adjetivo que denota una buena uva.

**Agarrarse.** Que se pega al fondo del recipiente una preparación culinaria, dándole mal sabor, olor y color.

**Albardar.** Cubrir, envolviendo, una pieza de carne (generalmente de vaca, ternera, ave, etc.) con unas láminas delgadas de tocino para evitar que quede seca cuando la cocinemos.

**Aliñar.** Aderezar o sazonar.

**Amasar.** Trabajar una masa con las manos.

**Aplastar.** Reducir el espesor de un artículo, por medio de un utensilio o simplemente con la mano.

**Aprovechar.** Utilizar restos de comida para otros preparados. Recoger totalmente restos de pastas, cremas, etc.

**Aromatizar.** Añadir a un preparado elementos con fuerte sabor y olor.

**Arreglar o aviar.** Preparar de forma completa un ave u otro género, para su asado, cocción, etc.

**Arropar.** Tapar con un paño un preparado de levadura para facilitar su fermentación.

**Asar.** Cocinar un género en el horno, parrilla o asador con grasa solamente de forma que quede dorado exteriormente y jugoso en su interior.

**Aspic.** Género cocinado, colocado dentro de una gelatina dorada.

**Asustar.** Añadir un líquido frío a un preparado que esté en ebullición, con el fin de que momentáneamente deje de cocer.

**Bañar.** Cubrir totalmente un género con una materia líquida pero suficientemente espesa como para que permanezca.

**Baño maría.** Recipiente de bastante más altura que diámetro con mango o pequeñas asas que se utiliza para contener jugos, salsas, etc. Recipiente con agua caliente que sirve para contener los «baños» anteriormente citados y conservar su temperatura. Forma de cocción.

**Batir.** Sacudir enérgicamente con las varillas batidoras una materia hasta que adquiera cierta consistencia o densidad deseada.

**Biscuit.** Preparación fría y espumosa.

**Blanquear.** Cocer un alimento, siempre en agua hirviendo, como proceso previo a su cocinado, durante un tiempo variable.

**Bouquet garni.** Ramillete atado que se puede componer de laurel, perejil, tomillo, apio y verde de puerro.

**Brasear.** Cocer los alimentos brevemente después de haberlos soasado en un mínimo líquido y con el recipiente tapado.

**Brick.** Obleas de pasta muy fina.

**Bridar o embridar.** Fijar con ayuda de una aguja y bramante los miembros de un ave. Sujetar con bramante o dar la forma deseada a una pieza antes de su preparación.

**Canal.** Cuerpo de bóvidos (ternera, vaca, etc.) u ovinos (cordero, cabrito, etc.) desprovistos de vísceras torácicas, abdominales y pelvianas, excepto los riñones, con o sin piel, patas y cabeza.

**Caramelizar.** Untar un molde o cubrir un género con azúcar a punto de caramelo.

**Cincelar.** Efectuar pequeños cortes sobre los lomos de un pescado para facilitar su cocción.

**Clarificar.** Operación que tiene por objeto: a) dar o conseguir lim-

pieza o transparencia a una salsa, caldo, consomé o gelatina; b) separar la caseína y cuerpos extraños de la mantequilla fundida.

**Clavetear.** Introducir «clavos», especia muy olorosa, en cebolla u otro género similar al objeto de que el preparado culinario adquiera su aroma característico.

**Cobertura de chocolate.** Chocolate rico en manteca de cacao, que se emplea para cubrir o envolver diversas preparaciones.

**Cocer.** Hacer entrar en ebullición un líquido. Transformar por la acción del calor, el gusto y propiedades de un género. Ablandar y hacer digeribles los artículos. Cocinar o guisar.

**Cocer al baño maría.** Cocer lentamente un preparado poniéndolo en el interior de un recipiente que, a su vez, debe introducirse en otro mayor con agua, poniéndose el todo en el horno o fogón.

**Cocer al vapor.** Cocer o cocinar un preparado en recipiente puesto dentro de otro y con vapor de agua.

**Cocer en blanco.** Cocer al horno en moldes una pasta sin aderezos, sustituyendo éstos por legumbres secas.

**Concassé.** Picar un género de forma gruesa (perejil, tomate, etc.).

**Condimentar.** Añadir especias a un género para darle sabor.

**Corregir.** Modificar un sabor dominante en una preparación por adición de otra sustancia.

**Coulis.** Puré (tomate, cangrejo, etc.) que se somete a una evaporación completa de su jugo.

**Crocante.** Dícese de alimento o

preparación resistente al diente (crujiente).

**Decantar.** Suprimir, normalmente por trasvase, las impurezas o cuerpos extraños de un jugo, salsa, aceite, preparación líquida, etc.

**Decocción.** Cocer en agua hirviendo hierbas o plantas aromáticas para obtener su extracto.

**Decorar.** Embellecer con adornos un género, para su presentación.

**Desacar.** Sacar por evaporación un preparado al fuego.

**Desalar.** Sumergir un género salado en agua, fría por lo general, para que pierda la sal.

**Desangrar.** Sumergir en agua fría una carne o pescado para que pierda la sangre. También se dice de la operación de despojar a una langosta, o similar, de la materia que en crudo tiene en la cabeza, preparándola así para su posterior empleo.

**Desglasar.** Añadir un líquido (agua, vino, aguardiente, etc.) al utensilio donde previamente se haya cocinado un ave, un pescado o una carne, para recuperar la grasa o jugo depositado y caramelizado que contenga.

**Desgrasar.** Quitar la grasa de un preparado.

**Deshuesar.** Separar los huesos de una carne.

**Desmoldear o desmoldar.** Sacar un preparado del molde del que se conservará la forma.

**Desollar.** Quitar la piel a un animal.

**Desplumar.** Despojar de las plumas.

**Dorar.** Dar con huevo batido sobre una pasta para que se dore durante su cocción. Caramelizar la superficie de un pescado, carne o ave. Freír un alimento hasta que adopte un color dorado. Dorar al horno. Dar bonito color dorado a un frito, asado o cocido al horno.

**Emborrachar.** Empapar con almíbar, licor o vino un postre.

**Empanar.** Pasar por harina, huevo batido y pan rallado un género.

**Emplatar.** Poner un preparado terminado en la fuente de servir.

**Encamisar, camisar o forrar.** Cubrir las paredes interiores de un molde con una capa de pasta, gelatina, etc., dejando un hueco central para rellenar con otro preparado distinto.

**Encolar.** Adicionar gelatina a un preparado líquido para que, al enfriarse, tome cuerpo y brillo.

**Enfondar.** Forrar el fondo de un molde o tartera.

**Engrasar.** Untar con mantequilla u otra grasa el interior de un molde o recipiente.

**Enharinar.** Cubrir de harina las superficies de un género.

**Envejecer.** Dar tiempo a una carne para que logre cierto punto de pasada.

**Escabechar.** Preparación de algunos géneros (ya cocinados) en un líquido aromatizado con especias y vinagre para conservarlos y que adquieran un sabor característico.

**Escaldar.** Sumergir en agua hirviendo un género, manteniéndolo poco tiempo.

**Escalfar.** Mantener en un punto próximo a la ebullición del líquido un género sumergido en él. Cocción de pocos minutos. Cocer en líquido graso y corto un género.

**Escalopar.** Cortar en láminas gruesas y sesgadas un género.

**Escamar.** Quitar las escamas de un pescado.

**Espolvorear.** Repartir en forma de lluvia un género en polvo.

**Espumar o desespumar.** Quitar con la espumadera las impurezas que en forma de espuma floten en un preparado durante la cocción. También significa formar espuma.

**Estirar.** Trabajar una masa con rodillo para adelgazarla. Conseguir mayor rendimiento del normal en un género al racionarlo.

**Estofar.** Hacer un guisado muy tapado, en el que todos los componentes son crudos y se cocinan a la vez.

**Farsa.** Compuesto de una o varias materias que sirve para rellenar manjares.

**Filetar.** Cortar un género en lonjas delgadas y alargadas.

**Finas hierbas.** Compuesto de perejil, perifollo, estragón y cebollino.

**Flambear.** Rociar un plato o postre con licor y prenderle fuego. Los platos flambeados deben servirse en llamas.

**Flamear.** Pasar por llama, sin humo, un género.

**Freír.** Introducir en una sartén con grasa caliente un género para su cocinado, debiendo formar costra dorada.

**Fumet.** Extracto muy concentrado de carnes, aves o pescado. Se consigue dejándolos en ebullición para reducir al máximo el caldo y machacando en él carnes y huesos, pasándolo luego por el tamiz.

**Glasa.** Especie de jarabe salado o dulce (glasa de azúcar).

**Glasear.** Obtener una capa lisa y brillante en la superficie del alimento.

**Gratinar.** Hacer tostar a horno fuerte o gratinador la capa superior de un preparado.

**Guarnecer.** Acompañar a un género principal de otros géneros menores sólidos que reciben el nombre de guarnición.

**Helar.** Congelar por medio de temperaturas –0º una mezcla.

**Hervir.** Cocer un género por inmersión en un líquido en ebullición. Hacer que un líquido entre en ebullición por la acción del calor.

**Infusión.** Resultado de añadir agua hirviendo sobre una planta aromática para extraer su color, aroma y sabor.

**Juliana.** Forma de cortar en tiras (de 3 a 5 cm de largo por 1 a 3 mm de grueso).

**Levadura.** Fermento en polvo o prensado que hace aumentar el volumen de una masa, volviéndola esponjosa.

**Levantar.** Poner de nuevo una preparación en ebullición.

**Ligar.** Añadir a un preparado un elemento de ligazón para espesar. Mezclar diversos ingredientes de forma homogénea.

**Liz.** Cordel fino, bramante para atar o bridar alimentos.

**Macedonia.** Mezcla de legumbres o frutas cortadas en dados.

**Macerar.** Poner en remojo alimentos durante un tiempo para que adquieran aroma y sabor.

**Majar.** Quebrar de forma grosera; machacar de forma imperfecta.

**Mantequilla.** Clarificada: fundida y decantada. Pomada: reblandecida.

**Marcar.** Preparar las operaciones básicas para iniciar la confección de un plato, a falta de su cocción.

**Marinar o enmarinar.** Poner géneros, generalmente carnes o pescados, en compañía de vino, hierbas aromáticas, etc., para conservarlos, aromatizarlos o ablandarlos. La palabra hace referencia al agua marina utilizada antiguamente para este fin.

**Mechar.** Introducir en una carne cruda, con ayuda de una mechadora, tiras de tocino en forma de mecha. También, trufas o jamón, o cualquier otro ingrediente.

**Mojar.** Añadir a un preparado el líquido necesario para su cocción.

**Montar.** Colocar los géneros, después de guisados, sobre un plato. Sinónimo de batir.

**Napar.** Sinónimo de cubrir un preparado con un líquido espeso que permanezca.

**Panaché.** Término que se aplica a diversas hortalizas o verduras previamente cocidas, que se presentan juntas como plato o guarnición.

**Papillote.** Alimento cocinado y servido en una envoltura de papel vegetal o aluminio bien cerrada.

**Pasado.** Punto de los géneros crudos que no están frescos y bordean el punto de descomposición, sin acabar de llegar a él. Excesivamente cocido. Colado.

**Pasta brisé.** Pasta quebrada.

**Perfumar.** Aromatizar.

**Picar.** Cortar finamente un género. Mechar superficialmente un preparado.

**Pochar.** Véase rehogar.

**Prensar.** Poner unos pesos apropiados encima del preparado para comprimirlo. También se lo puede poner dentro de un molde-prensa.

**Provenzal.** Miga de pan o pan rallado, ajo y perejil, mezclado, que se añade en algunas preparaciones.

**Pudín o budín.** Especie de pastel dulce o salado.

**Racionar.** Dividir un género en porciones o fracciones para su distribución.

**Rallar.** Desmenuzar un género por medio de la máquina ralladora o el rallador manual.

**Rebozar.** Cubrir un género con una ligera capa de harina y otra posterior de huevo batido, antes de freírlo.

**Rectificar.** Poner a punto el sazonamiento o color de un preparado.

**Reducir.** Disminuir el volumen de un preparado líquido por evaporación al hervir, para que resulte más sustancioso o espeso.

**Reforzar.** Añadir a una salsa, sopa o similar, un preparado que intensifique su sabor o color natural.

**Refrescar.** Poner en agua fría un género, inmediatamente después de cocido o blanqueado, para cortar la cocción rápidamente.

**Regar.** Verter un elemento líquido sobre un artículo de una manera uniforme.

**Rehogar.** Freír los alimentos en una sartén o cacerola a fuego lento hasta obtener el punto deseado de ternura y color.

**Remojar.** Poner un género desecado, para que recupere la humedad, dentro de un líquido frío.

**Roux.** Harina y grasa (por lo general, mantequilla) a partes iguales, en más o menos cantidad por litro, según su empleo. Constituye la base de muchas salsas, como por ejemplo la bechamel.

**Salar.** Poner en salmuera un género crudo para su conservación, toma de sabor o color característico. También, añadir sal a un alimento.

**Salsear.** Cubrir de salsa o jugo un género, generalmente al ser servido.

**Saltear.** Cocinar total o parcialmente con grasa y a fuego violento (180-240º) para que no pierda su jugo un preparado que debe salir dorado.

**Soasar.** Medio asar o asar ligeramente un alimento.

**Sofreír.** Véase rehogar.

**Sudar.** Cocción lenta de ciertos géneros en recipiente cubierto con un elemento graso sin adición de líquido. En piezas de carne, hasta que aparezcan las primeras gotas de jugo.

**Tamizar.** Separar con el tamiz o cedazo las partes gruesas. Convertir en puré un género sólido, usando un tamiz.

**Tornear.** Dar forma regular a una hortaliza o fruta para embellecerla.

**Trajabar.** Remover, amasar, etc., una masa o género para conseguir homogeneidad.

**Trabar.** Ligar una salsa, crema, etc., por medio de huevos, féculas, etcétera.

**Trinchar.** Cortar limpiamente un género.

**Volován.** Corteza hueca de hojaldre con tapa para rellenar.

# Índice alfabético

(Los números corresponden a la página del libro.)

708

710

712

# Índice por temas

(Los números corresponden a la página del libro.)

717